W0363648

Herausgegeben durch:

united book
& media gmbh

» breuss verlag

E-Mail: office@unitedbookgroup.com

Vom Autor „Die wundersame Leber- & Gallenblasenreinigung"

Zeitlose Geheimnisse der
Gesundheit & Verjüngung

Durchbruch-Medizin für das 21. Jahrhundert | Band 1

Andreas Moritz

Befreien Sie die natürliche Heilkraft, die in Ihnen schlummert!

Impressum

4.Auflage 2014
E-Mail: office@unitedbookgroup.com

Übersetzung / Lektorat:
Sabine Hilgers & freie Lektoren

Titel der Originalausgabe:
'Timeless Secrets of Health and Rejuvenation'

Cover:
Beyond the Horizon © by Andreas Moritz
medienpoint schneider (Jacqueline Schneider)

Satz, Gestaltung:
medienpoint schneider (Jacqueline Schneider)

Herausgeber:
United Book & Media GmbH i.G.
ISBN: 978-3-95483-014-5

Printed in the EU

Über Andreas Moritz

Andreas Moritz war Anhänger der intuitiven Medizin; Ayurveda, Iridologie-, Shiatsu- und Schwingungsmedizin-Fachmann; Schriftsteller und Künstler. Andreas wurde 1954 im Südwesten Deutschlands geboren und musste sich bereits ab einem sehr frühen Alter mit vielen schweren Erkrankungen auseinandersetzen, die ihn bereits im Kindesalter dazu zwangen, sich über Diät Ernährung und verschiedene naturheilkundliche Methoden zu informieren und sie zu erlernen.

Im Alter von 20 Jahren hatte er sowohl seine Irdologieausbildung – die Wissenschaft der Augendiagnostik – als auch seine Diätetikausbildung abgeschlossen. 1981 begann Andreas in Indien ayurvedische Medizin zu studieren und im Jahre 1991 schloss er seine Ausbildung zum Ayurveda-Praktiker in Neuseeland ab. Anstatt sich nur mit der Behandlung von Krankheitssymptomen zufriedenzugeben, widmete Andreas sein Lebenswerk dem Verständnis und der Behandlung der Krankheitsursachen. Aufgrund dieses ganzheitlichen Ansatzes erzielte er große Erfolge bei der Behandlung unheilbaren Krankheiten, bei denen sich konventionelle Heilmethoden als zwecklos erwiesen.

Seit 1988 praktizierte er die japanische Heilkunst Shiatsu, durch die er Einblicke in das Energiesystem des Körpers gewonnen hatte. Darüber hinaus widmete er sich 12 Jahre lang der Erforschung des Bewusstseins und dessen wichtiger Rolle auf dem Gebiet der Geist-/Körper-Medizin.

† Andreas Moritz verstarb im Oktober 2012.

Inhaltsverzeichnis

Vorwort

Anfangs habe ich es nicht geplant, solch ein großes Buch zu schreiben. Ich habe erfahren, dass die Herausgeber große Bücher nicht mögen. Auch die Leser kaufen keine großen Bücher, weil sie meistens an schnellen Lösungen ihrer gesundheitlichen Probleme interessiert sind und, wenn überhaupt, nur wenig Zeit investieren möchten, um zu erfahren bzw. zu lernen, wie man gesund wird und bleibt.

Dann habe ich mich trotzdem entschieden, dieses Buch für mich selbst zu schreiben. Ich wollte meine Beobachtungen, meine neu gewonnenen Einblicke, die von mir gezogenen Schlüsse aus jahrzehntelangen Erfahrungen mit Menschen niederschreiben. Diese Menschen waren krank, wussten aber nicht, wie sie ihre Gesundheit wieder finden und sie behalten können, um am Leben wieder teilhaben und ein dynamisches Leben führen zu können. Dabei stolperte ich über die Mechanismen, die hinter jeder Krankheitsentwicklung verborgen liegen.

„Warum werden Menschen krank?" war meine erste Frage, die ich mir selbst bereits als Kind stellte. Schon damals litt ich unter einer lebensbedrohlichen Form von Arrhythmie, sowie schwerer Anämie, jugendlicher rheumatischer Arthritis und häufigen Ohnmachtsanfällen. Ich fand heraus, warum ich so krank war, lernte auch, was ich tun konnte, um mich selbst zu heilen und um weiterhin gesund zu bleiben. Jetzt mit 56 Jahren bin ich ebenso gesund, jung und vital, wie ich es nur sein kann. In diesem Buch teile ich mit dem Leser die zeitlosen Geheimnisse, trotz fortschreitenden Alters gesünder, glücklicher, erfüllter und jünger zu werden bzw. zu bleiben.

Dieses Buch kann für Sie eine Anregung sein. Das Wichtigste, was Sie verstehen sollten, ist: die Informationen und Anleitungen hieraus werden für Sie ein Segen sein, unabhängig davon, unter welcher Krankheit oder Beeinträchtigung Sie leiden. Sie werden Ihr Leben verwandeln und sich reich beschenkt fühlen, das alles ist eigentlich unbezahlbar. Sie werden feststellen, dass die Krankheit nicht bekämpft werden muss, sondern eine unterstützende Haltung erfordert. Diese Erfahrung wird Sie bereichern und verjüngen.

Wahrnehmung ist sehr wichtig. Wie Sie sich selbst wahrnehmen, alles Geschehene, bestimmt schließlich über Ihr Leben und auch darüber, wie schnell die Heilung eintritt. Lassen Sie sich durch dieses Buch zu einem neuen Anfang, zum Wachstum und zur Erweiterung Ihres eigenen Vertrauens zu sich selbst, Ihrem wunderbaren Körper und dem Universum anregen.

Andreas Moritz, Oktober 2010

**„If it's never our fault,
we can't take responsibility for it. If we can't take responsibility for it, we'll always be its victim."**

~ Richard Bach

Wenn es nie unsere Schuld ist,
können wir nicht die Verantwortung dafür übernehmen.
Wenn wir nicht die Verantwortung dafür übernehmen können,
werden wir immer Opfer sein.

~ Richard Bach

Einführung

Gute Gesundheit ist der wertvollste Besitz, den Sie vielleicht haben können. Diese einfache Wahrheit gilt sowohl für ein neugeborenes Baby als auch für einen Senioren, eine Mutter, einen Arzt, den normalen Menschen auf der Straße, oder den Präsidenten eines Landes. Wenn Ihr Körper krank wird oder sich in Ihren Augen nicht normal verhält, kann es zu einem Zustand des Unbehagens, der Angst oder Depression kommen, der nur behoben werden kann, indem Sie die vorherige Gesundheit und Vitalität Ihres Körpers wiederherstellen. Damit Sie sich wirklich im Einklang mit sich und Ihrer Umgebung fühlen, müssen Sie in der Lage sein, jede Art von „Krankheit" zu heilen.

Sie sind tatsächlich selber zur Heilung fähig. Ihr Gesundheitszustand ist nur eine Reflexion dessen, wie Sie sich und Ihre Umwelt wahrnehmen. Dies legt natürlich die Verantwortung für Ihr Wohlergehen dahin, wo sie hingehört – in Ihre eigenen Hände. Sobald Sie erst einmal vor Gesundheit sprühen, werden Sie sich nicht nur wohlfühlen. Sie werden „vollständig" sein, vielleicht zum allerersten Mal in Ihrem Leben.

Zeitlose Geheimnisse der Gesundheit und Verjüngung kann Ihnen helfen, die enorme Heilkraft in Ihrem Innern zu entfesseln sowie das Gleichgewicht auf allen Ebenen von Körper, Geist und Seele wiederherzustellen. Der Gebrauch Ihrer eigenen Heilkräfte erzeugt eine dauerhafte Behaglichkeit oder ein stetiges Zufriedenheitsgefühl, das die Basis für ein kreatives, erfolgreiches und erfülltes Leben bildet.

Wenn Sie krank werden oder Ihr Körper ungewöhnlich schnell altert, könnten Sie nach einem Heilmittel suchen wollen, das schnelle Linderung verspricht. Heutzutage gibt es Medikamente oder Behandlungen für nahezu fast jede Krankheit. Sie werden dazu verleitet zu glauben, dass Sie gleich die komplette Krankheit besiegt haben, wenn Sie nur die Symptome der Krankheit, wie z. B. Schmerz, unterdrücken. Dieser unbegründete Glaube scheint sich tief in unseren Verstand eingebrannt zu haben. Die Pharmaindustrie spielt hierbei eine große Rolle, da sie uns meist ausschließlich symptomorientierte Behandlungen anbietet. Natürlich macht uns unsere eigene Ungeduld zu perfekten Kandidaten für diese schnell wirkenden Heilmittel. Aber jedes Mal, wenn wir nur ein Symptom beseitigen, ohne uns mit dessen Ursache zu beschäftigen, entfernen wir uns weiter von der Wiederherstellung des Gleichgewichts, das für den Erhalt unserer Gesundheit und Vitalität notwendig ist. Folglich bleibt gute Gesundheit nur ein Traum und wir müssen uns der Krankheit weitgehend geschlagen geben, indem wir Aussagen tätigen, wie „Tja, so ist das Leben!" oder „Wir alle müssen an etwas sterben!".

Bei der Wiedergewinnung Ihrer Gesundheit geht es nicht um das Anwenden einer Zauberformel; vielmehr geht es um einen Wiederaufbauprozess, der jeden Bereich Ihres Lebens wie Kreativität, Job, Beziehungen, Gefühle, Glück, usw. beeinflusst. Es wäre sehr naiv anzunehmen, dass ein paar Vitamintabletten, ein neues Wunderheilmittel, eine Operation oder eine alternativmedizinische Behandlung spontan die Nachlässigkeiten vieler Jahre rückgängig machen könnte. Der Körper hat vielleicht über Jahre hinweg Belastungen durch schlechte Ernährung oder Schlaf- und Trainingsmangel aushalten müssen. In Zeitlose Geheimnisse der Gesundheit und Verjüngung geht es darum, die Voraussetzungen für den Körper zu schaffen, damit er kann, was er am besten weiß – Balance schaffen und bewahren –, unabhängig von Alter und bisherigen Gesundheitsproblemen. Sie können den Schlüssel finden, um jeden Bereich Ihres Lebens ins Gleichgewicht zu bringen. Sie müssen nur anfangen, Verantwortung für Ihre eigene Gesundheit zu übernehmen.

Dieses Buch beschäftigt sich mit den meisten zentralen Gesundheitsfragen, wie Lebensstil, Diät, Ernährung, Bewegung, Tagesablauf, Sonneneinstrahlung und dergleichen, von denen einige von der Ayurvedischen Medizin abgeleitet werden. Ayurveda, was wörtlich Lebenswissenschaft bedeutet, ist das älteste und vollständigste System natürlicher Gesundheitsfürsorge. Abgesehen davon, dass Sie Einblicke in die ayurvedischen Geheimnisse des Heilens und der Langlebigkeit gewinnen, erlernen Sie auch, wie man mehrere hoch wirksame und tiefe Reinigungsverfahren anwendet, die auf Ihr körperliches, emotionales und geistiges Wohlbefinden scheinbar wunderbare Auswirkungen haben werden. Die in diesem Buch vereinfacht dargestellten wissenschaftlichen Erkenntnisse und der gesunde Menschenverstand erzeugen die Motivation, den Schlüssel der Gesundheit und Verjüngung „zu drehen". Das Buch wirft ebenfalls Licht auf die gängigsten Krankheiten und heutigen missverstandenen medizinischen Verfahren, derer sich jeder bewusst sein sollte.

Hinsichtlich der Verbesserung unserer persönlichen Gesundheit und des Wohlbefindens sind wir herausgefordert, eine große Veränderung, sowohl in unserem individuellen als auch im kollektiven Verhalten, gegenüber der Gesundheit und Freiheit zu machen. Wir müssen von den vorprogrammierten Erwartungen der Krankheit abrücken und in Vorfreude auf stetige Jugend und Lebenskraft altern. Die alte Redensart, dass jeder altern und sterben muss, scheint eine wiederholt überprüfte Überzeugung zu sein, der die meisten Leute in der Welt blind folgen, ohne ihre Gültigkeit in Frage zu stellen. Könnte es stattdessen möglich sein, dass Alter und Krankheiten auftreten, weil wir glauben, dass sie ein unvermeidlicher Fluch sind, dem wir alle unterworfen werden und mit dem wir verurteilt sind zu leben? Wenn ja, dann schaffen wir die Voraussetzungen zur Vollstreckung, um den Fluch oder Glauben zu erfüllen, wie es bei den meisten sich selbst erfüllenden Prophezeiungen der Fall ist. Zwar sind wir uns dieses menschlichen Dramas nicht bewusst, aber wir lassen es zu, dass wir verschiedene Methoden der Selbstzerstörung durch schädliche Ernährungsweisen, Lebensstil und Verhalten annehmen. Direkt von frühster Kindheit an haben unsere Eltern, Lehrer und die Gesellschaft uns zur „Tatsache" verurteilt, dass der Körper keine andere Wahl hat als zu verfallen und schließlich an Alter oder Krankheit zu sterben. Früher wären Sie nur zum Arzt gegangen, wenn Sie sich krank gefühlt hätten. Heute müssen Sie schon vor Ihrer Geburt zu regelmäßigen Vorsorgeuntersuchungen, was sich dann bis an Ihr Lebensende weiterführt. Der allgemeingültige Glaube, dass Menschen zerbrechliche Wesen sind, die regelmäßig ärztlichen Beistand benötigen, besonders im Alter, erzeugt eine Art Kontrollverlust, eine Art Sog, der uns auf mysteriöse Weise in einen dunklen Zeittunnel zieht, den wir Altern nennen.

Das Gefühl, nicht mehr selbst die Kontrolle zu haben, ist eine der häufigsten Ursachen körperlicher oder psychischer Erkrankungen; die meisten Menschen nennen es „Stress". Die Vorstellung, verletzlich und unsicher zu sein, erzeugt Angst, was wiederum tiefgreifende biochemische Veränderungen im Körper auslöst. Diese Veränderungen werden zur körperlichen „Realität" der Krankheit und des Alterns. Durch die intime Verbindung zwischen Geist und Körper verändert mehr oder weniger jeder Gedanke und jedes Gefühl Ihr Gesundheits- und Wohlbefinden. Jeder Anfall von Depression kann Ihr Immunsystem schwächen und sich zu verlieben kann es erhöhen.

Wenn Sie davon überzeugt sind, dass Altern natürlich ist und nicht vermieden werden kann, dann wird das die Realität sein, die Sie für sich selbst schaffen werden. Sie können aber auch die Kraft nutzen, die im Körper Zerstörung verursacht und diese auf Heilung und Verjüngung ausrichten. Sie können sich selbst beweisen, dass alt und krankheitsanfällig zu werden bloß die manifestierten Projektionen der Unwissenheit über die wahre Natur des Lebens sind. Krankheit und Altern sind kein Teil des genetischen Entwurfs Ihres Körpers. Sogar das sogenannte „Todesgen", dessen Aufgabe es ist, das Leben von Zellen in unserem Körper gemäß ihrer verschiedenen vorbestimmten Lebensdauer zu beenden, hält uns am Leben. Ohne dieses Gen würden wir alle innerhalb von Wochen an Krebs sterben. So gesehen ist kontrollierte Zerstörung der Lebensspender, und unkontrolliertes Leben, wie es der Fall bei Krebszellen ist, kann der Vorbote des Todes sein. Neue Genforschung deutet an, dass wir so alt werden können, wie wir wollen. Es gibt nichts im normalen, ursprünglichen

Aufbau unseres Körpers, was sein eigenes Altern oder Krankheiten verursacht. Jedoch gibt es reichliche Beweise dafür, dass Altern und Krankheit durch kombinierte Effekte von ängstlichen, negativen geistigen Einstellungen, Gefühlen, und übermäßiger Anhäufung toxischer Abfallstoffe im Körper entstehen.

Als Menschheit sind wir dabei, die Eitelkeit des sich an der Hypnose der gesellschaftlichen Konditionierung zu beteiligen zu erkennen, die unseren Verstand durch Fehlinformationen verdunkelt hat. Viele von uns haben bereits angefangen, Furcht und Zweifel loszulassen, die uns vom Erkennen der ungeheuren Energien abhalten, die geduldig warten, bis wir sie einsetzen. Um in unserem Leben wirklich etwas zu bewegen, müssen wir unser riesengroßes Potenzial an Energie, Kreativität und Intelligenz für die wesentlichen Dinge des Lebens und zur Erzeugung eines tiefen Glücksgefühls nutzen. Einer der Schlüssel zur Freisetzung unseres unendlichen Potenzials ist unser Körper selbst.

Der Körper ist ständig damit beschäftigt, seine Zellen auszutauschen, was an sich ein wunderbarer und äußerst komplizierter Prozess ist, unübertroffen durch nichts, was der Mensch jemals geschaffen hat (bitte beachten Sie, dass ich mich bei Benutzung von Begriffen wie „Mensch" und „Menschheit" immer auf beide Geschlechter beziehe). Die Vielzahl der Proteine, die Bestandteil Ihrer Gene sind und die Zellen Ihres Körpers bilden, wird alle 2 bis10 Tage ersetzt. Radioisotope Studien zeigen, dass 98 Prozent aller Atome, die heute Ihren Körper zusammensetzen, in einem Jahr nicht mehr da sein werden. Dieser Erneuerungsprozess wirkt sich auf alle Teile des Körpers, einschließlich Blut, Muskeln, Organe, Fett, Knochen, Nerven und, wie vor kurzem bestätigt, auf die Hirnsubstanz aus. Mit dem stetigen Austausch aller Zellen sollten Sie in der Lage sein, einen neuen Körper und somit eine Chance auf neues Leben, mindestens einmal alle paar Jahre, zu haben. In diesem Buch werden Sie etwas über die eingebauten Mechanismen des Körpers erfahren, die die Alterungsuhr stoppen und Sie mehrere Jahre jünger und gesünder machen können.

Wir befinden uns genau in der Mitte einer enormen globalen Transformation, die die eigentliche Basis der herkömmlichen Medizin bereits außerordentlich beeinflusst, wenn auch nicht erschüttert hat. Die alte Aufteilung von Körper und Geist in vollständig voneinander getrennte und unabhängige Einheiten ist mit dem vom progressiveren Flügel der medizinischen Wissenschaft, wie der Psychoneuroimmunologie oder der Geist-Körper-Medizin, gelieferten Wissen schnell zerbröckelt. Die Trennung von Körper und Geist, die auf den alten und überholten Paradigmen des Menschenbilds basiert, hat nie wirklich existiert. Dennoch führt dieser falsche Begriff über die wahre Wirklichkeit der menschlichen Existenz fort, den Menschen glauben zu lassen, dass er im Wesentlichen ein physisches Wesen sei. Und zu einem gewissen Grad stimmen wir alle mit dieser Idee überein. Seitdem das heutige Studium und die heutige Praxis der menschlichen Gesundheit weitgehend die wichtige Rolle des Geistes, der Gefühle und Emotionen ignorieren, haben diejenigen, die verantwortlich für die Betreuung unserer Wohlbefinden sind, kaum eine Chance, uns einen einigermaßen befriedigenden Gesundheitszustand zu garantieren. Durch die Lektüre dieses Buches wird offensichtlich, dass der rein Symptomorientierte Ansatz zur Gesundheitsfürsorge die Wahrscheinlichkeit echter Heilung spürbar verringert, und (statt Krankheit von der Oberfläche dieses Planeten auszurotten) tatsächlich zum Zustandekommen chronischer Krankheiten und Tod mehr beigetragen hat als jede andere Ursache.

Wir beginnen jetzt die Untrennbarkeit von Körper und Geist zu erkennen. Die bahnbrechenden Entdeckungen auf dem Gebiet der Geist-Körper-Medizin haben bereits dazu beigetragen, Tausende von Menschen wieder gesund zu machen. Das derzeitige wissenschaftliche Verständnis zeigt, dass Geist und Körper niemals als eigenständige oder unabhängige Einheiten existieren. Eine Hand kann niemals einen Brief schreiben, ohne dass es ihr der Geist nicht befiehlt. Sie können nicht einmal Ihre Augen bewegen, um diese Worte zu lesen, ohne dass der Geist Ihnen nicht die ausdrückliche Anweisung gibt ihrer Reihenfolge zu folgen. Der Geist muss also auch die richtige Wahrnehmung des Körpers und den Willen haben, um Leben aufrechtzuerhalten. Betrachten Sie zum Beispiel eine Person mit Anorexie. Weil die Gedanken der Person verzerrt werden zu glauben, dass sie fett ist, wird der Wunsch zu essen stark verringert oder gestoppt, was den physischen Körper veranlasst zu verfallen oder sogar zu sterben. Damit sind Körper und Geist eng miteinander verbunden und voneinander abhängig. Unser Leben wird kontrolliert durch einen, wie ich es nenne, „super intelligenten Körper-Geist". Ohne seine überwachende Präsenz würden die über 60-100 Trillionen Zellen des Körpers mit ihren über eine Trillionen biochemischen Reaktionen pro Sekunde proportional so viel Chaos und Durcheinander erzeugen, wie bei der Auflösung des Universums verursacht würde.

Sie können ebenfalls die enge Verbindung zwischen Geist und Körper spüren, wenn Sie Magenschmerzen bekommen, wenn Sie sich ärgern oder wenn Sie nach dem Erhalt einer sehr schmerzlichen Information in Ohnmacht fallen. Einige Leute ergrauten wortwörtlich über Nacht aufgrund eines traumatischen Ereignisses und andere erröten, wenn sie sich verlegen fühlen. Herzinfarkte können durch einen einzigen Wutanfall oder intensive Angst ausgelöst werden, unabhängig davon, ob die Herzkranzgefäße verstopft sind oder nicht. Alle Gedanken und Gefühle werden sofort in biochemische Verbindungen innerhalb des Gehirns und jedes anderen Teils des Körpers übersetzt, wodurch das äußere Erscheinungsbild und die Leistungsfähigkeit verändert werden. Tatsächlich hinterlässt jedes bisschen geistiger Aktivität eine spezifische, als Gefühl bekannte körperliche Empfindung. Gefühle sind Zusammensetzungen sowohl von geistigen Impulsen als auch von physischen Veränderungen, und sie drücken zu jedem Zeitpunkt die Gesamtheit der eigenen Gesundheit aus.

Ihr endokrines System, das als Reaktion auf Ihre geistigen Erfahrungen Hormone erzeugt, ist tatsächlich Ihre persönliche, kostenlose Apotheke. Ihre innere Apotheke kann jedes benötigte Medikament bilden und Sie sind der Apotheker, der das passende Rezept schreibt. Abhängig von Ihrer emotionalen Lage oder Reaktion auf ein bestimmtes Ereignis oder eine Herausforderung, variieren die Medikamente und Dosierungen. Diese können auch die Stresshormone Adrenalin, Cortisol und Cholesterin umfassen. Wenn sie in Ihrem Blut als Reaktion auf Wut, Angst oder Abstoßung freigesetzt werden, können diese Hormone beispielsweise Ihr Leben retten, aber wenn sie kontinuierlich abgesondert werden, können sie die Blutgefäße schädigen und das Immunsystem beeinträchtigen. Ihre Glücksgefühle treten auf der anderen Seite als Endorphine, Serotonin, Interleukin II oder andere körpereigenen Drogen auf, die mit den Erfahrungen des Vergnügens und der Zufriedenheit zusammenhängen. Wenn Sie ausreichende Mengen dieser Chemikalien produzieren, können Sie sogar in der Lage sein, den Alterungsprozess aufzuhalten.

Sorgfältig kontrollierte Studien haben gezeigt, dass Sie Ihr biologisches Alter um 10 bis 15 Jahre innerhalb von zehn Tagen reduzieren können, vorausgesetzt dass sich Ihre Interpretation Ihrer Lebenserfahrung schnellen und positiven Änderungen unterzieht. Im Gegensatz dazu können Sie auch 20 zusätzliche Jahre innerhalb eines Tages hinzufügen, wenn Sie in einen Zustand der Hoffnungslosigkeit und Depression verfallen. Hormone produzieren extrem leistungsfähige Effekte, sowohl im positiven, als auch im negativen Sinne. Jedoch noch mächtiger als Hormone sind die Gedanken und Absichten, die sie auslösen.

Seit vielen Jahren haben Krankenhäuser Fälle registriert, in denen Krebspatienten erfahren haben, was allgemein als „spontane Heilung" bekannt ist. Die Heilung eines krebsartigen Tumors oder einer anderen ernsten Krankheit kann auftreten, wenn die betroffene Person plötzlich ein Gefühl tiefen Vertrauens und beispiellosen Glücks erfährt. Andere erholten sich von einer unheilbaren Krankheit, als sie „süchtig" auf Gelächter gemacht wurden. Unsere Physis ist fähig, bisher unbekannte und extrem leistungsfähige Chemikalien als Reaktion auf eine neu angenommene Wahrnehmung der Realität bereitzustellen. Die innere Fähigkeit des menschlichen Geist-Körper-Systems kann helfen, unser hormonales System (Drüsensystem) zu einem viel höheren Grad der Leistungsfähigkeit zu entwickeln und unserem Körper Fähigkeiten zu schenken, die über unseren gegenwärtigen Kenntnisstand oder die Fantasie hinausgehen. Die Geist-Körper-Verbindung wird zu Beginn dieses Buches sehr ausführlich besprochen, weil sie einen wesentlichen Bestandteil der Bemühung bildet, unsere physische und psychische Verfassung zu verbessern.

Die Reise, einen dauerhaften Gesundheitszustand und Lebenskraft zu erlangen, hat weder mit der Behandlung der Krankheit zu tun, noch liegt auf ihr der Hauptfokus der herkömmlichen Medizin. Bei wahrer Heilung geht es um die Wiederherstellung der innigen Verbindung, die zwischen einem gesunden Geist und einem gesunden Körper besteht. Es wäre töricht die Dunkelheit in einem Raum zu bekämpfen, wenn alles, was man tun müsste, das Licht einzuschalten wäre. Die Dunkelheit ist nicht das Problem, das wir loswerden müssen. Es ist das fehlende Licht, das die Dunkelheit erzeugt. Wenn man in einem dunklen Raum eine Kerze entzündet, verschwindet die Dunkelheit auf der Stelle. Gleichermaßen verschwinden Krankheiten durch die Erzeugung gesunder, lebenserhaltender Effekte in unserem Körper und Geist. Die Quintessenz ist, dass gute Gesundheit ein unrealistischer Traum bleibt, wenn der Fokus auf Krankheit liegt. Einer Krankheit unser mangelndes Wohlbefinden vorzuwerfen und sie wie einen Feind zu behandeln, bildet die eigentliche Grundlage der heutigen Gesundheitskrise.

Ein grundlegendes Naturgesetz besagt, dass Energie den Gedanken folgt. Wenn Krankheit Ihr Schwerpunkt ist, oder Bezugspunkt und Wahrheit in Ihrem Leben bleibt, werden Sie daran festhalten, da Krankheit von negativer Energie lebt. Über 90 Prozent aller Krankheiten in unserer westlichen Zivilisation sind chronischer Natur und es gibt keine erfolgreichen Behandlungsmethoden dagegen, zumindest nicht im Bereich der konventionellen Medizin. Die Unzulänglichkeit der modernen Medizin, chronische Krankheiten erfolgreich zu behandeln, ist in der kollektiven Überzeugung verwurzelt, dass wir die Krankheitssymptome beseitigen müssen, damit wir unsere Gesundheit zurück erlangen. Wenn wir stattdessen unsere Aufmerksamkeit auf das Setzen der Vorbedingungen und die Wiederherstellung der Mechanismen richteten, die für Schaffung und Erhaltung guter Gesundheit verantwortlich sind, würde Gesundheit ganz natürlich zurückkehren. Nicht die Krankheit braucht Aufmerksamkeit, der Patient ist es, der Liebe, Fürsorge, Nahrung und das Gefühl, wieder vollständig zu sein, benötigt. Die wichtigste Erfahrung, die der unausgeglichene Körper/Geist zur Heilung benötigt, ist die Erfahrung von Glück, die entsteht, wenn man beginnt seine Gesundheit in die eigenen Hände zu nehmen und jede eventuell im Körper vorhandene Verstopfung und jedes Ungleichgewicht zu entfernen. Das ist ein bedeutender Selbsthilfeprozess, der sich positiv auf Herz, Körper und Seele auswirkt.

Eine faszinierende Studie zeigte, dass glückliche Menschen weniger häufig zu Erkältungen neigen, unabhängig davon, wie oft sie einem Erkältungsvirus ausgesetzt sind. Auch verliebte Menschen zeigen eine höhere Widerstandsfähigkeit gegen Krankheiten. Einen positiven Gesundheitszustand zu erzeugen, kann ein mächtiger und Glücksgefühl erzeugender Vorgang sein. Jemand, der unter einer Erkältung oder Grippe leidet, wird sich spontan glücklich fühlen, wenn er beginnt sich besser zu fühlen. Glück und Gesundheit sind für uns anziehend; Krankheit nicht. Unglückliche Menschen können nie wirklich gesund werden, genauso wie kranke Menschen nur selten wirklich glücklich werden können. Jemand, der an Krebs leidet und die in diesem Buch beschriebenen Methoden der Glücksgewinnung anzuwenden lernt, kann sich plötzlich selber heilen, aber wenn er fortfährt seine Mutter, seinen Vater oder seinen Ex-Ehepartner zu hassen, dann sind auch diese oder ähnliche Therapien auf lange Sicht zum Scheitern verurteilt. Indem man sich im Leben auf Krankheit oder Negativität konzentriert, bleibt man in ungelösten und endlosen Zyklen von Wut und Konflikten gefangen. Dies wiederum wird eine enorme immunsuppressive Wirkung haben und wahre Heilung verhindern. Sich auf die zerstörerischen Eigenschaften einer Krankheit zu konzentrieren – weithin bekannt als Krankheitssymptome – kann nicht als Inspirationsquelle dienen, um einen echten Heilprozess und einen sich ständig weiterentwickelnden Gesundheitszustand herbeizuführen. Es gibt wahrscheinlich wenig, was man der Faszination für eine Krankheit, inklusive ihrer Diagnose, abgewinnen kann. Im Gegensatz dazu kann man der Faszination für die Gesundheit alles abgewinnen.

Der menschliche Körper hat keine eingebauten Programme bei Krankheit, aber er hat viele Programme zur Pflege eines vollkommenen Gleichgewichts- oder Balancezustands und zur Rückkehr zur Balance, wenn diese mal verloren geht. Es liegt in der Natur des Menschen gesund zu sein, aber es liegt an uns die Voraussetzungen zu schaffen, dass diese Programme effizient arbeiten. Um es zu wiederholen, es gibt keine Heilung, wenn es kein Glück gibt. Trauernde Personen, deren Frohsinn praktisch nicht mehr vorhanden ist, verdeutlichen dies am besten. Witwen zählen zu der höchsten Risikogruppe für die Krebsdiagnose. Traurigkeit, aufgrund des Verlusts eines geliebten Menschen, blockiert die normale Immunreaktion zur Bekämpfung von Krebszellen, auch wenn die Anzahl der T-Zellen im Normbereich sein kann. Größere Studien über Herzerkrankungen haben gezeigt, dass der Mangel an Glück und Unzufriedenheit im Job die Liste der Risikofaktoren für einen Herzinfarkt anführen; sie gefährden unsere Gesundheit weitaus mehr als tierische Fette, Alkohol und auch Rauchen.

Der Lebensinhalt besteht darin, das Glücksgefühl zu steigern. Jede Handlung, die von unserem Weg abweicht und dieses Grundprinzip des Lebens nicht unterstützt, ist zum Scheitern verurteilt oder erzeugt Hindernisse – Probleme, die uns auf den Pfad des Glücks zurückbringen sollen. Dies gilt sowohl für die Gesundheit, als auch für jeden anderen Bereich des Lebens. Die meisten Ratschläge in diesem Buch haben einen erbaulichen oder aufklärenden Effekt und bilden damit eine solide Grundlage für Schaffung und Erhaltung guter Gesundheit. Die Leber- und Gallenblasenreinigung beschreibt in Kapitel 7, wie Hunderte von Gallensteinen innerhalb einiger Stunden ausgeschieden werden können, wie von alleine Wellen völliger Güte ausgelöst und tief verwurzelte Wut und Frustration beseitigt werden können. Die Reinigung der stark blockierten Gänge und Gefäße im Körper kann wahrhaft wohlige Effekte haben und ganz bestimmt die Prioritäten im Leben ändern. Durch kontinuierliche Verbesserung Ihrer Gesundheit haben Sie die Möglichkeit zu einem Zustand der Vollständigkeit zu finden, wo die Puzzleteile des Lebens auf natürliche Weise in die vorgesehenen Stellen passen.

Während Sie über die verschiedenen Möglichkeiten lesen, Ihre körperliche Gesundheit zu verbessern, versuchen Sie sich daran zu erinnern, dass diese eng mit ihrem geistigen und emotionalen Wohlbefinden verbunden sind. Wenn Sie an einer bestimmten Krankheit wie Krebs, Herzkrankheit oder AIDS leiden, müssen Sie sich, abgesehen von der Beschäftigung mit den körperlichen Aspekten der Unausgewogenheit, auch um Ihre geistigen und emotionalen Gegenstücke kümmern. Krankheit ist nichts, was Sie sich mal eben „einfangen". Stattdessen bilden Sie sie immer wieder selber, indem Sie Körper und Geist davon abhalten, in ihrem natürlichen Gleichgewicht zu sein.

Sie brauchen zur Verbesserung Ihrer Gesundheit nicht die Erlaubnis von irgendjemandem oder einer Regierungsstelle, weil es Ihr natürliches Geburtsrecht ist. In diesem Buch werden keine Ratschläge für die Heilung einer Krankheit gegeben, weil es nicht die Krankheit ist, die kuriert werden muss; es ist der Betroffene, der wieder vollständig, glücklich und vital werden muss. Sie können eine Krankheit nie wirklich heilen, weil Krankheit nur auftritt, wenn Gesundheit nicht mehr geschaffen wird oder wenn Sie nicht mehr im Einklang mit Ihrer inneren Bestimmung, Ihrer natürlichen Wahrnehmung des freudigen Seins und der Welt um Sie herum sind. Sobald Sie jedoch Geist und Körper wieder ausbalancieren, wird die Krankheit von selbst verschwinden, genauso wie die Finsternis der Nacht mit dem Licht des Tages verschwindet.

Die meisten in diesem Buch erwähnten Daten und Forschungsergebnisse beruhen darauf, was allgemein als „zuverlässige" Quellen, wie Veröffentlichungen und wissenschaftliche Zeitschriften, betrachtet wird. Aber, obwohl ich wissenschaftliche Forschungsstudien überall im Buch zitiert habe, um Grundeinsichten darzulegen und zu erläutern, ist es meine Meinung, dass die Medizinforschung nicht als zuverlässige Wahrheits- und Wirklichkeitsquelle dienen kann. Tatsächlich dient der Großteil medizinischer Forschung Interessengruppen wie der Pharmaindustrie, um das Volk zu manipulieren und es potenziell tödlichen Behandlungen auszusetzen. Die ganze Forschung bleibt von den sich ändernden Faktoren der Zeit, der unerklärlichen Subjektivität der Forscher und der Erforschten, genauso wie von der beabsichtigten Zielsetzung der Forschung unberührt.

Meines Erachtens sollte wissenschaftliche Forschung nicht veröffentlicht werden, um eine bestimmte Wahrheit kundzutun, weil es sehr einfach ist, Studien als Manipulationswerkzeug zu nutzen. In den Vereinigten Staaten nimmt die FDA pro Jahr ungefähr 150 Medikamente aufgrund schädlicher und gefährlicher Nebenwirkungen vom Markt. Dies sind dieselben Medikamente, die die FDA mehrere Jahre zuvor auf Grundlage der strengen „wissenschaftlichen" Probeverfahren genehmigt hatte, die heute in allen klinischen Studien verwendet werden. Nehmen wir das Beispiel des Arthritis-Medikaments VIOXX oder andere Schmerzmittel, einschließlich CLELEBREX, ALEVE und BEXTRA. Ist es nicht erstaunlich, dass diese giftigen, teuren Medikamente alle angeblich gründlichen wissenschaftlichen Sicherheitstests bestehen konnten und an Millionen ahnungslose Arthritispatienten verkauft wurden, nur damit einige Jahre später herausgefunden wird, dass sie das Herzinfarkt- und Schlaganfallrisiko stark erhöhen? Könnte es Doppelstandards für die „strenge Prüfung" im Bereich der Medizinforschung geben: einen für „vor" und einen für „nach" der Markteinführung dieser Medikamente? Wie viele tausende Menschen mussten sterben (Tod erhöht erheblich die Wichtigkeit teurer Gerichtsverfahren), bevor sich der Medikamentenhersteller Merck „freiwillig" bereit erklärte, das Medikament vom Markt zurückzuziehen? Gleichermaßen – wie können starke Antidepressiva unglücklichen Kindern verabreicht werden, wenn nachgewiesen ist, dass diese Medikamente das Selbstmordrisiko erhöhen? Dies sind Fragen, die die physikalische Unschärferelation widerspiegeln, bei denen der Gebrauch von Medikamenten zu einem Glücksspiel ums Leben wird. Der wissenschaftliche Genehmigungsstempel ist möglicherweise eins der gefährlichsten Werkzeuge, das heute von der Medizinindustrie eingesetzt wird.

Ich werde häufig gebeten die genauen Literaturhinweise anzugeben, auf die ich mich manchmal beziehe, aber das würde zu viel Glaubwürdigkeit und Vertrauen auf etwas legen, das so außerordentlich fehlerhaft und unzuverlässig ist. Ich schlage vor, dass Sie jede Behauptung oder jedes Argument, von dem Sie nicht überzeugt sind, in Ihr Herz pflanzen und Ihren Körper fragen, wie er sich fühlt. (Ein Körpertest-Verfahren wird in Kapitel 1 beschrieben.) Höchstwahrscheinlich werden Sie von Ihrem Körper eine bestimmte Antwort erhalten, der Ihnen entweder Schwäche oder Kraft oder eine andere Form von Unbehagen oder Behagen signalisiert, je nach Informationseingabe. Dieses Buch handelt von der Verbesserung Ihrer intuitiven und kognitiven geistigen Fähigkeiten, anstatt bloße Buchkenntnisse zu präsentieren, um intellektuelle Bedürfnisse zu befriedigen. Die Geheimnisse der Gesundheit und Verjüngung stellen keine Fremdkenntnisse dar, die wir notwendigerweise aufnehmen müssen. Sie sind der Ursprung dieser Geheimnisse, und der zeitlose, in diesem Buch enthaltene Heilverstand soll Ihnen zeigen, wie man diese Geheimnisse entdeckt und zum eigenen Besten sowie dem Besten der Menschheit anwendet.

Kapitel 1

Aufklärung des Geist-/Körper-Mysteriums – Und die Magie, die dabei zu Tage tritt

Geist über Materie

Die vereinten Kräfte von Körper, Geist und Seele sind ständig bemüht, Ihnen Nahrung, Lebensfreude und Glück zu bieten. Der Körper benötigt Essen, Wasser und Luft um sich zu erneuern und selbst zu erhalten. Der Verstand zieht Aufgaben vor, die ihn kreativ und aktiv halten. Der Geist sucht nach Wegen der Erweiterung, indem er Wellen der Liebe, des Friedens und der Freiheit erzeugt, um Glück mit der Welt als Mittel der Erfüllung zu teilen.

Ein köstliches Mahl, zubereitet von einem liebenden Elternteil oder Ehepartner, kann gleichermaßen Körper, Geist und Seele nähren. Ein Mahl zu genießen kann eine spirituelle Erfahrung sein, genauso wie es auch eine physische und eine mentale sein kann. Beim Essen vollkommen „gegenwärtig" zu sein löst nicht nur starke Vergnügenshormone aus, sondern liefert auch ein Gefühl des Einsseins zwischen Ihnen, dem Essen, das Sie zu sich nehmen, und dem Prozess des Essens. Während der Mahlzeit die Gesellschaft eines lieben Freundes oder Familienmitgliedes zu genießen, steigert Ihr Gefühl der Freude und der Befriedigung, genauso wie ein schönes Musikstück nicht nur den Geist besänftigt, sondern auch den Körper entspannt.

Alles, was Sie tun und erleben – körperlich, mental und emotional – hat eine tief greifende Auswirkung auf Ihr gesamtes Sein. Jeder Ihrer Gedanken, Ihre Gefühle und Emotionen führen zu tiefgreifenden Veränderungen in Ihrem Körper, Ihrem Geist und Ihrer Seele. Denken Sie an die tröstenden und lieben Worte, die Sie einmal von einem lieben Freund erhielten, während Sie sich einsam und schlecht fühlten... Fühlten Sie sich durch die Anwesenheit und Worte ihres Freundes ermutigt und erbaut? Haben Sie bemerkt, wie Ihr vielleicht gebückter, müder und nervöser Körper plötzlich begann, sich entspannt und energiegeladen zu fühlen? Der deprimierte Ausdruck auf Ihrem Gesicht verwandelte sich in ein dankbares Lächeln und Sie sagten: „Danke, ich fühle mich jetzt so viel besser." Können Sie sich auf der anderen Seite an ein Beispiel in Ihrem Leben erinnern, als Sie einen erschreckenden Anruf erhielten, in dem

Ihnen mitgeteilt wurde, dass eine geliebte Person in einen Unfall verwickelt war? Die Angst, die Sie in diesem Moment packte, hatte eine lähmende Wirkung auf Sie. Aber Sekunden später teilte Ihnen ein Freund mit, dass Ihr geliebter Mensch unverletzt, gesund und munter sei. Fast augenblicklich verschwand der Schockzustand und wurde durch ein tiefes Gefühl des Friedens, der Heiterkeit und der Entspannung ersetzt, und Ihre physische Kraft kehrte zurück. Die plötzlichen guten Nachrichten erhöhten Ihre Gefühle und ließen Sie wieder lächeln. Ein Bruchteil einer Sekunde war genug, um einen tiefen inneren Wandel auszulösen, der alles in Ihrem Innern verändert hat. Für einen kurzen Moment erfuhren Sie einen Zustand vollkommener Krankheit und Verzweiflung, gefolgt von einem anderen Moment vollkommener Gesundheit. Unwissentlich entdeckten Sie die eigentlichen Ursachen von Krankheit und Wohlbefinden.

Der deutsche Medizinprofessor Dr. Ryke Geerd Hamer konnte nachweisen, dass jeder körperlichen Krankheit wie Krebs ein ungelöster Konflikt im Leben des Patienten vorausgeht oder dass die Krankheit durch die Auswirkungen eines solchen Konflikts ausgelöst wird. Nach zwanzigjähriger Forschung und Therapie mit über 31 000 Patienten konnte Dr. Hamer schließlich logisch und empirisch nachweisen, wie ein biologischer Konfliktschock auf eine unerwartete krebsartige oder nekrotische Phase hinausläuft, und wie, wenn der Konflikt aufgelöst wird, der krebsbefallene oder nekrotische Prozess umgekehrt wird, um den Schaden zu reparieren und den Patienten wieder gesund zu machen. Gemäß Dr. Hamer wird Krankheit, oder was er „biologisches Sonderprogramm der Natur" nennt, in fünf biologische Ereignisse geteilt, von denen alle identifiziert, gemessen und beobachtet werden können. Diese Ereignisse sind Teil eines Systems, das eine bestimmte (nicht nur statistisch wahrscheinliche) Vorhersage des Krankheitsfortschritts und der Entwicklung möglich macht.

Ein biologischer Konfliktschock – genannt DHS (Dirk Hamer Syndrom) – verursacht das Auftreten eines Aktivitätsschwerpunkts im Gehirn – genannt HH (Hamerschen Herd). Ein HH setzt sich aus einer Reihe konzentrischer Ringe zusammen, die bei einer Computertomographie (CT) auf einen genauen Punkt des Gehirns zentriert werden können. Die Lage des Brennpunkts ist hierbei abhängig von der Art des Schockkonflikts oder den Konfliktinhalten. Sobald der HH erscheint, registriert das von diesem spezifischen Gehirnzentrum kontrollierte Organ eine funktionelle Transformation. Diese Transformation kann als Wachstum, als Gewebeverlust oder als Funktionsverlust in Erscheinung treten.

Die Lösung des Konflikts würde diese konzentrischen Ringe im Gehirn natürlich entfernen und die Symptome, die wir allgemein als „Krankheit" bezeichnen, stoppen oder umkehren. Dies ist nicht schwer zu verstehen. Zum Beispiel können die besonnenen und beruhigenden Worte und die liebevolle Pflege durch einen Freund solch starke biochemische Reaktionen in Ihrem Körper auslösen, dass sich Ihr Zustand verändert, sich Ihr physischer Ausdruck entspannt, und sich Ihre Stimmung verbessert. Die Forschung lehrt uns, dass alle unsere Gedanken, Emotionen, Gefühle, Wünsche, Absichten, Glaubensvorstellungen, Einsichten und Erkenntnisse im Gehirn sofort in Neuropeptide oder Neurotransmitter übersetzt werden. Diese Hormone dienen als Botenstoffe für Informationen. Die von ihnen gelieferten Nachrichten bestimmen, wie Ihr Körper arbeitet.

Wissenschaftler haben bereits mehr als hundert verschiedene Neuropeptide ausfindig gemacht, und man geht davon aus, dass noch viele weitere existieren. Nervenzellen oder Neuronen erzeugen und verwenden diese Peptide, um Informationen zu einem anderen Neuron zu transportieren. Diese Form der Übertragung, die häufig „Feuerung" genannt wird, tritt magischerweise in jedem der Millionen Neuronen unseres Gehirns zu exakt demselben Zeitpunkt auf. Unmittelbar nach Übertragungsende werden die Peptide durch Enzyme neutralisiert und alle physischen Beweise dieses Gedankens oder Gefühls gelöscht. Und doch haben Sie die Information in der Datenbank Ihres Bewusstseins gespeichert. Im Notfall können Sie sie abrufen oder sich an sie erinnern.

Dieses simple Beispiel zeigt, dass das Gehirn nicht die höchste Autorität Ihres Körpers ist. Wie können die Millionen Neuronen wissen, welche Art von Neurotransmitter sie für jeden spezifischen Gedanken, direkt im Moment seines Zustandekommens, produzieren müssen? Was veranlasst ihre gleichzeitige „Feuerung" im gesamten Gehirn? Und noch erstaunlicher, wie weiß ein Neuron, was das andere Neuron denkt, wenn es keine direkte physische Verbindung zwischen den beiden gibt? Dieses Rätsel wird nun immer verblüffender. In den letzten Jahren haben Wissenschaftler entdeckt, dass diese chemischen Boten nicht nur durch Gehirnzellen, sondern auch von allen anderen Zellen des Körpers produziert werden. Das wirft die Frage auf, ob wir nur mit unseren Gehirnzellen oder auch mit anderen Zellen des Körpers denken. Es gibt tatsächlich genug wissenschaftliche Hinweise darauf, dass Hautzellen, Leberzellen, Herzzellen, Immunzellen, usw. alle dieselbe bemerkenswerte Fähigkeit haben zu denken, emotional zu reagieren und Entscheidungen wie Gehirnzellen zu treffen.

Die Zellen unseres Körpers sind mit Rezeptorstellen für diese Peptide ausgestattet, was erklärt, warum jede Zelle weiß, was jede andere Zelle macht oder denkt. Es kann keine Geheimnisse zwischen Zellen geben. Jeder gegebene oder empfangene Befehl wird überall im Körper als

Befehl gefühlt. Durch Nutzung dieser biochemischen Signalwege kann der Körper ein starkes Angstgefühl in chemische Nachrichten übersetzen, die Ihren Nebennieren den Befehl erteilen, die Stresshormone Adrenalin und Cortisol auszuschütten. Sobald diese Hormone in ausreichenden Mengen in Ihren Blutkreislauf freigesetzt werden, fängt Ihr Herz an zu klopfen und die Blutgefäße, die Ihre Muskeln mit Blut versorgen, beginnen sich auszudehnen. Diese vorprogrammierte Verteidigungsstrategie des Körpers versetzt Sie in die Lage, vor einer lebensgefährlichen Situation davonzulaufen oder zum Beispiel zu verhindern, von einem Auto überrollt zu werden. Allerdings verengt dieser Effekt, auch als Kampf- oder Fluchtreflex bekannt, wichtige Blutgefäße im Körper, wie die großen Arterien in den inneren Organen, und erhöht den Blutdruck. Wenn solche Stressreaktionen regelmäßig auftreten, können sie die verdauungsfördernden und eliminativen Funktionen verschlechtern und den Körper beträchtlich schädigen.

Die meisten Menschen glauben, dass nur die Nebennieren Adrenalin ausstoßen können, aber dem ist nicht so. Jede Zelle des Körpers erzeugt dieses Stresshormon, wenn auch in proportional kleineren Mengen. Nach anfänglichem Energieausbruch und physischer Kraft, die sich aus einem Adrenalinausstoß ergeben, können alle Zellen Ihres Körpers plötzlich „nervös" werden und Ihr Körper beginnt zu zittern. Sie können sich fühlen, als ob Sie Ihre ganze Energie in diesem Prozess verloren haben. Unbewusst haben Sie tatsächlich „Geist über Materie" praktiziert.

Prüfung Ihrer Geist-/Körper-Reaktion

An dieser Stelle empfehle ich Ihnen einen einfachen Muskeltest zu erlernen, der sich aus der Heilmethode der Behavioral Kinesiology ableitet. Dieser Test wird Ihnen zeigen, dass in jedem Moment Ihre Gedanken, Absichten, Wünsche, usw. totale Kontrolle über Ihren Körper ausüben. Ich werde mich mehrere Male in diesem Buch auf diesen Test beziehen, wann auch immer es nützlich sein kann herauszufinden, ob ein besonderes Essen, eine Medizin, ein Schönheitsprodukt, eine Situation, eine Umgebung oder sogar ein besonderer Wunsch Ihrer Gesundheit förderlich ist oder nicht.

Jeder übt zu jeder Zeit „Geist über Materie" aus. Doch die meisten von uns machen dies unbewusst. Der Hauptzweck dieses Tests ist es, diese intime Beziehung zwischen Geist und Körper an Ihre Bewusstseinsoberfläche zu bringen und sie aufrichtig, auf sehr konkrete und bewusste Weise zu erleben. Wann auch immer Sie den Muskeltest anwenden, werden Sie die innere Weisheit Ihres Körpers wieder erwecken und Ihre natürlichen Instinkte, das Vertrauen und die Intuition stärken. Letztendlich werden Sie den Test nicht mehr anzuwenden brauchen, um zu wissen, was und was nicht für Sie nützlich ist. Um den Test durchzuführen, suchen Sie sich einen Partner.

Befolgen Sie diese einfachen Schritte für den Muskeltest:

1. Sie müssen beide stehen. Ihr linker Arm sollte entspannt seitlich an Ihrem Körper herunterhängen, während Ihr rechter Arm mit gestrecktem Ellbogen horizontal ausgestreckt wird. (Wenn Sie Linkshänder sind, benutzen Sie Ihren linken Arm für den Test.)

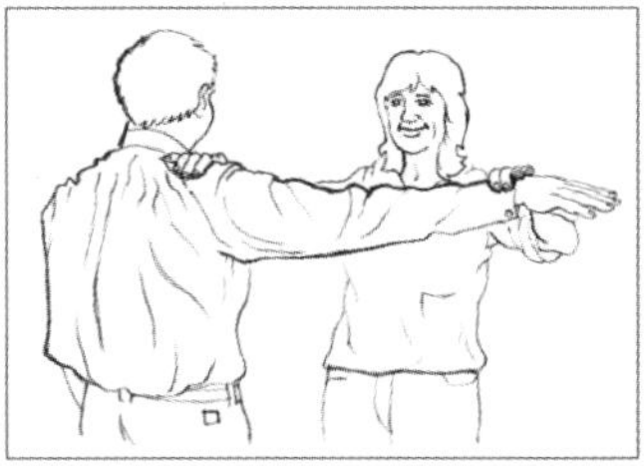

2. Als Nächstes bitten Sie Ihren Partner sich vor Sie zu stellen. Schauen Sie zu einem neutralen Ort, wie eine Tür und versuchen Sie an nichts zu denken. Bitten Sie Ihren Partner seine/ ihre rechte Hand auf Ihre rechte Schulter zu legen, um Ihre Körperhaltung in einer stabilen Position zu halten, und seine/ihre linke Hand auf Ihren rechten Arm zu legen, gleich oberhalb Ihres Handgelenks (siehe Abb. 1 von 2).

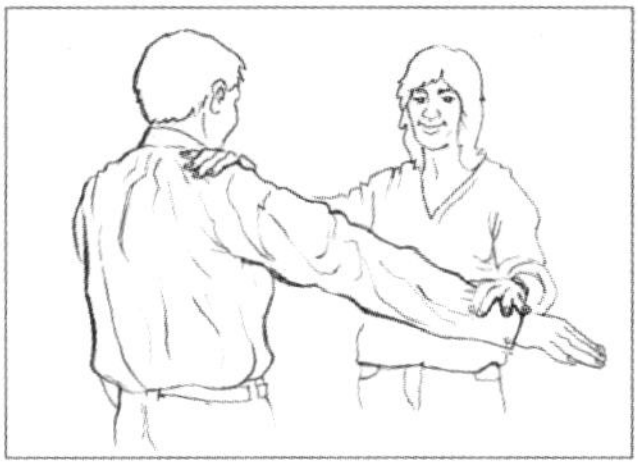

3. Nun bitten Sie Ihren Partner Ihren Arm herunterzudrücken, während Sie versuchen dem Druck standzuhalten. Weisen Sie Ihren Partner an, dies schnell und fest zu tun, aber nicht auf ruckartige Art und Weise und nicht länger als etwa drei Sekunden. Es geht darum, den Druck nur so lange aufrecht zu erhalten, solange er/sie benötigt, um die Widerstandskraft Ihres Arms zu bemerken. Längerer Druck wird den Muskel schwächen und ein fehlerhaftes Testergebnis erzeugen.

4. Ihr Armmuskel sollte in diesem neutralen Zustand stark geprüft werden. (Bitte beachten Sie, dass ein besonders negativer Gedanken, eine Erwartung, eine körperliche Erkrankung oder unter Schock-, Alkohol- oder Drogeneinfluss zu stehen das Ergebnis dieses Muskeltest erheblich verfälschen kann.)

5. Dann halten Sie Ihren rechten Arm ausgestreckt, während Sie versuchen, an eine für Sie ärgerliche, nervöse oder unbehagliche Situation, Person, frühere Erfahrung, usw. zu denken. Zeitgleich wiederholen Sie Schritt 3. Sie werden feststellen, dass Sie nicht in der Lage sind dem Druck standzuhalten, der auf Ihren Arm ausgeübt wird. Ihr Armmuskel wird sofort aufgeben und schwach werden (siehe Abbildung 2). Dann versuchen Sie an eine geliebte Person zu denken oder an jemanden, um den Sie sich sorgen und bitten Sie Ihren Partner Ihren Armmuskel noch einmal zu testen. Ihr Armmuskel wird wieder stark sein.

Sie können Schritt 5 des Tests wiederholen, während Sie Hardrock-Musik hören, einen gewaltsamen Film schauen oder in Neonlicht gucken. Um zu testen, ob ein/e bestimmte/s Shampoo, Zahnpasta, Medikament oder Lebensmittel für Sie geeignet ist, nehmen Sie einen dieser Gegenstände in eine Ihrer Hände, während Sie Ihren Partner bitten, den Muskel Ihres anderen Arms zu testen. Beachten Sie: Wenn Sie Linkshänder sind, ist es besser Ihren linken Arm zu prüfen und den zu prüfenden Artikel in Ihre rechte Hand zu nehmen. Wenn die Produkte nicht zur Verfügung stehen, denken Sie bloß an sie, während Ihr Partner Sie auf jeden Artikel einzeln testet.

Es kann möglich sein, dass Sie für einige Zeit mit dieser Technik experimentieren müssen, bevor sie für Sie zur selbstverständlichen Gewohnheit wird. Es ist notwendig einen offenen und unvoreingenommenen Geist zu haben, wenn Sie den Test durchführen. Versuchen Sie nicht, das Resultat in irgendeiner Hinsicht zu beeinflussen oder zu manipulieren, denn dies kann zu falschen Resultaten führen. Denken Sie daran, dass jeder Gedanke den Körper auf eine spezifische Art beeinflusst. Stellen Sie eventuell vorhandene Fragen so, dass sie mit „Ja" oder „Nein" beantwortet werden können. Dies kann sogar wichtige zu treffende Entscheidungen anbelangen, wie z. B. zu machende Reisen oder zu essende Lebensmittel usw. Noch einmal: Um Nahrungsmittel zu prüfen, kann es ausreichend sein, diese während der Testdurchführung zu betrachten.

Wenn Sie keinen Partner haben, der Ihnen bei der Durchführung des Tests behilflich sein kann, können sie Ihren ganzen Körper wie ein Testgerät verwenden. Stehen Sie entspannt und sagen Sie immer wieder das Wort „Ja" zu sich selbst. Dies sollte Ihren Körper nach vorne bewegen oder schwingen.

Nun wiederholen Sie das Wort „Nein" und Sie merken, wie sich Ihr ganzer Körper nach hinten bewegt. Auf diese Weise werden Sie jedes Mal, wenn Sie eine Frage stellen oder ein Nahrungsmittel oder eine Substanz in die Nähe Ihrer Brust halten, je nach Reaktion Ihres Körpers darauf nach vorne oder hinten schwingen.

Das körpereigene Biofeedbacksystem arbeitet immer – es lügt nie. Die Muskeln werden bei ordnungsgemäßer Durchführung des Tests auf einen bestimmten Reiz entweder mit Schwäche oder mit Stärke reagieren. Wenn sogar so genannte „Reformkost" etwas enthält, was Ihr Körper nicht verarbeiten oder richtig verdauen kann, wird dieses Feedback-System Sie darüber sofort informieren, einfach indem Sie von Ihren Körperzellen die passenden Nachrichten erhalten. Ein ängstlicher Gedanke, ein störendes Geräusch von der Straße oder das Bild eines Toten in den Nachrichten, wird ebenfalls an Ihre Körperzellen übermittelt. Die Reaktion Ihres Körpers ist völlig präzise und spiegelt die genaue Qualität der bereitgestellten Informationen wider, die an Sie weitergegeben werden. Jedoch kann die Art, wie Sie eine Situation, Herausforderung oder Drohung wahrnehmen, Ihnen nicht immer so klar sein. Seien Sie sich dessen bewusst, dass unterbewusste Wünsche oder Abneigungen Testergebnisse verändern können.

Im Allgemeinen können die Zellen Ihres Körpers die Schwingungen eingehender Stoffe entdecken und überprüfen, ob sie auf irgendeine Weise für Sie nützlich oder schädlich sind. Eine Cola gibt andere Schwingungen ab als ein Apfel. Die konzentrierte Phosphorsäure, die künstlichen Aromen und Süßstoffe, die großen Mengen raffinierten Zuckers (größtenteils Fruktose-Getreide-Sirup) und andere in Cola enthaltenen Chemikalien sind für biologische Lebensformen sehr schädigend. So werden die Körperzellen sie als giftig betrachten und in eine Stressreaktion verfallen. Ihre Energieproduktion, gemessen an der erzeugten Menge an ATP Molekülen, beginnt plötzlich infolge dieser Reaktion zu fallen. Konkret bedeutet das, dass die Körpergewebe zunehmend von den Energieversorgungswegen abgeschnitten und folglich geschwächt werden. Praktisch gesehen zwingt diese Situation alle Organe, Drüsen, Blutgefäße, Nerven und Muskeln des Körpers sich von minimaler Energie zu ernähren, was die normale Funktionsweise des Körpers gefährdet. Offenbar tritt die Schwächung des Armmuskels während des Muskel-Testverfahrens als direkte Reaktion auf eine wahrgenommene äußere oder innere Bedrohung oder einen Konflikt auf.

Hinweis:

Sie erhalten detaillierte Informationen über das Verfahren aus einem guten Buch über Angewandte Kinesiologie. Einige Kinesiologenkreise sind der Meinung, dass der Armmuskeltest ungenau ist und nicht als Werkzeug verwendet werden kann, um die Geist-/Körper-Reaktion zu messen. Dieses würde jedoch bedeuten, dass die Armmuskeln nicht direkt durch die Informationsfrequenzen, die wir erzeugen oder denen wir ausgesetzt sind, beeinflusst werden. Anders gesagt, die Armmuskeln wären nicht in das interne Kommunikationsnetzwerk mit eingeschlossen. Das entzieht sich den eigentlichen Grundsätzen der Physiologie und der Geist-/Körper-Medizin. Ungenauigkeiten entstehen nur, wenn die Anweisungen des Tests nicht exakt befolgt werden und wenn verborgene Wünsche die Testergebnisse verfälschen. Letzten Endes wollen Sie sich nur auf das verlassen, was Ihr Herz Ihnen sagt. Sich auf Ihr Herz zu konzentrieren, während Sie eine bestimmte Frage stellen, wird in der Regel ein Gefühl erzeugen, ein „Wissen" oder sogar eine mündliche Antwort. Die erste Reaktion oder der erste Impuls ist tendenziell derjenige, von dem man sich leiten lässt.

Stress – Und ein schrumpfender Thymus

Die Thymus-Drüse, die die Aktivierung von T-Zellen regelt (zirkulierende Immunzellen, auch Leukozyten oder weiße Blutkörperchen genannt), ist das erste Organ, das von Stress beeinflusst wird. T-Zellen helfen dem Körper, Krebszellen und andere eindringende Stoffe zu identifizieren und zu entfernen. Eine Schwächung der Thymus-Drüse kann durch Faktoren wie negative Nachrichten, Dehydratation oder Konsumierung nährstoffarmer oder künstlich hergestellter Lebensmittel und Getränke verursacht werden. All dies verringert die T-Zell-Aktivierung durch Thymus-Hormone, wodurch der Körper keine ausreichende Verteidigung gegen die Ausbreitung von Krebszellen und andere Krankheitsursachen hat.

Die Thymus-Drüse schrumpft, wenn sie Stress ausgesetzt ist. Es ist bekannt, dass nach einer schweren Verletzung, Operationen oder bei plötzlicher Erkrankung, Millionen weißer Blutkörperchen zerstört werden und die Thymus-Drüse auf die Hälfte ihrer normalen Größe schrumpft. Videoaufnahmen von Adolf Hitler, einem Kinderschänder oder einem gesuchten Terroristen zu betrachten können ausreichen, um Ihre Thymus-Drüse deutlich zu stressen. Bitten Sie das nächste Mal, wenn Sie eine Zeitschrift lesen oder einen Film anschauen, einen Freund darum Ihre Armmuskeln zu testen, während Sie die verschiedenen Bilder betrachten. Sie werden feststellen, dass einige dieser Bilder Ihre Muskeln stärken, während andere sie schwächen. (Wenn Sie vollkommen von Liebe und Mitgefühl anstatt von Angst und Urteil geprägt sind, würden Sie natürlich nicht unter solch einer Stressreaktion leiden.)[1]

[1] Um zu erfahren wie man solch ein Leben entwickelt, beziehen Sie sich bitte auf das Buch Lifting the Veil of Duality und die Methode von Sacred Santémony des Autors.

Wenn man die fast tägliche Belastung, der Sie durch Radio, Fernsehen, Zeitungen, ungesundem Essen, Chemikalien in Lebensmitteln und Getränken, Innen- und Außenluftverschmutzung, negativ eingestellte Menschen usw. begegnen betrachtet, muss sich Ihre Thymusdrüse mit massiven Mengen negativer Einflüsse auseinandersetzen. Sogar Werbeanzeigen, die rauchende oder Alkohol trinkende Menschen zeigen, haben eine schwächende Wirkung auf Ihren Thymus.

Die meisten Menschen sind sich nicht bewusst, wie viel ihrer Lebensenergie erschöpft wird, indem sie sich stressigen Situationen aussetzen. Wenn man sich regelmäßig in ungesunder Umgebung, wie rauchgefüllten Zimmern, aufhält oder sich Energie entleerenden Einflüssen aussetzt, wie nächtlichem Autofahren oder essen, während man müde ist, kann dies den Körper überwältigen. Wenn keine Energie mehr übrig ist, um normal zu funktionieren, wird man nervös oder bekommt Panik. Die verbreitetste Äußerung, die Sie Leute in so einem Fall sagen hören, ist: „Ich fühle mich heute so angespannt" oder „Ich bin völlig gestresst". Stress ist nichts weiter als ein Gefühl ständiger Erschöpfung der Thymus-Drüse, die durch negative oder schwächende Einflüsse im Leben verursacht wird. Stress hört auf uns zu beeinflussen, wenn wir aufhören, uns solchen Einflüssen auszusetzen und beginnen, den in der Vergangenheit verursachten Schaden zu beheben. Sie können Ihren Thymus und den kompletten Körper durch erbauliche und unterstützende Tätigkeiten positiv stärken und wieder aufladen, wie z. B. nahrhafte Nahrungsmittel zu essen, entspannender Musik zu lauschen und viel Zeit in der Natur zu verbringen, anstatt zu Hause oder vor dem Fernseher zu sitzen. Egal, ob Sie sich dafür entscheiden Ihren Körper zu schwächen oder zu stärken, in beiden Fällen üben Sie „Geist über Materie" aus.

Placebo – Der wahre Heiler?

Der Placebo-Effekt wirkt auf ähnliche Weise. Placebo ist ein lateinisches Wort, welches übersetzt wird als: „Ich werde gefallen". Wenn Sie sich über etwas freuen, werden automatisch Glückshormone in Ihrem Körper ausgestoßen, was bedeutet, dass Sie im Falle einer Krankheit wahrscheinlich eine heilende Reaktion bemerken werden. In der Medizin ist der Placebo-Effekt ein Phänomen, beschrieben als eine Maßnahme zur Prüfung der Wirksamkeit neuer Medikamente oder Therapien. Hinweis: Ein Krankheitssymptom abzuschalten oder zu unterdrücken hat nichts mit Heilung zu tun.

Es gibt drei mögliche Erklärungen, warum und wie Heilung stattfindet.

1. **Eine besondere, nichtunterdrückende Behandlung löst eine heilende Antwort durch den Körper aus.**

2. **Die Heilkraft der Natur ist am Werk.** Dies beinhaltet besonders die natürliche Reaktion des Immunsystems, krankheitsauslösende Faktoren zu stoppen und zu eliminieren. Obwohl dieser Grundsatz (die Selbstheilung des Körpers) für die Mehrheit aller medizinischen Therapien gilt, wird dieser „heimliche Verbündete" aller Ärzte fast nie Patienten eröffnet. Der menschliche Organismus erhält nur selten Lob für die außergewöhnlichen Fähigkeiten, die er im Umgang mit Infektionen und Verletzungen zeigt. Die bemerkenswerte eigene Heilfähigkeit des Körpers steht hinter jedem Erfolg des Heilberufs. In vielen Fällen kommt es trotz der Nebenwirkungen, die so oft bei der Verwendung von Medikamenten oder invasiven Verfahren auftreten, zur Heilung. Wenn die körpereigenen Heilungsprozesse fernbleiben, werden nicht einmal die modernsten medizinischen Technologien oder Gutachten irgendeinen Wert haben.

3. **Der Placebo-Effekt löst den Heilungsprozess aus.** Die Schulmedizin definierte das Placebo ursprünglich als einen Inertstoff, der ausschließlich aus physiologischen Gründen verabreicht wird, um einen Patienten zu befriedigen oder zu erfreuen. Allerdings wird diese Definition nicht mehr als fehlerfrei oder hinreichend erachtet. Der Placebo-Effekt kann als Ergebnis verabreichter nicht aktiver Substanzen auftreten, ebenso wie er durch Verfahren oder Medikamente ausgelöst werden kann, die keine Wirkstoffe enthalten. Der Placebo-Effekt impliziert, dass der Glaube des Patienten an ein „Arzneimittel", das eine Zuckerpille oder ein Quaksalberprodukt sein kann, die Macht hat, Schmerzen zu stoppen und sogar eine Krankheit zu heilen. Grundlegendes Vertrauen in eine bestimmte Behandlung oder in den Arzt kann auch wie ein Placebo wirken. Eine Forschungsstudie wird nicht als aussagekräftig oder wissenschaftlich angesehen, wenn sie nicht auch Placebos auf eine Kontrollgruppe anwenden.

Wenn die Erfolgsrate des Medikaments oder der Behandlung höher liegt als die Erfolgsrate des Placebos, dann hat das Medikament den Test für die Wirksamkeit bestanden. In der Vergangenheit ist das Placebo sogar verwendet worden, um koronare Bypass-Techniken und Krebs-Strahlenbehandlungen zu studieren. Bei einer Reihe koronarer Bypass-Studien öffneten die Chirurgen die Brustkörbe der Herzpatienten in der Placebo-Gruppe und nähten sie sofort wieder zu, ohne wirklich eine Bypassoperation durchzuführen. Nach der Operation wurden alle Patienten darüber informiert, dass ihr Eingriff ein Erfolg gewesen sei. Einige der Placebo-Gruppen-Patienten bestätigten eine Linderung des Brustschmerzes. Mehrere Herzpatienten, die eine richtige Bypass-Operation erhielten, meldeten auch eine Linderung des Schmerzes. Wenn die „Erfolgs"-Rate der Bypass-Gruppe höher liegt als in der Placebo-Gruppe, dann gilt die Bypassoperation als wirksame Methode, um Brustschmerz zu lindern.

Eine frühere, sorgfältig kontrollierte Studie mit Patienten, die unter Angina pectoris litten, zeigte, dass sich 5 von 8 Patienten, die eine echte Operation und 5 von 9 Patienten, die nur eine vorgetäuschte Operation erhielten, später viel besser fühlten. Zwei der Patienten mit vorgetäuschten Operationen bemerkten sogar eine erstaunliche Zunahme der körperlichen Verfassung und des Durchhaltevermögens. Eine Gruppe hoch skeptischer Forscher wiederholte dasselbe Experiment mit einer anderen 18-köpfigen Patientengruppe. Weder die Patienten noch der untersuchende Kardiologe wusste, wer tatsächlich operiert wurde. Die Ergebnisse zeigten, dass sich der Zustand von 10 von 13 Patienten mit echter Operation und 5 von 5 Patienten mit vorgetäuschter Operation erheblich verbessert hatte. Dieses Experiment demonstrierte, dass der Placebo-Effekt in Kombination mit der körpereigenen Heilreaktion sogar die wahre Kraft hinter einer erfolgreichen Operation sein könnte. Chirurgie kann, genauso wie jede andere Behandlung, beim Patienten wie ein Placebo wirken; und sie scheint keinen wesentlichen Vorteil gegenüber dem Placebo zu haben. Es wäre allerdings sehr unklug, eine Scheinoperation zu haben und mit einem schädlichen Lebensstil fortzufahren. Die Überlebensraten bei Scheinoperationen liegen bei nicht mehr als zwei Jahren, und bei normalen Operationen sind sie nicht viel höher, es sei denn, der Patient führt größere Veränderungen in seiner Ernährung und seinem Lebensstil durch.

Wenn das Placebo Ihre Medizin wird

Die Mechanismen der Placebo-Heilung sind im Glauben des Patienten zentriert, so dass ein Medikament, eine Operation oder ein Behandlungsplan seine Schmerzen lindern oder seine Krankheit heilen wird. Tiefes Vertrauen oder ein sicheres Gefühl sich zu erholen ist alles, was dem Patient zur Verfügung steht, um den Heilungsprozess einzuleiten. Indem er die zuvor beschriebene starke Geist-/Körper-Verbindung nutzt, kann der

Patient natürliche Opioide (Schmerzmittel vom Morphin-Typ) aus Teilen des Gehirns freisetzen, die durch bestimmte Gedankenprozesse aktiviert werden. Die entsprechenden Neurotransmitter zur Schmerzlinderung sind als Endorphine bekannt. Endorphine sind ungefähr vierzigtausendmal stärker als das stärkste Heroin.

Ein Patient, der ein Krebsgeschwür entwickelt, kann damit beginnen, zusätzliche Mengen von Interleukin II und Interferon zu produzieren, um die Tumorzellen zu zerstören. Als Produkte der DNA kann der Körper diese Anti-Krebs-Medikamente in jeder Zelle erzeugen und Krebs sofort beseitigen (Spontanremission), sofern der Patient weiß, wie er ihre Freisetzung auslöst. Die Auslöser sind Vertrauen, Zuversicht und Glück, dieselben Auslöser, die eine Placeboantwort verursachen können. Um diese Medikamente auf dem Pharmamarkt kaufen zu können, müssten Sie bis zu 40.000 $ pro Kur bezahlen. Die „Erfolgsquote" der verabreichten Medikamenten liegt bei weniger als 15 Prozent, und ihre Nebenwirkungen sind so stark, dass sie das Immunsystem zerstören und die Saat für künftige Krankheiten sähen, einschließlich Krebs. Eine 15-prozentige Erfolgsrate ist in der Regel kleiner als das, was ein normaler Placebo-Effekt erreichen würde.

Ihr Körper ist in der Lage jede Arznei herzustellen, die von der Pharmaindustrie hergestellt werden kann. Synthetisch gewonnene Medikamente „wirken" nur, weil die Körperzellen Rezeptoren für einige der in den Medikamenten enthaltenen Chemikalien haben. Das bedeutet, dass der Körper dazu fähig ist, diese Chemikalien auch herzustellen, sonst gäbe es diese Rezeptoren nicht. Der Körper weiß, wie man sie mit der höchsten Genauigkeit, in der richtigen Dosierung und mit dem perfekten Timing herstellt. Die körpereigenen Medikamente kosten uns nichts und haben keine schädlichen Nebenwirkungen. Pharmazeutische Medikamente sind andererseits sehr teuer und viel weniger spezifisch und präzise. Darüber hinaus sind letztendlich die von ihnen erzeugten Nebenwirkungen in der Regel stärker als die Krankheiten, gegen die sie eingesetzt werden. Was die Angelegenheit noch schlimmer macht, ist, dass ungefähr 35-45 Prozent aller Verordnungen keinen gezielten Effekt auf die Krankheit haben, für die sie verschrieben werden. Das Resultat ist, dass die Mehrheit aller positiven Ergebnisse direkt durch die körpereigene Heilreaktion oder durch den Placebo-Effekt verursacht wird. Sie haben nichts mit der ärztlichen Behandlung selbst zu tun.

Das Placebo in Aktion

Ärzte haben den Status und die Macht bei ihren Patienten das Vertrauen zu erwecken, dass sie glauben, für ihren Zustand die geeignetste und bestmögliche Behandlung zu erhalten. Die Hoffnung, Linderung zu finden und sich zu erholen, kann für einen Patienten die Motivation für einen Arztbesuch sein. Außerdem wird der Arzt wahrscheinlich glauben, dass seine Verordnung die gewünschte Wirkung erzielen wird, das heißt, die Symptome des Patienten gelindert werden. Die Kombination aus dem Glauben des Arztes in seine Behandlung mit dem Vertrauen des Patienten in seinen Arzt kann eine „Medizin" erzeugen, die sogar eine nutzlose Behandlung oder ein unspezifisches Medikament in einen Heilgenerator umwandeln kann. Dies kann sehr wohl zu einer deutlichen Verbesserung des behandelten Zustands führen und in einigen Fällen zu einer vollständigen Heilung. Diese Medizin ist jedoch nichts anderes als der Placebo-Effekt. Wenn der Arzt davon überzeugt ist, dass die Krankheitsbehandlung des Patienten erfolgreich sein wird, wird die Wahrnehmung des Patienten mit viel größerer Wahrscheinlichkeit eine Placebo-Reaktion erzeugen, als wenn der Arzt an seiner Behandlung zweifelt. Dr. K. B. Thomas aus Southampton, England, hat gezeigt, dass ein Arzt nicht einmal ein Rezept braucht, um seinem Patienten zu helfen. Dr. Thomas wählte 200 Patienten aus, die unter verschiedenen Symptomen wie Kopfweh, Magenschmerzen, Rückenschmerzen, Halsschmerzen, Husten und Erschöpfung litten. Zuerst teilte er die Patienten in zwei Gruppen auf. Die Patienten in Gruppe Eins erhielten eine klare Diagnose und eine „positive" ärztliche Beratung, in der der Arzt ihnen versicherte, dass sie bald genesen würden. Er sagte der zweiten Gruppe, dass er nicht völlig sicher sei, was mit ihnen nicht stimme und bat sie, im Falle keiner Besserung wieder zu kommen. Dann teilte er jede Gruppe in zwei Untergruppen, von denen eine ein Rezept für ein Placebo erhielt. Nach zwei Wochen hatte sich der Zustand bei 64 Prozent der Patienten mit „positiver Beratung" beträchtlich gebessert, im Vergleich zu 39 Prozent der Patienten, die unklare Ratschläge erhielten. Von den Patienten mit einem Rezept (Placebo) verspürten 53 Prozent eine Besserung, wohingegen sich der Zustand der Patienten ohne Rezept um 50 Prozent gebessert hatte. Dieses Experiment demonstriert, dass ein Arzt eine stärkere Heilwirkung auf seinen Patienten haben kann, als ein verschreibungspflichtiges Medikament.

Dieses Beispiel kann auch ein anderes ungewöhnliches Phänomen erklären: Ärzte, die wirklich daran glauben was sie tun, sind für ihre Patienten am besten (auch wenn dies der Logik des wissenschaftlichen Verständnisses widersprechen mag), erreichen viel bessere Ergebnisse und ihre Patienten sprechen gut auf die Behandlung an. Wenn ein Arzt einen Patienten inspirieren kann an eine Verbesserung seines Zustands zu glauben, hat er einen viel besseren Job gemacht, als jede komplizierte Behandlung imstande sein kann zu vollbringen. Ein Leitartikel in der medizinischen Zeitschrift Lancet fragte, warum es falsch sein sollte, Placebos zu verabreichen, wenn die wichtigsten modernen therapeutischen Mittel keine besseren Wirkungen erzielen als Placebos. Es sollte das primäre Ziel medizinischer Ausbildung sein, einen warmherzigen, ehrlichen und optimistischen Arzt hervorzubringen, der auf seine Intuition hört und sowohl Mitgefühl hat als auch Liebe für seine Mitmenschen fühlt. Medizinstudenten sollten auf diese grundlegenden menschlichen Eigenschaften hin geprüft werden. Studenten, die diesen Test nicht bestehen, sollte die Ausübung des Berufs verboten werden. Die Anwesenheit des Arztes kann wie Medizin wirken. Welche Art von Therapie er nutzt kann allerdings von untergeordnetem oder ergänzendem Wert sein. So kann der Arzt als lebendiges Placebo stärker sein als seine Behandlung, ohne schädliche Nebenwirkungen.

Der aktuelle Trend eines Großteils der Bevölkerung Heilpraktiker aufzusuchen, beruht nicht so sehr darauf, was sie einem Patienten anbieten, sondern vielmehr, wie sie sich ihre Patienten fühlen lassen. Die Tatsache, dass Heilpraktiker für ihre Behandlungen größtenteils natürliche Methoden und Zusammensetzungen verwenden, macht Naturheilverfahren für den Patienten annehmbarer als medizinische Behandlungen. Es macht auch ihre Vorgehensweisen menschlicher und möglicherweise leistungsfähiger als Placebos.

Wir alle haben einen vorprogrammierten natürlichen Instinkt, um zu wissen, was gut und nützlich für uns ist, obwohl viele Menschen es geschafft haben, ihn zu unterdrücken. Dieses Bauchgefühl empfindet eine Heilwirkung aus reinen, frischen Nahrungsmitteln, Heilkräutern und anderen natürlichen Heilmitteln. Ein Gewürz aus dem Himalaya-Gebirge oder ein Stück Ingwer wird in uns mit größerer Wahrscheinlichkeit einen Placebo-Effekt auslösen, als das synthetische Fett Olestra oder ein blutdrucksenkendes Medikament. Natürliche Dinge erfreuen naturgemäß Körper und Geist.

Der Naturheilkundler ist zum Wahrzeichen für natürliche Heilung geworden. Selbst wenn seine Methoden nicht sehr wirksam sind, kann das Wahrzeichen noch stark genug sein, eine gute Placebo-Reaktion auszulösen.

Bei jeder medizinischen Behandlung ist das Placebo tatsächlich der entscheidende Faktor für den Grad des Erfolges der Behandlung. Die Ergebnisse aller jemals durchgeführten kontrollierten Studien bestätigen diese Aussage. Wenn irgendeine andere im Gesundheitssystem verabreichte

Behandlung genauso wirksam und konsequent wie der Placeboeffekt wäre, würde man sie höchstwahrscheinlich als einen der größten medizinischen Durchbrüche aller Zeiten verkünden. Allerdings wird der Placeboeffekt nie oder nur selten in medizinischen Fachbüchern erwähnt. Das ist bedauerlich, da das Placebo mindestens eine genauso wichtige Rolle im Heilprozess und der Genesung spielt, wie ein teures Medikament oder moderne medizinische Geräte.

Ein typisches Beispiel hierfür ist das Medikament *Digitalis*, das bereits seit über 200 Jahren zur Behandlung von Herzerkrankungen eingesetzt wird, trotz der Tatsache, dass seine Langzeitwirkung und die Sicherheit nie nachgewiesen wurden. Eine bedeutende dreijährige von der „Digitalis Investigation Group" durchgeführte Doppelblind-Kontrollstudie (*New England Journal of Medicine*, 1997) zeigte, dass von 3 397 Herzpatienten, die *Digitalis* erhielten, 1 181 Patienten am Ende des Studienzeitraums gestorben waren. Verglichen mit den 1 194 Todesfällen aus der 3 403 Patienten zählenden Placebogruppe wird klar, dass Digitalis den Herztod nicht besser verhindert als eine Zuckerpille. Dennoch bleibt es die bevorzugte Behandlungsmethode (vor dem Placebo). Ist es möglich, dass die überlebenden Patienten in der Digitalis-Gruppe in Wahrheit nicht wegen der Einnahme von *Digitalis*, sondern aus denselben Gründen überlebten, aus denen die Personen in der Placebo-Gruppe überlebt haben? Wahrscheinlich ja, in Anbetracht der fast identischen Sterblichkeitsraten. Wie durch diese Studie gezeigt, löst *Digitalis* nur einen Placeboeffekt aus, genauso wie das Scheinmedikament. Das heißt, dass kein anderer Nutzen des Medikaments, außer eine Placeboreaktion auszulösen, existiert.

Während der medizinischen Ausbildung muss jeder Möchtegern-Arzt der unangenehmen Tatsache gegenüberstehen, dass Medikamente alleine keine Heilung hervorrufen können. Ein Medikament kann nur bei 35 Prozent der Menschen wirken, die es erhalten. Der Rest von ihnen zeigt entweder keine Resultate oder ihr Zustand verschlechtert sich aufgrund der Medikamentennebenwirkungen. Ärzte wissen ebenfalls, dass ein Patient viel größere Besserungschancen bei medikamentöser Behandlung hat, wenn sie eine Besserung garantieren. Sie haben die Erfahrung gemacht, dass sich ein Patient durch bloße Betrachtung eines Medikaments erholen kann. Jedoch hängt diese Wirkung mehr von der Einbildungskraft und dem Vertrauen des Patienten ab, als von der Medizin selbst.

Das Wunder der Spontanheilung

Obwohl die moderne Medizin praktisch über den Heilmechanismus des Körpers gestolpert ist, hat sie ihn noch nicht als solchen anerkannt. Fast alle weltweit durchgeführten wissenschaftlichen Studien über tausende von Medikamenten und Behandlungen schlossen den Placeboeffekt ein. Obwohl der Placeboeffekt eine rein subjektive Reaktion des Patienten oder der getesteten Versuchsperson ist, wurde er irgendwie zu einem wesentlichen Faktor für die medizinische Forschung, der objektiv und zuverlässig zu berücksichtigen ist. Dennoch ist der Placeboeffekt, der die körpereigenen Heilmechanismen repräsentiert, nie Gegenstand der Forschung gewesen. Schließlich kann man die Heilreaktion des Placebos nicht patentieren lassen und durch deren Verkauf Geld damit verdienen. Anstatt von den Heilmechanismen des Körpers zu lernen, liegt das Augenmerk auf der Prüfung von Medikamenten oder Verfahren als gewinnbringende Modalitäten für die Behandlung von Krankheitssymptomen. Diese Medikamente oder Behandlungen können nichts heilen – dies kann nur der Körper – da sie nichts haben, was Heilung anregen könnte, außer dem Potenzial, wie ein Placebo zu wirken. Angesichts der Tatsache, dass Symptomunterdrückung nichts mit Heilung zu tun hat, können diese Ansätze, wenn überhaupt, nur eine untergeordnete Rolle spielen.

Darüber hinaus ist es abwegig anzunehmen, dass sich notwendigerweise eine Besserung der Symptome nach einer speziellen Behandlung ergeben muss. Behandlungen haben keine eigenständigen Heilkräfte und bleiben unwirksam, es sei denn, dass sie in der Lage sind als Auslöser für das Placebo oder die Heilreaktion des Körpers zu arbeiten. Außerdem haben Behandlungen, die vermehrt darauf ausgerichtet sind, sich der Krankheitssymptome zu entledigen, ohne Rücksicht auf deren Ursachen zu nehmen, nichts mit echter Heilung zu tun. Temporäre Symptomerleichterung kann für den Patienten sehr wünschenswert und für seinen Arzt erfreulich sein, aber langfristig gesehen macht ein solcher Ansatz es immer schwieriger für den Körper, sich selbst zu heilen. Oftmals führt dies zur chronischen Krankheit. Wahre Heilung geschieht aufgrund der bestehenden Geist-/Körper-Verbindung, aufgrund des Abbaus innerer Verstopfung und aufgrund der angeborenen, körpereigenen Selbstheilungskräfte.

Der mächtige Heilmechanismus des Körpers wurde anhand einer klassischen Studie an drei Patientengruppen klar demonstriert, von denen alle unter blutenden Magengeschwüren litten. Die Patienten jeder Gruppe wurden darüber informiert, dass sie auf ein neues Medikament getestet würden, das die Blutung ihrer Geschwüre stoppen könnte. Eine Gruppe erhielt das neue Medikament, die zweite Gruppe erhielt ein Medikament, das die Blutung steigerte und die dritte Gruppe erhielt inaktive Placebo-Pillen. Die meisten Patienten waren verzweifelte Personen, die hofften, dass das neue Medikament ihnen helfen würde, ihr qualvolles Gesundheitsproblem zu beseitigen. Die Ergebnisse erstaunten die Forscher. Die Blutung wurde bei Patienten aus allen Gruppen gestoppt, selbst bei denen, die das blutungssteigernde Medikament erhielten. Könnte der Glaube an das neue Wundermedikament stark genug gewesen sein, die hohe Toxizität eines blutungsveranlassenden Medikaments außer Kraft zu setzen?

Offenbar als Reaktion auf ihre Gedanken und Gefühle der Hoffnung und des Vertrauens, erzeugten die Körper der Patienten nicht nur spezielle Arzneimittel, die die Blutung ihrer Geschwüre effektiv stoppte, sie neutralisierten auch die giftigen Substanzen, die in dem Medikament enthalten waren und eine Steigerung der Blutung veranlassen sollten.

Tausende verschiedene Studien berichten von den erstaunlichen Effekten der Placeboantwort. Bei einer anderen klassischen Studie aus dem Jahre 1950 wurde schwangeren Frauen, die unter starker morgendlicher Übelkeit litten, Ipecacuanha-Sirup gegeben (ein wirksames Brechmittel). Den Frauen wurde gesagt, dass Ipecacuanha ein neues, wirkungsvolles Mittel gegen Übelkeit sei. Zum Erstaunen der Forscher erbrachen die Frauen nicht mehr.

Ein weiteres faszinierendes Experiment wurde mit Hilfe von Medizinstudenten durchgeführt. 56 Studenten erhielten entweder eine rosa oder eine blaue Zuckerpille. Ihnen wurde gesagt, dass die Pillen entweder Aufputschmittel oder Beruhigungsmittel seien. Nur 3 von 56 Studenten berichteten, dass die Pillen keine Wirkung auf sie hatten. Die meisten der Studenten, die die blauen Pillen erhielten, gingen davon aus, dass sie das Beruhigungsmittel erhalten hatten und 72 Prozent von ihnen fühlten sich schläfrig. Außerdem fühlten sich die Studenten, die zwei blaue Pillen genommen hatten, schläfriger als die, die nur eine genommen hatten. Im Gegensatz dazu berichteten 32 Prozent der Studenten, die die rosa Placebopille genommen hatten, dass sie weniger müde waren und ein Drittel der Studenten gab an, dass sie Nebenwirkungen verspürten, die von Kopfschmerzen, Benommenheit und tränenden Augen bis hin zu Magenkrämpfen, Darmschmerzen, Juckreiz in den Extremitäten und Schwierigkeiten beim Gehen reichten. Abgesehen von drei Studenten, wurden alle Reaktionen durch den fantasievollen Glauben der Probanden verursacht.

Die Auswirkungen dieser und ähnlicher Experimente könnten die komplette medizinische Annäherung an die Krankheit revolutionieren. Leider ist der Verkauf von „Medikamenten", die nichts als inaktive Substanzen enthalten, verboten. Ohne ein solches Gesetz hätten viele Menschen ihre eigenen besten Heiler werden können, nur indem sie ihr eigenes Vertrauen in ein Medikament nutzen, das in Wirklichkeit überhaupt kein Medikament ist. Auf der anderen Seite könnte jemand, bei Legalität des Placebo-Verkaufs, ein Scheinmedikament herstellen, und dies als ein echtes verkaufen. Aber wer soll entscheiden was wirksamer ist? Ein ehemaliger Präsident des Royal College of Physicians in London hat einmal geschätzt, dass nur 10 Prozent aller Krankheiten effektiv durch moderne Behandlungsmethoden, einschließlich der Medikamentenverabreichung, manipuliert werden können. Krankheitsmanipulation bedeutet nicht notwendigerweise, dass Medikamente eine heilende Wirkung haben. Eigentlich unterdrücken die meisten von ihnen ausschließlich Symptome und sind kostspielig. Im Vergleich dazu ist ein Placebo sehr preiswert oder sogar kostenlos. Und es hat keine schädlichen Nebenwirkungen.

Die Heilung liegt am Patienten

Die meisten Medizinforscher wissen, dass der geistige und emotionale Zustand des Patienten den entscheidenden Unterschied machen kann, ob ein verabreichtes Medikament oder Behandlungsprogramm wirksam ist oder nicht. Wenn ein Patient Depressionen, Angst, negativen Stress, Traumata oder eine emotionale Krise durchläuft, wird die verordnete Behandlung eine viel geringere Erfolgschance haben. Dieser Umstand mag erklären, warum Medikamente solch eine magere Erfolgsquote haben, durchschnittlich nur etwa 35 Prozent. Die meisten Menschen erfahren keine Linderung durch diese Medikamente, und viele berichten von schädlichen und manchmal verheerenden Nebenwirkungen. Jedes wissenschaftliche Experiment, das ein Medikament gegenüber einem Placebo untersucht, oder jeder, der ein solches Medikament einnimmt, sollte die folgenden vier entscheidenden Punkte berücksichtigen oder bedenken:

1. Gibt es in der Versuchsgruppe weniger Personen, die unter Depressionen, Angst oder Traumata leiden, als in der Placebo-Gruppe?

2. Hätte das Experiment einen anderen Ausgang, wenn die Kontrollgruppe das echte Medikament erhalten würde und die Versuchsgruppe das Placebo?

3. Wären die Resultate des Experimentes dieselben, wenn die Forscher,

die das Medikament den verschiedenen Gruppen verabreichen sollen, gebeten würden, die Placebo- und Medikamentengruppe zu tauschen?

4. Würde irgendein Pharmaunternehmen riskieren, das gleiche Experiment mit anderen Versuchspersonen zu wiederholen, wenn dies zu erheblich veränderten oder gegensätzlichen Resultaten führen könnte?

Es ist wichtig zu begreifen, dass Medikamente oder Behandlungen in jedem Menschen unterschiedliche Ergebnisse erzeugen können und deshalb nicht als objektiv prüfbar für die Wirkung betrachtet werden dürfen. Ein Medikament kann nicht für einen bestimmten Patienten wirken, es sei denn, er „erlaubt" ihm zu wirken. Die Gemütsverfassung des Patienten, zu der auch seine Gefühle und die unterbewusste Akzeptanz oder der Widerstand gegen Heilung gehören, ist hauptsächlich dafür verantwortlich, wie erfolgreich die Behandlung für ihn sein wird. Die Art der Therapie kann tatsächlich eine sekundäre Rolle spielen. Der berühmte Forscher Dr. Herbert Benson von der Harvard Universität sagte einmal: „Der größte Teil der Medizingeschichte ist die Geschichte des Placeboeffekts." Anders gesagt, die Fähigkeit zur Krankheitsheilung liegt ausschließlich beim Patienten.

Eventuell vorhandene oder vergangene Traumata, Traurigkeit, Depressionen, Wut oder ungelöste Konflikte können zu unbewusster Programmierung der Zellen des Patienten führen, was zur Schließung ihrer Rezeptoren sowohl für innerlich erzeugte als auch für eingenommene Medikamente führt. Dadurch kann jeder medizinische Eingriff nutzlos, wenn nicht sogar schädlich werden. Es ist bekannt, dass ein Patient nicht behandelt oder operiert werden kann, wenn er sich zum Beispiel im Schockzustand befindet. Derselbe Grundsatz trifft, wenngleich in geringerem Maße, auf das subjektive Befinden eines Patienten zu, wenn er zum Beispiel eine Behandlung erhält, um einen krebsartigen Tumor zu heilen. Bei einer normalen Medikamenten-Misserfolgsrate von 65 Prozent ist es offensichtlich, dass Medikamente nicht den Zweck erfüllen. Eher ist es der Empfänger des Medikaments, der bestimmt, ob es zur Heilung kommt oder nicht. Wahre Heilung benötigt Selbstvertrauen, Vertrauen in Ihren Körper und eine tiefe Überzeugung, dass Sie es verdienen, gesund zu sein. Sobald Ihr Körper von Ihnen grünes Licht erhält – von Ihrem Selbstbewusstsein – rufen Sie spontan eine Heilreaktion hervor und Ihr Körper wird sich um die notwendigen Details kümmern.

Vertrauen und Glauben vieler Patienten in die Kraft eines Medikaments können für vielfältige Reaktionen verantwortlich sein, die von Ärzten rund um den Globus bezeugt werden. Ein größeres Maß an Vertrauen kann die Wirksamkeit des Placeboeffekts von 25 auf bis zu 75 Prozent erhöhen! Zum Beispiel reichen die Heilungsraten bei Zwölffingerdarm-Geschwüren in Placebogruppen kontrollierter klinischer Studien von 20 bis 70 Prozent. Außer wenn Forscher auch die psychische Befindlichkeit der Probanden studieren, ist es äußerst unvorhersehbar, wer positiv auf ein Placebo reagieren wird. Manche Patienten berichteten von Schmerzlinderung, nachdem ihnen steriles Wasser injiziert wurde. Durchschnittlich 3 bis 4 von 10 operierten Patienten mit schweren Wunden (verursacht durch Geschwüre) verzeichnen eine wesentliche Schmerzlinderung, nachdem ihnen eine Salzlösung injiziert wurde. In der modernen Medizin existieren keine zuverlässigen Methoden, die bestimmen oder garantieren können, welche Patienten auf ein Placebo reagieren. Es ist ebenso unmöglich vorauszusagen, wie gut ein Patient auf eine wirkliche Medikamentenbehandlung oder Operation reagieren wird. Tatsächlich spielt der subjektive Zustand des Patienten eine wichtige, wenn nicht entscheidende Rolle bei der Krankheitsheilung.

Es ist allgemein bekannt, dass Wunden Schmerz erzeugen oder nicht erzeugen können, je nachdem, ob die verwundete Person seine Verletzung als eine „gute" oder „schlechte" Wunde betrachtet. Laut Aussage von Ärzten bedurften viele Soldaten, die auf Schlachtfeldern des Zweiten Weltkriegs verwundet wurden, nicht einmal dann Schmerzmittel, wenn sie wussten, dass ihre Verletzungen ihnen helfen würden, in die Sicherheit eines Krankenhauses und dann zurück nach Hause zu kommen. Für sie war die Verletzung das Beste, was ihnen passieren konnte. Andererseits kann eine durch einen Unfall verursachte Wunde enorme Schmerzen und ein Trauma verursachen, wenn sie mit dem Verlust der Gesundheit, der Beweglichkeit und der Finanzmittel verbunden ist. Dies deutet darauf hin, dass unsere situationsbezogene Interpretation entscheidend für die Auswirkungen auf unser Leben ist.

Ist die heutige medizinische Praxis vertrauenswürdig?

Die Durchführung von Doppelblind-Kontrollstudien zur Feststellung, ob ein bestimmtes Medikament oder eine Behandlung sinnvoll ist, ist eine sehr fragwürdige und irreführende Praktik. Wegen des höchst trügerischen und unbestimmten subjektiven Zustands der untersuchten Patienten können diese Studien, die als das Rückgrat der Medizin betrachtet werden, tatsächlich sehr unrealistische, erfundene und völlig betrügerische Ergebnisse erzeugen. Und doch werden sie der Öffentlichkeit als „Beweis" für die Zuverlässigkeit wissenschaftlicher Forschung und medizinischer Anwendungen präsentiert. All dies ändert sich jetzt, seitdem jüngste Enthüllungen in Medizinjournalen fehlerhafte und schlechte Forschung, wie zum Beispiel den Verzicht auf entscheidende Daten bezüglich des Arthritis-Medikaments Vioxx, aufzeigen oder seitdem die Veröffentlichungen zweier Arbeiten des südkoreanischen Forschers Dr. Hwang Woo Suk beweisen, dass er menschliche Zellen geklont hat.

„Zeitschriften sind zu informationswaschenden Tätigkeiten für die Pharmaindustrie übergegangen", sagen Dr. Richard Smith, ehemaliger Redakteur des BMJ, British Medical Journal, und Dr. Richard Horton, Redakteur des The Lancet, ebenfalls mit Sitz in Großbritannien. Die Zeitschriften haben ein persönliches Interesse daran, die Medikamentenriesen bei Laune zu halten. Werbeanzeigen der Industrie sind das, was Zeitschriften (ebenso wie die Massenmedien) am Leben erhält. Außerdem zahlen Pharmaunternehmen den Zeitschriften große Geldsummen für das Drucken von Artikeln, die Ergebnisse großer klinischer Studien melden, in die ihre Produkte einbezogen waren. Einige Zeitschriften unterlassen es, aus Angst vor Klagen, bekannte Fälle von Betrug zu widerrufen. Redakteure können bei der Entscheidung, ob sie eine solche Studie veröffentlichen, „einem erschreckend schroffen Interessenkonflikt gegenüberstehen" sagte Dr. Smith. Es ist häufig leichter, sich betrügerische Daten einfach durch die Lappen gehen zu lassen, in der Hoffnung, dass es niemand merken wird. Es ist teilweise auch zu Betrug gekommen, weil Redakteure lange Zeit abgeneigt waren, Autoren anzuzweifeln. Das Bewertungssystem medizinischer Zeitschriften, welches eigentlich das Eisentor sein soll, um betrügerische Medizinstudien fern zu halten, ist, in Anbetracht neuer Enthüllungen fehlerhafter Studien, nun mehr als zweifelhaft.

Es gibt einen weiteren Grund vorsichtig zu sein, medizinische Forschung zu ernst zu nehmen. In den Jahren 1994 und 1995 untersuchten Forscher am Massachusetts General Hospital mehr als 3 000 Wissenschaftler und stellten fest, dass 64 Prozent von ihnen finanzielle Verbindungen zu Pharmaunternehmen hatten. Dem Bericht zufolge, der in der Zeitschrift Journal of the *American Medical Association (JAMA)* veröffentlicht wurde, gaben 20 Prozent der 3 000 Forscher tatsächlich zu, dass sie Veröffentlichungen von Forschungsergebnissen um mehr als 6 Monate verzögert hatten, um Patente anzumelden und die „Verbreitung unerwünschter Ergebnisse zu verlangsamen". „Wenn Sie Subventionen von einem Unternehmen annehmen, müssen sie manchmal eine Klausel unterzeichnen, dass Sie nichts ohne das OK des Unternehmens verbreiten. Es hat negative Auswirkungen auf die Wissenschaft", sagt der Nobelpreisträger und Biochemiker Paul Berg.

Darüber hinaus kam ein bedeutender Forschungsbericht des *Office of Technology Assessment (OTA)*, einem Arm des Kongresses der Vereinigten Staaten, zum alarmierendsten Ergebnis von allen. In dem Bericht von 1978 heißt es: „Nur bei 10 bis 20 Prozent aller Verfahren, die gegenwärtig in Arztpraxen eingesetzt werden, konnte die Wirksamkeit durch kontrollierte Studien gezeigt werden." In ihrer Ausgabe aus dem Oktober 1991 bestätigte das renommierte British Medical Journal (BMJ) diesen Bericht mit der Feststellung, dass rund 85 Prozent aller medizinischen Eingriffe und Operationen wissenschaftlich unbewiesen sind. Mit anderen Worten, 80 bis 90 Prozent der allgemeinen medizinischen Behandlungen sind nicht wissenschaftlich fundiert, und es ist zweifelhaft, ob sie überhaupt gerechtfertigt sind. Diese Ergebnisse stimmen mit den Statistiken der *World Health Organisation (WHO)* überein, die bestätigen, dass 90 Prozent aller heutigen Krankheiten meistens nicht mit orthodoxen medizinischen Verfahren therapierbar sind. Und doch behauptet das öffentliche Gesundheitssystem den Allmachtsanspruch auf die Behandlung dieser Krankheiten zu haben. Viele Ärzte glauben tatsächlich, dass der größte Teil ihrer Praxis auf reiner Wissenschaft beruht.

Allerdings wäre es falsch diese Ergebnisse zu verallgemeinern. Einige sehr erfolgreiche Methoden der modernen Medizin werden von keiner anderen Behandlungsmethode erreicht. Das betrifft vor allem akute Gesundheitszustände, die durch Unfälle verursacht werden, einschließlich Verbrennungen, Knochenbrüche, Herzinfarkte, bestimmte lebensbedrohliche Infektionen sowie Hygienefragen. Die hohe Erfolgsquote der medizinischen Versorgung in diesen Bereichen ist eine wirklich bemerkenswerte und beispielhafte Leistung.

Bei den anderen 90 Prozent der Krankheiten, die die WHO als durch schulmedizinische Ansätze unbehandelbar ansieht, konnten moderne Forschungsansätze bis jetzt keinerlei Durchbrüche erzielen. Diese Erkrankungen setzen sich aus den typischen chronischen Erkrankungen wie Herzkrankheiten, Arthritis, Diabetes, Krebs usw. zusammen. Chronische Krankheit bezeichnet die Belastung durch einen oder mehrere kausale Faktoren, die, wenn überhaupt, selten in den Behandlungsprogrammen der Schulmedizin berücksichtigt oder anerkannt sind. Im Hinblick auf eine chronische Krankheit, und im Gegensatz zu einer zum Beispiel versehentlich herbeigeführten Verletzung, ist es einfach nicht genug zu versuchen, ihre Symptome zu beheben. Zuverlässige Studien über chronische Krankheiten durchzuführen ist deshalb eigentlich unmöglich, es sei denn, entscheidende Faktoren wie Ernährung, Lebensstil, Gemütsverfassung, Gefühle, Konfliktexistenz und ähnliches würden in die Testverfahren mit aufgenommen.

Es scheint, dass keiner der Forscher überhaupt die Tatsache berücksichtigt, dass sich der Heilmechanismus, der vom starken Glauben eines Patienten an ein Medikament ausgelöst wird, nicht nur in der Placebokontrollgruppe ereignet, sondern auch in der Versuchsgruppe. Es ist nicht sehr wissenschaftlich zu verkünden, dass ein neues Medikament eine höhere Besserungsrate erzeugt als ein Placebo, wenn der Placeboeffekt – das Vertrauen des Patienten in das Medikament – in beiden Gruppen stattfindet. Die Tatsache, dass der Placeboeffekt als wesentlicher Bestandteil jeder Studie einbezogen werden muss, zeigt, dass der subjektive Zustand des Patienten in beiden Gruppen der entscheidende Faktor im Ausgang des Versuchs bleibt. Wenn die Placebogruppe eine Erfolgsrate von 35 Prozent aufweist und die Medikamentengruppe eine Erfolgsrate von 40 Prozent, ist es offensichtlich, dass mindestens 35 Prozent des Medikamentengruppenerfolgs dem Placeboeffekt zuzuschreiben ist und das Medikament selbst nur 5 Prozent Verbesserung bringt. Die tatsächliche Erfolgsrate von vielleicht 1 bis 3 Prozent (nach Abzug anderer Einflussfaktoren wie geistiger und emotionaler Verfassung) rechtfertigt nicht die Verabreichung des Medikaments an Millionen argloser Patienten. Und dennoch wird es als effektive Behandlungsmethode beworben und verkauft. Offensichtlich kann man medizinische Forschung nicht als objektiv oder wissenschaftlich ansehen.

Warum werden einige gesund und andere nicht?

Es gibt keine einfache oder magische Methode, einen Patienten an seine Behandlung glauben zu lassen. Der Erfolg der Placeboantwort hängt hauptsächlich von der psychischen Verfassung des Patienten ab und davon, ob er einen guten Grund hat, an seinen Arzt zu glauben. Die folgenden Punkte beschreiben drei wichtige Persönlichkeitskategorien, die Ihren Erfolg, eine schwere oder lebensbedrohliche Krankheit zu überwinden, festlegen können:

1. Alles in Ihrem Leben deprimiert Sie. Sie machen andere Menschen und Umstände für Ihr Leiden verantwortlich. Sie sind nicht glücklich, wenn andere zufrieden und froh sind, weil es Ihr Gefühl verstärkt, dass etwas in Ihrem eigenen Leben fehlt. Glückliche Menschen zu sehen,

lässt Sie sich schlechter fühlen. Ihnen mangelt es an Begeisterung und Selbstwertgefühl, und Ihre Lebensperspektive ist ziemlich düster. Sie werden sogar ohne speziellen Grund wütend. Sie spüren oft, dass sie sich selbst nicht mögen und Sie machen sich vor anderen selbst nieder. Sie sagen oft Dinge wie: „Was auch immer ich versuche, klappt nicht" oder „ich wusste von Anfang an, dass die Medizin mir nicht helfen würde". Sie waren während einem großen Teil Ihres Lebens unglücklich und enttäuscht, und Sie versuchen, sich nicht an Ihre Vergangenheit zu erinnern. Sie geben leicht auf und rechtfertigen Ihren Misserfolg, indem Sie sagen: „Es ist zu schwierig", oder „Es sorgt sich sowieso niemand um mich". Sie finden, dass Sie eine Art Opfer sind und Sie benehmen sich wie eines. Sie suchen nach Mitgefühl für Ihre Situation, werden aber wütend, wenn Sie es nicht erhalten. Sie glauben, dass das Leben nicht viel zu bieten hat und Sie sehen keinen echten Sinn im Leben. Sie ziehen es vor, mit Freunden zu verkehren, die sich ebenso deprimiert fühlen, wie Sie selbst.

2. Sie sind ein Kämpfer und nicht gewillt aufzugeben. Ihre Entschlossenheit scheint Sie durch Zeiten des Schmerzes und Kummers zu bringen. Sie wollen unbedingt leben und Sie sagen oft Dinge wie „Ich werde es schaffen", oder „Ich werde mich nicht unterkriegen lassen". Doch tief in Ihrem Innern sind Sie verängstigt und Sie haben Angst davor, nicht erfolgreich zu sein. Sie fühlen sich häufig einsam und zweifeln in Ihrem Geist. Hoffnung ist ein großes Wort für Sie. Sie hängen an der Hoffnung, als ob sie eine Rettungsleine wäre.

3. Sie sind lässig und entspannt. Sie fühlen, dass Ihre Krankheit kein Zufall ist oder sogar ein Grund, sich aufzuregen oder wütend zu werden. Sie haben keine Angst vor der Krankheit, weil Sie sie als körpereigene Heilantwort und wichtiges Zeichen oder als eine Lehre sehen, die wichtige Veränderungen in Ihrem Leben herbeiführen kann, von denen Sie einige nicht bereit waren, sie vorher zu machen. Sie haben keine verzweifelte Eile, die Krankheit loszuwerden und ziehen es vor, die rauen Perioden bewusst zu durchlaufen. Ihre Einstellung zur Krankheit ist keine negative, obgleich Sie sich gelegentlich unwohl fühlen. Sie hören auf die „Botschaften", die Ihnen Ihr Körper schickt und lernen aus ihnen. Sie übernehmen die Verantwortung dafür, diese Situation irgendwie selbst hervorgerufen zu haben, aber Sie haben keine Schuldgefühle oder Gefühle des Selbstangriffs. Die Vorstellung, allem in Ihrem Leben Bedeutung beizumessen – positiv oder negativ – ist kein theoretisches Konzept, sondern eine praktische Lebensweise für Sie. Sie fühlen

Dankbarkeit sich selbst und anderen gegenüber, dass sie sich auf diese Weise mit Ihrem momentanen Leben arrangiert haben. Sie glauben an einen höheren Sinn im Leben und vertrauen darauf, dass sich um Sie auf die eine oder andere Weise gekümmert wird. Jeder Moment ist eine wertvolle Gelegenheit für Wachstum, um vom Leben zu lernen und für ein gestärktes Selbst. Der Tod ist für Sie kein beängstigendes Thema, weil Sie wissen, dass das Leben mit dem physischen Tod nicht endet, und dass auch im Sterben ein spezieller Sinn liegt. Sie sind mit Methoden wie Meditation, Energieheilung, und Körperarbeit, darunter Shiatsu, Reflexologie, Massage, Tai Chi, Yoga und anderen Formen der Körperübung vertraut. Sie sind der Meinung, dass die Krankheit von alleine verschwinden wird, sobald Sie die Begleitlektion(-en) gelernt haben und bereit sind, die notwendigen, von dieser Krankheit ausgehenden Änderungen vorzunehmen.

Wie Sie vielleicht schon vermuten, sind Personen der Kategorie 3, oder mit ähnlichen Persönlichkeitsmerkmalen, bessere Kandidaten für den Placeboeffekt oder für Selbstheilung, als die der Kategorien 1 und 2. Eine Person der 3. Kategorie hat keinen Grund zu glauben, dass ein Medikament oder eine Behandlung nicht wirken wird. Sie weiß einfach für sich, dass der Grund für die Krankheit eigentlich positiv ist, dass sie, egal was immer auch das Resultat dessen sein mag, davon profitieren wird. Wenn sie keine Heilung erfährt, wird sie nicht enttäuscht sein, aber sie wird genug Motivation haben, um nach Alternativlösungen zu suchen. Wenn nichts von außen ihre Krankheit zu heilen vermag, wird sie wahrscheinlich erkennen, dass sie es aus sich selbst heraus muss. Sie weiß bereits oder wird erkennen, dass der höchste Heiler in ihrem Inneren liegt. Nicht viele Kranke fallen in diese Kategorie; sie sind an und für sich die Art von Mensch, die selten krank wird.

Obwohl eine Person der Kategorie 2 durch ihre positive Einstellung gute Heilungschancen hat, kann sie dennoch den Placeboeffekt untergraben, indem sie einen leisen Zweifel in ihrem Hinterkopf behält, „nur für den Fall…". Der Versuch, positiv zu denken, ist im Grunde genommen angstmotiviert und daher nicht gut genug, um eine ausreichende Heilreaktion auszulösen. Der Patient könnte Körper und Geist zwei widersprüchliche Signale schicken: „Ja, ich fühle mich durch das neue Medikament besser!" und „Aber ich werde einen Ausweichplan benötigen, nur für den Fall, dass es nicht wirkt". Die positive Einstellung wird durch die auf die Angst gegründeten Zweifel gemindert oder verneint. Zweifel oder Angst ist eine Art von Energie. Wenn Angst motiviert, oder Ihre Gedanken und Ihr Handeln antreibt, sorgt diese Angst genau dafür, wovor Sie Angst haben.

Eine Person der Kategorie 1 hat kaum Selbstwertgefühl und nutzt ihre ganze Energie dazu, andere zu beschuldigen oder Karma oder Pech für ihre bedauerliche Situation verantwortlich zu machen. Sie ist unfähig, die Placeboantwort auszulösen. Folglich kann sie chronisch krank bleiben, es sei denn, sie beginnt, sich selbst wertzuschätzen und ihr Leben neu zu beurteilen. Oft manifestieren sich Krankheiten als eine Art Test, wie sehr wir uns selber wertschätzen. Sie können nur so viel Glauben in ein Medikament, eine ärztliche Behandlung oder sogar an Gott haben, wie Sie in sich selbst haben. Selbstzweifel blockieren die Heilungsenergien, die für Sie arbeiten. Jemand mit geringem Selbstwertgefühl fehlt Selbstvertrauen. Und Selbstvertrauen wird benötigt, um eine Placeboantwort auszulösen. Die Placeboantwort ist wiederum erforderlich, um eine Krankheit wirklich zu heilen (im Gegensatz zur einfachen Symptombeseitigung).

Diese Verbindung wirkt auch, wenn die Heilreaktion durch äußere Quellen, wie z. B. eine andere Person, einen Therapeuten oder einen Heiler ausgelöst wird. Der Erfolg, den Handauflegung oder Gebete für einen Kranken haben können, ist das Ergebnis eines Zwei-Wege-Prozesses, der aber größtenteils von der Empfänglichkeit, der Fähigkeit und der Akzeptanz des Patienten abhängt. Wenn er glaubt, Heilung zu verdienen, werden sein Körper und sein Geist empfänglicher für Heilenergien sein, inklusive der, die durch Gebete und liebevolle Gedanken erzeugt werden. Bei einer zunehmenden Zahl von Personen werden natürliche Heilformen mit viel größerer Wahrscheinlichkeit eine Placebo- oder Heilreaktion auslösen, als medizinische Standardverfahren, was das gegenwärtig enorme Interesse an Alternativ- oder Komplementärmedizin erklärt.

Der Paradigmenwechsel

Eine eindeutige Verschiebung findet unter Medizinern der Vereinigten Staaten und anderer Industrienationen statt, weg von Spezialpraxen, hin zu einer ganzheitlichen Gesundheits- und Heilungsbetrachtung. Viele Ärzte verlieren den Glauben in ihr begrenztes Fachgebiet, das hauptsächlich daraus besteht Bluttests durchzuführen, EKGs zu machen, Skalpelle zu benutzen oder Pillen für diagnostizierte Krankheitssymptome zu verschreiben. Eine beträchtliche Anzahl medizinischer Hochschulen in den USA weiten ihr Lehrangebot auf Kurse über ganzheitliche und alternative Medizin aus; Themen, die in medizinischen Fachkreisen vor nicht allzu langer Zeit als Tabu galten. Wie bereits vorher erwähnt, kann moderne High-Tech-Medizin nicht bei chronischen Krankheiten angewandt werden. Medizinische Versorgung ist während Krisensituationen unentbehrlich, wenn Organe versagt haben, wenn durch Unfälle verursachte Verletzungen einer Operation bedürfen oder wenn jemand mit einer lebensbedrohlichen Infektion kämpft. Die große Mehrheit der Krankheiten ist jedoch chronischer Natur. Dazu gehören hoher Blutdruck, Herzkrankheit, multiple Sklerose, rheumatische Arthritis, Diabetes, Depression und andere akute Störungen, die chronisch werden, einschließlich Krebs und AIDS.

Die Patienten entwickeln eine zunehmende Abneigung gegen die von der modernen Medizin unterstützten endlosen High-Tech-Scans und Tests. Sie bietet keine persönliche Betreuung und Förderung, die eine kranke Person, in Notwendigkeit eines positiven Placeboeffekts, so dringend braucht. Dieses Gefühl der Entfremdung und Hilflosigkeit treibt viele in die Hände von Heilpraktikern, die mehr Zeit mit ihren Patienten verbringen und ihnen Ansätze, inklusive Selbsthilfeprogramme wie Meditation, Yoga, Ernährungsberatung und Naturheilverfahren zeigen. 1997 gingen 627 Millionen Amerikaner zu Naturärzten und gaben 17 Milliarden US-Dollar für alternative Therapien, einschließlich Krebsbehandlung, aus. Niemand geringeres als die Harvard Medical School schätzt, dass im Jahr 1997 eine von zwei Personen in den Vereinigten Staaten im Alter zwischen 35 und 49 mindestens eine alternative Therapie angewendet hat. In Australien nehmen nunmehr 57 Prozent der Bevölkerung alternative Heilmethoden in Anspruch. In Deutschland sind es 46 Prozent und in Frankreich 49 Prozent. Außerdem wird eine täglich zunehmende Anzahl von Ärzten „alternativ".

Anmerkung: *Zur „Alternative" zu gehen bedeutet nicht notwendigerweise, dass es Ihnen besser ergeht, als mit der Nutzung herkömmlicher Therapiemethoden. Bis zu 30 Prozent der Menschen, die einen Heilpraktiker aufsuchten, behaupteten mit der erhaltenden Behandlung „sehr unzufrieden" zu sein, und bis zu 24 Prozent der Menschen, die eine alternative Behandlung anwendeten, berichteten von einigen Nebenwirkungen ihrer Behandlung.*

Verbrauchernachfragen und die Wirtschaftskrise des medizinischen Systems sind vermutlich die Hauptgründe für eine steigende Anzahl von Ärzten, die sich Billigbehandlungen und sogar dem Gebet und der Spiritualität zugewandt haben. Besonders in den Vereinigten Staaten, wo Versicherungsgebühren gegen Kunstfehler maßlos hoch sind, interessieren sich Ärzte zunehmend für die geistigen Bedürfnisse ihrer Patienten. Indem der Arzt eine größere Beziehung zu seinem Patienten aufbaut, senkt er beträchtlich das Risiko von Streitigkeiten. Das kann auch das Image des Arztes als unfehlbaren Betreuer wiederherstellen, eine Rolle, die die Regel aber nicht die

Ausnahme sein sollte. Die Rolle des Arztes als Freund und Führer während der schwierigen Zeiten der Krankheit kann tatsächlich ein sehr entscheidendes Element sein, den Patienten an die Genesung heranzuführen.

Der Wechsel von einem konventionellen zu einem alternativen Arzt oder zu einem, der sich wirklich sorgt, kann möglicherweise nicht genug sein, um eine Heilreaktion hervorzurufen. Der Wille und Wunsch, Ihre Gesundheit in die eigenen Hände zu nehmen und die Verantwortung für alles in Ihrem Leben zu übernehmen, ist möglicherweise die stärkste Heilmethode, die es gibt. Es packt die ursprüngliche Ursache fast jeder Krankheit an, d. h. das Gefühl der Unzulänglichkeit, das Gefühl sich wertlos zu fühlen oder das Gefühl sich nicht unter Kontrolle zu haben (obwohl die meisten Menschen glauben, diese Gefühle kämen von der Krankheit). Die Verantwortung für die eigene Gesundheit und das Leben zu übernehmen, ist die tiefgreifendste und dauerhafteste Garantie guter Gesundheit. Hierzu gehört die Suche nach und die Anwendung natürlicher Möglichkeiten zur Körperbesserung, genauso wie die Vermeidung schädlicher Faktoren und Einflüsse. Sobald Sie wissen, was Krankheit verursacht, sind Sie in der Lage, die Situation wieder ins Lot zu bringen und den Grundstein für optimale Gesundheit zu legen. Die folgenden Kapitel liefern ein besseres Verständnis für die Wege, wie Sie mit Ihrer eigenen Krankheit, Alterung und Unfähigkeit umgehen können und zeigen Ihnen, wie Sie diesen Prozess anhalten und für immer umkehren können.

Kapitel 2

Die verborgenen Gesetze hinter Krankheit & Gesundheit

Krankheit ist unnatürlich

Die wichtigste Erkenntnis, die wir aus der Studie von Gesundheit und Heilung ziehen können, ist, dass eine natürliche Lebensweise die Entstehung von Krankheit verhindern kann. Krankheit entsteht, wenn wir von dieser Lebensweise abweichen. Sie manifestiert sich, wenn der Körper versucht angesammelte Schadstoffe und Flüssigkeiten zu neutralisieren und zu beseitigen. Um Gesundheit wieder herzustellen, müssen wir dem Körper beim Entfernen dieser Toxine helfen; eine nährstoffreiche Ernährung und eine natürliche Gesundheitsvorsorge werden eine erneute Anhäufung dieser Toxine verhindern.

Krankheit ist das Auftreten einer Toxizitätskrise. Eine Toxizitätskrise ist der Versuch des Körpers, in einen ausgeglichenen Zustand, genannt Homöostase, zurückzukehren. Diese Heil- oder Toxizitätskrise tritt auf, wenn Toxine im Körper ein bestimmtes Konzentrationsniveau erreicht haben, das ich in diesem Zusammenhang als „Toleranz" beschreibe. Ich betrachte Toxine als innerlich erzeugte oder äußerlich zugefügte Substanzen, die schädliche Auswirkungen auf Organsysteme des Körpers, einzelne Organe, Gewebe, Zellen und subzelluläre Einheiten haben. Toxine können chemische Nahrungsmittelzusätze, Umweltschadstoffe, eingeschlossene Stoffwechselabfälle und Gifte, die durch Bakterien erzeugt werden, die unverdaute Nahrungsmittel im Darm zersetzen, beinhalten. Sobald der Toleranzwert des Körpers für Toxine erreicht ist, signalisiert er Schmerzen oder andere Arten von Beschwerden.

Das versetzt die Ausscheidungsorgane und -systeme wie die Haut, das Atmungssystem, die Leber, den Dickdarm, die Nieren, das lymphatische System und das Immunsystem in Abwehrhaltung. Während der Körper versucht diese Toxine zu entfernen, können Leber, Lungen, Dickdarm, Nieren, Lymph- und Hautdrüsen vorübergehend verstopft werden. Die Immunantwort kann die Mobilmachung von Immunzellen und Antikörpern umfassen, die dabei helfen das Toxizitätsniveau unter die Toleranzgrenze zu drücken (siehe Abbildung 3). Während dieser reaktiven Phase der Toxizitätskrise können Sie sich schwach oder erschöpft fühlen, weil der Körper jegliche gelieferte Energie nutzt, um sich von den Toxinen zu reinigen. Unter normalen Umständen kehren Körperkraft, Appetit und gute Laune einige Tage nach dieser Heilantwort zurück. Dadurch können Sie den Eindruck gewinnen, dass Ihre Gesundheit wieder auf normalem Stand ist, wohingegen Sie in vielen Fällen nur das Symptomniveau der Toxizitätskrise unterschritten haben können.

Wenn Sie nicht die Faktoren beseitigen, die zu ihrer Bildung geführt haben, werden die Toxine wahrscheinlich wieder anwachsen und eine neue Toxizitätskrise verursachen. Da das Immunsystem mit jeder neuen Krise zunehmend schwächer wird, verringert sich ebenfalls die Wahrscheinlichkeit einer völligen Erholung der Gesundheit und Vitalität. Das Endergebnis wiederholter Toxizitätskrisen-Zyklen ist chronische Krankheit.

Vor mehr als hundert Jahren waren chronische Krankheiten eher die Ausnahme. Zu Beginn des 20. Jahrhunderts litten nur 10 von 100 Menschen an dauerhaften Krankheiten. Heute machen chronische Krankheiten über 90 Prozent aller Gesundheitsprobleme aus. Heutzutage neigen sowohl die Allgemeinbevölkerung als auch Ärzte dazu zu glauben, dass es richtig und heilsam ist, Krankheitssymptome mit allen erdenklichen Mitteln zu beseitigen. In den meisten Fällen geschieht dies durch die Verwendung von Medikamenten und Operationen. Die konventionelle Medizin umgeht die Notwendigkeit der Entdeckung und Behandlung der Symptomursache, (welche schlicht ein Anzeichen von Toxizität im Körper ist), auf bequeme Art und Weise. Das Endergebnis einer solchen Herangehensweise ist die Unterdrückung der körpereigenen lebenswichtigen Organe und Systeme. Da dem Körper dadurch die Möglichkeit genommen wird, angesammelte Toxine zu beseitigen, wird es beim nächsten Mal länger dauern oder schlimmer sein als beim ersten Mal.

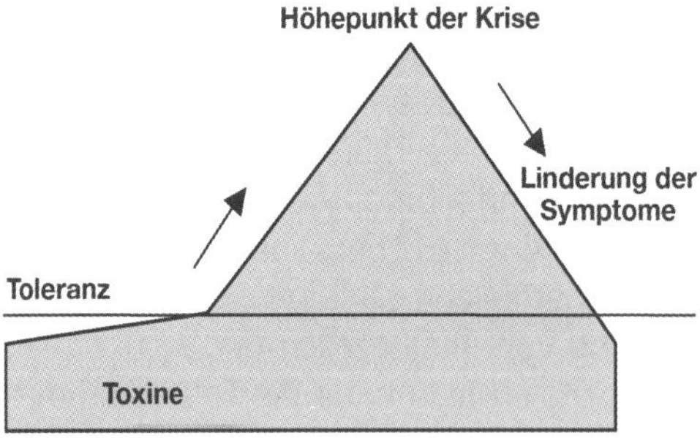

Toxine steigen allmählich auf Toleranzniveau, wo sie Beschwerden oder Krankheitssymptome, d. h. eine Toxizitätskrise erzeugen. Sobald der Höchststand der Krise erreicht ist, beginnen die Symptome nachzulassen und der Zustand kehrt sich um.

Abbildung 3: Die Toxizitätskrise

Dies verursacht weiteren Verschleiß des Immunsystems und macht anfällig, verschlimmerte Formen akuter und chronischer Krankheiten zu entwickeln. Der namhafte Arzt Dr. Henry Lindlahr machte diese tiefgründige und scharfsinnige Bemerkung: „Der größte Teil aller chronischen Krankheiten wird durch Unterdrückung akuter Krankheiten durch Arzneimittelvergiftungen geschaffen."

Die meisten von uns stimmen darin überein, dass, wenn sich jemand nach der Einnahme von Medikamenten erholt, die Genesung „eindeutig" das Resultat der Medizin sein muss. Jedoch kann diese Annahme falsch sein. Heilung findet immer *im* Körper statt und wird vom Körper kontrolliert. Wenn sich der Körper aus irgendeinem Grund nicht mehr heilen kann, kann sogar die stärkste Medizin nicht vollbringen, woran das wankende Heilsystem des Körpers gescheitert ist.

Krankheit manifestiert sich, wenn die natürlichen Heilantworten des Körpers geschwächt oder unterdrückt werden. Der Körper hat einen unveränderlichen Hang dazu in seinen normalen Gleichgewichtszustand zurückzukehren, was vielleicht die wirkliche Kraft hinter jeglicher Heilung ist. Manchmal kann der Glaube an eine bestimmte Behandlung oder Medizin (Placebo) als Auslöser für den Körper dienen, um das Gleichgewicht wieder herzustellen – ein Effekt, der häufig fälschlicherweise eher der Behandlung, als den Vertrauensenergien und dem Durchhaltevermögen zugeschrieben wird, den er im Patienten erzeugen kann.

Die Beibehaltung des körpereigenen Gleichgewichts wird durch energieentleerende Einflüsse stark beeinträchtigt. Ein Kettenraucher, der aufgrund konstanter Belastung durch Kohlenmonoxid und Nikotin z. B. Arteriosklerose (Verhärtung der Arterien) und Herzmuskelschwäche entwickelt hat, hat sehr geringe oder keine Chancen geheilt zu werden, wenn er weiter raucht.

Börsenmakler und professionelle Spieler haben ein sehr hohes Risiko eine Herzerkrankung zu entwickeln, weil sie während ihrer Arbeit konstante Schocks erleiden. Sie von ihren Arbeitsstätten zu entfernen, indem man sie ins Krankenhaus einweist, ist häufig genug, um ihnen zu helfen, ihre Gesundheit wiederzuerlangen. Die Vermutung, dass die ärztliche Behandlung für eine Besserung des Gesundheitszustands verantwortlich ist, ist jedoch mehr als irreführend. Sie genesen, weil die Hauptstressquelle verschwunden ist.

Das Symptom einer Krankheit ist nicht die Krankheit

Auch wenn Sie denken, dass Sie die auf Ihren Gesundheitszustand zugeschnittene Medizin gefunden haben, werden Sie nicht wirklich geheilt, es sei denn, Sie stoppen die Krankheitsursachen. Das Gesetz von Ursache und Wirkung gilt für alles im Leben. Sie können in der Lage sein Krankheitssymptome zu stoppen, aber das wird Ihren Körper nur zwingen die toxischen Substanzen in „tiefere" Strukturen, einschließlich der Gewebe der Organe, Gelenke und Knochen zu drängen. Da die Unterdrückung der Toxine sie aus dem Verbund des allgemeinen Kreislaufs „verschwinden" lässt, scheint sich die Fähigkeit des Körpers, sie zu tolerieren, zeitweilig zu verbessern. Das gibt Ihnen natürlich den Spielraum, an noch mehr Toxinen festzuhalten, ohne irgendwelche offensichtlichen Krankheitsanzeichen zu entwickeln. Wenn die ersten Linien des körpereigenen Verteidigungssystems noch intakt wären, würde sich der Körper sogleich mit dieser Zunahme von Toxinen befassen, indem er eine Erkältung, Fieber oder eine Infektion äußert. Sie würden sich ziemlich krank fühlen. Wenn aber nichts von alledem auftritt, könnten Sie glauben, dass es Ihnen gesundheitlich gut geht und Sie Ihr Leben wie bisher weiterleben können. Dann, ganz plötzlich, ohne große Vorwarnung, wird eine noch größere Toxizitätswelle freigesetzt. Ein typisches Beispiel solch einer Krise ist der plötzliche Herz- oder Schlaganfall. Viele Opfer solch eines Anfalls behaupten, immer „vollkommen gesund" gewesen zu sein.

Die meisten ernsthaften und lebensbedrohlichen Krankheiten beginnen gewöhnlich mit geringen Problemen, wie eine einfache Magenschleimhautreizung. Sie kann durch übermäßiges Essen, scharfe Nahrungsmittel und Getränke oder durch emotionalen Stress verursacht werden. Wenn das Essen zu schwer oder schwierig zu verdauen ist, bewegt sich ein Teil der Salzsäure im Magen nach oben in die Speiseröhre, was ein Gefühl von „Sodbrennen" verursacht. Unglaubliche 60 Millionen Amerikaner leiden mindestens einmal monatlich unter Sodbrennen. Mehr als 16 Millionen leiden täglich darunter.

Entgegen herkömmlicher Meinung wird Sodbrennen oder saurer Rückfluss nicht durch zu viel, sondern durch zu wenig Magensäure verursacht. Aufgrund einer unzureichenden Versorgung mit Salzsäure bleibt unverdaute Nahrung zu lange im Magen, was Magenbeschwerden verursacht. Während die Säure auf dem Weg in die Speiseröhre ist, fängt sie an, den Belag dieser feinen Struktur zu verdauen – daher das brennende Gefühl.

Sie können leicht überprüfen, ob Ihre Verdauungsprobleme mit zu wenig Magensäure in Verbindung stehen. Essen Sie vor dem Essen etwas frischen Ingwer mit einer Prise Salz oder Cayennepfeffer. Dies wird die

Säureproduktion anregen. Wenn das nicht hilft, kann ein einfaches Säure-Ergänzungsmittel, genannt *Betain Hydrochlorid (HCL)* wirken. (Vermeiden Sie HCL jedoch, wenn Sie ein Magengeschwür haben.) Wenn eine dieser Methoden die Symptome lindert, wissen Sie, dass Ihr Sodbrennen-Problem durch zu wenig Magensäure verursacht wird. Zur dauerhaften Verbesserung der Verdauung und um das Problem der geringen Magensäure zu lösen, reinigen Sie Ihre Leber und den Darm und vermeiden Sie schwer verdaubare Lebensmittel, wie Fleisch und frittierte oder verarbeitete Lebensmittel. (Siehe spätere Kapitel für Details.) Wenn Nahrung nicht richtig verdaut wird, werden Vitamine und Nährstoffe nicht aufgenommen, so dass Sie anfälliger für eine Vielzahl von Degenerationskrankheiten werden.

Wenn die *Reizung* der Magenschleimhaut aufgrund regelmäßigen Kaffee-, Limonaden-, Sportgetränke-, Zucker-, Schokoladen-, Fleisch-, Nikotin-, Alkohol-, Rauschgiftkonsums und anderer ungesunder Produkte häufiger auftritt, kann dies zu einer voll entwickelten Entzündung führen. Sofern Lebensstil und Ernährung nicht geändert werden, um diese irritierenden Substanzen zu entfernen, wird sich ein *Geschwür* bilden. Unfähig, die täglich erzeugten Stoffwechselabfälle, Zelltrümmer und giftigen Lebensmittelpartikel aus der Umgebung der Geschwürverletzungen zu entfernen, können die Magenzellen nicht mehr ihrer normalen Tätigkeit nachgehen. Während er in solch einer unnatürlichen und toxischen Umgebung erstickt, muss der Körper ungewöhnliche Überlebensmechanismen in Anspruch nehmen. Die am stärksten betroffenen Magenzellen können durch etwas, das als „Zellmutation" bekannt ist, gezwungen werden, ihre Gene zu verändern. Es mag scheinen, dass diese mutierten „steuerlosen" Zellen ihr Bewusstsein verloren haben, ein integraler Bestandteil des Körpers zu sein. Allerdings dient die Veränderung der genetischen Programme dieser Zellen, wie alles, was der Körper macht, einem nützlichen Zweck, nämlich dem der Entfernung und Absorbierung einiger säurehaltiger Stoffwechselprodukte und anderer Schadstoffe. Dieses Krankheitssymptom wird Krebs genannt, was nur ein anderer Name für die unvorstellbare Anstrengung des Körpers ist, sich mit der konstanten Reizung und Vergiftung seiner Zellen auseinanderzusetzen. Somit ist Magenkrebs eine natürliche Antwort auf eine dauernde Reizung der Magenzellen.

Die meisten derzeit verwendeten medizinischen Behandlungen nehmen nur die Symptome der Krankheit ins Visier, als ob diese die Krankheit selbst wären. Das überwiegende Konzept ist die Symptomentfernung, in der Hoffnung, dass die Krankheit auch verschwindet. In vielen Fällen kann der Einsatz von hoch entwickelten Diagnosewerkzeugen die Krankheitssymptome genau identifizieren, die zu Magengeschwüren, grauem Star,

Steinen in der Gallenblase oder einer Geschwulst in der Gebärmutter werden könnten. In zu vielen Fällen kann die „Behandlung" darin bestehen, den „Schuldigen" zusammen mit dem betroffenen Organ zu entfernen. Der Patient wird in dem Glauben geheilt zu sein nach Hause entlassen. Da er sich dessen nicht bewusst ist, was seine Probleme in erster Linie verursacht hat, kann sich sein Körper in eine lebende Zeitbombe verwandeln. Bis heute ist der rein klinische Diagnoseansatz nicht in der Lage gewesen, die ursächlichen Faktoren für über 80 Prozent aller Krankheiten zu identifizieren. Dies ist möglicherweise der größte Nachteil der heutigen Medizin.

Die Suche nach Krankheitsursachen ist in der medizinischen Ausbildung kein Schwerpunktthema. Daher können wir die Mediziner für die gegenwärtige Krise in der medizinischen Versorgung nicht verantwortlich machen. Darüber hinaus werden Mediziner häufig von ihren Patienten unter Druck gesetzt, als „legalisierte Drogenhändler" oder „Symptomjäger" tätig zu sein. Viele Patienten verlangen praktisch von ihren Ärzten, dass sie ihre Krankheitssymptome schnell und unter Zuhilfenahme aller verfügbaren Mittel beseitigen, sodass sie ihr Leben weiterleben können. Sie bemerken nicht, dass sie dieses Verhalten immer näher an eine weitere, intensivere Toxizitätskrise führt. Zusätzlich zu diesem Dilemma werden die meisten existierenden Therapien häufig von starken Nebenwirkungen begleitet, sodass sich die Frage stellt, ob diese Therapien überhaupt gerechtfertigt sind. Dies gilt insbesondere, wenn sie bei relativ kleinen Problemen angewendet werden.

Wunderbare Infektionen

Das folgende Zitat fasst den Infektionsmythos zusammen: „Zu behaupten, dass Bakterien und Viren Krankheiten verursachen, ist gleichbedeutend damit zu behaupten, dass Fliegen Abfall verursachen." Die Wahrheit ist, dass Mikroben sogar helfen Krankheit zu heilen oder mindestens ihre Ausbreitung verhindern. Infektionen sind einer der außergewöhnlichsten Selbstverteidigungsprozesse des Körpers. Während dieser Rettungsmission bekämpft das Immunsystem das Eindringen von Bakterien oder Viren, die durch den geschwächten Zustand des Wirts und durch schädliche Abfallstoffe „eingeladen" wurden. Dieser Kampf des Immunsystems gegen eine Infektion ist von entscheidender Bedeutung für die Wiederherstellung der körpereigenen Funktionen. Obwohl diese beiden Phänomene widersprüchlich zu sein scheinen, sind sie es nicht. Beide sind notwendig, damit

Heilung stattfinden kann. Die Keime brechen schwache, verletzte oder tote Zellen und Abfallmaterial auf, die ein verstopfter Körper nicht mehr beseitigen kann und das Immunsystem befasst sich mit den Toxinen, die diese Keime bei ihrer Arbeit erzeugen. Das Immunsystem ist ebenfalls unerlässlich, um die Keimaktivitäten zu kontrollieren und diese Keime zu entfernen, nachdem sie nicht mehr benötigt werden.

Ärzte versuchen normalerweise bakterielle Infektionen mit Antibiotika zu bekämpfen. Sie glauben, dass die Infektionsbakterien schädlich sind, aber diese Sichtweise ist sehr unvollständig und potenziell lebensgefährlich. Keime werden auf natürliche Weise zu einem schwachen Organ oder zu einem verletzten Körperteil gelockt, wenn die körpereigenen Reinigungs- und Heilsysteme überfordert sind. Ansteckende Bakterien oder Viren meiden normalerweise saubere und gesunde Bereiche, weil es nichts für sie zu tun oder nichts zum Leben gibt. Aus diesem Grund können Keime nicht allein für das Verursachen von Krankheit verantwortlich gemacht werden. Diese einfache Wahrheit wird durch die Tatsache bestätigt, dass, wenn zum Beispiel 100 Menschen demselben Erkältungs- oder Grippevirus ausgesetzt werden, nur ein Bruchteil von ihnen wirklich angesteckt wird. Moderne medizinische Forschung hat nie wirklich darauf verwiesen oder versucht zu verstehen, wodurch Immunität und Anfälligkeit gegenüber einem Virus hervorgerufen wird. Andernfalls hätte man uns allen schon vor langer Zeit beigebracht, wie man gesund bleibt oder wie man wieder gesund wird, wenn man krank geworden ist.

Die Keimtheorie der Krankheit, auf der fast das gesamte moderne medizinische System basiert, wurde vom französischen Chemiker Louis Pasteur in der zweiten Hälfte des 19. Jahrhunderts aufgestellt. Obwohl Pasteur auf seinem Sterbebett zugab, dass seine Theorie falsch war, hatte die ganze Welt sie bereits akzeptiert und damit begonnen, den Mythos der Keimtheorie aufrechtzuerhalten. Pasteur begriff schließlich, dass Keime ohne tiefere Ursache keine Infektion verursachen können. Er gab zu, dass es eher die Zellumgebung oder das Milieu ist, das bestimmt, welche Art von Keimen und wie viele von ihnen sich an die aus organischem Material bestehenden Zellen anhängen. Das ist, was ein Zeitgenosse von Pasteur, Pierre Jacques Antoine Béchamp, schon lange bevor Pasteur zur gleichen Feststellung am Ende seines Lebens kam, entdeckt und unterrichtet hatte. Béchamp glaubte, dass bei der Entscheidung, ob Erkrankungszustände auftreten oder nicht, die Ökologie des Blutes und der Gewebe eine entscheidende Rolle spielt.

1883 erklärte Béchamp kühn: „Die primäre Krankheitsursache ist in uns, sie ist immer in uns." Wir alle sind 24 Stunden pro Tag Keimen in unserem Körper ausgesetzt, während unseres ganzen Lebens. In Wahrheit haben wir mehr Mikroorganismen in unserem Körper, als wir Zellen haben. Einige sind abhängig von Sauerstoff, andere sind es nicht. Hauptsächlich helfen uns einige Mikroorganismen bei der Verdauung unserer Nahrung und Herstellung wichtiger Substanzen wie Vitamin B12, während andere Abfallstoffe wie Fäkalien abbauen. Ohne sie würden wir in einer Mülllache „ertrinken". Offensichtlich brauchen wir beide Arten von Mikroorganismen zum Überleben und wir züchten sie im Körperinneren. Béchamps Arbeit zeigte, dass der Körper mehr „Nahrung" für die zerstörerischen Keime erzeugte, wenn der Säure-Basen-Haushalt (pH) des Körpers zum Säuregrad kippte und sich dadurch das Risiko zu erkranken erhöhte.

In seinen Experimenten konnte Béchamp die Existenz von Pleomorphismus nachweisen, primitive Mikroben, die im Blut und den Zellen jeder Person existieren. Diese können ihre Erscheinungsform ändern, um als verschiedene Keime aufzutreten. Folglich leben harmlose Stammkeime in einem starken und gesunden basischen pH, aber verwandeln sich selbst in Bakterien, wenn der pH schwach sauer wird. Diese Bakterien werden wiederum zu Pilzen, wenn der pH auf ein Niveau mittlerer Säure steigt. Zuletzt werden Pilze zu Viren, wenn sie einem starken pH ausgesetzt sind. Der pH-Wert des Körpers wechselt von Alkalinität zu Säure, wenn saure Stoffwechselabfälle, totes Zellmaterial, Blutproteine und Toxine gefangen werden und sich in den Körper- und Gewebeflüssigkeiten anhäufen. Das Resultat ist eine Toxizitätskrise, die nichts anderes ist, als der Versuch des Körpers, in einen alkalischeren Zustand zurückzukehren.

Infektion ist eines der effektivsten Mittel des Körpers, über eine Toxizitätskrise hinwegzukommen, es sei denn, dass das Immunsystem bereits reparaturunfähig ist, wie es häufig während des Mittelalters üblich war, als die Pest Millionen unterernährter und immuninsuffizienter Menschen tötete. Mikroben arten nur aus, wenn der Toxizitätsgrad des Körpers extrem hoch ist. In solch einem Fall wäre ein kurzfristiger medizinischer Eingriff gerechtfertigt. Die Behandlung sollte jedoch von einer Giftstoff- und Abfallreinigung des Körpers begleitet werden oder der Behandlung vorangegangen sein. Infektionsunterdrückung mit verschreibungspflichtigen Medikamenten kann schwerwiegende Folgen haben, die sich manchmal Jahre später als Herzkrankheit, Rheumatismus, Diabetes oder Krebs zeigen können. Dies gilt auch für Schmerzmittel – die am häufigsten verwendeten Arzneimittel weltweit.

Schmerzstillende Mittel – der Beginn eines Teufelskreislaufs

„Medikamente heilen nie Krankheiten. Sie beruhigen bloß die Stimme des Protests der Natur, und reißen die Gefahrensignale ab, die sie entlang des Wegs der Sünde aufstellen. Jedes ins System genommene Gift muss später mitberechnet werden, auch wenn es gegenwärtige Symptome lindert. Schmerz kann verschwinden, aber der Patient wird in einer schlechteren Verfassung zurückgelassen, obwohl sich dessen unbewusst zu dieser Zeit."

~Daniel. H. Kress, M.D.

Die Einnahme von Schmerzmitteln, sofern nicht bei extrem schmerzhaften Zuständen absolut notwendig, ist ein Unterdrückungs- und Vernichtungsakt der Heilintelligenz des Körpers. Wenn der Körper krank ist, kann er Schmerzsignale benötigen, um die passende Immunreaktion zur Toxinbeseitigung auszulösen und das Individuum daran zu hindern, sich selbst weiter zu schaden. Schmerz ist keine Krankheit und sollte deshalb auch nicht wie eine behandelt werden. Schmerz ist die natürliche Antwort des Körpers auf Überlastung und anschließender Dehydrierung und Unterernährung der Zellen und Gewebe. Er tritt in Gegenwart von toxischen Stoffen auf und wird häufig durch Infektion begleitet. In den meisten Fällen kommt es zu Schmerzsignalen, wenn eines der Erste-Hilfe-Hormone des Gehirns, genannt Histamin, in großen Mengen abgesondert wird und die Schmerznerven nahe oder neben einem verstopften Bereich passiert.

Der Körper benutzt auch *Histamine*, um Fremdmaterialien wie Virenpartikel oder giftige Substanzen auszusortieren und andere Hormone oder Körpersysteme anzuweisen, die Wasserverteilung zu regulieren. Die letztgenannte Funktion von Histamin ist sehr wichtig, denn wo es eine Anhäufung von Toxinen gibt, gibt es auch einen akuten Wassermangel (Dehydratation). Wenn das Schmerzsignal jedoch unterdrückt wird, ist der Körper verwirrt und weiß nicht, wie er sich mit der Verstopfung und der nachfolgenden Toxizitätszunahme befassen soll. Schmerzmittel hindern den Körper ebenfalls, vom fortschreitenden zellularen Dehydrierungszustand zu lernen. Außerdem müssen die Körperzellen mehr ihres wertvollen Wassers abgeben, um Schmerzmittel zu verarbeiten.

Üblicherweise steigt die Schmerzintensität mit der Toxin- und Materialkonzentration, wie z. B. Blutproteine, die in der flüssigen Umgebung der Zellen eingeschlossen sind. Diese flüssige Substanz nennt man interstitielle Flüssigkeit oder Bindegewebsflüssigkeit, und sie wird durch das lymphatische System entwässert. Wenn das lymphatische System aufgrund Verdauungsproblemen oder anderer Gründe verstopft wird, die ich später erklären werde, ist der Fluchtweg für diese Blutproteine und Toxine geschlossen. Um die sofortige Zerstörung der Zellen durch diese hoch säurehaltigen und reaktiven Proteine und Toxine zu verhindern, umschließt der Körper sie mit Wasser. Das verursacht der Reihe nach weitere Hindernisse und verhindert die korrekte Sauerstoffzufuhr der Zellen. Unmittelbar aus diesem Sauerstoffmangel entsteht Schmerz. Eine im Dezember 1964 durch eine der früheren Zeitschriften der American Medical Association, *Today's Health*, veröffentlichte Forschungsstudie bewies, dass Blutproteine auf natürliche Weise den Blutkreislauf verlassen und in die Bindegewebe eindringen, aber wenn sie nicht sofort durch das lymphatische System entfernt werden, sind sie in der Lage in weniger als 24 Stunden Krankheit und Tod zu verursachen.

Der Körper weiß sicherlich um die Gefahr und agiert dementsprechend. Das Gehirn erzeugt die perfekte Menge natürlicher Schmerzmittel, d. h. Endorphine (endogene Opioide), um den Schmerz erträglich zu machen, der aber immer noch stark genug ist, eine kraftvolle und aktive Immun- und Reinigungsreaktion aufrechtzuerhalten. Synthetisch hergestellte Schmerzmittel verursachen andererseits einen elektrischen Kurzschluss des Schmerzsignals. Das Gehirn und das Immunsystem müssen dieses Signal aber erhalten, um imstande zu sein, sich um das gefährdete Gebiet zu kümmern. Die plötzliche Schmerzunterdrückung kann mit der Leitungskappung einer Alarmanlage verglichen werden, die ein Haus schützt. Wenn ein Einbrecher dieses Haus betritt, wird niemand es merken. Indem die Kommunikation mit dem Gehirn abgeschnitten ist, ist der Körper nicht imstande, alle aufgefangenen Giftstoffe und Blutproteine zu entfernen und ihre zerstörende Wirkung kann unbemerkt fortfahren. Das beunruhigende an pharmazeutischen Drogen, wie Schmerzmedikamenten, ist, dass sie Blutproteine brauchen, um sie an ihren Bestimmungsort zu transportieren. Da die Blutproteine in den Bindegeweben eines Organs eingeschlossen sind, werden diese Medikamente dort auch eingeschlossen. Dies verursacht die allseits bekannten ernsten Nebenwirkungen und häufigen Todesfälle. Die Pharmaindustrie will natürlich nicht, dass Sie wissen, dass Sie bei Einnahme ihrer Medikamente mit Ihrem Leben spielen.

Schmerzmittel verhindern nicht nur, dass der Körper ein Gesundheitsproblem realisiert, sie sabotieren auch seine Heilbemühungen. Der regelmäßige Gebrauch von Schmerzmitteln unterdrückt die Endorphinproduktion im Gehirn, wodurch Abhängigkeit verursacht wird. Das wiederum senkt auch das Toleranzniveau des Körpers für Schmerz, was dazu führt, dass sogar geringe Verstopfungsprobleme sehr schmerzhaft sind. Einige Menschen haben ihre Körper auf diese Weise dermaßen missbraucht, dass sie unter qualvollen chronischen Schmerzen leiden, obwohl das ursächliche Problem wirklich nur ein geringes sein kann. Wenn Schmerzmittel keine Wirkung mehr zeigen, können einige Menschen sogar Selbstmord begehen wollen, nur um Linderung zu erfahren.

Wenn Sie Schmerzmedikamente gegen Arthritis oder andere schmerzhafte Zustände eingenommen haben, aber jetzt wissen, dass Medikamente wie Vioxx, Aleve, Celebrex und Aspirin drastisch das Herzanfall- und Schlaganfallrisiko erhöhen, können Sie auf natürliche Alternativen wechseln, bis Sie die Schmerzursache beseitigt haben (wie es dieses Buch empfiehlt). Gemäß des New England Journal of Medicine „sind entzündungshemmende Medikamente (verschreibungspflichtige und frei verkäufliche Medikamente, einschließlich Advil, Motrin, Aleve, Ordus, Aspirin, und mehr als 20 weitere) die alleinige Ursache für mehr als 16 500 Todesfälle und mehr als 103 000 Krankenhausaufenthalte pro Jahr allein in den Vereinigten Staaten". Zwischen 1997 und 2005 stiegen die Verkaufszahlen der fünf führenden Schmerzmittel gemäß einer Analyse der Associated Press (amerikanische Nachrichtenagentur), basierend auf Statistiken der Drug Enforcement Administration (amerikanische Drogenbehörde), um 90 Prozent.

Sogar die kleinste Menge Aspirin löst zu einem gewissen Grad Darmblutung aus. Regelmäßige Einnahme von Aspirin hat ernsthafte Konsequenzen. Fast 70 Prozent der täglichen Aspirinkonsumenten erleiden pro Tag einen Blutverlust von bis zu 1 Teelöffel und 10 Prozent verlieren soviel wie zwei Teelöffel täglich. Eine neue, in den *Annals of Internal Medicine* veröffentlichte Studie zeigte, dass der Gebrauch von NSAIDs (nichtsteroidale Entzündungshemmer) wie Aspirin und Ibuprofen die Gefahr von Bluthochdruck (HBP) um fast 40 Prozent erhöhte. Wie sich herausstellte, erhöhte der ähnliche Gebrauch von Acetaminophen die HBP-Gefahr um 34 Prozent.

Die folgende Liste gibt ihnen einen Überblick über Alternativlösungen zum Thema Schmerztherapie, ohne die körpereigenen Heilanstrengungen zu stören:

- **Boswellia (Boswellia serrata)** ist ein Ayurvedisches Heilkraut. Es lindert Schmerz und verbessert die Beweglichkeit bei Arthritispatienten. Es hat auch antikarzinogene, antitumorale und blutfettsenkende Eigenschaften. Dosierung: Zwei- bis dreimal täglich 1 200 bis 1 500 mg eines standardisierten Extrakts, das 60 bis 65 Prozent Boswelliasäuren enthält.

- **Bromelain,** ein aus dem Ananasstamm gewonnenes Enzym mit entzündungshemmender Wirkung. Dosierung: 500 mg dreimal täglich zwischen den Mahlzeiten.

- **Cayenne (Capsicum annuum)** Creme. Zur Schmerzlinderung, zwei- bis viermal täglich auf die betroffenen Bereiche auftragen.

- **Teufelskralle (Harpagophytum procumbens)** kann Knie- und Hüftschmerz lindern. Dosierung: 1 500 bis 2 500 mg pulverisiertes Extrakt täglich, oder 1 bis 2 ml der Tinktur dreimal täglich. Nehmen Sie Teufelsklaue nicht, wenn Sie eine Gallenstein-, Sodbrennen- oder Geschwürhistorie haben.

- **Nachtkerzen-, Schwarze-Johannisbeere- und Gurkenkraut-Öle** reduzieren Gelenkentzündungen. Dosierung: Bis 2.8 g Gamma-Linolensäure (GLS) täglich. Vermeiden Sie jegliche raffinierten Öle oder Margarine.

- **Fischöle,** um Gelenkentzündungen zu reduzieren und Gelenkschmierung zu fördern. Dosierung mindestens 1.8 mg Docosahexaensäure (DHA), ein Omega-3-Fett, und 1.2 mg Eicosapentaenoic Säure (EPA), ebenfalls ein Omega-3-Fett.

- **Ingwer (Zingiber officinale):** Aus frischem Ingwer gebrühter Tee. Essen Sie frischen Ingwer vor und bei den Mahlzeiten, nehmen Sie zwei- oder dreimal täglich 1 bis 2 Gramm Ingwerpuder in Kapselform zu sich, oder wenden Sie zwei- oder dreimal täglich 1 bis 2 ml der Tinktur an.

- **MSM (Methylsulfonylmethane)** – organischer Schwefel – hat natürliche entzündungshemmende Eigenschaften. Dosierung: 2.000 bis 8.000 mg täglich. Fangen Sie mit einer kleinen Dosierung an und steigern Sie sie allmählich.

- **SAMe (S-Adenosylmethionin)** verhindert Wasserverlust im Knorpelgewebe, welches das Gelenk flexibler macht. Dosierung: 600 bis 1.200 mg täglich für zwei Monate, gefolgt von 400 bis 800 mg täglich als Pflegedosierung.

Vorsicht: *Wenn Sie etwas des oben genannten nehmen, stellen Sie sicher, keine nichtsteroidalen entzündungshemmenden Medikamente (NSAIDs) wie Aspirin oder Ibuprofen zu nehmen, um Nebenwirkungen zu vermeiden.*

Neben der Einnahme von Ergänzungen gibt es natürlich andere Optionen zur Schmerzlinderung, die Sie vielleicht testen möchten. Diese umfassen Ernährungsumstellung, Bewegung, Physiotherapie, Stressmanagement, Massagetherapie, Akupunktur, Akupressur und Yoga.

Aufputschmittel machen starke Menschen schwach

Alle Aufputschmittel sind bei Einnahme „süß", aber „bitter" in ihrer Wirkung. Sie können von ihnen abhängig werden, ohne es zu merken. Wenn Sie normalerweise einige Tassen Kaffee pro Tag trinken, versuchen Sie folgendes: Gehen Sie auf eine „Kaffeefastenzeit", was bedeutet, für einen ganzen Tag keinen Kaffee zu trinken, und beobachten Sie, wie Sie sich im Laufe des Tages fühlen. Nach ein paar Stunden können Sie Lustlosigkeit und ein Gefühl der Schwäche und fehlender Energie überall im Körper empfinden. Einige Menschen entwickeln am Nachmittag Kopfschmerzen; andere gähnen und fühlen sich niedergeschlagen. Diese Effekte scheinen an diesem Tag aufgrund des Kaffeemangels aufzutreten, aber sie offenbaren in Wahrheit den schwächenden Einfluss, den der Kaffee auf Ihr Herz hatte. Sie können argumentieren: „Aber das Trinken von Kaffee ist normal, jeder tut es." Die meisten Menschen in den Industrienationen erkranken ja auch ernsthaft irgendwann in ihrem Leben. Zum Beispiel wird einer von zwei Menschen in den Vereinigten Staaten zu irgendeinem Zeitpunkt seines Lebens Krebs entwickeln. Dies wird mittlerweile auch als eine fast „normale" Erfahrung angesehen.

Aufputschmittel, die in Kaffee, Tee und Zigaretten enthalten sind, scheinen willkommene und schnell wirkende Substanzen für jene zu sein, die das Bedürfnis nach einem Energieschub verspüren, um dadurch den Geist zu wecken oder sich aufnahmefähiger und lebendiger zu fühlen. Aber da diese Aufputschmittel keine echte Energie aus sich selbst heraus haben, wo kommt der Energieschub dann her? Offensichtlich liefert der Körper ihn. Aufputschmittel sind Nervengifte, die eine starke Abwehrreaktion im Körper auslösen. Wenn Sie eine Zigarette rauchen oder eine Tasse Kaffee oder einen Energiedrink trinken, tritt der daraus resultierende Energieschub aufgrund dieser Immunreaktion auf. Folglich ist der spürbare Energieschub in Wahrheit ein Energieverlust für den Körper.

Viele Leute trinken nun entkoffeinierten Kaffee, im Irrglauben, dass dieser sie gegen die suchterzeugenden Effekte des Koffeins schützt. Verbraucherberichte prüften kürzlich entkoffeinierten Kaffee, der in sechs der populärsten Cafés der Vereinigten Staaten bestellt wurde. Eine normale Tasse Kaffee enthält zwischen 85 und 100 Milligramm Koffein, während entkoffeinierter Kaffee zwischen 5 und 32 Milligramm Koffein enthält (etwa dieselbe Menge, die in 12 Unzen Coca Cola Classic enthalten ist). Zusätzlich zu der noch erheblichen Menge Koffeins kann, gemäß einer auf der American Heart Association's Scientific Sessions 2005 präsentierten Studie, der Konsum von drei oder mehr Tassen entkoffeinierten Kaffees eine Zunahme des schädlichen LDL Cholesterins verursachen, indem der Kaffee eine bestimmte Art von Blutfett erhöht, das in direktem Zusammenhang mit dem Stoffwechselsyndrom steht. Entkoffeinierter Kaffee wird aus säurehaltigeren Bohnen hergestellt als normaler Kaffee. Diese starken Säuren sind erwiesenermaßen für eine verstärkte Auftretenshäufigkeit von Sodbrennen, Osteoporose, grünem Star und rheumatischer Arthritis verantwortlich. Entkoffeinierter Kaffee kann, verglichen mit Menschen, die regelmäßig koffeinhaltigen Kaffee oder Tee trinken, tatsächlich das Entwicklungsrisiko rheumatischer Arthritis innerhalb von drei Monaten vervierfachen. Anders gesagt, wenn Sie glauben, ohne Kaffee nicht auskommen zu können, trinken Sie lieber eine richtig gebraute Tasse echten, unverarbeiteten Kaffees (oder besser, den später beschriebenen gesunden Kaffee).

Es gibt andere Ursachen für Energieabbau, wie sich überessen oder die Aufnahme unnatürlicher Nahrungsmittel. Naturkost liefert, obwohl sie stimulierende Effekte hat, ausgeglichene Dosen physischer Energie und unterstützt alle Funktionen des Körpers. Diese Art der natürlichen Stimulation hält das physiologische Gleichgewicht oder die Homöostase aufrecht. Übermäßiges Essen verursacht andererseits Reizüberflutung, genauso wie regelmäßiges Naschen. Übermäßige sexuelle Aktivitäten, Überarbeitung, Stress und Angst verursachen ebenfalls ständige Reizüberflutung. Daher beginnt der Körper seine eigenen Aufputschmittel übermäßig abzusondern, um sich mit den gesteigerten Anforderungen zu beschäftigen. Dies sind die Stresshormone *Adrenalin, Cortisol, Epinephrin, Cortison, Endorphine, Prolaktin* usw., die erforderlich sind, um die lebenswichtigsten Funktionen des Körpers aufrechtzuerhalten. Und doch zollen der tägliche Missbrauch der Stressantwort und die daraus resultierende Verschwendung der körpereigenen Energiequellen ihren Tribut, sowohl an den Körper als auch an den Geist.

Eine der unerwünschten Nebenwirkungen übermäßiger *Adrenalin*-Sekretion ist beispielsweise eine Verengung wichtiger Blutgefäße, einschließlich derer, die den Darm versorgen. Das verschlechtert sehr stark die Fähigkeit des Körpers Nahrung zu verdauen und schädliche Abfallprodukte zu beseitigen. Infolgedessen beginnen schädliche Bakterien diese Abfallprodukte zu zersetzen, während Sie dabei starke Toxine produzieren. Viele dieser Toxine dringen in die Lymphen und das Blut ein. Toxine haben einen stark stimulierenden Einfluss auf den Körper und können uns in eine Art Hyperaktivität treiben. Die Energiereserven des Körpers entleeren sich immer weiter und eine Toxizitätskrise oder akute Krankheit wird unvermeidlich. Die Toxizitätskrise kann den Körper dermaßen schwächen, dass er kaum mehr imstande ist zu funktionieren. Dadurch teilt der Körper nur jenen Funktionen Energie zu, die absolut lebenswichtig sind. Es ist vollkommen natürlich, dass man sich in Anbetracht dieses Zustands matt, widerlich oder schwach fühlt. Es hilft dem Körper Energie zu sparen und diese zum Abbau und Abtransport der Toxine aus dem Bereich der Verstopfung zu verwenden. Wenn die kräftezehrenden Ursachen beseitigt sind, erlangt der Körper sein Gleichgewicht zurück. Aber wenn nicht, kann der Körper von einer Krise in die nächste rutschen, bis die Person ernstlich erkrankt. Durch konstante Überstimulation kann sogar eine starke und gesunde Person schließlich schwach, gebrechlich und chronisch krank werden.

Gesunder Kaffee: Eine ausgezeichnete Alternative für Kaffeeliebhaber, ohne unangenehme und schädliche Nebenwirkungen. WholeFoodFarmacy.com hat einen Kaffee entwickelt, der aus echten Kaffeebohnen hergestellt wird, aber nicht dass typische Brennen oder Nervosität bereitet. Er ist wirklich ein Gesundheitstrank mit vielen Vorteilen, wie z. B. einer Verbesserung der Immunabwehr. Der köstliche, auf einem Berg angebaute, fair gehandelte organische Kaffee wird bis zur Perfektion geröstet. Die kompletten Kaffeebohnen werden dann mit vier firmeneigenen einzigartigen, alten, namhaften Pilzen aufgegossen. Diese Pilze sind Cordyceps sinensis, Ganoderma lucidum (Reishi), Agaricus blazei und Coriolus versicolor. Da sie für ihr immunbildendes Potenzial bekannt sind, bereiten diese Pilze ein noch unmittelbareres Vergnügen. Sie können ihn sogar zur Entspannung oder vor dem Zubettgehen trinken.

Unser ständiges Bedürfnis nach Reinigung

Der Körper befindet sich im ständigen Selbsterneuerungsprozess. Jeden Tag Ihres Lebens muss der Körper 30 000 000 000 (30 Milliarden) neue Zellen bauen (Anabolismus), um jedoch Homöostase zu erhalten, muss er auch dieselbe Menge alter Zellen zerstören. Der Abbau toter, ausgedienter Zellen hinterlässt eine riesige Menge Zelltrümmer, die sofort vom Lymphsystem aufgenommen und entfernt werden. Die Abfallstoffe können nur entfernt werden, wenn zum Abtransport aus dem Körper genug Wasser verfügbar ist. Wenn der Körper jedoch durch konstante Überstimulation, Überernährung oder Schlafmangel geschwächt ist (all dies hat dehydrierende Wirkung), wird der Reinigungsprozess unwirksam und toxische Verbindungen wachsen in den Lymphgefäßen an. Einige dieser Toxine sickern in den Blutkreislauf, was eine Blutvergiftung verursachen könnte. Um dies zu verhindern und das Blut so rein wie möglich zu halten, versucht der Körper viele dieser Toxine im Bindegewebe (die Flüssigkeit, die die Zellen umgibt) abzuladen. Da das Lymphsystem, verantwortlich für die Entfernung der meisten Zellstoffwechselabfälle, toten Zellmaterials und säurehaltiger Blutproteine aus dem Bindegewebe, bereits verstopft ist, kann das Zellumfeld nicht richtig aufgeräumt werden und wird daher zunehmend toxisch. Der pH der Zellumgebung wird zunehmend saurer. Wenn das Bindegewebe keine Toxine mehr unterbringen kann, beginnen sie in die Blutgefäße und auch in die Zellen der Organe einzudringen. Die ersten von Toxinen beeinträchtigten Zellgruppen sind auch die ersten, die einer regelmäßigen Wasser-, Sauerstoff- und Nährstofflieferung beraubt werden, und damit die ersten, die eine Toxizitätskrise signalisieren. Eine Toxizitätskrise spiegelt die Anhäufung zu vieler saurer Bestandteile (Azidose) wider, einschließlich Milchsäure, Harnsäure, Ammoniak, Harnstoff, Blutproteine und natürlich unterschiedliche Toxine.

Obwohl nur ein Organ oder ein Teil des Körpers Azidosesymptome, wie ein Geschwür, verstopfte Gefäße oder eine Geschwulst entwickeln kann, kann in Wahrheit der ganze Körper erkrankt sein. Um mit dieser prekären Situation fertig zu werden, verbünden sich alle Systeme und Organe des Körpers, um ums Überleben zu kämpfen. Sie tun dies, indem sie Energie vom Verdauungssystem, den Muskeln und anderen Gebieten des Körpers zu den betroffenen Bereichen umleiten. Diese gemeinsame Handlung versorgt das Immunsystem mit genügend Energie und Mitteln, der Bedrohung entgegenzuwirken, die dem Körper durch die hohe Konzentration von Toxinen auferlegt ist. Folglich kann sich die betroffene Person während der Immunreaktion sehr schwach, müde und krank fühlen. Das ist jedoch nicht die Zeit, die Heilbemühungen des Körpers zu stören oder in irgendeiner Weise (durch Medikamente, Essen, Fernsehen, Aufregung, oder andere Tätigkeit) anzukurbeln. Was der Körper braucht ist Ruhe.

Während einer Toxizitätskrise neigen die meisten Menschen dazu, in Panik zu verfallen und zu einem Arzt zu gehen, der wiederum sofort versucht, die Symptome der körpereigenen Heilreaktion zu unterdrücken, die irrtümlicherweise Krankheit genannt wird. Nach einigen solcher Interventionen, die gewöhnlich aus Medikation bestehen, kann sich der Zustand von akut zu chronisch wandeln.

Die Ausbreitung der chronischen Krankheit begann drastisch mit dem Beginn medizinischer Intervention durch solche Behandlungen wie Medikamente, Chirurgie und Bestrahlung zuzunehmen. All dies stört die körpereigenen Heilantworten. Obwohl medizinische Intervention das Leben vieler Menschen gerettet hat, die von akuten Krankheiten wie einem Schlaganfall oder Herzanfall betroffen waren, hat sie wenig Einfluss auf chronische Krankheiten ausgeübt. Diese Krankheiten werden wahrscheinlich chronisch bleiben, es sei denn, dass die hauptsächlich *symptomorientierten Behandlungsmethoden ursachenorientiert* werden.

Krankheitssymptome sind ähnlich wie Sand in der Hand

Krankheitssymptome sind höchst unbeständig, wenn nicht unvorhersehbar. Sie bleiben den meisten Ärzten und ihren Patienten schleierhaft. Ein Magen-Katarrh oder eine Schleimhautentzündung können sich möglicherweise erst wie eine Reizung zeigen und dann ein Geschwür werden. Als nächstes kann es als Gewebsverhärtung wahrgenommen und schließlich als Krebs diagnostiziert werden. Der Verlauf und die Intensivierung pathologischer Symptome (Krankheitszeichen) können von Person zu Person variieren und relativ wenige Menschen entwickeln das Krebsstadium. Jedoch können die vorherigen Stufen ebenso lebensbedrohlich sein. Tatsächlich sterben weitaus mehr Menschen an akuten Verdauungsproblemen, als an Krebs und koronaren Herzkrankheiten.

Ein Magenkatarrh kann von verschiedenen Beschwerden, einschließlich Magenverstimmung, Brechreiz, Erbrechen, Magenschleimhautentzündung (Gastritis) und Magenkrämpfen, begleitet werden. Tatsächlich haben zwei Menschen, die an Gastritis leiden, nie genau dieselben Symptome. Einer von ihnen kann eine sehr nervöse Person sein und seine Gastritissymptome können Kopfweh und Schlaflosigkeit beinhalten. Der andere kann einen epileptischen Anfall erleiden. Während die Krankheitsstufen sich weiter ausprägen, entwickeln einige, aber nicht alle betroffenen Patienten, infolge der Geschwürbildung und Zersetzung von Zellproteinen Anämie. Eine Reihe Menschen entwickelt Hämorrhoiden, wenn sich Magengeschwüre bilden. Andere leiden unter Magenverstopfung, bei der das Essen praktisch festsitzt und jeden zweiten oder dritten Tag erbrochen wird.

Die moderne Medizin sieht jedes Symptom als eigenständige Krankheitsart an, die jeweils eine getrennte Herangehensweise oder Behandlung durch einen Fachmann benötigt. Dies macht medizinische Diagnose und Behandlung so komplex, dass auch Ärzte verwirrt sind, welche Maßnahmen zu treffen sind, um dem Patienten zu helfen. Jede neue Krankheitsabweichung erzeugt bei jedem Menschen unterschiedliche Symptome und die Spezialisten sind nicht in der Lage, den Auslöser für die unterschiedlichen Beschwerden zu identifizieren. Da Ärzte nicht in Ursachenforschung geschult werden, neigen sie dazu, die verschiedenen Symptome zu behandeln, als ob sie eigenständige Krankheiten wären. Für sie scheint der anfängliche Magenschmerz nicht mit der Entzündung des Katarrhs in Verbindung zu stehen; die Verdickung der Magenschleimhaut ist verschieden zu einem Magengeschwür; ein Geschwür ist sicher keine bösartige Geschwulst; und die Geschwulst erscheint aus heiterem Himmel.

Ein Arzt kann anfänglichen Magenschmerz mit einem Antazidum oder einem Schmerzmittel stoppen, und wenn der Katarrh in Erscheinung tritt, kann er antientzündliche Medikamente verschreiben. Während das wachsende Geschwür unerträglich wird, kann sich der Chirurg entschließen, es zu entfernen. Wenn der Krebs auftaucht, kann ein Onkologe Chemotherapie, Bestrahlung oder operative Entfernung des Geschwürs und von Teilen des Magens anordnen. Und doch sind keine dieser Symptome selbst Krankheiten; sie alle werden durch etwas anderes verursacht und ohne sich mit diesem Anderen zu befassen, wird die Krankheit immer wieder in anderen, scheinbar unabhängigen Formen und Varianten auftreten. Symptome sind ähnlich wie Sand in der Hand. Sie sind flüchtig und unbeständig. Nur geschulte Menschen, die die Symptome mit ihren Ursachen verbinden können, können die wahre Natur der Krankheit offenbaren. Hier wird deutlich, dass es nicht im besten Interesse des Patienten ist, lediglich die Symptome der chronischen Leiden zu behandeln. Sich den zugrunde liegenden Ursachen zu widmen ist für wahre Heilung entscheidend.

Die Suche nach der Ursache

Nicht viele Menschen versuchen herauszufinden, warum ihr Magen gereizt ist oder was sie zu ihren eigenen Krankheiten beigetragen haben könnten. Stattdessen glauben sie, dass sie alles in ihrer Macht stehende tun, um gesund zu werden, indem sie einfach die Krankheitssymptome behandeln, wenn sie nacheinander zu Tage treten. Leider hat der Arzt sogar im Endstadium der Krankheit, welches im zuvor genannten Fall ein krebsartiger Tumor ist, nichts getan, um die Ursache des allerersten Krankheitssymptoms zu entfernen, die Magenschmerzen. Der Verzehr irritierender Nahrungsmittel und in Flaschen abgefüllte Salatsaucen oder zu viel raffiniertes Salz oder scharfes Chili könnten den Schmerz verursacht haben. Andere Ursachen können emotionale Erregtheit, Rauchen, zu viel Alkohol, regelmäßiger Kaffee-, Erfrischungsgetränke- oder der Konsum künstlicher Süßstoffe, Überessen, Leberverstopfung oder mangelndes Wassertrinken sein.

Letzteres ist wahrscheinlich die häufigste, aber die am wenigsten bekannte Ursache von Magenproblemen und vieler anderer Krankheiten. Ich verwende das Beispiel der Magenstörungen, um die grundlegenden Mechanismen zu beschreiben, die zu Krankheit führen. Die meisten Magenschmerzen sind Signale einer fortgeschrittenen Schleimhaut-Dehydratation. Die Schleimhaut, zu 98 Prozent aus Wasser und zwei Prozent aus wasserspeicherndem Gerüst bestehend, dient als ein natürlicher Schutzpuffer gegen Magensäuren. Die Zellen unter der Schleimschicht sondern Natriumbikarbonat ab, das dort dafür zuständig ist Salzsäuren zu neutralisieren, die die Schleimhaut passieren können. Die daraus entstehende chemische Reaktion zwischen den beiden Chemikalien erzeugt Salz aus dem Natriumbikarbonat und Chlor aus der Salzsäure. Der Konsum von Nahrungsmitteln, die die Sekretion großer Mengen Salzsäure benötigen, wie zum Beispiel Fleisch, Fisch, Eier, Käse und andere hoch proteinhaltige Nahrungsmittel, verursacht dadurch eine hohe Salzproduktion innerhalb des Magens. Das verändert beträchtlich die wasserspeichernden Eigenschaften des Grundmaterials der Schleimschicht. Der regelmäßige Konsum solcher Nahrungsmittel in großen Mengen führt zu einer verstärkten Säureneutralisierung und anschließend zu einer Anhäufung von Salzablagerungen in dieser Schicht. Das verursacht „Erosion", die der Säure erlaubt die Magenwand zu erreichen und deren Ergebnis der wohlbekannte Dyspepsieschmerz (Magenverstimmung) ist.

Solange die Schleimbarriere durch regelmäßige Wasseraufnahme richtig hydratisiert wird und Protein- und Fettkonsum maßvoll sind, werden etwaige Salzablagerungen ausgespült. Zusätzlich wird Natriumbikarbonat zurückgehalten und die Salzsäure wird neutralisiert, bevor sie die Möglichkeit hat, die Schleimschicht zu durchdringen. Somit kann es keine bessere Säurebarriere zur Magenwand geben als Wasser. Und doch werden die Magenschmerzen, die in den meisten Fällen eher Durstschmerzen sind, gewöhnlich mit Antazida und anderen Medikamenten bekämpft. Diese Medikamente bieten jedoch keinen effizienten Schutz gegen die natürliche Wirkungsweise der Salzsäure. Die meisten Menschen mit einem Magengeschwür und schweren Bauch- oder dyspeptischen Schmerzen, haben praktisch sofortige und totale Erleichterung ihrer Beschwerden nach dem Genuss von 1 bis 2 Gläsern Wasser. Koffeinhaltige Getränke wie die meisten alkoholfreien Getränke, Tee oder Kaffee haben andererseits eine harntreibende Wirkung und entziehen der Magenschleimhaut Wasser. Eine Tasse Kaffee oder ein alkoholisches Getränk kann leicht einen schmerzhaften Anfall verursachen.

Magenschmerz ist das erste Signal, einer Person mitzuteilen, dass etwas hinsichtlich ihrer Essgewohnheiten oder der Hydratisierung ihres Körpers aus dem Gleichgewicht ist. Die Unterdrückung dieses Schmerzes durch Medikamente macht es dem Betroffenen in der Regel unmöglich herauszufinden, was die Ursache für den Schmerz ist. Somit kann die Unkenntnis über den Mechanismus des Wasserhaushalts – den Durstschmerz mit einer Krankheit verwechseln, was eine grobe Fehldiagnose ist – verantwortlich für die Unterdrückung der ersten Symptome der Beschwerden gemacht werden, die letzten Endes als Krebs enden könnten. Die meisten Krebserkrankungen sind das Ergebnis wiederholt unterdrückter milder Krankheitssymptome, wie eine Erkältung, Schmerzen, eine Infektion oder Kopfweh, und deren Behandlung, als ob sie echte Krankheiten wären.

Die rein klinische Herangehensweise an die Behandlung konzentriert sich auf die progredienten (fortschreitenden) Stadien pathologischer Symptome und produziert stetig neue Funde, die ein Heilmittel für jedes dieser Probleme versprechen. Im Jahr 1982 wurde durch Marschall und Warren ein Bakterium entdeckt, das vermutlich mehr als 90 Prozent der Zwölffingerdarmgeschwüre und bis zu 80 Prozent der Magengeschwüre verursacht. Die Mikrobe ist ein spiralförmiges gramnegativ Bakterium, bekannt als *Helicobacter pylori* (H. pylori).

Die Verbindung zwischen einer H. pylori-Infektion und anschließender Gastritis und Magengeschwürerkrankung ist durch Studien an menschlichen Freiwilligen, antibiotische Behandlungsstudien und epidemiologische Studien dokumentiert worden. Diese wohl bekannte Verbindung offenbart jedoch nicht viel darüber, welcher der beiden Ursache und welcher Wirkung ist. Dieser Magen-Darm-Infekt kann genauso gut ein

„Nebenprodukt" der Geschwürbildung sein, weniger seine Ursache. Solch ein Szenario wäre nicht ungewöhnlich, da Bakterien automatisch dort auftauchen, wo immer es anorganisches Material gibt, wie zum Beispiel in vereitertem Gewebe. Die Antibiotika Omeprazole und Amoxycillin, die bei Magengeschwüren in Verbindung mit Sekrethemmern verschrieben werden, zerstören den Bazillus und die Geschwüre verschwinden. Das bringt vielen Betroffenen natürlich große Erleichterung. Warum verschwinden die Geschwüre? Bakterien erzeugen Toxine, die die entzündliche Reaktion des Körpers (Geschwürbildung) anregen. Jedoch ist die Entzündung keine Krankheit, sondern der Weg des Körpers, sich selbst zu heilen und einen viel ernsteren Zustand zu vermeiden als ein Geschwür (siehe folgende Erklärung). Die meisten Menschen würden zu dem Ergebnis kommen, dass die Geschwüre vom Bazillus verursacht werden. Jedoch können die Bazillen und Geschwüre zurückkehren, sobald die Behandlung mit Antibiotika und Säurehemmern unterbrochen wird. Untersuchungen haben ergeben, dass H. pylori die Mägen von bis zu 50 Prozent aller Menschen besiedeln, und sobald Sie erst einmal von ihnen befallen sind, haben Sie sie für Ihr gesamtes Leben.

In Ländern mit hohen sozialökonomischen Standards sind Infektionen beträchtlich weniger üblich als in Entwicklungsländern, wo so gut wie jeder angesteckt werden kann. Wenn H. pylori Magengeschwüre verursachen, warum hat nicht jeder in den Entwicklungsländern Magengeschwüre? Stattdessen sind Magengeschwüre in den Industriestaaten viel üblicher. Obwohl die meisten Menschen in der Welt seit früher Kindheit H. pylori-Bakterien in ihren Mägen haben, verläuft die H. pylori-Infektion in den meisten Fällen ohne Symptome. Nur 10 bis 15 Prozent der infizierten Personen entwickeln irgendwann eine Magengeschwürerkrankung. Die Hauptfrage, die wir stellen müssen, ist nicht die, ob ein Magengeschwürpatient mit H. pylori infiziert ist, sondern warum dieses Bakterium in einigen Personen aktiver ist oder mehr wuchert, als in anderen Personen. Und warum kehrt es zurück, nachdem das Geschwür durch die medikamentöse Behandlung „geheilt" wurde? Mit anderen Worten, es muss einen anderen Grund für die Geschwürbildung geben als einfach die Anwesenheit besonderer Bakterien, die die Hälfte der Menschen auf diesem Planeten gemeinsam haben.

Tatsächlich haben die verschreibungspflichtigen Medikamente überhaupt keine heilenden Effekte, weil die betroffene Person von ihrer dauernden oder gelegentlichen Einnahme abhängig ist. Was sie jedoch wirklich „vollbringen", ist die Zerstörung aller Arten von Bakterien in Ihrem Darm, einschließlich derjenigen, die Ihnen helfen Toxine und unverdaute Nahrungsmittel abzubauen, die sich besonders im unteren Teil des Magens, Antrum genannt, angesammelt haben. Interessanterweise beginnt die chronische, mit einem Magengeschwür verbundene Infektion immer im Antrum. Die H. pylori Bakterien kehren normalerweise in den Darm zurück, wenn die Antibiotika nicht mehr vorhanden sind, um sie zu zerstören. Warum tun sie das? Um ihre Arbeit zu erledigen. Es ist ihre Aufgabe zu Orten zu gehen, an denen tote, beschädigte Zellen und Toxine aufgegliedert und entfernt werden müssen. Wenn Sie zu viel essen, kann nicht alles davon verdaut werden. Das Vorhandensein von unverdautem Essen im Magen ist eine Ursache für dauernde Reizung und Toxizität. Außerdem sind bestimmte Nahrungsmittel und Nahrungsmittelkombinationen so schwierig zu verdauen, dass sie zu lange im Magen bleiben, wodurch eine übermäßige Säureabsonderung hervorgerufen wird. All dies beschädigt, schwächt oder zerstört Magenzellen. Eine Ausbreitung der H. pylori-Bakterien tritt als direkte Antwort auf den Schaden auf, der durch unpassende Nahrungsmittel und Essgewohnheiten verursacht wird.

Um es zu wiederholen, diese Bazillen können überall und in jedem gefunden werden, doch nur wenige Menschen entwickeln Magengeschwüre. Warum verursachen H. pylori in 1 aus 20 Menschen ein Magengeschwür und nicht in den anderen 19, obwohl das Bakterium in ihnen allen gefunden wurde? Genauso gut kann man einen eingeklemmten Nerv als Krankheitsursache ansehen, aber nicht jeder eingeklemmte Nerv ruft eine Krankheit hervor. Anstatt nach einem äußeren Missetäter für solch ein Problem zu suchen, wäre es nicht viel wichtiger herauszufinden, warum einige eingeklemmte Nerven pathologische Änderungen erzeugen und andere nicht? Warum verursacht dieselbe Angst einjagende Situation bei einer Person eine Panikattacke oder einen Infarkt und bei anderen nicht? Wäre es möglich, dass diese äußeren „Ursachen" der Krankheit einfach als Auslöser dienen könnten, die hochgiftige Bombe zu zünden, die bereits im Körper einer Person vorhanden ist, um so zu einer Toxizitätskrise zu führen, die allgemein als ‚Krankheit' bekannt ist?

Die herkömmliche Medizin geht fälschlicherweise davon aus, dass das Entfernen eines Symptoms oder ansteckender Bakterien auch den Gesundheitszustand beseitigt. Jedoch schafft die Eliminierung der Symptome in Wahrheit eine viel ernstere und lebensbedrohliche Situation. Es gibt immer mehr Hinweise darauf, dass das Verschwinden von H. pylori, das Bakterium in Magengeschwüren, tatsächlich zu einer Fettleibigkeitsepedimie beitragen kann. H. pylori regeln die Produktion von Leptin und Ghrelin. Leptin ist ein Protein-Hormon mit wichtigen Effekten zur Appetit-, Körpergewichts-, Metabolismus- und Fruchtbarkeitsfunktionsregulierung. Ghrelin, ein zirkulierendes, vom Magen abgeleitetes, Wachstumshormon freisetzendes Peptid, regt Hunger und die Nahrungsmittelaufnahme an.

Die Zerstörung von H. pylori im Magen kann das Gleichgewicht dieser Hormone durcheinander bringen und zu steigenden Effekten von Gewichtszunahme und zu Verletzungen aller Organe und Systemen des Körpers führen. Der Ausdruck „gefährliches Halbwissen" trifft zweifellos auf die symptomorientierte Herangehensweise der Schulmedizin zu.

Hinweis für Patienten mit Magengeschwüren: *Lakritze wurde traditionell als ausgezeichnete Medizin gegen Magengeschwüre verwendet. Es hat sich jedoch herausgestellt, dass die mit der Lakritze verbundene Glycyrrhizinsäure bei manchen Menschen den Blutdruck erhöht. Daher wurde ein Verfahren entwickelt, das diese Masse aus der Lakritze entfernt und deglycyrrhizinierte Lakritze (DGL) erzeugt. Das Ergebnis ist ein sehr erfolgreiches Antiulkusmittel ohne irgendwelche bekannten Nebenwirkungen.*

Gemäß zahlreichen Studien stimuliert und/oder beschleunigt DGL die Faktoren, die vor Geschwürbildung schützen, inklusive einer gesteigerten Mucinproduktion (der Schutzbeschichtung im Magen und den Eingeweiden). Studienteilnehmer befanden DGL für ein wirksames Antigeschwür-Präparat. Mehrere Vergleichsstudien haben gezeigt, dass DGL wirksamer ist als Tagamet, Zantac oder Antazida, sowohl in kurzfristiger Behandlung als auch in Erhaltungstherapien bei Magen- und Zwölffingerdarmgeschwüren. DGL ist auch wirksam, wenn die Notwendigkeit besteht, eine starke Vermehrung von H. pylori zu senken, vielleicht aufgrund der Beseitigung toxischer, schädlicher Zusammensetzungen, die diese Keime füttern. DGL muss sich mit Speichel vermischen, um bei der Heilung von Magengeschwüren wirkungsvoll zu sein. Es kann die Freigabe von Speichelzusammensetzungen fördern, die das Wachstum und die Regeneration des Magens und der Darmzellen stimulieren.

Verwenden Sie DGL nicht in Kapselform, weil ihre Wirksamkeit nicht erwiesen ist. DGL als Kautabletten ist bei den meisten Nahrungsergänzungsmittellieferanten erhältlich.

Die Salz-Geschwür Verbindung: *H. pylori werden, gemäß einer auf der Konferenz der American Society for Microbiology präsentierten Studie, in Anwesenheit höherer Salzkonzentration virulenter. Forscher entdeckten, dass H. pylori im Beisein von Salz mit größerer Wahrscheinlichkeit Proteine erzeugen werden, die für den Menschen gefährlicher sind und eher Geschwüre hervorbringen.*

„Anscheinend kontrollieren H. pylori stark die Ernährung der Menschen, die sie infizieren", sagte der Forschungsleiter Dr. Hanan Gancz

von der Uniformed Services University of the Health Sciences in Bethesda, Maryland. „Wir glauben, dass, wenn es hohe Salzkonzentrationen in der Magenumgebung gibt, H. pylori die Faktoren, die ihm ermöglichen zu überleben, überproduziert, was auf lange Sicht das Risiko der Krankheit vergrößert."

Gancz wies auch darauf hin, dass Ärzten schon lange eine Verbindung zwischen hoher Salzzufuhr und erhöhtem Magenkrebsrisiko bewusst gewesen sei.

Es ist aus der Studie nicht ersichtlich, ob die vergrößerte Gefahr des sich entwickelnden Magengeschwürs und Magenkrebses auch für den Verzehr aller Arten von unverarbeitetem Meersalzes, gegenüber veredeltem, gebleichtem Tafelsalz gilt. Wenn Sie unter einem Magengeschwür leiden, versuchen Sie Ihren Salzkonsum zu reduzieren, besonders, wenn Sie ein Pitta-Typ sind (siehe Details über Körpertypen in den Kapiteln 5 und 6).

Einer hoffnungslosen Prognose trotzen

Jenny war nur 25 Jahre alt, als sie mit einer fortgeschrittenen Morbus Crohn Erkrankung, einem chronisch-entzündlichen Zustand des Darmtrakts, zu mir kam. Es gab stellenweise chronische Entzündungen mit Ödemen über die gesamte Dicke der Darmwand, was eine teilweise Verstopfung des Lumen verursachte. Ihr wurde gesagt, dass ihr Zustand irreversibel sei und schließlich zu ihrem Tod führen würde. Jenny war auf dem Weg, innerlich zu ersticken. Trotz verschiedener Behandlungen – von denen alle aus Schmerzmitteln, Antibiotika und starken antientzündlichen Medikamenten, einschließlich Kortison, bestanden – verschlechterte sich ihr Zustand allmählich. Da es keine Zeichen der Besserung gab, steigerten ihre Ärzte die Medikamentendosis regelmäßig. Ihr Gesicht und Körper waren mit Pickeln übersäht, die sie nachts blutig kratzte. Sie hatte mehrere andere Symptome, einschließlich starker Menstruationskrämpfe, Kopfschmerzen und starker Kreuzschmerzen.

Nach Jennys Untersuchung unter Zuhilfenahme der Ayurvedischen Pulsdiagnose, der Augendiagnose (Iridologie) und nach Schilderung ihrer Krankengeschichte, wies ich sie darauf hin, dass ihre Darmschwierigkeiten durch ihre Essgewohnheiten verursacht wurden. Jenny konsumierte durchweg stark säurebildende Nahrungsmittel und Getränke, die stark belastende Effekte auf die Darmauskleidung hatten und zu großen Verstopfungen der Leber-Gallen-Gänge mit intrahepatischen (innerhalb der Leber) Gallensteinen führten (siehe Kapitel 3 für Details). Außerdem störten die starken, verschreibungspflichtigen Medikamente, die sie jeden Tag nahm, den Versuch ihres Körpers, sich der angesammelten, unverdauten, schädlichen Nahrungsmittel zu entledigen. Außer einer Verschlechterung des Immunsystems hatten die giftigen Zusammensetzungen der verschriebenen Medikamente auch große Mengen von Mineralien und Wasser aus ihrem Gewebe und den Zellen entfernt. Alle Medikamente haben harntreibende Effekte. Ohne ausreichende Mengen Wasser, welches das wesentliche Instrument für Transport und Heilung im Körper ist, steht der Körper einer Krisensituation gegenüber, nämlich der des Körperwassermangels oder der Dehydratation.

Die akute Verstopfung ihrer Leber und des Darms und die allgemeine Dehydration von Jennys Körper verursachten die meisten ihrer chronischen Beschwerden, einschließlich der Kopf-, Rücken- und Unterleibsschmerzen. Die Medikamente führten zu einer massiven Zunahme von Toxinen und schädlichen Bakterien in den Eingeweiden, weil sie fast den kompletten Bestand der wohlwollenden, probiotischen Bakterien ihres Darms vernichtet hatten. Als eine lebhafte junge Person, die in einer Nachtleben-Gesellschaft (Zypern) lebte, hatte sie nachts sehr wenig Schlaf. Ihre unregelmäßigen Schlafgewohnheiten und darauffolgende chronische Erschöpfung machten es schwierig für ihr Verdauungssystem, mit jeder Art von Essen fertig zu werden, was zusätzlich die Toxizität in ihrem Darm erhöhte.

Ich schlug eine Reihe Reinigungen und Rehydratationsverfahren im Zusammenhang mit einer Diät vor, die ihrem natürlichen Körpertyp und ihrer körperlichen Verfassung entsprachen, sowie mehrere Änderungen in ihrem Lebensstil, die helfen würden, ihre gestörten biologischen Rhythmen wieder ins Gleichgewicht zu bringen. Außerdem riet ich ihr emotionale Reinigunssitzungen zu haben, um sich mit den zu Grunde liegenden Mustern der Angst und Unsicherheit zu befassen, die sie seit früher Kindheit erfahren hatte.

Einen Monat später offenbarte eine Kontrolluntersuchung bei ihrem Arzt, dass die Krankheit „verschwunden" war und somit alle ihre Hautprobleme und anderen Symptome.

Zwölf Jahre später ist sie immer noch so gesund und strahlend, wie man nur sein kann. Sie ist nun verheiratet und hat zwei wunderschöne, gesunde Kinder. Was ich daraus und aus ähnlichen Fällen gelernt habe, ist ein einfaches Verständnis von Heilung, das auf fast jede Krankheit angewandt werden kann. Ich habe das in folgender Behauptung zusammengefasst: „Krankheitssymptome können keine Krankheitsursachen sein; sie sind ihre Effekte. Aus diesem Grund kann eine Krankheit nicht geheilt werden, wenn ihre Symptome bloß entfernt werden. Die wirksamste

Weise, sich mit Krankheit zu befassen, ist die Entfernung aller energieentleerenden Faktoren, die jegliche Bemühungen des Körpers stören könnten, in sein natürliches Gleichgewicht zurückzukehren. Überernährung, schlechte Ernährung, Schlafmangel, nicht genug frisches Wasser zu trinken, Verwendung von Medikamenten und Stimulanzien, usw. entleeren die Energiereserven des Körpers und machen ihn empfindlich für eine Toxizitätskrise, die bakterielle-, virale- oder Pilzinfektionen einschließen kann. Den Körper andererseits von angesammelten Abfallstoffen zu reinigen und eine gesunde Ernährung und einen gesunden Lebensstil zu schaffen, schafft die Voraussetzungen für den Körper, sich selbst zu heilen."

Auf die Natur Ihres Körpers vertrauen

Fast jede sogenannte Krankheit ist eine Toxizitätskrise, die sich aus Toxinen ergibt, die sich bis zum Grad der Intoleranz ansammeln (die Krankheitsphase). Dem Körper bleibt nichts anderes übrig, als einen Ausgang für diese Toxine zu finden.

Eine Toxizitätskrise kann durch verschiedene Symptome wie Kopfweh, Erkältung, Gelenkschmerzen, Hautausschlag, Bronchitis oder andere Infektionsarten begleitet werden. Einige dieser Symptome zeigen an, dass der Körper versucht, die verstopftesten Gebiete von schädlichen toxischen Substanzen zu befreien. Sobald das Immunsystem die Toxizität unter das Toleranzniveau gesenkt hat, welches von Person zu Person unterschiedlich ist, beginnen die Symptome wieder abzuklingen (die Heilphase). Alles im Leben bewegt sich in Zyklen und es gibt keine Ausnahme von diesem Gesetz. Eine der unerfreulichsten Nebenwirkungen medizinischer Intervention ist, dass sie den natürlichen Zyklus von Krankheit und Heilung an der Vollendung hindert. So hat der renommierte Arzt Henry Lindlahr diese grundlegende medizinische Wahrheit scharf zusammengefasst: „Der größte Teil aller chronischen Krankheit wird durch die Unterdrückung der akuten Krankheit durch Arzneimittelvergiftung geschaffen." Durch bloße Symptomunterdrückung zufriedengestellt zu sein, lässt uns heute mit vielen Krankheiten zurück, für die die Ursachen schleierhaft bleiben. Die Heilphase, die natürlich einer Toxizitätskrise folgt, hat so nie eine Chance stattzufinden.

Wenn einer einfachen Erkältung nicht erlaubt wird, ihren natürlichen Verlauf zu nehmen, wird sie sich beim nächsten Mal vielleicht in einen chronischen Katarrh verwandeln. Weitere Einmischung in die Bemühungen des Körpers nach Heilung kann den Katarrh in eine Lungenentzündung verwandeln. Eine Lungenentzündung kann tödlich sein, wenn die Beseitigung toxischer Sekrete durch unterdrückende Medikamente untergraben wird. Ebenso kann periodisch wiederkehrende Migräne eines Tages zu einer Depression werden; hoher Blutdruck kann zum Herzanfall werden; ein Magenkatarrh kann zu Krebs heranwachsen.

Wenn wir einer Toxizitätskrise erlauben würden, ihre natürlichen Entwicklungs- und Auflösungsstufen zu durchlaufen und wenn wir auch aufhören würden, die Ressourcen des Körpers zu entleeren, würden Krankheiten selten entstehen, und es wäre unnötig mit ihnen zu kämpfen, falls sie es doch täten. Eine Toxizitätskrise kann jedoch zu ernsten Komplikationen führen, wenn die erkrankte Person ihren Körper an der erfolgreichen Beseitigung aller Abfallprodukte oder schädlicher Substanzen hindert, die seine eliminativen Organe oder Systeme für einige Zeit verstopft haben. Diese schließen die Leber, den Dickdarm, die Nieren, das lymphatische System, die Haut und die Lungen ein.

Patienten, die die anscheinend wirksamere, schnelle und günstige „Abkürzung" des medizinischen Eingriffs nehmen, um ihre Gesundheit wiederherzustellen, können sich besorgt an ihre Krankheit erinnern, während sie ihr Leben mit einer unterbewussten Angst vor einer möglichen Rückkehr fortsetzen. Aber jene, die durch die natürlichen Heilkräfte ihres Körpers geheilt wurden, werden mit größerer Wahrscheinlichkeit ihrer Krankheit als eine Erfahrung großer emotionaler und physischer Befreiung gedenken, die ihr Selbstbewusstsein und Wohlbefinden außerordentlich vergrößert hat. Wenn sie ihre Gesundheit durch Unterstützung und Vertrauen in ihre körpereigene Heilfähigkeit wieder erlangt haben, können sie auch einen großen Sprung in der persönlichen Entwicklung gemacht haben. Viele Patienten berichten davon, dass ihre natürliche Genesung zu bedeutenden Verbesserungen ihrer Lebenseinstellungen im Allgemeinen und ihrer Beziehungen mit anderen führte.

Eine Toxizitätskrise kann eine einzigartige Gelegenheit sein, altes Karma auszugleichen und positive Änderungen auf den physischen, emotionalen und geistigen Ebenen des Lebens zu verursachen. Indem Sie Ihren eigenen Körper mit dem Heilprozess betrauen, beginnt ein neuer Freiheitssinn Ihr Bewusstsein zu beherrschen und alte Ängste und Beklemmungen fangen an sich zu zerstreuen. Die Taktik, *mit einer Krankheit bis zum Ende zu kämpfen*, ist nicht nur unnötig, sondern verstärkt auch das Irrglauben-System, dass wahre Heilung nur selten vorkommt oder Glückssache ist. Forschung hat genau das Gegenteil bestätigt: Mehr als 80 Prozent aller Krankheiten verschwinden völlig selbstständig. Das lässt sich natürlich auf die angeborenen Heilfähigkeiten des Körpers zurückführen.

Um den Heilbemühungen des Körpers während einer Toxizitätskrise zu helfen, ist es wichtig, eine natürlich reinigende Darmspülung durchzuführen oder mindestens ein Klistier pro Tag anzuwenden, um angesammelten toxischen Abfall im Darm zu lösen. Es ist auch gut, seine Füße warm zu halten, sich zu entspannen und Fernsehen zu vermeiden (aufgrund seiner stimulierenden und dehydrierenden Effekte). Während der Krise zu essen kann den heilsamen Prozess stören, da dies die Energie verbraucht, die der Körper versucht direkt zur Beseitigung der Toxine zu leiten. Aber viel warmes Wasser zu trinken unterstützt den dringend benötigten Reinigungs- und Rehydrationsprozess im Körper. Ebenfalls empfohlen ist ein warmes Bad vor dem Zubettgehen und, im Falle von Schmerzen, ein heißes Bad so oft am Tag, wie es angenehm ist. Um den Heilprozess zu unterstützen, kann es sehr vorteilhaft sein, wenn man sich regelmäßig an der frischen Luft und in natürlichem Sonnenlicht aufhält, weil beides stark immunstimulierende Effekte hat. Diese und ähnlichen Maßnahmen helfen dem Körper außerordentlich, eine Toxizitätskrise innerhalb kürzestmöglicher Zeit zu überwinden. Das Vertrauen in den Körper und nicht ängstlich zu sein, spielt eine Schlüsselrolle in der Genesung.

Alle ernsten Krankheiten sind zu Beginn „unschuldig". Die meisten von ihnen fangen als einfache Erkältung, Kopfweh, Magenschmerzen, Verdauungsstörungen, Darmkrämpfe, Erschöpfung, Gelenksteife, Hautschwierigkeiten und ähnlich geringe Beschwerden an. Diese scheinbar „unbedeutenden" Beschwerden können bösartig werden, wenn sie zu schnell „geheilt" werden. Sie können nie wirklich durch symptomorientierte Behandlungsansätze kuriert werden, weil jede noch so kleine, unterdrückte Toxizitätskrise dem System mehr Giftstoffe zufügt und die körperliche Ausdauer und Vitalität leert. Hinzu kommt, dass ernstere Schwächungen der Körperfunktionen resultieren können, wenn die Ursachen dieser verhältnismäßig kleinen Beanstandungen nicht rechtzeitig entfernt werden. Dies kann der Beginn einer jahrelangen Krankheit sein. Der folgende Teil befasst sich mit den vier häufigsten gemeinsamen Faktoren, die zur Entwicklung einer intensiveren Toxizitätskrise oder Krankheit beitragen.

Kapitel 3

Die vier häufigsten Krankheitsursachen – Und das uralte System, das Sie von jeder von ihnen befreit

1. Gallensteine in der Leber und Gallenblase

Viele Menschen glauben, dass Gallensteine nur in der Gallenblase zu finden sind. Dies ist eine häufig verbreitete falsche Annahme. Die meisten Gallensteine werden tatsächlich in der Leber gebildet und verhältnismäßig wenige kommen in der Gallenblase vor. (Abbildung 3a) Sie können diese Feststellung leicht überprüfen, indem Sie eine Leberspülung durchführen. Ganz gleich, ob Sie ein Laie, ein Arzt, ein Wissenschaftler oder jemand sind, dessen Gallenblase entfernt wurde und der deshalb angeblich frei von Steinen ist. Die Ergebnisse der Leberreinigung[2] sprechen für sich selbst. Kein wissenschaftlicher Beweis oder keine medizinische Hypothese kann solch eine Reinigung wertvoller machen, als sie es bereits ist. Sobald Sie Hunderte grüne, beigefarbene, braune oder schwarze Gallensteinen sehen, die während Ihrer ersten Leberspülung in der Toilettenschüssel schwimmen, werden Sie intuitiv wissen, dass Sie etwas äußerst Wichtigem in Ihrem Leben auf der Spur sind. Um Ihre eventuelle Neugier zu befriedigen, können Sie die ausgeschiedenen Steine in ein Labor zur chemischen Analyse bringen oder fragen Sie Ihren Arzt, was er darüber denkt. Ihr Arzt kann Sie entweder in Ihrer Selbstheilungsinitiative unterstützen, Ihnen erzählen, dass dies einfach lächerlich ist oder Sie davor warnen. Allerdings ist es am entscheidendsten, dass Sie, vielleicht zum ersten Mal in Ihrem Leben, aktiv Verantwortung für Ihre eigene Gesundheit übernommen haben.

Nicht jeder ist genauso glücklich, wie Sie es sind. Ungefähr 20 Prozent der Weltbevölkerung entwickeln in irgendeinem Abschnitt ihres Lebens Gallensteine in ihrer Gallenblase; viele von ihnen werden sich für die operative Entfernung dieses wichtigen Organs entscheiden. Diese statistische Zahl berücksichtigt jedoch nicht die vielen weiteren Menschen, die in ihrer Leber Gallensteine entwickeln (oder sie bereits haben). Während nahezu dreißigjähriger Naturheilkundepraxis und der Behandlung tausender, an den unterschiedlichsten Arten chronischer Krankheit leidender Menschen, kann

[2] Wenn ich mich auf die Leber-Spülung beziehe, schließt es die Spülung der Gallenblase ebenso ein.

ich bescheinigen, dass jeder von ihnen, ausnahmslos, erhebliche Mengen Gallensteine in der Leber hatte. Überraschenderweise berichteten nur relativ wenige von ihnen, jemals ein Gallensteinleiden in der Gallenblase gehabt zu haben. Gallensteine in der Leber sind, wie Sie durch die Lektüre dieses Buches verstehen werden, das Haupthindernis zum Erwerb und zur Aufrechterhaltung guter Gesundheit, Jugendlichkeit und Lebenskraft. Gallensteine in der Leber sind tatsächlich eine der Hauptursachen, warum Menschen krank werden und Schwierigkeiten haben, von ihrer Krankheit zu genesen.

Die Gallensteinbildung in der Leber nicht als weit verbreitetes Phänomen anzuerkennen und zu akzeptieren, kann durchaus als das unglücklichste Versäumnis betrachtet werden, das jemals auf medizinischem Gebiet gemacht wurde, sowohl in der Schulmedizin, als auch in der ganzheitlichen Medizin.

Zu sehr auf Blutproben für Diagnosezwecke zu vertrauen, wie es die Schulmedizin macht, könnte sogar ein großer Nachteil hinsichtlich der Betrachtung der Leber-Gesundheit sein. Die meisten Menschen, die unter irgendeiner Art körperlicher Beschwerden leiden, können vollkommen normale Leberenzymniveaus im Blut vorweisen, obwohl sie unter Leberverstopfung leiden. Leberverstopfung gehört zu den führenden Gesundheitsproblemen, jedoch verweist die Schulmedizin selten darauf, noch haben Ärzte eine verlässliche Methode, solch einen Zustand zu bemerken und zu diagnostizieren. Die Leberenzymniveaus im Blut steigen nur bei fortgeschrittener Leberzellenzerstörung, wie es zum Beispiel bei Hepatitis oder Leberentzündung der Fall ist. Leberzellen bergen eine Fülle von Enzymen. Sobald erst einmal eine bestimmte Anzahl von Leberzellen aufgebrochen ist, beginnen ihre Enzyme sich im Blut zu zeigen. Wenn sie anhand eines Bluttest festgestellt wurden, deutet diese vergrößerte Anzahl von Leberenzymen auf abnormale Leberfunktionen hin. In solch einem Fall ist der Schaden jedoch bereits angerichtet. Es bedarf jahrelanger chronischer Leberverstopfung, bevor ein Leberschaden deutlich wird.

Klinische Standarddiagnostik offenbart fast nie das Vorkommen von Gallensteinen in der Leber. Eigentlich wissen die meisten Ärzte sogar nicht, dass sie dort wachsen. Nur einige der fortschrittlichsten Forschungsuniversitäten, wie die renommierte Johns Hopkins Universität, beschreiben und erläutern diese Lebersteine in ihrer Literatur oder auf ihren Websites. Sie sprechen von ihnen als „intrahepatische Gallensteine“.[3]

[3] Suchen Sie im Internet nach Johns Hopkins Medical Institutions. Dann suchen Sie Digestive Disease Library, klicken auf Biliary Tract, wählen Cholangiocarcinoma, gehen auf der Seite nach unten und klicken auf Next Section. Wiederholen Sie dies mehrere Male; dann scrollen Sie nach unten auf die letzte Illustration dieser Seite.

Indem Sie verstehen, wie Gallensteine in der Leber zum Zustandekommen oder zur Verschlechterung fast jeder Krankheitsart beitragen, und indem Sie die einfachen Anweisungen befolgen, um sie zu entfernen (für Details, siehe Kapitel 7), werden Sie die Verantwortung dafür übernehmen, Ihre eigene Gesundheit und Vitalität dauerhaft wiederherzustellen. Die Auswirkungen einer Leberspülung sind für Sie – oder, falls Sie ein Heilpraktiker sind, für Ihre Patienten – eine große Bereicherung. Eine reine Leber zu haben, kommt einem neuen Leben gleich.

Nachfolgend sind einige Beispiele für die besondere Wichtigkeit einer gesunden, sauberen Leber zusammengefasst:

Fast jede Krankheit wird entweder direkt oder indirekt durch Verstopfung der Leber-Gallengänge oder der Gallenblase verursacht.

Eingeschlossene, toxische Gallenflüssigkeit ist die Quelle der meisten Verdauungsprobleme.

Verstopfte Gallengänge in der Leber können harmlose Chemikalien in krebserregende Substanzen verwandeln – und diese im ganzen Körper verteilen.

Eine schlecht funktionierende Leber kann 70 Prozent des Blutflusses zum Herzen blockieren.

Die Leber ist für geistige Klarheit und emotionale Stabilität verantwortlich.

Die Leber kann Proteine ins lymphatische System ausschütten und unzählige Reaktionen im Immunsystem auslösen – von Allergien bis Autoimmunerkrankungen und von Erkältungen bis Krebs.

Die Enzyme der Leber können die körpereigenen Steroide entweder in nützliche oder in tödliche Hormone verwandeln. Die Letzteren können Krebs in den Fortpflanzungsorganen verursachen.

Die Leber ist die/das größte Drüse/Organ des Körpers. Sie wiegt bis zu drei Pfund, befindet sich hinter den Rippen in der oberen rechten Hälfte des Körpers und erstreckt sich fast über die komplette Breite des Körpers. Außer dass sie für Hunderte verschiedener Funktionen verantwortlich ist, ist sie auch das komplexeste und aktivste Organ des Körpers.

Da die Leber für die Verarbeitung, Umwandlung, Verteilung und Aufrechterhaltung der lebensnotwendigen „Kraftstoff"-Versorgung des Körpers (zum Beispiel Nährstoffe und Energie) zuständig ist, muss alles, was diese Funktionen stört, ernste, negative Auswirkungen auf die Gesundheit der Leber und des Körpers als Ganzes haben. Die stärkste Einmischung geht von vorliegenden Gallensteinen aus.

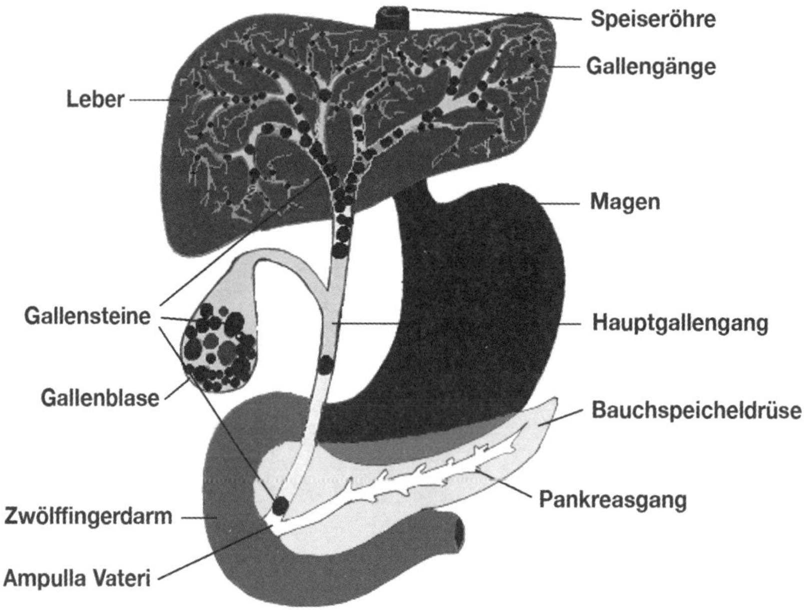

Abbildung 4a: Gallensteine in Leber und Gallenblase

Neben der Cholesterinproduktion – einem wesentlichen Baustoff aller Organzellen, Hormone und der Gallenflüssigkeit – erzeugt die Leber auch Hormone und Proteine, die die Funktionsweise, das Wachstum und die Heilung des Körpers beeinflussen. Außerdem bildet sie neue Aminosäuren[4] und wandelt vorhandene in Proteine um. Diese Proteine sind die wichtigsten Bausteine der Zellen, Hormone, Neurotransmitter, Gene und so weiter. Andere wesentliche Funktionen der Leber umfassen die Aufgliederung alter, ausgedienter Zellen, die Wiederverwertung von Proteinen und Eisen und die Speicherung von Vitaminen und Nährstoffen. Gallensteine stellen für alle diese lebensnotwendigen Aufgaben eine Gefahr dar.

Über den Abbau von Alkohol im Blut hinaus, entgiftet die Leber ebenfalls schädliche Substanzen, Bakterien, Parasiten und bestimmte Medikamentenbestandteile. Sie verwendet bestimmte Enzyme, um Abfallprodukte oder Gifte in Substanzen umzuwandeln, die vom Körper sicher entfernt werden können. Außerdem filtert die Leber mehr als 0,95 Liter Blut pro Minute. Die meisten gefilterten Abfallprodukte verlassen die Leber über den Gallen-Strom. Gallensteine, die die Gallengänge versperren, machen die Galle toxisch und führen zu hohen Toxizitätsniveaus in der Leber und schlussendlich auch im Rest des Körpers. Diese Entwicklung wird durch die Einnahme von Medikamenten weiter verschlimmert, die normalerweise von der Leber aufgegliedert werden. Das Vorliegen von Gallensteinen verhindert ihre Entgiftung, was zu „Überdosierung" und verheerenden Nebenwirkungen, sogar bei Normaldosierung, führen kann. Das bedeutet auch, dass die Leber für Schäden durch die Abbauprodukte der Medikamente, die auf sie einwirken, gefährdet ist. Alkohol, der nicht richtig durch die Leber entgiftet wird, kann Leberzellen schwer schädigen oder zerstören.

Eine der wichtigsten Funktionen der Leber ist die Produktion von Gallenflüssigkeit, ungefähr 0,95 bis 1,42 Liter pro Tag. Gallenflüssigkeit, die in der Leber produziert wird, ist eine zähflüssige gelbe, braune oder grüne Flüssigkeit, die (gegenüber säurehaltiger) alkalisch ist und einen bitteren Geschmack hat. Ohne ausreichende Gallenflüssigkeit bleiben gegessene Nahrungsmittel meist unverdaut oder teilweise verdaut. Zum Beispiel muss sich das Essen zuerst mit Gallenflüssigkeit vermischen, um den kleinen Gedärmen zu ermöglichen, Fett und Kalzium der aufgenommenen

[4] Direkt vom ersten Atemzug eines Neugeborenen an erzeugt der Körper Aminosäuren und Proteine aus Stickstoff, Kohlenstoff, Sauerstoff und den in der Luft enthaltenen Wasserstoffmolekülen.

Nahrung zu verdauen und zu absorbieren. Wenn Fett nicht richtig aufgenommen wird, deutet dies darauf hin, dass die Ausscheidung der Gallenflüssigkeit mangelhaft ist. Das unverdaute Fett bleibt im Darm. Wenn unverdautes Fett den Darm zusammen mit anderen Abfallprodukten erreicht, bauen Bakterien einen Teil des Fetts in Fettsäuren ab oder scheiden es mit dem Stuhl aus. Da Fett leichter ist als Wasser, kann das Fett im Stuhl schwimmen. Wenn Fett nicht aufgenommen wird, wird Kalzium auch nicht aufgenommen, was im Blut zu Mangelerscheinungen führt. Das Blut zieht daraufhin sein zusätzliches Kalzium aus den Knochen.

Die meisten Probleme mit der Knochendichte (Osteoporose) entstehen eigentlich aus ungenügender Gallensekretion und schlechter Fettverdauung, aber nicht aus ungenügender Kalziumzufuhr. Wenige Ärzte sind sich dieser Tatsache bewusst und daher verschreiben sie ihren Patienten bloß Kalziumtabletten.

Neben des Fettabbaus unserer Nahrung entfernt Galle auch Toxine aus der Leber. Eine der weniger bekannten, aber extrem wichtigen Funktionen der Galle ist es, die Därme zu reinigen. Galle stimuliert auch die Darmtätigkeit, die für den gesunden, regelmäßigen Stuhlgang verantwortlich ist. Schlechte Darmtätigkeit ist eine Hauptursache für Verstopfung.

Wenn Gallensteine in der Leber oder Gallenblase den Gallefluss kritisch behindert haben, kann die Farbe des Stuhls hellbraun, orange-gelb oder blasser als das normale grün-braun sein.

Gallensteine sind ein direktes Produkt ungesunder Ernährung und ungesunden Lebensstil. Wenn Gallensteine sogar noch nach der Entfernung aller anderen krankheitsverursachenden Faktoren in der Leber oder Gallenblase sind, stellen sie ein beträchtliches Gesundheitsrisiko dar und können zu Krankheit und vorzeitiger Alterung führen. Aus diesem Grund wurden Gallensteine als Hauptrisikofaktor oder Krankheitsursache mit einbezogen. Die folgenden Abschnitte beschreiben einige der wesentlichsten Auswirkungen von Gallensteinen in Leber und Gallenblase, die sie auf die verschiedenen Organe und Systeme im Körper haben. Wenn diese Steine entfernt werden, kann der Körper seine normalen, gesunden Aktivitäten wieder aufnehmen.

Wenn die Galle-Kanäle der Leber blockiert werden

Das häufigste, aber selten anerkannte Gesundheitsproblem heutzutage ist die Verstopfung der Gallengänge der Leber durch Gallensteine (Illustrationen 4b & c). Wenn Sie an einigen der folgenden Symptome oder ähnlichen Bedingungen leiden, haben Sie höchstwahrscheinlich zahlreiche Gallensteine in Ihrer Leber und Gallenblase:

- Geringer Appetit
- Nahrungsmittelgelüste
- Verdauungsstörungen
- Diarrhöe
- Verstopfung
- Lehmfarbener Stuhl
- Hernie (Eingeweidebruch)
- Blähungen
- Hämorrhoiden
- Dumpfe Schmerzen auf der rechten Seite
- Atembeschwerden
- Leberzirrhose
- Hepatitis
- Extreme Infektionen
- Hohes Cholesterin
- Sehkraftprobleme
- Jedwede Hautstörung
- Hitze- und Kältewallungen
- Steifigkeit von Gelenken & Muskeln
- Benommenheit & Ohnmachtsanfälle
- Übergewicht oder Gewichtsverlust
- Schmerz an der Oberseite des Schulterblatts und/oder zwischen den Schulterblättern
- Skoliose
- Zunge, die glänzt oder weiß oder belegt ist
- Sehr fettiges Haar und Haarverlust
- Bauchspeicheldrüsenentzündung
- Herzerkrankung
- Gehirnerkrankungen
- Zwölffingerdarm-Geschwüre
- Übelkeit und Erbrechen
- Eine „reizbare" oder wütende Persönlichkeit
- Depression
- Impotenz
- Andere sexuelle Probleme
- Gicht
- Prostata-Erkrankungen
- Harnprobleme
- Hormonelle Unglcichgewichte
- Menstruations- und klimakterische Störungen
- Aufgedunsene Augen
- Leberflecken, besonders die auf der Rückseite von Händen und im Gesicht
- Verlust des Muskeltonus
- Alpträume
- Starke Rücken- und Schulterschmerzen
- Dunkle Augenringe
- Krankhafter Teint
- Schnitte oder Wunden, die weiter bluten und nicht heilen wollen

- Genickstarre
- Kopfschmerzen und Migräne
- Gelbverfärbung der Augen & Haut
- Taubheit und Lähmung der Beine
- Knieprobleme
- Fettleibigkeit
- Nierenerkrankungen
- Multiple Sklerose & Fibromyalgie
- Kalte Gliedmaßen
- Übermäßige Hitze & Transpiration im oberen Teil des Körpers
- Schultersteife
- Asthma
- Zahn- und Kauprobleme
- Ischias
- Gelenkkrankheiten
- Osteoporose
- Chronische Müdigkeit
- Krebs
- Alzheimer Erkrankung
- Schlafschwierigkeiten, Schlaflosigkeit

Chronisch Kranke haben häufig mehrere tausend Gallensteine, die die Gallengänge der Leber verstopfen. Einige Steine können ebenfalls in der Gallenblase gewachsen sein. Durch die Entfernung dieser Steine aus diesen Organen, mittels einer Reihe von Leberspülungen und der Einhaltung einer/-s ausgewogenen Ernährung und Lebensstils, können Leber und Gallenblase ihre ursprüngliche Leistungsfähigkeit wiederherstellen, und die meisten Beschwerden oder Krankheitssymptome im Körper können beginnen sich zu bessern. Sie werden feststellen, dass sich alle hartnäckigen Allergien verringern oder verschwinden. Rückenschmerzen werden sich auflösen, während sich Energie und Wohlbehagen verbessern werden. Die Gallengänge der Leber von Gallensteinen zu befreien ist eines der wichtigsten und stärksten Verfahren, das Sie anwenden können, um Ihre Gesundheit zu steigern und sich zu heilen.

Gallensteine – Eine konstante Krankheitsquelle

Die Mehrheit der Gallensteine in der Leber besteht aus denselben „harmlosen" Bestandteilen, die in der flüssigen Galle gefunden werden, von denen der Hauptbestandteil Cholesterin ist. Mehrere Steine bestehen aus Fettsäuren und anderem organisches Material, das in den Gallengängen gelandet ist. Die Tatsache, dass die Mehrheit dieser Steine nur geronnene Klumpen Galle oder organische Materie sind, macht sie mehr oder weniger „unsichtbar" für Röntgenstrahlen, Ultraschall und sogar für *Computertomographie* (CT).

Dies ist in Bezug auf die Gallenblase anders, wo bis zu 20 Prozent aller Steine völlig aus Mineralien zusammengesetzt sein können, in erster Linie aus Kalziumsalzen und Gallenfarbstoffen. Während Diagnosetests diese gehärteten, relativ großen Steine in der Gallenblase leicht entdecken können, werden die weicheren, unverkalkten Steine in der Leber häufig übersehen. Nur wenn übermäßige Mengen von auf Cholesterin basierende Steine (85-95 Prozent Cholesterin) oder andere Fettklumpen die Gallengänge der Leber blockieren, kann eine Ultraschalluntersuchung zum Vorschein bringen, was allgemein als „Fettleber" bezeichnet wird. In solch einem Fall zeigen die Ultraschallbilder eine Leber, die fast völlig weiß (statt schwarz) ist. Eine Fettleber kann bis zu 20 000 Steine aufnehmen, bevor sie der Erstickung erliegt und aufhört zu arbeiten.

Abbildung 4b & 4c: Gallensteine aus der Leber und Gallenblase

Die in der Leber gefundenen Gallensteine gibt es in allen Formen und Farben. Die meisten von ihnen sind bunt oder dunkelgrün; einige andere können sogar weiß, rot, schwarz oder hellbraun sein. Sie entstehen durch Überernährung, ungesunde Ernährung und ungesunden Lebensstil, sowie Stress und unterdrückte Wut. Da die Steine wachsen und immer zahlreicher werden, sind die Leberzellen gezwungen, die Galleproduktion zu reduzieren. Normalerweise erzeugt die Leber gut mehr als 0,95 Liter Galle jeden Tag. Dies ist die erforderliche Menge, um Nahrung im Dünndarm richtig zu verdauen. Wenn die Hauptgallenkanäle blockiert werden, gelangt kaum eine Tasse voll oder weniger in den Verdauungstrakt. Die eingeschränkte Galleabsonderung beeinträchtigt nicht nur die Verdauung, sondern hindert die Leber auch an der Ausscheidung der Toxine und Steine aus den Gallengängen. Infolgedessen wird die Galle toxisch. Eine kleine Menge der toxischen Galle wird ins Blut zurückgespült, wodurch alle lebenswichtigen Organe, einschließlich des Gehirns, betroffen werden. Das gilt auch für den Blutkreislauf der Leber. Die Wände der Leberblutgefäße (Sinusoide) werden zunehmend verstopft. Daraufhin werden *Lipoproteine niedriger Dichte* (LDL und VLDL, auch schlechtes Cholesterin genannt) zunehmend daran gehindert, den Blutkreislauf zu verlassen, wodurch es zu einem Anstieg des Blutserumcholesterins kommt.

Da Gallensteine porös sind, können sie durch die Leber ziehende Toxine, Bakterien, Viren, Parasiten und Zysten aufnehmen oder absorbieren, ähnlich wie Fischernetze Fische fangen. Die Steine können eine ständige Infektionsquelle werden, die den Körper mit einer ständig steigenden Zahl frischer Bakterien versorgt. Der Versuch, Blähungen, Blasenentzündung, Candida, Magengeschwür, ansteckende Krankheiten oder einige der obengenannten Zustände dauerhaft zu heilen, wird wahrscheinlich scheitern, wenn die Bakterien beherbergenden Gallensteine nicht aus der Leber entfernt werden.

Gelegentlich bleiben ein oder mehrere Gallensteine im *Blasenkanal* – in dem Gefäß, das den *Gallengang* mit der Gallenblase verbindet – oder Gallengang selbst stecken. In diesem Fall macht die Gallengangwand starke krampfhafte Kontraktionen durch, um die Steine voranzutreiben. Die Kontraktionen der Gangwand können überall im Bauch, Rücken und auch in den Beinen und Armen qualvolle Schmerzen verursachen.

Wenn die Gallenblase voll von Gallensteinen ist, kann es auch zu äußerst schmerzhaften, krampfhaften Muskelkontraktionen kommen, ein Zustand, der als Gallenblasenattacke bekannter ist. Gallensteine können starke Reizungs- und Entzündungsreaktionen der Gallenblasenwände, der Blase und der Gallengänge auslösen. Es können überlagerte mikrobische Infektionen entstehen. Heute leiden mehr als 20 Millionen Amerikaner an Gallenblasenerkrankungen, und jedes Jahr entscheiden sich ungefähr eine Million von ihnen für eine teure Gallenblasenoperation.

Wenn die Gallenblase operativ entfernt wird, kann der Patient eine enorme Linderung der akuten Schmerzanfälle verspüren und seine Verdauung wird sich wahrscheinlich innerhalb kurzer Zeit verbessern. Dies liegt an einer verhältnismäßig größeren Menge Galle, die für den verdauungsfördernden Prozess zur Verfügung steht. Der Nachteil ist jedoch, dass die Galle über den Tag verteilt sickernd bereitgestellt wird und nicht in großen Mengen, wenn eine Mahlzeit verdaut werden muss. Die Galle verursacht Verletzungen an den Darmwänden, es sei denn, dass sie mit Essen vermischt wird. Darüber hinaus werden die Verdauungsstörungen höchstwahrscheinlich zurückkehren oder sich verschlimmern, da der Patient noch alle Steine in seiner Leber hat. Übermäßige Gewichtszunahme ist häufig. Andere vorhandene *Gesundheitsprobleme* wie Schmerzen, Asthma, Bursitis (Schleimbeutelentzündung), Herzkrankheit und Arthritis werden ebenfalls verstärkt.

Wenn Gallensteine in der *Gallengangsampulle* stecken bleiben, dort, wo sich der Lebergallengang und die Gallenblase mit dem Bauchspeicheldrüsenkanal verbinden, entwickeln sich für gewöhnlich Gelbsucht und akute Bauchspeicheldrüsenentzündung. Dieser Zustand kann schließlich zu Krebstumoren in der Bauchspeicheldrüse und zu mehreren anderen Krankheiten führen.

Gallensteine jeder Art, Größe und Zahl können durch die Leber- und Gallenblasenspülung leicht und sicher entfernt werden (beschrieben in *Employing Nature's Healing Powers*, Kapitel 7, oder in meinem Buch *Die Wundersame Leber- & Gallenblasenreinigung*). Die ersten positiven Effekte, die üblicherweise bald nach der Leberspülung bemerkt werden, sind Schmerzlinderung und wiedergewonnene oder gesteigerte Energie, Lebenskraft und allgemeines Wohlbefinden. Obwohl Leberspülungen von Menschen jeglichen Alters durchgeführt werden können, einschließlich Kindern über 10 Jahren (viele Kinder haben heutzutage Gallensteine in der Leber), halte ich es für empfehlenswert, die Spülung erst nach Durchführung der allgemeinen Richtlinien zur Schaffung eines gesunden Körpers, für mindestens vier bis sechs Wochen, anzuwenden, wie es in den folgenden Kapiteln beschrieben wird. Die Reinigung des Dickdarms und der Nieren, beschrieben in Kapitel 7 von *Employing Nature's Healing Powers*, ist ebenfalls eine ideale Vorbereitung für eine Leberspülung.

Während einer Reihe von Leberspülungen schied ich ungefähr 3 000 kleine, erbsengroße, grüne, Hunderte von der Größe einer Kichererbse und ein Dutzend großer Steine, mit einer Größe von bis zu einem Zoll (2,5 Zentimeter) Durchmesser, aus. Nachfolgende Spülungen während der folgenden 5 Jahre zeigten, dass meine Leber völlig sauber war. Die Auswirkungen jeder Spülung waren häufig dramatisch und brachten immer weitere Vorteile zu der/den vorangegangenen Spülung/-en mit sich. Insgesamt steigerte sich meine Energie und Lebenskraft um das mindestens dreifache, alle Beschwerden, Steifheit und Schmerzen im Körper, besonders im Rücken, verschwanden und die Verdauung und Ausscheidung normalisierte sich. Für mich persönlich ist die Leberspülung die beste Sache, die ich jemals für mein physisches und geistiges Wohlergehen gemacht habe. Sie werden sich wahrscheinlich wundern, warum es in der Schulmedizin kein medizinisches Wissen oder Hinweise darüber gibt, die sich mit Gallensteinen in der Leber beschäftigen. Der Grund für dieses äußerst wichtige fehlende Glied besteht darin, dass die Theorien der modernen Medizin Ihnen sagen, dass Gallensteine nur in der Gallenblase und nicht in der Leber gebildet werden können. Die „experimentellen Ergebnisse", die diese Theorie unterstützen, beruhen hauptsächlich auf der Zuhilfenahme von Röntgenstrahlen oder Ultraschalluntersuchungen, die nur die wenigen Steine in der Gallenblase entdecken können, die auf eine bestimmte Größe herangewachsen und verkalkt (Mineralsteine) sind. Die meisten heutzutage verwendeten Diagnosewerkzeuge sind nicht in der Lage, die Hunderten, bzw. Tausenden nichtverkalkten, gehärteten Galleablagerungen in der Leber zu entdecken und sie als intrahepatische Gallensteine zu erkennen, wie es die Johns Hopkins University tut. Wie bereits erwähnt, können Ultraschalluntersuchungen Fettablagerungen in der Leber nur zeigen, wenn eine sehr große Anzahl überdimensionaler Steine (20 000 oder mehr) die Lebergallengänge verstopfen (Fettleber).

Wenn Sie mit einer Fettleber zum Arzt gehen würden, würde der Ihnen sagen, dass Sie überschüssiges Fettgewebe in Ihrer Leber haben. Es ist allerdings eher unwahrscheinlich, dass er Ihnen mitteilt, dass Sie unter intrahepatischen Gallensteinen (Steine, die die Lebergallengänge verstopfen) leiden. Wie bereits erwähnt, sind die meisten kleineren Steine in der Leber durch Ultraschall oder CT-Untersuchungen nicht nachweisbar. Dennoch würde eine sorgfältige Analyse diagnostischer Bilder durch Spezialisten zeigen, ob einige der kleineren Gallengänge in der Leber aufgrund der Verstopfung geweitet wurden. Eine Ausdehnung der Gallengänge, die durch größere und dichtere Steine oder durch eine Anhäufung von Steinen verursacht wird, kann schneller durch eine *Kernspintomographie* (MRT) entdeckt werden. Allerdings untersuchen Ärzte selten auf intrahepatische Steine, sofern es keine Anzeichen von wesentlichen Leberschwierigkeiten gibt. Bedauerlicherweise werden Leberstörungen allzu häufig unterdiagnostiziert, obwohl die Leber eines der wichtigsten Organe des Körpers ist. Selbst wenn die frühen Stadien einer Fettleber oder Gallensteinbildung in den Gallengängen problemlos erkannt und diagnostiziert wurden, bieten die heutigen medizinischen Einrichtungen keine Kuren an, um dieses lebenswichtige Organ von der schweren Last zu befreien, die es tragen muss.

Jeder, der unter einer chronischen Krankheit leidet oder dessen Gallenblase entfernt wurde, kann selber leicht nachprüfen, ob er Gallensteine in der Leber hat. Durch Durchführung einer Leberspülung setzt der Körper viele nicht verkalkte, mit Galle überzogene Steine frei. Diese Steine sind mit den grünen, nicht verkalkten Steinen, die in einer operativ entfernten Gallenblase gefunden werden können, identisch. Wenn man sie in der Mitte durchschneidet, zeigen beide „Typen" Gallensteine typische Altersmarkierungen, die denen auf einem durchtrennten Baumstamm ähnlich sind. Gründliche Analysen würden ihr Alter und die Arten der Toxine,

Chemikalien und Bakterien offenbaren, die sich im Körper befanden oder mit denen er sich am meisten befassen musste. Eine gründliche Leberreinigung beseitigt Tausende giftige Substanzen, die bei der Bildung der Steine geholfen haben und die die Lebergallengänge quälen. Die Reinigung der Lebergallengänge von Gallensteinen ist eines der wichtigsten und stärksten Verfahren, das Sie durchführen können, um Ihre Gesundheit wiederherzustellen oder zu verbessern.

Anmerkung: *Für weitere Details darüber, wie eine Leber- und Gallenblasenreinigung bei der Krankheitsbehandlung den entscheidenden Unterschied ausmacht und Ihre Gesundheit und Vitalität verbessern kann, beziehen Sie sich bitte auf Die Wundersame Leber- & Gallenblasenreinigung. Sie werden lernen, wie man schmerzfrei bis zu mehrere Hundert Gallensteine auf einmal entfernt. (Das Verfahren finden Sie ebenfalls in Kapitel 7 dieses Buches.) Die Größe der Steine reicht von der eines Nadelkopfs bis zu der einer kleinen Walnuss und, in einigen seltenen Fällen, der eines Golfballs. Die eigentliche Leberspülung findet innerhalb eines Zeitraums von weniger als vierzehn Stunden statt und kann bequem im Laufe eines Wochenendes zu Hause durchgeführt werden. Kapitel 1 erklärt detailliert, warum das Vorhandensein von Gallensteinen in den Gallengängen, sowohl innerhalb als auch außerhalb der Leber, als das größte Gesundheitsrisiko und Krankheitsursache fast jeder größeren oder kleineren Krankheit betrachtet werden kann. In Kapitel 2 werden Sie imstande sein, die Anzeichen, Spuren und Symptome zu erkennen, die auf das Vorhandensein von Steinen in Ihrer Leber oder Gallenblase hindeuten. Weitere Kapitel befassen sich mit den möglichen Ursachen von Gallensteinen und was Sie tun können, damit sich keine neuen Gallensteine bilden. In Kapitel 4 werden Sie das eigentliche Verfahren erlernen, Ihren Körper von Gallensteinen zu befreien. Kapitel 6, Was kann ich von der Leber- und Gallenblasenreinigung erwarten?, umfasst einige der möglichen Gesundheitsvorteile dieses tiefgreifenden Selbsthilfeprogramms. Außerdem erfahren Sie, was andere über ihre Erfahrungen mit der Leberspülung zu sagen haben.*

Die häufig gestellten Fragen, Band 2, befassen sich mit vielen Fragen, die Sie über die Spülung haben könnten. Um aus dem Verfahren den größtmöglichen Nutzen zu ziehen, empfehle ich Ihnen dringend, das komplette Buch vor Beginn der eigentlichen Leberreinigung zu lesen.

2. Dehydratation

Der menschliche Körper besteht zu 75 Prozent aus Wasser und zu 25 Prozent aus Feststoffen. Damit wir den Körper mit Nahrung versorgen, Abfallstoffe beseitigen und eine Vielzahl anderer Prozesse des Körpers durchführen können, benötigen wir Wasser. Die meisten modernen Gesellschaften unterstreichen jedoch nicht mehr die Wichtigkeit von Trinkwasser als den wichtigsten „Nährstoff" unter den Nährstoffen. Ganze Bevölkerungsgruppen ersetzen Wasser durch Tee, Kaffee, Alkohol und andere hergestellte Getränke. Viele Menschen verstehen nicht, dass das natürliche Durstsignal des Körpers ein Zeichen dafür ist, dass er reines, einfaches Trinkwasser verlangt. Stattdessen entscheiden sie sich für andere Getränke, im Glauben, dass das den Wasserbedarf des Körpers decken wird. Dies ist ein Irrglaube. Es ist richtig, dass Getränke wie Tee, Kaffee, Wein, Bier, alkoholfreie Getränke, Sportgetränke und Säfte Wasser enthalten, aber sie enthalten auch Koffein, Alkohol, Zucker, künstliche Süßstoffe oder andere Chemikalien, die wie starke wasserentziehende Mittel wirken. Getränke, die zum Beispiel Koffein enthalten, lösen Stressreaktionen aus, die zunächst stark harntreibende Effekte haben, die zu erhöhter Harnausscheidung führen. Getränke mit zusätzlichem Zucker erhöhen drastisch den Blutzuckerspiegel. Jedes so wirkende Getränk zwingt den Körper, große Mengen Wasser abzugeben. Der regelmäßige Konsum solcher Getränke führt zu chronischer Dehydratation, die in jeder Toxizitätskrise eine große Rolle spielt.

Solange der Flüssigkeitsbedarf des Körpers nicht gedeckt ist, besteht kein praktischer oder vernünftiger Grund, eine Krankheit (Toxizitätskrise) mit synthetischen Medikamenten oder sogar mit natürlichen Medikamenten und Methoden zu behandeln. Medikamente und andere Arten medizinischer Eingriffe können für die menschliche Physiologie, größtenteils aufgrund ihrer starken entwässernden Wirkung, gefährlich sein. Die meisten Patienten leiden heutzutage unter der „Durstkrankheit", einem fortgeschrittenen Zustand von Dehydratation. Einige Teile des Körpers können stärker dehydrieren als andere. Unfähig, Toxine aufgrund ungenügender Wasserreserven aus diesen Teilen zu entfernen, wird der Körper mit den Folgen ihrer zerstörerischen Effekte konfrontiert (Blutvergiftung). Die mangelnde Erkenntnis der Grundlagen des Wasserhaushalts im Körper führt nicht selten zu einer „diagnostizierten" Krankheit, da es regelrecht der dringende Schrei des Körpers nach Wasser ist. Was Ärzte allgemein als Krankheit bezeichnen, ist größtenteils ein fortgeschrittener Austrocknungszustand und die daraus resultierende Unfähigkeit des Körpers, sich von Abfallstoffen und Toxinen zu befreien.

Dehydratation erkennen

Menschen, die viele Jahre lang ohne ausreichende Wasserzufuhr gelebt haben, leiden am ehesten unter Toxinanhäufung im Körper. Chronische Krankheit wird immer von Dehydrierung begleitet und in vielen Fällen von ihr verursacht. Je länger eine Person zu wenig Wasser aufnimmt und/oder von einer großen Menge stimulierender Getränke oder Nahrungsmitteln lebt, desto ernster und lang anhaltender wird die Toxizitätskrise sein. Herzkrankheit, Fettleibigkeit, Diabetes, rheumatische Arthritis, Magengeschwür, Bluthochdruck, Krebs, Multiple Sklerose (MS), Alzheimer und vielen anderen chronische Krankheitsformen sind Jahre der „Körperdürre" vorangegangen. Infektionserreger wie Bakterien und Viren können nicht in einem gut hydrierten Körper gedeihen. Ausreichende Mengen Wasser zu trinken, ist deshalb eine der wichtigsten vorbeugenden Maßnahmen gegen Krankheiten, die Sie ergreifen können.

Diejenigen, die nicht genug Wasser trinken oder die, die Wasserreserven ihres Körpers über einen bestimmten Zeitraum übermäßig durch Überanregung erschöpfen, senken mit der Zeit das Verhältnis des Wasservolumens innerhalb der Zellen, im Gegensatz zum Wasservolumen außerhalb der Zellen. Normalerweise ist das Wasserverhältnis innerhalb der Zellen höher als das in der Zellumgebung. Im Zustand der Dehydrierung können die Zellen bis zu 28 Prozent oder mehr ihres Wasservolumens verlieren. Das untergräbt allerdings jegliche Zelltätigkeiten, unabhängig davon, ob die betroffenen Zellen Haut-, Magen-, Leber-, Nieren-, Herz- oder Gehirnzellen sind. Wann auch immer es zellulare Dehydrierung gibt, werden metabolische Abfallstoffe nicht richtig entfernt. Das verursacht Symptome, die Krankheit ähneln, die aber in Wirklichkeit nur Anzeichen des gestörten Wassermetabolismus sind. Da immer mehr Wasser sich außerhalb der Zellen ansammelt, um die dort vorhandenen toxischen Abfallprodukte zu verdünnen und zu helfen, diese zu neutralisieren, kann die Dehydrierung für die betroffene Person nicht augenscheinlich sein. Sie kann vielmehr bemerken, dass sie beginnt, in den Beinen, Füßen, Armen und Gesicht Wasser anzusammeln. Die Nieren können ebenfalls beginnen Wasser zu speichern, die Harnabsonderung deutlich reduzieren und die Speicherung potenziell gefährlicher Abfallprodukte verursachen. Normalerweise signalisieren Zellenzyme dem Gehirn, wenn das Wasser in den Zellen knapp wird. Die Enzyme in den dehydrierten Zellen werden jedoch so ineffizient, dass sie nicht mehr imstande sind, den dürreähnlichen Zustand zu registrieren. In der Folge sind sie nicht mehr in der Lage, die Notfallsituation ans Gehirn zu übermitteln, das normalerweise den „Durst-Alarmknopf" drücken würde.

Demetria, eine 53-jährige griechische Frau, konsultierte mich, um Linderung von einer schmerzhaften Gallenblasenerkrankung zu finden. Ihre Haut war dunkelgrau, was auf eine hohe Toxinkonzentration in ihrer Leber und überall in ihrem Körper hinwies. Als ich sah, wie dehydriert (und geschwollen) ihr Körper war, bot ich ihr ein Glas Wasser an. Sie sagte: „Ich trinke nie Wasser, es macht mich krank!" Ich sagte ihr, dass ihre natürlichen Durstsignale aufgrund der Zelldehydrierung nicht mehr arbeiten, und dass ihr Körper, ohne genug Wasser zu trinken, nicht mehr zu seiner Balance zurückkehren könne. Es war mir klar, dass ihr Körper jede Wassermenge, die sie trank, dazu verwenden würde, um einige der Toxine sofort zu entfernen, die in ihrem Magen lauerten und Brechreiz erzeugen würden. In ihrem Fall wäre jede Therapie, außer Wasser zu trinken, eine Verschwendung ihrer Zeit und ihres Geldes gewesen. Demetrias schwieriger Zustand verlangte, dass sie damit begann, jede halbe Stunde kleine Mengen heißes, ionisierte Wasser zu nippen (siehe Anweisungen in „Allgemeine Richtlinien" in Kapitel 6), um die Toxinbeseitigung zu unterstützen, so lange, bis sie imstande war, größere Mengen normales Wasser zu trinken.

Eine dehydrierte Person kann auch unter Energiemangel leiden. Wegen eines Wassermangels innerhalb der Zellen wird der normale osmotische Strom des Wassers durch die Zellmembran gravierend gestört. Ähnlich einem Strom, der einen Berg hinab fließt, erzeugt die Bewegung von Wasser durch die Zellen „hydroelektrische" Energie, die nachher als ATP Moleküle (die Hauptquelle der Zellenergie) gespeichert werden. In der Regel hält das Wasser, das wir trinken, das Zellvolumen in Balance, und das Salz, das wir zu uns nehmen, hält das ausgewogene Volumen des Wassers aufrecht, das sich außerhalb der Zellen befindet und in Zirkulation gehalten wird. Das erzeugt den perfekten osmotischen Druck, der für die zelluläre Versorgung und Energieproduktion erforderlich ist. In einem dehydrierten Zustand ist der Körper nicht in der Lage, diesen lebensnotwendigen Mechanismus aufrecht zu erhalten, was wiederum zu potenziell ernstem Zellschaden führt.

Die Schmerzverbindung

Ein weiterer wichtiger Indikator für Dehydratation des Körpers ist Schmerz. Als Reaktion auf eine zunehmende Wasserknappheit aktiviert und lagert das Gehirn den wichtigen Neurotransmitter Histamin, der bestimmte untergeordnete Wasser-Regulatoren anleitet, die Wassermenge umzuverteilen, die sich im Blutkreislauf befindet. Dieses System hilft, Wasser in Bereiche zu leiten, in denen es für wichtige Stoffwechselaktivität und das Überleben gebraucht wird, wenn es solch einer Unterversorgung gegenübersteht, wie sie während einer Trockenperiode vorkommt. Wenn sich *Histamin* und seine untergeordneten Regulatoren für Wasseraufnahme und Verteilung über schmerzempfindliche Nerven im Körper bewegen, lösen sie starke und kontinuierliche Schmerzen aus. Diese Schmerzsignale können zum Beispiel durch rheumatische Arthritis, Angina, Verdauungsstörungen, Probleme im unteren Rücken, Fibromyalgie, Nervenschmerzen, Migräne und Kater-Schmerzen in Erscheinung treten. Sie sind notwendig, um die Person zu alarmieren, sich um das Problem einer ausgedehnten oder lokalen Form der Dehydrierung zu kümmern.

Die Einnahme von *Analgetika* oder anderen schmerzstillenden Medikamenten, wie *Antihistamine* und *Antazida*, kann zu irreversiblen Schäden in Ihrem Körper führen. Sie scheitern nicht nur, das echte Problem anzugehen (das Dehydrierung sein kann), sondern Sie schneiden auch die Verbindung zwischen dem Neurotransmitter, Histamin, und seinen untergeordneten Regulatoren, wie Vasopressin, *Renin-Angiotensin* (RA), *Prostaglandin* (PG) und *Kinin*, ab. Obwohl die Wirkung von schmerzstillenden Mitteln lokalen Schmerz eine Zeit lang lindern kann, schließen sie auch Ihren Körper von der Erkennung des Aktionsbereichs der Wasserverteilung aus. Das kann die inneren Kommunikationssysteme Ihres Körpers stark irritieren und überall im Körper Chaos verbreiten. *Antihistamine* – oftmals als Allergie-Medikamente bezeichnet – halten die *Histamine* des Körpers wirksam davon ab, eine ausgewogene Wasserverteilung sicherzustellen.

Das Problem verschlimmert sich, sobald der Körper eine bestimmte Schmerzschwelle erreicht hat. Über die Gefährdung der wasserregulierenden Mechanismen hinaus, werden diese schmerzstillenden Mittel ineffektiv, da das Gehirn wie ein direktes Überwachungszentrum die Schmerzaufrechterhaltung übernimmt (es sei denn, natürlich, dass der Körper wieder richtig hydratisiert wird). Wenn Ihr Körper ohne ersichtlichen Grund dauerhaften Schmerz erzeugt (nicht durch eine Verletzung verursacht), sollten Sie dies, bevor Sie irgendwelche anderen Schlüsse ziehen, als den Schrei des Körpers nach Wasser und als seinen Versuch interpretieren, einen unausgewogenen Zustand zu beheben. Verschreibungspflichtige Schmerzmittel unterdrücken das primäre Dehydrierungssignal des Körpers. Schmerzmittel „schließen" die Rettungswege des Körpers für die Wasserversorgung „kurz"; sie sabotieren ebenfalls die ordnungsgemäße Beseitigung von Abfallprodukten und säen die Samen chronischer Krankheit.

Es gibt genug Dokumentationen, die zeigen, dass Schmerzmedikamente schwerwiegende Nebenwirkungen haben können. Sie können gastrointestinale Blutungen verursachen, die jedes Jahr Tausende Menschen töten. Die Morphin-Wirkstoffe, die in diesen Medikamenten enthalten sind, können auch zu ernsten, lebensverändernden Abhängigkeiten führen. Als der berühmte Radiomoderator Rush Limbaugh in seiner Radiosendung bekannt gab, dass er von Schmerzmitteln abhängig war, lag sein Leben in Scherben. Aber er ist damit nicht alleine. Es gibt Millionen Menschen, die zunächst nur eine „unschuldige" Advil gegen die gelegentlichen Kopfschmerzen einnahmen, dann aber darin endeten, nicht mehr in der Lage zu sein, ohne starke Schmerzmittel zu leben. Sobald Sie anfangen, dehydrierende Medikamente wie diese zu verwenden, werden Sie sich höchstwahrscheinlich auf gleiche Art entwickeln oder immer wieder noch schlimmere Schmerzen haben.

Die neuesten veröffentlichten und weitverbreiteten Nebenwirkungen von Schmerzmitteln wie *Vioxx*, *Celebrex* und dem freiverkäuflichen Medikament *Aleve (Naproxen)* sollten Ihnen deutlich machen, dass es keine sicheren Schmerzmittel gibt. Wie man entdeckt hat, erhöhen diese Medikamente die Gefahr von Herz- und Schlaganfällen um mindestens 50 Prozent. Aspirin und andere „harmlose" Medikamente gehören derselben Klasse von Schmerzmitteln an wie die vorher erwähnten. Heute gibt es Millionen Menschen, die an Herzerkrankungen leiden, die aus Unwissenheit und fehlgeleitetem Vertrauen in das medizinische System, die FDA und die Pharmaindustrie glaubten, dass die Einnahme einer kleinen unschuldigen „Baby-Pille" ihnen in keinster Weise schaden würde. Die Offenlegung, dass diese kleine Pille, wenn sie sie länger als 10 Tage einnähmen, ihr Herz zerstören oder ihr Gehirn beschädigen könnte, kann nicht weniger als schockierend sein. Aber wie viele Leute hören auf solche Warnungen, wenn alles, was sie wollen, ist, diesen störenden Schmerz „loszuwerden"?

Die Einnahme einer „harmlosen" kleinen Pille, die Sie sich innerhalb von Minuten besser fühlen lässt und Ihnen erlaubt, Ihr Leben weiterzuleben, kann sich wie das richtige Mittel anfühlen. Und wenn das Schmerzmittel köstlich schmeckt, kann dieses „Wunder-Medikament" Ihnen wohl kaum einen Schaden zufügen, oder etwa doch? *Tylenol Extrastark*

„kühle Dragees", die letzte Verrücktheit unter den Schmerzmitteln, lässt diese gefährlichen Medikamente harmlos erscheinen. Es ist sowohl Atem-Minze, als auch Schmerzmittel. Aber ist es wirklich eine gute Idee, die Verlockungen von Aromastoffen einem Schmerzmittel hinzuzufügen, das, durch die eigenen Eingeständnisse der FDA, eine Rolle in mindestens 100 (ein Bruchteil der echten Zahl) unbeabsichtigten Todesfällen jährlich spielt? Das könnte sich jetzt ändern, wo die Skandale um die Medikamentenzulassung und die Enthüllungen bezüglich der schlampigen Forschung in zunehmendem Maße offengelegt werden – aber werden sie das wirklich? Wenn Sie Leute auf der Straße fragen würden, ob sie Paracetamol für ein völlig harmloses Medikament halten, würden die meisten mit „Ja" antworten. Dieser völlig unverdiente Ruf kann nur übertroffen werden, wenn Minzaroma zur Mischung hinzugefügt wird.

Wenn Sie sich dazu entschließen eine Medikamentenabhängigkeit zu beenden, wird das Leben nicht leicht sein. Diejenigen, die sich eine Rehabilitationsbehandlung leisten können, können eine schnelle anästhetische Entgiftung für ungefähr 5 900 US-Dollar wählen. Um aber wirklich rehabilitiert zu werden, müssen Sie sich jedoch mit den tieferen Schmerzursachen befassen, die sie ursprünglich dazu brachten, Suchtmittel zu nehmen. Letztlich geht es darum: Das körpereigene natürliche Schmerzsignal ist eine vollkommen normale Reaktion auf eine anormale Situation – einfache Dehydratation. In vielen Fällen werden die Blutgefäßwände des Körpers, die Leber-Gallengänge, die lymphatischen Kanäle, die Nieren, der Darm und andere Ausscheidungsorgane so verstopft, dass chronische Dehydrierung unvermeidlich wird. Um seine Gesundheit wieder herzustellen, muss der Körper gereinigt und richtig ernährt werden, was das Hauptthema dieses Buches ist.

Die meisten Menschen haben kein wirkliches Verständnis dafür, was Schmerz ist. Sie empfinden ihn selten als einen wichtigen Teil der Heilanstrengungen des Körpers. Schmerz ist immer ein Zeichen der Abwehr gegen das, was sich natürlich bewegt oder fließt. Die Abwehr kann entweder infolge eines physischen Hindernisses, wie Verstopfung, oder infolge von Lymphansammlungen oder einer emotionalen Abwehr gegenüber einer besonderen Person oder Situation auftreten. Wenn sie einmal erkannt sind, können die Abwehrursachen normalerweise gelöst werden. Schmerz zu bekämpfen scheint zu noch mehr Schmerz zu führen, wohingegen der Abwehr freien Lauf zu lassen den Schmerz verringert. Selbst wenn Sie etwas Schmerz wahrnehmen, während Sie den Körper durch Reinigung, Ruhe und gute Ernährung unterstützen, hilft der Schmerz sogar, die Heilung zu beschleunigen. Wenn Sie den Schmerz aushalten, anstatt ihn mit Medikamenten zu unterdrücken, werden Sie feststellen, dass er sich normalerweise in ein paar Stunden oder Tagen verringern wird. Der Versuch, jedes Ziehen oder jeden Schmerz mit Schmerzmitteln zu bekämpfen, ist andererseits eine Sucht, die viel Angst und mehr Schmerz in Ihrem Leben verursacht. Schmerz zu spüren und zu akzeptieren, entfernt alle Arten der Angst aus Ihrem Leben. Außerdem wird die Schmerzerfahrung selbst die Absonderung der körpereigenen, natürlichen Schmerzmittel und Heilhormone – der Endorphine – stimulieren. Insgesamt ist es nur eine Frage der Zeit, sobald Sie den Schmerz identifiziert und sich mit seinen Ursachen befasst haben, bevor er vollkommen verschwindet.

Natürlich kann der Gebrauch von Schmerzmitteln unvermeidlich sein, und zwar in dem seltenen Fall, dass der Schmerz einfach unerträglich wird. Zur gleichen Zeit sollte die schmerzgeplagte Person in ein Hydratisierungs- und Reinigungsprogramm einsteigen, sowie jegliche dehydrierenden Einflüsse in ihrem Leben beenden.

„Körper-Dürre" – Die stärkste Stressart

Das menschliche Gehirn, welches rund um die Uhr arbeitet, benötigt mehr Wasser als jeder andere Teil des Körpers. Normalerweise enthält das Gehirn ungefähr 20 Prozent des ganzen Bluts, das durch den Körper zirkuliert. Schätzungen zufolge bestehen Gehirnzellen zu 85 Prozent aus Wasser. Ihr Energiebedarf wird nicht nur durch umgewandelte Glukose (einfacher Zucker) gedeckt, sondern auch, indem er hydroelektrische Energie aus dem Wasserfluss während der Zellosmose generiert. Das Gehirn hängt massiv von dieser zellgenerierenden Energiequelle ab, um seine außerordentlich komplexen Vorgänge und seine Leistungsfähigkeit aufrecht zu erhalten.

Wassermangel im Gehirngewebe verringert die Energieversorgung des Gehirns und unterdrückt dadurch viele seiner lebenswichtigen Funktionen – eine Situation, die die meisten Menschen Depression nennen. Mit einem niedrigeren als normalem Niveau an Gehirnenergie sind Sie außerstande, Ihren physischen, persönlichen und sozialen Anforderungen zu entsprechen und erliegen darauffolgend der Angst, Unruhe, Wut und anderen emotionale Qualen. Sie können sich erschöpft, teilnahmslos, gestresst und niedergeschlagen fühlen. Das Chronische Erschöpfungssyndrom (CFS) ist zum Beispiel größtenteils ein Symptom des progressiven Gehirnwasserentzugs, der sich aus der Unfähigkeit ergibt, die ganzen metabolischen Abfallprodukte und Zellablagerungen sogleich aus dem Gehirn und anderen lebenswichtigen Teilen des Körpers zu entfernen. Was

CFS Leidende als ‚Gehirnnebel' bezeichnen, ist eigentlich eine genaue Beschreibung der Verstopfung, die im Gehirn vorkommt. CFS ist keine bösartige Krankheit, die jemanden ohne ersichtlichen Grund erwischt. Es kann ganz spontan verschwinden, wenn die betroffene Person aufhört, das Gehirn mit solchen Dingen wie Koffein, Tabak, Medikamenten und tierischen Produkten zu stimulieren und ein konsequentes Programm der Reinigung, Hydratisierung und Ernährung des Körpers beginnt. (Für weitere Informationen über das Chronische Erschöpfungssyndrom und das Fibromyalgie-Syndrom, FMS, finden Sie Artikel auf der Website des Autors, www.ener-chi.com.)

Die Stressreaktion

Wenn er dehydriert ist, muss der Körper den Kampf seines Lebens führen – ähnlich wie während einer Hungersnot oder einer „Kampf- oder Flucht-" Situation. Er antwortet auf solch eine Krise durch Mobilisierung mehrerer starker Hormone, einschließlich *Adrenalin, Endorphin, Kortison, Prolaktin, Vasopressin* und *Renin-Angiotensin (RA)*. Endorphine helfen uns zum Beispiel, Schmerzen und Stress auszuhalten und ermöglichen dem Körper, die meisten seiner Tätigkeiten fortzusetzen. Kortison befiehlt die Mobilmachung von gespeicherten Energien und erforderlichen Rohstoffen, um den Körper während der Krise mit der Energie und den grundlegenden Nährstoffen zu beliefern. Dieses Hormon erlaubt dem Körper sogar, sich aus sich selbst zu ernähren, ein Zustand, der während einer Hungersnot garantiert ist. Natürlich ist das auch sehr anstrengend und für den Körper potenziell gefährlich, wie aus solch emotionalen Aussprüchen, wie „ich kann nicht mehr damit fertig werden" oder „das nagt wirklich an mir", ersichtlich ist. Viele Patienten mit rheumatischer Arthritis, Multipler Sklerose (MS) oder anderen degenerativen Krankheiten nehmen *Kortison*-Medikamente, die ihnen häufig, für einen relativ kurzen Zeitraum, einen Energieschub geben und die Moral heben. Der „Erfolg" des Medikaments hält jedoch nur so lange an, solange der Körper jede Energie- und Nährstoffreserve anzapfen kann, die noch übrig ist. Sobald der Körper seine Notration verbraucht hat, wird er kaum mehr arbeiten und die Krankheitssymptome werden sich beträchtlich verschlimmern.

Verengung der Blutgefäße

Wenn die Zellen des Körpers mit Wasser unterversorgt sind, erzeugt die Hirnanhangdrüse des Gehirns den Neurotransmitter Vasopressin, ein Hormon, das die Blutgefäße in Gebieten verengen kann, in denen es zelluläre Dehydrierung gibt. Während der Dehydrierung wird die Menge des Wassers im Blutkreislauf reduziert. Vasopressin, wie der Name andeutet, presst das Gefäßsystem, d. h. die Kapillaren und Arterien zusammen, um ihr flüssiges Volumen zu reduzieren. Dieses Manöver ist notwendig, um weiterhin genug Druck im Gefäßsystem zu haben, um für eine unveränderliche Filtration des Wassers in die Zellen zu sorgen. Dies gibt Vasopressin eine blutdruckerhöhende (hypertonische) Eigenschaft. Hoher Blutdruck ist ein häufiger Zustand bei Menschen, die dehydriert sind. (Für weitere Informationen über Hypertonie und Herzkrankheit siehe Band 2.) Eine ähnliche Situation tritt in den Gallengängen der Leber auf, die damit beginnen, sich als Reaktion auf die Wasserknappheit im Körper zu verengen. Gallensteinbildung ist die unmittelbare Folge von Dehydrierung.

Das Trinken von alkoholischen Getränken unterdrückt die Absonderung von Vasopressin und vergrößert dadurch die zelluläre Dehydrierung. Wenn der Alkoholkonsum exzessiv ist, kann die zelluläre Dehydrierung einen gefährlich hohen Grad erreichen. Der typische „Kater", der nach dem Alkoholmissbrauch auftritt, ist nichts anderes, als ein extremer Dehydrierungszustand der Gehirnzellen. Um die alkoholbedingte „Dürre" zu überstehen, muss der Körper mehr Stresshormone, unter ihnen die suchterzeugenden Endorphine, absondern. Durch regelmäßigen Alkoholkonsum, d. h. täglich für mehrere Monate oder Jahre, nimmt die *Dehydratation* noch weiter zu und die Endorphinproduktion wird ein abhängig machender Vorgang. Das kann zu Alkoholismus führen, eine Krankheit, die verheerende Folgen auf das persönliche und soziale Leben einer Person hat.

Wassereinlagerungen und Nierenschäden

Das *Renin-Angiotensin (RA) System* wird aktiviert, wann immer es auch Wasserknappheit im Körper gibt. Dieses perfekt durchdachte System wird verwendet, um den Körper zu veranlassen, an Wasser, wo immer auch möglich, festzuhalten. Es weist die Nieren an, die Urinabsonderung zu hemmen und zieht die Kapillaren und das Gefäßsystem, besonders in den Bereichen, die nicht so lebensnotwendig sind wie das Gehirn und die Herzmuskeln, zusammen. Zur gleichen Zeit stimuliert es eine Steigerung der Natrium- (Salz) Aufnahme, was dem Körper hilft Wasser zu speichern. Falls der Körper nicht zu seinem normalen Hydrationsgrad zurückkehrt, bleibt das *RA-System* aktiviert. Aber das bedeutet auch, dass der Druck des Blutes gegen die Wände der Blutgefäße abnorm hoch bleibt, wodurch ein Schaden verursacht wird, der als kardiovaskuläre Erkrankungen (Herz-Kreislauf-Erkrankungen) bekannt ist.

Hypertonie und die Rückhaltung von Urin in den Nieren können zu Nierenschäden führen. Konventionelle Behandlungen gegen diesen Zustand setzen sich größtenteils aus diuretischen (harntreibende) Medikamenten und eingeschränktem Salzkonsum zusammen. Beides kann massive Nachteile haben. Sowohl diuretische Medikamente, die verwendet werden, um den Blutdruck zu normalisieren, als auch reduzierter Salzkonsum, schwächen außerordentlich die Notfallmaßnahmen des Körpers, das wenige Wasser zu sparen, welches für normale Zelltätigkeiten übrig gelassen wurde. Die daraus resultierende Stressreaktion verursacht einen weiteren Anstieg der Dehydrierung und der Teufelskreis ist komplett. Viele der heutzutage durchgeführten Nierentransplantationen sind ein Resultat chronischer Dehydrierung, die durch etwas so einfaches verursacht wird, wie dem Konsum von zu wenig Wasser, dem Verzehr von zu vielen tierischen Proteinen oder durch Reizüberflutung des Nervensystems.

Das Koffein- und Alkohol-Drama

Koffein, das in Getränken wie Tee, Kaffee, Erfrischungsgetränken und den meisten Powerdrinks enthalten ist, stimuliert und stresst nicht nur sowohl das Hauptnervensystem, als auch das Immunsystem, sondern agiert ebenfalls als ein starkes Diuretikum. Für jede Tasse Kaffee oder Tee, die Sie trinken, muss Ihr Körper bis zu drei Tassen Wasser loslassen, um das toxische Koffein zu entfernen. Der Körper kann es sich nicht leisten, dieses Wasser aufzugeben, ohne eine Art Schaden zu erleiden. Koffeinhaltige

Erfrischungsgetränke wirken auf ähnliche Weise. Koffein, ein Nervengift, stimuliert die Nebennieren Stresshormone auszuschütten und eine starke Immunreaktion auszulösen, was Ihnen den falschen Eindruck vermitteln könnte, dass diese neu entdeckte Energie und Vitalität in irgendeiner Weise durch das konsumierte Getränk geliefert wurde.

Das Geheimnis hinter diesen Stimulanzien besteht darin, dass die Immunreaktion genug Energie für Sie mobilisiert, sich munter und klar denkend zu fühlen, zumindest so lange, wie Ihr Körper stimuliert ist. Um das Koffein aus dem Blut zu beseitigen, wird der Körper gezwungen, Wasser aus seinen Zellen zu entnehmen. Dies führt zu zellulärer Dehydrierung und zeitweiliger Verdünnung des Bluts. Weil die Verdünnung des Bluts Ihnen ein Wohlgefühl gibt, werden Sie die drohende Gefahr der Dehydrierung nicht bemerken. Die dehydrierende Wirkung des Koffeins in Erfrischungsgetränken ist ein hinreichender Grund, diese zu vermeiden. Unglücklicherweise ist Koffein nicht der einzige Übeltäter in Erfrischungsgetränken.

Erfrischungsgetränke können Ihrer Gesundheit ernstlich schaden

Neue Beweise bestätigen, dass Erfrischungsgetränke ernste Zellschäden verursachen. Die Forschung einer britischen Universität deutet darauf hin, dass ein verbreitetes Konservierungsmittel in Getränken wie Coca-Cola, Fanta und Pepsi MAX in der Lage ist, lebenswichtige Teile der DNA auszuschalten – ein Problem, welches gewöhnlich mehr mit Altern und Alkoholmissbrauch in Verbindung gebracht wird. Das kann letzten Endes zu Leberzirrhose und degenerativen Krankheiten wie Parkinson führen. Die Ergebnisse zeigen ernste Folgen für Hunderte von Millionen Menschen weltweit, die kohlensäurehaltige Getränke verzehren. Sie wiedereröffnen ebenfalls die Debatte um Nahrungsmittelzusätze, die mit Hyperaktivität bei Kindern in Verbindung stehen.

Die größte Sorge zentriert sich auf die Sicherheit von E211, bekannt als Natriumbenzoat, ein Konservierungsmittel, das seit Jahrzehnten von der 150 Milliarden US-Dollar schweren globalen Limonaden-Getränkeindustrie verwendet wird. Natriumbenzoat stammt von Benzoesäure ab. Es wird in großen Mengen verwendet, um Schimmelbildung in Erfrischungsgetränken wie Sprite, Oasis und Dr Pepper zu verhindern. Dieses verbreitete Konservierungsmittel wird auch Essiggurken und Soßen hinzugefügt.

In der Vergangenheit war Natriumbenzoat bereits als indirekte Ursache von Krebs identifiziert worden. Wenn es mit dem additiven Vitamin C in den alkoholfreien Getränken gemischt wird, erzeugt es Benzol, eine Krebs erzeugende Substanz. Nun hat Dr. Peter Piper, Professor der Molekularbiologie und Biotechnologie an der Sheffield University, England, die Ergebnisse seiner Forschung über den Einfluss von Natriumbenzoat auf lebende Hefe-Zellen in seinem Laboratorium veröffentlicht. Professor Piper entdeckte, dass Benzoat einen wichtigen Bereich der DNA im „Kraftwerk" der Zellen beschädigte, die als Mitochondrien bekannt sind. Er erzählte am Sonntag, den 27. Mai 2007 im The Independent: „Diese Chemikalien sind in der Lage, der DNA in den Mitochondrien massiven Schaden zuzufügen, sodass sie sie völlig unwirksam machen: Sie werden einfach aus dem Weg geräumt. Die Mitochondrien verbrauchen Sauerstoff, um Sie mit Energie zu versorgen, und wenn Sie sie beschädigen – wie es in mehreren Krankheitsstadien geschieht – dann fängt die Zelle an, sehr ernst zu versagen. Und es gibt eine ganze Reihe von Krankheiten, die nun damit in Verbindung gebracht werden, diese DNA zu schädigen – Parkinson und ziemlich viele neurodegenerative Krankheiten, aber in erster Linie der gesamte Alterungsprozess."

Unter Berufung auf überholte Tests, durchgeführt durch die US-amerikanische Bundesbehörde zur Überwachung von Nahrungs- und Arzneimitteln und die Weltgesundheitsorganisation, sagte Professor Piper: „Die Nahrungsmittelindustrie wird sagen, dass diese Präparate geprüft wurden und völlig sicher seien. Durch die Kriterien moderner Unbedenklichkeitsprüfung waren die Sicherheitstests unzureichend. Wie bei allen Dingen entwickeln sich die Sicherheitstests weiter und Sie können eine viel gründlichere Unbedenklichkeitsprüfung durchführen, als Sie es vor 50 Jahren konnten."

Es ist offensichtlich, dass sich die Regierung nicht gegen die starke Lebensmittel- und Getränkeindustrie widersetzen wird. Es ist die Sache eines jeden, sich und seine Familien gegen die unbesonnenen Taktiken und Methoden derjenigen zu schützen, die für das Gesundheitswesen verantwortlich sind. Ihren Kindern nicht zu erlauben Erfrischungsgetränke zu trinken, ist eins der wichtigsten Dinge, die Sie für ihre Sicherheit und gute Gesundheit tun können. Dasselbe gilt für Sport-Getränke, die, gemäß einem Bericht, der von der *University of California* in Berkley veröffentlicht wurde, das Körpergewicht um fantastische 13 Pfund pro Jahr erhöhen können, wenn pro Tag nur eine 20-Unzen-Flasche des Sportgetränks (etwa 0,6 Liter) verzehrt wird. Eine neue Studie, die an der Boston *University School of Medicine* durchgeführt wurde (veröffentlicht August 2007), zeigt, dass der Verzehr von nur einer Dose Limonade – Normal oder Diät – pro Tag, das Risiko eines methabolischen Syndroms um 46 Prozent erhöht, welches eine bedeutende Rolle bei Herzkrankheiten und Diabetes spielt. Gemäß der Studie umfassen andere schädliche Nebenwirkungen von Soda (sowohl Normal als auch Diät):

- Ein um 31% höheres Risiko, fettleibig zu werden.
- Ein um 30% höheres Risiko, einen größeren Taillenumfang zu bekommen.
- Ein um 25% höheres Risiko, hohe Blutfettwerte oder hohen Blutzucker zu entwickeln.
- Ein um 32% höheres Risiko, niedrige Werte von gutem Cholesterin zu haben.
- Eine Tendenz zu einem erhöhten Risiko von hohem Blutdruck.

Über lange Sicht können die Auswirkungen der Säure, des Zuckers, der künstlichen Aromastoffe und der Süßstoffe, und solcher Konservierungsmittel wie das in Erfrischungsgetränken enthaltene E211, für den Körper verheerend sein. Man würde 32 Gläser Wasser mit einem alkalischen pH-Wert von 9 benötigen, um die Säure von nur 12 Unzen (ca. 0,34 l) Cola oder anderer Limonade zu neutralisieren. Abgesehen vom Dehydrierungsrisiko, wird der Körper als Reaktion auf die Aufnahme von Cola die Reserven seiner eigenen gespeicherten alkalischen Puffer, hauptsächlich Kalzium aus den Knochen, den Zähnen und der DNA, verbrauchen müssen. Dies hebt den körpereigenen Alkalinitätsgrad, um den richtigen alkalischen pH-Wert des Blutes aufrecht zu erhalten. Sobald diese Reserven erschöpft sind, ist Ihr Leben in Gefahr. In einer Limonade wäre genug Säure enthalten, um Sie zu töten, wenn Ihr Körper nicht einen Mechanismus besäße, diese zu neutralisieren. Wie lange es dauert, bevor Ihr Körper dem Säureangriff erliegt und eine Säurevergiftung erleidet, hängt davon ab, wie schnell Ihre Mineralpuffer erschöpft sind. Säurehaltige Blutspiegel sind eine Haupttodesursache!

Koffein, ein Hauptbestandteil der meisten Erfrischungsgetränke, entzieht dem Körper schneller Wasser, als dieser es wieder aufnehmen kann, wodurch ständiger Durst erzeugt wird. Menschen, die oft Erfrischungsgetränke trinken, sind nie wirklich imstande ihren Durst zu löschen, weil ihre Körper ständig und zunehmend an Zellwasserknappheit leiden. Einige Studenten trinken sogar 10 bis 14 Dosen Cola pro Tag. Schließlich verwechseln sie das endlose Durstsignal ihres Körpers mit Hunger und beginnen, sich zu überessen, und verursachen dadurch Schwellungen und übermäßige Gewichtszunahme. Abgesehen von der harntreibenden Wirkung und den suchterzeugenden Effekten auf das Gehirn, überstimuliert regelmäßiger Koffeinkonsum die Herzmuskeln, was Erschöpfung und Herzkrankheiten verursacht.

Die harntreibende Wirkung von Alkohol auf den Körper ist der von koffeinhaltigen Getränken ähnlich. Zum Beispiel bewirkt das Trinken eines Glases Bier auf den Körper den Verlust von bis zu drei Gläsern Wasser. Wie schon erwähnt, ist ein Kater das Ergebnis von Alkoholmissbrauch, der das Gehirn veranlasst, akute Dehydrierung zu ertragen. Wenn dies wiederholt auftritt, werden viele Gehirnzellen beschädigt und sterben. Infolgedessen verlangsamen sich viele wichtige Gehirnfunktionen oder werden unterdrückt. Besserung ist bis zu einem gewissen Grad möglich, wenn der Alkoholkonsum eingestellt wird. Um den Körper wieder richtig zu hydratisieren, folgen Sie bitte sorgfältig den Anweisungen in *Wasser trinken – Die Größte aller Therapien*, in Kapitel 6.

Achten Sie darauf, welches Wasser Sie trinken

Nun, da Sie überzeugt sind, dass Wasser vielleicht das beste und natürlichste Getränk für Ihren Körper ist, gilt es eine Wasserquelle zu finden, die Sie nicht krank macht. Das Chlor in Ihrem Trinkwasser kann Sie, gemäß einer gigantischen finnischen Studie mit 621 431 Personen, die in 56 Städten lebten, krank machen. Die Forscher waren imstande festzustellen, dass Frauen, die chlorhaltigem Wasser ausgesetzt wurden, ein um 48 Prozent höheres Risiko an Blasenkrebs, ein um 38 Prozent höheres Risiko an Rektalkrebs, ein um 90 Prozent höheres Risiko an Speiseröhrenkrebs und ein um 11 Prozent höheres Risiko an Brustkrebs zu erkranken trugen. Männer waren nicht so stark betroffen, wie Frauen. Die Beimischung von Chlor in Trinkwasser verursacht eine chemische Reaktion, die auf die Bildung eines Cocktails von Krebserregern hinausläuft.

Man entdeckte, dass einige der wertvollsten und wesentlichsten Anti-Krebs- und krankheitsvorbeugenden phytochemischen Nährstoffe der Natur, die üblicherweise in natürlichen Lebensmitteln vorhanden sind, krebserzeugende Substanzen bilden, wenn sie zusammen mit chlorhaltigem Leitungswasser konsumiert oder vermischt werden. Dies wurde vor kurzem durch eine gemeinsame Studie bestätigt, die in Japan von den Forschungswissenschaftlern am National Institute of Health Sciences und der Shizuoka Prefectural University durchgeführt wurde. Diese tödlichen Verbindungen wurden MX genannt, was für „Unbekanntes Mutagen" steht. Denken Sie nur daran, wie viele Menschen zum Beispiel Gemüse essen und zu ihren Mahlzeiten auch chlorhaltiges Leitungswasser trinken. Die Hauptsorge ist, dass große Mengen dieser Gifte in unsere Klärwerke und Wasserwiederverwertungssysteme eindringen, wenn sie einmal vom Körper ausgeschieden sind.

Es ist sehr beunruhigend, dass besonders die frischen pflanzlichen Nahrungsmittel, die wir mit chlorhaltigem Wasser waschen, diese Toxine hervorrufen.

Der Verzehr dieser Nahrungsmittel und das Trinken von chlorhaltigem Wasser während derselben Mahlzeit verschlimmert zweifellos die Situation. Die tödlichen Krebsauslöser, die diese Kombination erzeugt, sind in winzig kleinen Mengen äußerst toxisch. Somit ist nur sehr wenig Chlor erforderlich, um eine starke zerstörerische Wirkung zu verursachen. All das schafft das Bedürfnis nach neuen Wasseraufbereitungsmethoden, die für Städte und Haushalte kein Chlor verwenden. Es wird Ihnen nicht gelingen, Ihre Regierung zu veranlassen, auf ein gesünderes und wirksameres Wasseraufbereitungssystem umzuschalten, aber Sie können dies zweifellos für sich und Ihre Familie tun.

Es gibt viele einfache Filtrationssysteme, die Sie nicht viel kosten, aber einen riesigen Unterschied für Ihre Gesundheit machen können. Sie sind bequem in Läden und im Internet erhältlich, und fast jeder neue Kühlschrank wird bereits mit einem darin eingebauten verkauft. Gerade das Herausfiltern des Chlors und einiger anderer Kontaminanten ist von enormem Vorteil.

Im Folgenden sehen Sie einige der Optionen, die Sie haben: ausgeklügelte und kostspieligere Wasseraufbereitungssysteme, wie das H20 Concept 2000. Seine einzigartige Technologie entfernt Pestizide und Herbizide aus dem Wasser und macht Ihr Trink-, Dusch-, und Poolwasser ebenso frisch und sauber wie reines Bergwasser. Das H2O Concept 2000 verwendet elektrische Impulse, um Kalziumbikarbonat und Magnesiumbikarbonat in Kalziumkarbonat und Magnesiumkarbonat, mit dem Nebenprodukt CO2, zu trennen. Das CO2 wird am Wasserhahn in winzige Mengen zerstreut. Kalziumkarbonat und Magnesiumkarbonat sind die löslichen Formen dieser beiden Minerale. In ihren löslichen Formen können diese Minerale nicht an den inneren Oberflächen von Rohren, der Warmwasserbereiterspule oder Glasoberflächen und den Wasserhähnen anhaften. Das H2O Concept 2000 wird im Laufe der Zeit jedes vorhandene Maß deutlich reduzieren. Obwohl zu Beginn ziemlich kostspielig, spart dieses System letztendlich Geld und ist nahezu wartungsfrei.

Ein anderes ausgezeichnetes Hauswasser-Filtrationssystem ist der ECOsmarte (siehe Internet). Es nutzt Doppel-Ionisation und Sauerstoff-Elektroden, um Chemikalien sowohl in Brunnen- als auch in Stadtwasser zu entfernen. Es ist eine großartige Alternative zu Wasserenthärtungs- und Umkehrosmosesystemen, weil es Kalzium und Bakterienablagerungen herausfiltert, während es auch den Verkalkungsgrad von hartem Wasser innerhalb der Wasserrohre kontrolliert. PuriTec ist eine andere Firma, die eine breite Palette von guten Filtrierungssystemen für jedes Budget und Bedürfnis anbietet.

Viel kostengünstiger, aber sehr effektiv und ausgezeichnet für Leute, die sich nicht nur für die richtige Flüssigkeitsversorgung interessieren, sondern auch den Körper von Toxinen reinigen wollen, sind Wasserionisierer. (Siehe Kapitel 7 für Details.)

Der Großteil der normalerweise verwendeten Methoden, um Chlor und viele andere Verschmutzungen aus Ihrem Trink- und, idealerweise, Duschwasser zu entfernen, sind Filtrations- und Reversosmosesysteme. Obwohl diese auch kostspielig sein können, sind sie dennoch eine erschwingliche Alternative, wenn Sie die Kosten bedenken, die Sie während eines Krebsleidens erwarten. Um einige seiner verlorenen Mineralstoffe wieder aufzufüllen, können Sie dem Wasser einige Körner Basmatireis und eine Prise unraffiniertes Salz hinzufügen.

Destilliertes Wasser, das durch Kondensierung von Wasserdampf während des Kochvorgangs entsteht, ist natürlichem Regenwasser am nächsten. Es ist für die Hydratisierung der Körperzellen ausgezeichnet, aber anders als Regenwasser ist es leblos (seiner Lebenskraft beraubt). Wie im Fall von umgekehrtem Osmosewasser, gibt das Hinzufügen von 3-4 Körnern Basmatireis und/oder einer Prise von unraffiniertem Salz zu einer Gallone (4,4 Liter) destilliertem Wasser, einige der verlorenen Mineralien zurück; das Wasser für eine Stunde direktem Sonnenlicht auszusetzen oder dem Wasser für eine Stunde einen klaren Quarzkristall beizugeben, ist hilfreich, wenn man das Wasser wieder mit Energie versorgen möchte. Destilliertes Wasser ist frei von aufgelösten Mineralien und hat deshalb die spezielle Eigenschaft, toxische Substanzen aktiv aufzunehmen und aus dem Körper zu entfernen. Studien bestätigen die Vorteile, destilliertes Wasser zu trinken, wenn man bestrebt ist, das System kurzzeitig zu reinigen oder zu entgiften.

Trotz seines möglichen Nutzens kann destilliertes Wasser schädlich sein, wenn es über längere Zeiträume eingenommen wird. Destilliertes Wasser kann zum Verlust von Elektrolyten (Natrium, Kalium, Chlorid) und Spurenelementen, wie Magnesiummangel führen, was unregelmäßigen Herzschlag und hohen Blutdruck verursachen kann. Mit destilliertem Wasser zu kochen, kann die Mineralien aus den Nahrungsmitteln ziehen und somit ihren Nährwert senken.

Wenn destilliertes Wasser Luft ausgesetzt wird, absorbiert es aktiv Kohlendioxid und wird säurehaltiger. Demnach kann regelmäßiges Trinken von destilliertem Wasser den Gesamtsäuregehalt des Körpers erhöhen. Das wurde von der amerikanischen Umweltbundesbehörde bestätigt, die verkündete: „Destilliertes Wasser, im Wesentlichen mineralfrei, ist sehr aggressiv, da es dazu neigt, Substanzen aufzulösen, mit denen es im Kontakt ist. Besonders, wenn das Kohlendioxid aus der Luft schnell absorbiert wird, wird das Wasser säurehaltig und noch aggressiver. Viele Metalle werden durch destilliertes Wasser gelöst."

Der regelmäßige Konsum von Cola-Getränken und anderen alkoholfreien Getränken ist für den Körper wegen ihres hohen Anteils von Zucker, künstlicher Süßstoffe, Farbstoffe und anderer säurehaltiger Chemikalien schädlich. Studien haben durchweg gezeigt, dass Konsumenten, die große Mengen alkoholfreier Getränke zu sich nehmen, zu große Mengen von Kalzium, Magnesium und anderen Spurenmineralien mit dem Urin ausscheiden. Jedoch kann ein Hauptbestandteil dieser Getränke, destilliertes Wasser, ein anderer wesentlicher Faktor sein, der am Verlust von Mineralien im Körper beteiligt ist.

Obwohl destilliertes Wasser Gifte aus dem Körper zieht, sollte man es jeweils nur für ungefähr 10 Tage zu sich nehmen. Unterbrechen Sie die Anwendung, wenn Sie sich schwach oder sonst irgendwie unwohl fühlen. Vermeiden Sie am besten, destilliertes Wasser als Ihr Haupttrinkwasser zu verwenden.

Prill Perlen stellen eine andere Form der Wasseraufbereitung dar. Obwohl sie nicht einen Wasserfilter ersetzen können, reinigen sie dennoch das Wasser und machen es „dünner". Das hat positive Effekte auf das Blut, die Lymphen und die grundlegenden Zellprozesse. Prill Perlen kann man in den USA über das Internet beziehen.

Natürlich bewirkt die altmodische Methode, Ihr Trinkwasser für mehrere Minuten abzukochen, dass das Chlor verdampft.

Schließlich gibt es eine andere kostengünstige Möglichkeit das Wasser vom meisten Chlor zu befreien, die Nutzung von Vitamin C. Ein Gramm Vitamin C neutralisiert 1ppm (Teil pro Million) Chlor in 100 Gallonen (~ 379 Liter) Wasser. Das ist besonders nützlich, wenn Sie ohne die irritierenden Effekte des Chlors auf Ihrer Haut und in Ihren Lungen baden wollen.

Zusammenfassend sind hier einige Fakten, die Sie sich merken oder an andere weitergeben können:

- Ungefähr 75 Prozent der Amerikaner sind chronisch dehydriert.
- Bei 37 Prozent der Amerikaner ist der Durstmechanismus so schwach, dass er als Hunger missverstanden wird. Entsprechend der Forschungsergebnisse der University of Washington, verhindert das Trinken von nur einem Glas Wasser Mitternachtshunger bei den Studienteilnehmern um fast 100 Prozent.
- Leichte Dehydratation wird Ihren Stoffwechsel um 3 Prozent verlangsamen.
- Nicht genug Wasser zu trinken ist der Hauptgrund für Tagesmüdigkeit.
- Untersuchungen zeigen, dass 8-10 Gläser Wasser pro Tag, bei bis zu 80% der Erkrankten, Gelenk- und Rückenschmerzen deutlich lindern können.
- Die Abnahme des Körperwassers um gerade mal 2 Prozent kann Benommenheit und Kurzzeitgedächtnisprobleme auslösen, mit Schwierigkeiten bei mathematischen Grundrechenarten, die schließlich in Schwierigkeiten enden, sich auf den Computermonitor oder auf gedruckte Seiten zu konzentrieren.
- 5 Gläser Wasser täglich zu trinken, verringert das Darmkrebsrisiko um 45 Prozent. Dieselbe Menge Wasser kann die Gefahr von Brustkrebs um 79 Prozent und die Gefahr von Blasenkrebs um 50 Prozent reduzieren.

Warnung vor Plastikflaschen: Versuchen Sie, Wasser oder andere Getränke zu vermeiden, die in Plastikflaschen, besonders in den weichen Typen, angeboten werden. Viele Menschen haben jetzt eine große Menge von Phthalat- (Weichmacher, um Plastik flexibel zu machen, das auch in der Kosmetikindustrie verwendet wird) Ansammlungen in ihrem Körper. Plastikprodukte sind wasser- und fettlöslich. Die natürliche Art des Körpers, sich gegen toxische Chemikalien, wie jene, die aus Plastikflaschen gesickert sind, zu schützen, ist, sie in Fettzellen und Bindegeweben zu speichern. Diese Überlebensreaktion kann zu Gewichtszunahme und unansehnlicher Zellulitis bei Frauen führen.

Gemäß mehrerer Dutzend Wissenschaftler, einschließlich vier Bundesgesundheitsagenturen, besteht die Vermutung, dass östrogenähnliche Verbindungen in Plastikprodukten für Fruchtbarkeitsstörungen verantwortlich sind. Das Präparat, Bisphenol A (BPA), ist eine der am häufigsten erzeugten Chemikalien der Welt, und fast jeder hat Spuren oder mehr davon in seinem Körper. Die online veröffentlichte Äußerung der Zeitschrift Reproductive Toxicology wurde durch eine neue Studie von Forschern des National Institutes of Health begleitet, die Uterusschäden bei neugeborenen Tieren festgestellt hatten, die BPA ausgesetzt waren. Die Forscher deuteten an, dass diese Schäden ein möglicher Indikator für Fortpflanzungskrankheiten bei Frauen, einschließlich Fibrome, Endometriose, zystischer Eierstöcke und Krebs sind. Frühere Studien brachten niedrige Dosen BPA mit Störungen des weiblichen Fortpflanzungstrakts, Anfangsstadien von Prostata- und Brustkrebs, sowie verminderter Spermienzahlen bei Tieren in Verbindung.

BPA ist in Polykarbonat-Plastiksaugflaschen für Babys, großen Wasserkühlbehältern und Sportflaschen, Mikrowellengerättellern, Konservendosen und einigen Zahnversiegelungen für Kinder enthalten.

Die katastrophalen Auswirkungen von Kunststoff auf die Umwelt sind schwer zu bestimmen. Derzeit gibt es mehr Kunststoffteilchen in den Meeren, als es Plankton gibt. Plastikpartikel sickern von Deponien ins Grundwasser; und Flüsse und Ströme tragen sie in die Meere und natürlich zurück in unsere Körper, durch das Wasser, das wir trinken und den Fisch, den wir essen. Um etwas zu bewirken, trinken Sie nur gefiltertes Wasser und versuchen Sie, wann immer möglich, Behälter und Werkzeuge aus Glas, Keramik, Holz, rostfreiem Stahl oder anderen natürlichen Materialien zu verwenden.

3. Nierensteine

Die Nieren sind wahrhaft die „Meister-Chemiker" des Körpers. Sie entfernen nicht nur Abfallprodukte und überschüssige Flüssigkeiten über den Urin aus dem Körper, sondern sie halten auch ein entscheidendes Gleichgewicht von Salz, Kalium und Säure aufrecht – nicht gerade eine kleine Leistung für solch relativ kleine Organe. Die Nieren erzeugen ein Hormon – Erythropoietin (EPO) – das die Produktion von roten Blutkörperchen stimuliert. Andere Nierenhormone helfen, den Blutdruck und den Kalzium-Stoffwechsel zu regulieren. Die Nieren bauen sogar die Hormone auf, die das Gewebewachstum steuern. Wenn die Nieren beschädigt sind, leiden andere Organe ebenso.

Die Hauptaufgabe der Nieren ist das Blut rein und gesund zu halten und die geeignete Flüssigkeitshaushaltsbalance im Körper aufrechtzuerhalten. Um diese enorm komplizierte Leistung zu vollbringen, müssen die Nieren ständig das normale Blutvolumen überwachen und die richtige Menge Urin herausfiltern. Es gibt viele Störfaktoren, die diesen Mechanismus stören und Verstopfungen in den Nieren verursachen könnten. Diese Faktoren beinhalten Reizüberflutung, Dehydrierung, Erschöpfung, Überessen, den Konsum stark verarbeiteter Nahrungsmittel, Gallensteine, Blutdruckstörungen, Verdauungsstörungen (besonders Verstopfung), verschreibungspflichtige Medikamente oder Betäubungsmittel und Vitaminpräparate. (Mehr über diese Themen in späteren Kapiteln.)

Wenn die Nieren nicht imstande sind, die notwendigen Mengen des Urins vom Blut zu trennen, zirkuliert ein Teil des Urins weiter durch den Körper, wodurch sich Harnabfallprodukte in den Blutgefäßen, den Gelenken, im Gewebe und den Organen ablagern. Das führt dazu, dass Flüssigkeiten und Abfallprodukte im Körper eingeschlossen werden und beginnen, sich anzusammeln. Die Folge dessen sind potenziell extreme Schwellungen und Symptome von Urämie (eine Überlastung durch toxische Nebenprodukte) oder Nierenversagen. Viele Hautkrankheiten, starker Körpergeruch, Schwitzen der Handflächen und Füße, Wassereinlagerungen, Lymphansammlungen, Bauchschwellung, schnelle Gewichtszunahme, Schwäche, hoher Blutdruck und andere Störungen, sind alles Anzeigen toxischen Bluts, das in hohem Maße durch hemmende Harnablagerungen, wie Sandkristalle und Steine, in den Nieren verursacht wird.

Nierensteine beginnen als winzige Kristalle und können schließlich genauso groß werden wie ein Ei. Die winzigen Kristalle sind zu klein, um durch Röntgenstrahlen entdeckt zu werden, und da sie keine Schmerzen verursachen, werden sie selten bemerkt. Dennoch sind sie groß genug, um die Bewegungen von Flüssigkeiten durch die winzige Nierentubuli zu blockieren. Kristalle oder Steine werden in den Nieren gebildet, wenn Harnbestandteile, die normalerweise gelöst werden, ausgeschieden werden. Diese Ausscheidung wird hervorgerufen, wenn diese Partikel in übermäßigen Mengen vorkommen oder wenn Urin zu sehr konzentriert wird. Die kristallinen Partikel oder Steine haben gewöhnlich sehr scharfe Kanten und Ränder. Wenn sie erst einmal von den Nieren mit dem Urin freigesetzt werden, können sie die innere Oberfläche des Harnleiters (Ureter) auf ihrem Weg zur Harnblase abschneiden und abnutzen. Das kann heftige Schmerzen in den Lenden und/oder im Kreuz verursachen. Es kann sogar Blut im Urin sein, Schmerz, der die Beine hinab läuft, Taubheit in den Schenkeln und Schwierigkeiten beim Wasserlassen.

Die meisten Kristalle oder Steine stammen aus den Nieren, obgleich einige auch in der Blase gebildet werden können. Wenn ein großer Stein in einen der zwei Harnleiter eingeht, wird die Harnentladung versperrt. Das kann zu ernsten Komplikationen, wie Niereninfektion oder Nierenversagen führen. Unabhängig davon, wo in den Nieren die Verstopfung auftritt, schränkt sie sowohl ihre Fähigkeit ein, Wasser und Chemikalien zu entfernen, was dazu führt, dass diesen empfindlichen Organen Schaden zugefügt wird. Die verschiedenen Funktionen der Nieren können unabhängig voneinander beeinträchtigt werden, sodass die Harnleistung, trotz der erheblichen Nierenerkrankung, normal erscheinen kann.

Die Arten der Steine und ihre Auswirkungen

Die häufigsten gelösten Stoffe, die an der Bildung von Kristallen und Steinen beteiligt sind, sind Oxalate, Phosphate, Urate, Harnsäure und die Aminosäuren Cystin und Cystein. Acht Arten Kristalle oder Steine können von diesen gelösten Stoffen aus verschiedenen Gründen gebildet werden.

Nahrungsmittel oder Getränke, die große Mengen Oxalsäure enthalten, verursachen Oxalatsteine. Eine Tasse herkömmlichen Tees (nicht grüner oder Kräutertee) enthält ungefähr 20 mg Oxalsäure, was viel zu viel für die Nieren ist, um es auszuscheiden. Anfangs verwendet der Körper Kalzium, um die Säure zu neutralisieren. Dabei verwandelt sich die Oxalsäure in Kalziumoxalat. Wenn Teetrinken zur regelmäßigen Gewohnheit wird, wird sich jedes übermäßige Kalziumoxalat in den Nieren in Form von winzigen Kristallen ablagern. Schokolade, kakaohaltige Getränke und Schokoladeneis sind ebenfalls reich an Oxalaten. Jedem, der diese Nahrungsmittel regelmäßig konsumiert hat oder jetzt konsumiert, können Oxalatsteine in den Nieren wachsen, besonders Kindern, deren Nieren noch sehr klein und empfindlich sind. Auch wenn Sie mehr als 200 mg Vitamin C pro Tag zu sich nehmen, würde etwas davon in Oxalat umgewandelt. Abgesehen von einer winzigen Menge, die tatsächlich vom Körper verwendet wird, würde der Rest über den Darm und den Urin ausgeschieden werden. Vitamin C ist nicht so harmlos wie viele glauben, besonders in seiner synthetischen und isolierten Form.

Harnsäurekristalle bilden eine andere Art Nierensteine. Harnsäure ist ein Abfallprodukt, das von Purinen in Nahrungsmitteln gebildet wird. Nahrungsmittel mit dem höchsten Puringehalt sind:

- Tee
- Rindfleisch
- Speck
- Kalbszunge
- Karpfen
- Hühnchen/Hühnersuppe
- Hecht
- Dorsch
- Ente
- Gans
- Heilbutt
- eingelegte Sardinen
- Nieren
- Herz
- Fleischbrühen
- Lachs, eingemacht
- Bratensoßen
- Muscheln
- Hering
- Stint (Fisch)
- Reh
- Leberwurst
- Fleischsuppe
- Barsch
- Schweinefleisch
- Kaninchen
- Hammelfleisch
- Meeresfrüchte
- Forelle
- Pute
- Kalbfleisch
- Hefe
- Bries
- Sardellen
- Linsen
- Leber

Wie Sie der Liste entnehmen können, stammen proteinreiche Nahrungsmittel von Tieren und Fischen und machen den Großteil der harnsäurebildenden Nahrungsmittel aus. Sobald die Proteine in der Leber aufgegliedert werden, wird die Harnsäure zu den Nieren zur Ausscheidung mit dem Urin weitergeleitet. Wenn die Nieren außerstande sind die ganze Harnsäure zu entfernen, steigt ihre Konzentration im Blut. Infolgedessen wird die zusätzliche Harnsäure zuerst in den Gebieten des Körpers abgelagert, die die schlechteste Durchblutung und Sauerstoffversorgung haben, d. h. die Zehen der Füße oder die Finger der Hände. Diese Ablagerungen von Harnsäure und anderen schädlichen Substanzen in den Zehen und Fingern können die Gelenke unbeweglich, steif und unbeugsam machen. (Überprüfen Sie besonders die kleinen Zehen Ihrer Füße, die den Zustand der Blase zeigen.)

Naturgemäß werden, wo auch immer Abfallprodukte innerhalb oder außerhalb des Körpers gelagert werden, ebenfalls spezielle Bakterien vorhanden sein, die helfen, diese Abfallprodukte abzubauen. Dementsprechend ziehen alle Harnsäureablagerungen im Körper bestimmte sauerstoffabhängige Bakterien an, um dieses Abfallprodukt in Ammoniak zu zersetzen. Wenn der Bakterienfraß der Harnsäurekristalle in ausreichenden Mengen in diese abfalldurchtränkten Gewebe eindringt, entstehen Entzündungen und Schmerzen. Gicht und arthritische Zustände sind die häufigsten Symptome dieser unfreiwilligen „Reinigungsantwort". Die Harnsäurekristalle der Zehen bestehen aus demselben Material wie die Harnsäurekristalle der Nieren.

Eine ähnliche Situation kann in den Fersen auftreten. Fersensporne sind auf Harnsäureablagerungen und verschiedene Phosphate zurückzuführen. Die Harnsäure zieht Bakterien an, was zu Schmerz führt, und die

Phosphate verursachen Unbeweglichkeit und harte Strukturen. Schwellungen oder Ödeme um den Fuß oder Knöchel herum, verursacht durch schlechte Nieren- und Nebennierenfunktionen, können mit diesem Zustand einhergehen.

Wie zuvor dargelegt, regeln die Nieren und Nebennieren den Wasser- und Salzgehalt überall im Körper. Wenn ihre Funktionen aufgrund von Steinen in den Nieren unterdrückt werden, kann Ihr Körper dadurch Wasser in Füßen, Beinen, Bauch, Gesicht, Armen und Organen speichern. Viele Nierensteine werden infolge ungenügender Wasseraufnahme und des Verzehrs von Nahrungsmitteln oder Getränken gebildet, die dehydrierende Wirkungen haben, einschließlich Fleisch, künstlicher Süßstoffe, Zucker, Alkohol, Tee, Kaffee und Soda. Außerdem haben Zigarettenrauchen oder übermäßiges Fernsehen eine dehydrierende Wirkung auf den Körper und bewirken eine Überkonzentration von Urin. Das erhöht die Ausscheidung von Harnbestandteilen.

Der Konsum vieler stark säurebildender Nahrungsmittel, wie Fleisch, Fisch, Milchprodukte, Backwaren, Süßigkeiten, Zucker und ähnliches, zwingt den Körper, viele seiner wertvollen Minerale auszulösen, wodurch der pH-Wert (saures/alkalisches Gleichgewicht) des Urins verändert wird. Dies verursacht nicht nur Mineralstoffmangel im Körper, vor allem in den Knochen und Zähnen, sondern macht auch das normalerweise säurehaltige Urinfiltrat basisch. Im basischen Urin können sich andere Substanzen, einschließlich Phosphate, niederschlagen.

Phosphatsteine werden insbesondere durch den Genuss zu vieler phosphatreicher und kalziumarmer Lebensmittel, wie Fleisch, verarbeitete Frühstückszerealien, Brote, Teigwaren und Nüsse, sowie aller kohlensäurehaltigen Getränke gebildet. Um das in hohem Maße säurehaltige Phosphat zu neutralisieren, das die empfindlichen Nieren leicht entzünden könnte, benötigt der Körper zusätzliche Mengen Kalzium aus den Knochen und Zähnen, und benutzt alles an Magnesium, was er aus solchen Nahrungsmitteln wie grünem Gemüse erlangen kann. Wie bereits zuvor erwähnt, benötigt man zwei Gallonen Wasser, um die Säure aus einer Dose Limonade zu neutralisieren. Also schonen Sie Ihre Nieren und ersetzen Sie jede Limonade, die Sie normalerweise trinken, durch Wasser.

Das Vorhandensein von Phosphaten erzeugt eine saure Umgebung im Körper, die buchstäblich Knochen auflöst, was zu Osteoporose und zur Schrumpfung des Körpergerüsts führt. Es verursacht ebenfalls Zahnzerstörung, koronare Herzerkrankungen, Verdauungsstörungen, Krebs und andere Erkrankungen, die mit Kalziummangel in Verbindung stehen. Jemand, der innerhalb von 24 Stunden mehr als 150 mg Kalzium mit dem Urin ausscheidet – eine Hilfsmaßnahme des Körpers, zur Bekämpfung überschüssiger Säurebildung – ist im Begriff, die Knochen schnell aufzulösen. Ein Teil des Kalziums verbindet sich mit den Phosphaten und bildet verschiedene Kalzium-Phosphatkristalle, die zur Verhärtung der Arterien und zur allgemein bekannten Arthritis führen können.

Bitte beachten Sie auch, dass ein übermäßiger Gebrauch von Natriumchlorid (Tafelsalz) in der Ernährung anfällig für Nierensteine macht. Darüber hinaus benötigt Ihr Körper für jedes Gramm Natriumchlorid, das er nicht beseitigen kann, die 23-fache Menge Wasser zur Neutralisierung des Salzes, was zu Flüssigkeitsspeicherung, unansehnlicher Cellulite, Arthritis, Gicht, Rheuma und Gallensteinen führen kann. Das ist in erster Linie ein Problem für Menschen, die größtenteils Fertiggerichte zu sich nehmen (90 Prozent aller Amerikaner), die mit Tafelsalz belastet sind (sehr toxisch). Der durchschnittliche Amerikaner isst 4 000 bis 6 000 mg Natriumchlorid jeden Tag. Unraffiniertes Salz hat jedoch nicht den gleichen Effekt. Tatsächlich ist echtes Salz ein essentieller Nährstoff, ohne den der Körper ernsthaft krank werden würde. (Für mehr Informationen beachten Sie den Abschnitt über unraffiniertes Salz in Kapitel 7.)

Warum reinigt eine Niere?

Mehr als zwanzig Millionen Amerikaner leiden unter Nierenproblemen. Diese Probleme schließen Harnwegsinfektionen (UTIs), Nierensteine, Nierenkrebs, polyzystische Nierenerkrankungen (PKD), nephrotisches Syndrom und genetische Störungen ein. Die Nieren unternehmen enorme Anstrengungen in ihren Versuchen, das Blut frei von toxischen Substanzen wie Blei, Kadmium, Quecksilber und anderen Schwermetallen zu halten (obwohl diese schwierig sind abzugeben). Die Nieren halten auch die Flüssigkeits- und Elektrolytbalance aufrecht und regulieren den Druck, den das Herz erzeugt, um das Blut durch ihr Filtersystem zu treiben. Nierensteine untergraben diese Vitalfunktionen außerordentlich, was die Ansammlungsmöglichkeit von Schwermetallen im Körper weiter erhöhen und den allgemeinen Toxizitätsgrad anheben könnte. Das kann zu Infektionen, hohem Blutdruck, Herzkrankheiten, Hirnerkrankungen, Krebs und vielen anderen Ungleichgewichten führen.

Die folgenden Anzeichen weisen auf das Vorhandensein von Kristallen und Steinen in den Nieren oder der Blase hin:

- Eine dunkle oder weißliche Farbe unter den Augen.
- Aufgedunsene oder angeschwollene Augen, besonders am Morgen.
- Tiefe Runzeln unter den und um die Augen.
- Winzige weißliche, hellbraune oder dunkle Klumpen unter den Augen, die gefühlt oder sichtbar gemacht werden können, wenn man die Haut nach außen, in Richtung der Wangenknochen zieht.
- Überlappen des oberen Augenlides.
- Chronische Kreuzschmerzen.
- Schwellung der Füße und Beine.
- Konstante Angst oder Unruhe.

Eine Anzahl von Kräutern kann Nierensteine innerhalb von drei bis sechs Wochen effektiv auflösen. (Siehe „Die Nierenreinigung" in Kapitel 7, *Die Heilkraft der Natur verwenden*.) Unabhängig davon, ob jemand Nierensteine hat oder nicht, bringen ein oder zwei Nierenreinigungen pro Jahr enorme heilende und vorbeugende Vorteile. Die Nierenreinigung verbessert nicht nur die gesamte Gesundheit, sondern reduziert auch Stress, Angst und Beklemmungen.

4. Was Dich schwächt, macht Dich auch krank

Grippe-Epidemien waren vor 100 Jahren selten. Bei Ausbruch wurden nur die sehr Armen oder Schwachen ernstlich krank oder starben. Jetzt gibt es jedes Jahr eine Grippe-Epidemie, und einige von ihnen können das ganze Jahr hindurch andauern. Die Theorie, dass die Grippe nur während des Herbstes zuschlägt (normalerweise von November bis über die Wintermonate Dezember, Januar und Februar), ist wissenschaftlich falsch. Wenn jemand im April die Grippe hat, nennt er sie nur „eine Erkältung", ungeachtet der Tatsache dass die April- und November-Grippearten dasselbe Virus teilen. Um es klarzustellen, im Jahre 1918, als 20 bis 40 Millionen Menschen, größtenteils junge Erwachsene, während der „Spanischen Grippe"-Pandemie starben, war das etwas ganz anderes. Diese Pandemie war jedoch kein natürliches Reinigungsereignis, wie es typisch für jetzige jährliche Grippe-Epidemien ist. Der Ausbruch von 1918 stand in direkter Verbindung mit dem großen Krieg (1. Weltkrieg). Der Influenza A Virus Erregerstamm des Subtyps H1N1 hinter der Grippepandemie war ungewöhnlich ernst und tödlich. Wie kam es dazu? Nie in der Geschichte war die Welt solch massiven und 24-stündigen Verschmutzungen ausgesetzt, die durch die Dämpfe und den Rauch der dauernden Bomben- und Handgranaten-Explosionen, das Abbrennen kompletter Städte, die Auswirkungen von Senfgas und anderen biologischen Waffen durch Deutsche erzeugt wurden. Niemand blieb davon unbeeinflusst.

Die heutige Verschmutzung im Irak wird jeden Teil des Erdballs innerhalb von 24 Stunden betreffen, weil die Erde sich um ihre Achse dreht. Tatsächlich wird sich ein Teil der Abgase, die durch ein einzelnes, in diesem Moment in Peking fahrendes Auto erzeugt werden, morgen in Ihren Lungen befinden. Das ist eine wissenschaftliche Tatsache. Verschmutzung ist kein Einzelphänomen und es war keins im Jahre 1918.

Die Grippe breitet sich sogar in die Arktis und zu den abgelegenen Pazifischen Inseln aus. Viren passen sich ständig an die Bedingungen ihrer Umgebung an. Dies ist als Virenmutation bekannt. Die extremen und plötzlichen Änderungen einer einigermaßen sauberen Atmosphäre vor dem Ersten Weltkrieg zur am stärksten verschmutzten Atmosphäre der Menschheitsgeschichte, verursachte auch ein plötzliches, extremes Virenverhalten. Viren sind dazu bestimmt, das ökologische Gleichgewicht intakt zu halten oder zu helfen, es wieder herzustellen, wenn es gestört ist.

Viele der pandemischen Opfer von 1918 waren gesunde junge Erwachsene, im Gegensatz zu den meisten Grippeausbrüchen, die überwiegend jugendliche, ältere oder geschwächte Patienten betreffen. Die jungen Erwachsenen hatten die stärkste Immunität und entwickelten deshalb übersteigerte Immunreaktionen auf das Virus, bekannt als „Zytokin-Sturm" (Ein Zustand, bei dem das Immunsystem zu viele Immunzellen an einem einzigen Ort, in Reaktion auf einen neuen und hoch krankheitserregenden Eindringling, aktiviert). Die sehr jungen und älteren Menschen sind nicht dazu fähig, solche starken Immunreaktionen zu erzeugen. Eine Wiederholung von 1918 ist sehr unwahrscheinlich, es sei denn, dass jetzt noch ein anderes katastrophales Ereignis geschieht, wie ein atomarer oder biologischer Krieg, der plötzlich die globale Umweltverschmutzung auf ein weiteres extremes Niveau steigern würde. Die stufenweise Zunahme von Verunreinigungsniveaus kann die Ausdehnung der Grippeausbrüche zweifellos erhöhen, wird aber unwahrscheinlich Auslöser solch eines extremen Virenverhaltens wie während des großen Krieges sein.

Die heutigen „normalen" Grippe-Epidemien betreffen viel mehr Menschen und werden durch viel stärkere Symptome begleitet als jemals zuvor. Die Viren, die uns heute heimsuchen und vor einem Jahrhundert heimgesucht haben, sind noch weitgehend die gleichen. Was sich aber unter der Allgemeinbevölkerung drastisch geändert hat, ist die natürliche Widerstandskraft der meisten Menschen gegen Virusattacken. Heute sind unsere natürlichen Abwehrkräfte gegen diese Keime oft geringer, als es vor gerade mal 100 Jahren der Fall war. Karies und vermindertes Sehvermögen unter Jugendlichen sind heutzutage weit verbreitet. Zahlreiche neue und schnell wachsende Epidemien breiten sich nun stark aus, ein Phänomen, das vor gerade mal zwei Jahrhunderten gänzlich unbekannt war. Dazu gehören auch Millionen von Menschen, die unter Diabetes, Herzerkrankungen, Krebs und Fettleibigkeit leiden – letzteres ist die häufigste Krankheits- und Todesursache.

Die Tatsache, dass sich unsere modernen Gesellschaften mit so vielen chronischen Krankheiten plagen, zeigt, dass komplette Generationen schwache Verfassungen haben, die hauptsächlich durch Stress, ungesunde Ernährung und schädliche Lebensstile verursacht werden. Menschen, die vor hundert Jahren lebten und gute hygienische Bedingungen genossen, waren viel weniger anfällig für chronische Krankheiten, als wir es heute sind. An Herzerkrankungen zum Beispiel, der heutigen Haupttodesursache, starb selten jemanden zu Beginn des 20. Jahrhunderts.

Unsere Zeit wird durch Reizüberflutung gekennzeichnet, die einen starken energieabbauenden Effekt auf den Körper hat. Nachfolgend finden Sie nur einige der vielen möglichen Faktoren, die zu einem Abbau unserer physischen Energie führen:

- Zu häufiges und zu langes TV gucken
- Emotionaler Stress und Traumata
- Zeitnot und der Druck, zu viel zu tun zu haben
- Übermäßiger Krach, Luft-, Wasser- und Bodenverschmutzung
- Ständige Kunstlichtbelastung
- Arzneimittel
- Kaffee, Tee, Alkohol oder Sodagetränke
- Zucker, Süßigkeiten und Schokolade
- Fleisch und Schnellgerichte
- Überernährung
- Schlafmangel
- Ein unregelmäßiger Lebensstil / Tagesablauf
- Ausschweifender Sex
- Zu geringe Wasseraufnahme

Diese Liste ist keineswegs abgeschlossen, aber sie gibt Ihnen ein Gespür für das breite Spektrum der schwächenden Einflüsse, denen wir üblicherweise in der heutigen modernen Welt ausgesetzt sind. Alle diese Faktoren führen zur Speicherung von potenziell toxischen Abfallprodukten im Körper. Toxine werden im Körper gebildet, wenn metabolische Abfallprodukte und Trümmer von alten, abgenutzten Zellen (mehr als 30 Milliarden Zellen täglich) nicht mehr richtig beseitigt werden. Wenn sie im Körper bleiben, werden sie dem Bakterienangriff unterworfen und stoßen auf einen dramatischen Anstieg freier Radikalaktivität. Freie Radikale werden im Körper erzeugt, um so viele der angesammelten überflüssigen Abfallstoffe und schwachen oder toten Zellen wie möglich zu oxidieren und zu zerstören. Die entstehenden Toxine, die durch diesen Akt der Selbsterhaltung erzeugt werden, wirken wie Stimulanzien. Sie stimulieren den Körper, sie aus dem System zu beseitigen.

Unter normalen Umständen, d. h. wenn die Lebenskraft des Körpers oder die Lebensenergie stark ist und gut funktioniert, kann der Körper diese Arbeit verrichten, ohne überfordert oder geschädigt zu werden. Durch ausgeglichene Ruhe- und Aktivitätsperioden, kehrt er spontan in seinen Gleichgewichtszustand zurück. Aber wenn der Körper zu großen Reizen ausgesetzt wird und außerstande ist, sich selbst ins Gleichgewicht zurückzubringen, können seine „Batterien" nicht wieder völlig aufgeladen werden. Mit „leeren Batterien" ist der physikalische Motor nicht in der Lage, sich selbst von den ganzen metabolischen und zellularen Abfallprodukten zu befreien, die Minute für Minute, Tag für Tag, und Jahr für Jahr erzeugt wurden. Infolgedessen breiten sich viele dieser Abfallprodukte und die daraus resultierenden Toxine überall im Körper aus. Wo auch immer sie in äußerst hohen Konzentrationen vorkommen, provozieren sie eine Toxizitätskrise. Solch eine Krise deutet darauf hin, dass die körpereigene Widerstandskraft gegenüber Krankheiten (Immunität) auf ein geringes Leistungsfähigkeitsniveau gesunken ist.

Wenn der Körper gezwungen wird, zu viele Toxine festzuhalten, ist er auch für Infektionen anfälliger. Wenn eine Infektion eher durch unterdrückende, als durch unterstützende Maßnahmen behandelt wird, kann sich daraus chronische Krankheit ergeben. Chronische Krankheit macht anfällig für beschleunigte Alterung und vorzeitigen Tod. Jedes Mal, wenn eine Infektion unterdrückt wird, vergrößert die anschließende Verstopfung in den tiefer liegenden Strukturen des Körpers die Auslastung des Herzens, die das Herz immer weiter schwächt und stresst. Herzkrankheit, die überwiegende Todesursache in den meisten Ländern der industrialisierten Welt, könnte größtenteils verhindert werden, wenn wir Immunreaktionen, wie gewöhnliche Infektionen, nicht unterdrücken würden.

Wenn Viren oder Bakterien, die normalerweise durch das Immunsystem unschädlich gemacht werden, jemanden anstecken, der mit Toxinen angefüllt ist, beweist die Infektion selbst, dass das Immunsystem bereits vor der Infektion beeinträchtigt war. So lange der energieentleerende Einfluss aufrechterhalten wird und Toxizität und Dehydrierung weiterhin die

Immunität beeinträchtigen, werden sogar die stärksten Antibiotika nicht in der Lage sein, die Infektion permanent zu beseitigen. Wie bereits zuvor erwähnt, sind Bakterien, Viren und Pilze nicht die wahren Ursachen einer Infektionen, obwohl man dies dem Patienten erzählt. Ansteckende Keime können nicht in einer gesunden, sauberen Umgebung gedeihen. Um ihre Arbeit zu erledigen, die Beseitigung von Abfallprodukten und Zerstörung toter oder beschädigter Zellen, müssen sie sich in einer fruchtbaren Umgebung befinden – ein Terrain, in dem sich ihre Arbeit lohnt.

Uns wurde glauben gemacht, dass die für Menschen häufigsten und gefährlichsten Bakterien und Viren entweder bereits unseren Körpern innewohnen oder in unserer unmittelbaren Umgebung leben, wie in den Nahrungsmitteln, die wir essen, der Luft, die wir atmen, dem Badezimmer, das wir benutzen, dem Türgriff, den wir berühren, dem Haustier, das wir hätscheln, oder den Krankenhäusern, die wir besuchen. Was uns nicht erzählt wird, ist, dass diese Mikroorganismen nur zuschlagen können, so lange der Körper verstopft und außerstande ist, seine eigenen toxischen Abfälle zu beseitigen.

Ein Patient, der im Teufelskreis von Infektion-Antibiotika-Infektion-Antibiotika gefangen ist, kann ihn durchbrechen und weitere Infektionsabschnitte durch ein Reinigungs- und Ruheprogramm vermeiden. Beides, sowohl Reinigung als auch Ruhe ist erforderlich, dem Körper zu helfen, die angesammelten toxischen Abfallprodukte zu beseitigen. Jedoch ermuntere ich die Menschen vor dem Beginn eines Reinigungsplans dazu, jede vorhandene Energieentleerungsquelle in ihrem Leben zu identifizieren und diese durch energiesteigernde zu ersetzen.

Heute leiden sogar viele junge Menschen unter chronischen Krankheiten, und, so lange sie nicht einige drastische Änderungen in ihren Leben vornehmen, werden sie es schwer haben, jemals wirklich gesund zu sein. Der Körper kann nicht heilen, wenn er damit beschäftigt ist, neue Toxine schneller anzusammeln, als er sie auflösen kann.

Ein Freund von mir, ein Arzt im allgemeinen Krankenhaus auf der Mittelmeerinsel Zypern, war an einer Forschungsstudie mit 721 Mittelstufenschülern in Zypern beteiligt (1995). Er erzählte mir, dass die Mehrzahl der Kinder, die sein Forschungsteam untersucht hatte, bereits Anzeichen von gehärteten Arterien vorwiesen. Eine andere Studie zeigte, dass 52 Prozent der Grundschulkinder in Zypern übergewichtig oder fettleibig sind und erhöhte Blutcholesterinwerte aufweisen. Das ist eine echte Überraschung, wenn man die Tatsache beachtet, dass vor nicht allzu vielen Jahren die Mittelmeerländer einige der besten Gesundheitsdaten der Welt hatten. Dieser Arzt sagte mir auch, dass fast jedem Kind in Zypern mindestens ein- oder zweimal Antibiotika verabreicht wurde, um eine

Infektion zu unterdrücken. Solch eine Praxis war vor 1970 in Zypern unüblich.

Fast jedes moderne Land der Welt erntet jetzt die tödlichen Folgen ungesunder Angewohnheiten und unsachgemäßer ärztlicher Behandlungen. Die Vereinigten Staaten geben ungefähr 1,5 Billionen Dollar jedes Jahr für die Gesundheitsfürsorge aus, und Vorhersagen weisen darauf hin, dass sich dieser Betrag in weniger als zehn Jahren verdoppeln wird. Apotheken füllten im Jahr 2000 drei Milliarden Rezepte aus. Unglücklicherweise bekommen wir im Gegenzug nicht viel für dieses ganze Geld und den Medikamentenkonsum. Stattdessen reihen sich die Vereinigten Staaten auf der Liste der gesündesten Nationen nur auf Rang 37 ein. Frankreich führt die Liste an. (Die Franzosen sind sehr gesundheitsbewusst. Der Gebrauch von Kräuterheilmitteln ist weit verbreitet. Ihr Gesundheitssystem ist für alle Bürger kostenlos und Ärzte erhalten Boni dafür, dass sie ihre Patienten gesund erhalten und ihnen beibringen, wie man gesund bleibt.)

Fast alle verschreibungspflichtigen Medikamente haben eine unterdrückende Wirkung. Das bedeutet, dass sie den Versuch des Körpers stören, die wirklichen Toxine auszuschalten, die ihn empfindlich gegen Krankheitserreger machen. Um sein Gleichgewicht wiederherzustellen, muss der Körper eine Toxizitätskrise oder Krankheit erzeugen. Gegenwärtig geht der Trend unter der heutigen Jugend zur chronischen Krankheit, sogar in Ländern, die bis vor kurzem ausgezeichnete Gesundheitsdaten hatten. Diese Tendenz ist heute so ausgeprägt, dass, sollte es unvermindert so weitergehen, fast alle Ressourcen zukünftiger Regierungen für die „Krankheitssorge" verwendet werden. Der berühmte Dokumentarfilm Sicko von Michael Moore, erschienen im Juni 2007, zeigte eine ausgezeichnete Darbietung dieses Trends, obwohl er unzureichend bei der Erklärung war, wie wir gesund werden und gesund bleiben. Sofern Sie und ich nicht die Verantwortung für unsere Gesundheit übernehmen und beginnen, echte, individuelle Gesundheitsfürsorge auszuüben, wird der beunruhigende Trend zur chronischen Krankheit bei immer jünger werdenden Menschen weitergehen.

Krankheit ist eine Toxizitätskrise

Eine Toxizitätskrise zeigt einen Zustand an, der durch die Anwesenheit von bakteriellen Toxinen oder anderen schädlichen Substanzen in der Lymphe, dem Blut und den Geweben verursacht wird. Sie kommt nur vor, wenn der Körper dringend in den Gleichgewichtszustand oder die Homöostase zurückkehren muss. Der Körper hat einen eingebauten Mechanismus, der ihm erlaubt, toxische, schädliche Substanzen in einer viel kürzeren Zeit zu entfernen, als er benötigt, um sie anzusammeln. Indem wir in diesen Prozess (genannt „Krankheit") eingreifen, stören wir die lebenswichtigen Reinigungsbemühungen des Körpers und werden für äußerliche, destabilisierende Einflüsse oder Faktoren anfällig. Ein Impfstoff oder Arzneimittel kann, zum Beispiel, leicht zu einem Auslöser für Organ- oder Systemschädigung im Körper werden. Das schwächste, am stärksten verstopfte Organ des Körpers, wird höchstwahrscheinlich als erstes versagen. Alle Behandlungsversuche des kranken Organs zur Wiederherstellung der vollen Gesundheit und Lebenskraft werden ohne Entfernung der zu Grunde liegenden Ursachen nicht nur scheitern, sondern werden sogar höchstwahrscheinlich zu weiteren Komplikationen führen.

Später in diesem Buch werden Sie erfahren, warum es in den meisten Fällen potenziell gefährlich ist, bloß die Symptome einer Krankheit, durch Nutzung solch verbreiteter medizinischer Protokolle wie der Verabreichung von Bluttransfusionen bei Patienten mit niedrigem Hämoglobinwert, der Behandlung der Hoden bei Impotenz oder der Entfernung von Geschwüren und Tumoren, zu behandeln. Der Gebrauch verschreibungspflichtiger Medikamente, die nichts enthalten, um die Toxine im Blut, den Lymphen und den Geweben zu entfernen, kann sogar einen Patienten töten. Denn kein Arzt kennt wirklich sicher den Toxizitäts- und Verstopfungsgrad im Körper seines Patienten, der weitgehend die Intensität der Körperreaktionen auf das Medikament und die Schwere der Nebenwirkungen bestimmt. Bei einer ansonsten gesunden Person bleiben die zusätzlichen Gifte, die während einer Infektion ansteckende Keime erzeugen, normalerweise nur so lange im Körper, solange die Toxizitätskrise andauert. Vorausgesetzt, wir unterstützen den Körper in seinen Reinigungsbemühungen, indem wir ihm viel Ruhe gönnen und genug Wasser zu trinken geben, beseitigt dieser natürliche Selbstheilungsprozess, fälschlicherweise als ‚ansteckende Krankheit' bezeichnet, alle Spuren oder Effekte der Toxizität auf natürliche Weise, welche sich aus der Mikrobentätigkeit ergeben können. Die Situation ist vollkommen anders bei einem Patienten, dessen Gesundheit bereits beeinträchtigt ist.

Wie Sie sich denken können, können Sie nur ernten, was Sie in der Vergangenheit gesät haben, aber selbstverständlich haben Sie die Wahl, was Sie jetzt und in der Zukunft säen. Wenn Sie nicht gerade in einem verarmten Land leben oder die Umstände einem gesunden Leben stark entgegenwirken, können Sie jetzt damit beginnen, positive und schlaue Wahlen zu treffen, wenn es um Ihre grundlegenden Bedürfnisse geht. Oftmals aber glauben Menschen, dass sie nicht in der Lage sind, sich von ungesunden Gewohnheiten oder einem schädlichen Lebensstil zu trennen, gewöhnlich aufgrund von Frustration, Unzulänglichkeitsgefühlen oder einer Gewohnheit dazu, sich selbst niederzumachen.

Dem Körper fällt es schwer gesund zu bleiben, wenn er durch Reizüberflutung von Geist, Körper und Sinnen missbraucht wird. Solch konstante Belastung kann Ihre Energiequellen schneller erschöpfen, als sie wieder aufgefüllt werden können. Der dauerhafte Energiemangel, der sich aus solch einem Raubbau an Rohstoffen ergibt, ist die Hauptursache für Beschwerden und Krankheit im Körper. Obwohl mittlerweile die meisten Menschen wissen, wie ungesund und potenziell gefährlich solche Methoden wie Zigarettenrauchen, Überessen, übermäßiger Alkoholkonsum, Schlafmangel und Essen schwerer Mahlzeiten am Abend sind, scheinen viele außerstande zu sein, ihre selbstmissbrauchenden Gewohnheiten zu ändern. Die Unfähigkeit, eine schädliche Abhängigkeit hinter sich zu lassen, deutet darauf hin, dass das Blut große Mengen von Unreinheiten befördert und die Leber außerstande ist, diese (größtenteils aufgrund der Gallenwegsverstopfung) zu entfernen. Beides kann effektiv durch eine Reihe Leberreinigungen, wie in diesem Buch und in Die Wundersame Leber- & Gallenblasenreinigung beschrieben, behandelt werden. Wenn die Leber wieder effizienter arbeitet, beginnen die natürlichen Instinkte des Körpers wieder zu sprießen und ein Gefühl der Befriedigung und emotionalen Stabilität kehrt zurück. Das verbesserte Wohlbefinden und die daraus resultierende Lebenskraft machen es viel leichter, mit dem Rauchen aufzuhören und sich nicht zu überarbeiten, oder auf Schnellgerichte und auf Kaffee zu verzichten.

Krankheitssymptome können in einer Vielzahl von Intensitäten und in zahlreichen Varianten auftreten. Der Versuch, die Krankheitsursache durch ihre Auswirkungen oder über ihre Symptome zu identifizieren, ist fast unmöglich. Magengeschwüre, Blinddarmentzündungen, Mandelentzündungen, Arthritis, verstopfte Arterien, Krebs und die meisten anderen Krankheiten zeigen bloß die Anwesenheit diverser Ursprünge und Grade der Toxizität. Es wird immer deutlicher, dass durch Verstopfung und Zunahme des Säuregehalts der Körperflüssigkeiten und des Gewebes, Zellen an grundlegenden Nährstoffen Hunger leiden, wodurch sie schwach und beschädigt werden. Die zuvor genannten „Krankheiten" teilen alle eine gemeinsame Komponente – eine Entzündungsreaktion, die durch den Körper selbst veranlasst wird. Entzündung entsteht nicht aus dem Blauen heraus, und sie ist gewiss keine Krankheit. Sie entsteht nur, wenn der Körper entscheidet, dass es notwendig ist, schwache oder beschädigte Zellen zu zerstören, die mit krankheitserregenden Stoffen oder Toxinen verseucht sind. Der Körper entscheidet sich nicht für eine Entzündungsreaktion, weil er vorhat, sich zu zerstören. Stattdessen ist solch eine Reaktion sein effizientester Weg, sich vor Übersäuerung (äußerste Toxizität) oder septischem Schock zu bewahren. Die im Körper durch verfaulende Zellen (Fleisch) erzeugten Gifte würden den Patienten schnell töten, wenn der Körper keine Entzündungsreaktion begänne, um sie zu beseitigen. Da sie die wahren Heilmechanismen nicht kennen, neigen Ärzte und Patienten gleichermaßen dazu, den Körper für den „Fehler" verantwortlich zu machen, dass er die anscheinend unkontrollierte Zersetzung einiger seiner Teile stört und verhindert. Entzündung ist die echte und beabsichtigte Bemühung des Körpers um Selbsterhaltung. Sie ist ein wesentlicher und notwendiger Bestandteil fast jedes Krankheitsprozesses oder sollte ich sagen, der Heilreaktion.

Nachfolgend finden Sie die Definition des Wortes Entzündung von Wikipedia, der kostenlosen Online-Enzyklopädie:

„Latein, Inflammatio, In Brand zu stecken, ist die komplexe biologische Reaktion von Gefäßgeweben auf schädliche Reize, wie Krankheitserreger, beschädigte Zellen oder Reizmittel. Sie ist ein Schutzversuch des Organismus, die schädlichen Reize zu entfernen sowie den Heilungsprozess für das Gewebe einzuleiten. Entzündung ist kein Synonym für Infektion. Sogar in Fällen, in denen Entzündung durch Infektion verursacht wird, ist es falsch, die Begriffe als Synonyme zu gebrauchen: Eine Infektion wird durch einen körperfremden Krankheitserreger verursacht, während eine Entzündung die Reaktion des Körpers auf einen Krankheitserreger ist. Ohne Entzündungen würden Wunden und Infektionen nie heilen und die fortschreitende Zerstörung des Gewebes würde das Überleben des Organismus gefährden." Genau aus diesem Grund ist das gegenwärtige Gesundheitsmodell, das auf Unterdrückung der Entzündung ausgerichtet ist, für die Behandlung der häufigsten Erkrankungen ungeeignet. Die Unterdrückung der Krankheitssymptome, egal ob durch verschreibungspflichtige Medikamente oder andere medizinische Verfahren, schwächt unbemerkt die Entzündungsreaktionen, die der Körper benötigt, um sich zu heilen und zu schützen.

Die meisten Krankheiten sind Entzündungsreaktionen des Körpers. Diese schließen Allergien, altersbedingte Schwäche, Arthritis, Asthma, Alzheimer, Arteriosklerose, Krebs, chronisches Ermüdungssyndrom, dekompensierte Herzinsuffizienz, Demenz, Depression, Diabetes, Herzinfarkt, entzündliche Darmerkrankung, Nierenkrankheit, Lupus, Makuladegeneration, Osteoporose, Parodontose, Fettleibigkeit, Hautstörungen und Schlaganfall ein. Normalerweise würde die natürliche Reaktion des Körpers auf Schädigung, Reizung oder Verletzung nie zu solch extremen Krankheiten führen. Jedoch bombardiert uns unsere moderne

Umgebung mit Spannungen, die allzu häufig Auslöser für die Entzündungsreaktion sind. Wenn man von ständiger Reizung überschüttet wird, entwickelt die Entzündung im Körper ein Eigenleben und wird zum Dauerzustand. Diese Art chronischer Entzündung tritt geräuschlos auf, und die Symptome werden möglicherweise erst sichtbar, wenn sich ein Tumor zeigt oder das Herz stehen bleibt. Sowohl während einer aktiven als auch einer ruhigen Entzündungsreaktion produziert der Körper mehr Leukozyten, die damit beginnen, sich tief in die Blutgefäßwände einzugraben und dort weiteren Schaden und Reizung zu verursachen. Um totale Zerstörung zu verhindern, reagiert Ihr Körper, indem er all diese Risse und Verletzungen mit LDL Cholesterin verstopft (siehe Band 2).

Einige der zuvor erwähnten Krankheiten als getrennte Krankheiten zu diagnostizieren und zu behandeln, verwirrt und führt die Patienten nicht nur in die Irre, sondern verursacht eine Vielzahl von Komplikationen. Mehr als achtzig Prozent aller kranken Menschen genesen selbstständig, ohne jedes medizinische Eingreifen. Dementsprechend ist es mehr als wahrscheinlich, dass Krankheit in Wahrheit eine Toxizitätskrise ist, die die Körper der meisten Menschen natürlich auflösen können. Sobald die Menge der toxischen Abfallprodukte ein maximales Toleranzniveau oder einen Sättigungspunkt erreicht haben, setzt eine geeignete Immunreaktion (Entzündung) ein. Dieser Heilprozess (fälschlicherweise Krankheit genannt) hilft, den Toxizitätsgrad unter den Toleranzpunkt zu senken, einfach durch Neutralisierung und Entfernung der Toxine, der eingeschlossenen metabolischen Abfallprodukte und der Zellablagerungen, sowie der Mikroben, von denen sie sich nähren. Aus diesem Grund beginnen die Krankheitssymptome selbstständig zu verschwinden, wenn der Toxizitätskrise erlaubt wird, ihren natürlichen Lauf zu nehmen. Alle Kopfschmerzen, Erkältungen, Mandelinfektionen, Gastritis oder Steifheit in Hals und Schultern erscheinen und verschwinden so zu ihrer Zeit, es sei denn natürlich, dass wir sie störend beeinflussen und die Bemühungen des Körpers nach Heilung nicht unterstützen. Der Krankheitszeitraum und die Genesung stimmen mit den Zeiträumen des Auf- und Abbaus der zu Grunde liegenden Verstopfung und Toxizität überein, die sich im Körper angesammelt haben.

Wenn die Behandlung Ihres Arztes erfolgreich verlaufen ist, werden Sie ihm höchstwahrscheinlich für Ihre Heilung danken. Dementsprechend kann man sagen, dass man, wenn man sich ohne jegliche externe Hilfe erholt, nur viel Glück hatte. Heilung findet aber in jedem Fall nicht statt. Was die meisten Menschen „Heilung" nennen, ist in Wahrheit die unaufhörliche und, falls erforderlich, verstärkte Anstrengung des Körpers, metabolische Abfallprodukte, tote Zellen, chemische Toxine, Schwermetalle,

Milliarden toter Bakterien und andere schädliche Abfallstoffe zu beseitigen. Zu heilen bedeutet ganz zu sein. Als Ganzheit oder Gesundheit bezeichnet man das spontane Auftreten des Gleichgewichts, das natürlich auftritt, wenn der Körper alle täglich erzeugten Abfallprodukte und Zellablagerungen beseitigt und die Nährstoffe aufnimmt, die er benötigt. Die Schaffung der Gesundheit ist nur ein andauernder, täglicher Regenerationsprozess, da die Beseitigung von Abfallstoffen und die Aufnahme von Nährstoffen niemals endet, so lange wir leben. Es gibt wohl nichts Geheimnisvolleres rund um Gesundheit und Heilung als die Aufrechterhaltung des schmalen Gleichgewichtsgrads, der zwischen diesen beiden grundlegenden Prozessen besteht.

Krankheit ist wie Dunkelheit; keines von beidem existiert wirklich. Dunkelheit ist lediglich die Abwesenheit von Licht. Durch einschalten des Lichts verschwindet die Dunkelheit, weil sie weder Auslöser noch Energie aus sich selbst heraus hat. Krankheitssymptome können nicht mit Krankheit verwechselt werden, was sie wiederum ebenso unwirklich macht. Sie scheinen augenscheinlich nur aufgrund fehlender Gesundheit real zu sein, genauso wie Dunkelheit nur aufgrund mangelndem Lichts real zu sein scheint. Es ist nicht klug etwas zu bekämpfen, was nicht da ist. Vielmehr ist es viel vorteilhafter alles Mögliche zu tun, den Körper sauber, entspannt, genährt und aktiv zu erhalten.

Vergiften wir unsere Kinder mit dem Essen?

Die meisten von uns wurden mit dem Glauben erzogen, dass Krankheit durch äußere Dinge verursacht wird. Nur wenige Menschen wissen, dass Bakterien nur in einem toten und toxischen Medium oder Umfeld „aufkeimen" können. Eltern, die ihre Kinder eine Infektionskrankheit nach der anderen durchmachen sehen, sind sehr darum bemüht, ihrem Nachwuchs jeden möglichen Schutz gegen Infektionskrankheiten zu bieten. Immunisierung scheint eine Möglichkeit zu sein, die Leben ihrer Kinder zu schützen. Wenn sich ihr Kind trotzdem eine Infektion „einfängt", werden antibakterielle- oder antivirale Medikamente allgemein als die beste Behandlungsmethode betrachtet.

Durch die Angewohnheit, äußere Krankheitserreger (Krankheit verursachende Faktoren), wie Bakterien oder Viren, für eine Infektion verantwortlich zu machen, ziehen nicht viele Menschen überhaupt die Möglichkeit in Betracht, dass ihre Gesundheitsprobleme etwas mit den Lebensmitteln zu tun haben könnten, die sie zu sich nehmen. Könnte es wirklich möglich sein, dass Kinder (und auch Erwachsene), die unter wiederholten Infektionen leiden, tatsächlich nur mit den Folgen leben müssen, durch solch ungesunde Produkte vergiftet zu werden, wie Limonaden, Speiseeis, Chips, verarbeitete Schokoladenprodukte, Süßigkeiten, „Diät"-Nahrungsmittel, „Fertig"-Gerichte, verarbeitete Frühstücksflocken, Tiefkühlkost, Konserven und fertige Salatdressings in Flaschen? (Mehr zu diesem Thema in Band 2)

Mehr als 40 000 verschiedene Lebensmittel stehen heute in den Regalen moderner Supermärkte. Achtundneunzig Prozent von ihnen haben nichts mit dem zu tun, was die Natur zum Verzehr für den Menschen bestimmt hat. Unser Verdauungssystem hat keine Möglichkeit von Nahrungsmitteln Gebrauch zu machen, die ihrer natürlichen, inneren Lebensenergie beraubt oder manipuliert und bis zur Unbrauchbarkeit bearbeitet sind, ungeachtet der auf den Produktetiketten angegebenen herrlichen Zutaten. Wenn Nahrungsmittel in einem Labor hergestellt werden, wie es bei den meisten der Fall ist, können Sie sie nicht mehr als Nahrung betrachten. Stattdessen haben sie sich in Gift verwandelt. Die Immunsysteme der Kinder, die durch große Mengen dieser künstlichen, säurebildenden Nahrungsmittel und deren chemischer Zusätze beeinträchtigt werden, haben kaum eine Chance die normalerweise harmlosen Keime zu bekämpfen, die Teil unserer natürlichen Umgebung sind.

Die Situation wird verschlimmert, wenn Kinder nicht lange genug gestillt worden sind, um ihre natürliche Immunität aufzubauen. Viele Säuglinge werden immer noch mit im Handel erhältlicher Säuglingsnahrung gefüttert, und diese enthält ranziges (oxidiertes) Cholesterin, das beim Milchaustrocknungsprozess entsteht. Die feste Nahrung, die die meisten Mütter während des ersten Lebensjahres ihres Babys zufüttern, wird in der Regel während des Konservierungsverfahrens sterilisiert, was auf den kompletten Abbau der ursprünglichen Lebenskraft der Nahrungsmittel hinausläuft. Ranziges Fett/Cholesterin ist eine krebserzeugende Substanz und Ursache von vielen Krankheiten, einschließlich Allergien und Herzerkrankungen. Vor mehreren Jahren entdeckte die britische Regierung, dass neun Marken der häufig verwendeten Säuglingsanfangsnahrung potenziell schädliche Chemikalien enthielten. Aus Kuhmilch hergestellte Anfangsmilch ist ein Produkt, das im Labor chemisch verändert worden ist. Dasselbe gilt sowohl für auf Sojabohnen basierende als auch für proteinhydrolysierte Säuglingsanfangsnahrung. Diese Nahrungsmittel sind nicht natürlich. Stellen Sie sich nur vor, was das Füttern dieser leblosen, fabrikerzeugten Lebensmittel menschlichen Säuglingen antun muss! Wie viele Säuglinge müssen aufgrund vielerlei Krankheiten regelmäßig zum Arzt? Einem Baby Säuglingsnahrung zu geben, stellt besonders eine erhebliche

Gesundheitsgefährdung dar, weil sich das Immunsystem des Kindes noch nicht völlig entwickelt hat, wodurch der Säugling außerstande ist, sich gegen diese chemisch veränderten, unnatürlichen Nahrungsmittel zu verteidigen.

Das Nahrungsmittel, das der Muttermilch am ähnlichsten ist, ist Kokosnussmilch. Viele Menschen in den tropischen Klimazonen haben gesunde Kinder mit Kokosnussmilch aufgezogen, wenn Muttermilch nicht zur Verfügung stand. Wenn Kinder nicht mit Mutter- oder Kokosnussmilch aufgezogen werden, wird fast jedes Kind unter den einen oder anderen Beschwerden leiden. (Sehen Sie weitere Details über die Hauptgesundheitsrisiken der Kuhmilch und ihrer Produkte in Band 2.)

Darüber hinaus kann ein gesamter Cocktail von Verunreinigungen und schädlichen Substanzen im Trinkwasser eines Kindes sowie in der Innen- und Außenraumumgebung, vorhanden sein. Diese können das sich gerade entwickelnde Immunsystem des Kindes unterdrücken, was das Kind empfindlich gegenüber einer ganzen Reihe von Krankheiten macht. All dies hat einen großen Einfluss darauf, wie gut ein wachsendes Kind imstande sein wird, die vielen physischen, mentalen und emotionalen Herausforderungen zu meistern, denen es im Laufe seines Lebens begegnen wird.

Die heutige junge Generation ist kränker als irgendeine andere Generation vor ihr. Schulen und Universitäten ernähren unsere Kinder mit preiswerten, nährstoffarmen Nahrungsmitteln, und die Situation zu Hause ist nicht viel besser. Viele Krankheiten, die normalerweise nur Erwachsene heimsuchen, sind heute häufig unter jungen Menschen verbreitet. Hätten Sie vor 25 Jahren geglaubt, dass Arterienverkalkung, hoher Blutdruck, Typ-2-Diabetes und Fettleibigkeit eines Tages bei Kindern ebenso üblich sein würden, wie sie es heute sind? Kindheitsfettleibigkeit nahm von 5 Prozent im Jahre 1964 auf ungefähr 20 Prozent heutzutage zu – und sie steigt. Kinder verbringen im Durchschnitt 5 bis 6 Stunden pro Tag mit sitzenden Tätigkeiten, einschließlich Fernsehen, Computernutzung und Videospiele spielen. Heutige Kinder werden mit gut gemachten Fernsehspots von Schnellimbissketten und anderen Lieferanten von fett- und zuckerreichen Mahlzeiten und Snacks bombardiert und einer Gehirnwäsche unterzogen. Wenn man sich auf den Zuckerkonsum des durchschnittlichen Amerikaners bezieht (einschließlich raffiniertem Zucker, Fruktose-Maissirup und künstlicher Süßstoffe), liegt der schockierende Konsum, entsprechend eines Berichts des Fernsehsenders CBS am 17. Juni 2007, bei 64,4 kg pro Jahr oder ungefähr 1,13 kg pro Woche. Diese Zahl hat sich in den letzten 25 Jahren um 23 Prozent erhöht und ist eine Hauptursache für steigende Fettleibigkeits- und Diabetesraten. Kinder bilden einen großen Anteil der zuckerkonsumierenden Bevölkerung.

Eine neue Studie belegt, dass Zwei- bis Sechsjährige, die Fernsehen gucken, sich mit größerer Wahrscheinlichkeit für Lebensmittel entscheiden, die im Fernsehen beworben werden, im Gegensatz zu Kindern, die solche Werbungen nicht sehen. All dies hat eine Generation von Kindern erzeugt, die einem hohen Risiko korpulenzverbundener Beschwerden ausgesetzt sind. Ärzte melden eine Flut junger Jugendlicher, die Typ-2-Diabetes entwickeln – die wiederum zu Herzkrankheit, hohem Blutdruck, Nierenkrankheit, Schlaganfall, Amputationen der Gliedmaßen, Blindheit und, natürlich, einer verringerten Lebensqualität und verkürzten Lebensdauer führen kann.

Der Konsum von Nahrungsmitteln, die für den Körper ohne Nutzen sind, ist eine Hauptursache für Krankheiten, inklusive Infektionen. Fleisch oder andere fleischhaltige Nahrungsmittel gehören in diese Kategorie. Wenn Sie Fleisch essen, kann Ihr Körper nur einen Bruchteil der Bestandteile des Fleischs herausziehen, und der Rest muss auf unterschiedliche Weise entsorgt werden. Ein großer Teil des unverdauten Fleisch-Proteins wird durch die eigenen Zellenzyme des Fleischs und auch durch die Bakterien innerhalb des Darmtrakts gebrochen. Da zersetzte Fleischzellen aus degeneriertem und *koaguliertem* [5] Protein bestehen, ergibt sich durch ihre Verwesung eine Freisetzung von Putrescin und *Cadaverin* [6], die tödliche und stark reizende Kadavergifte sind.

Andere krebserregende Chemikalien, wie heterozyklische Amine (HCAs), werden durch Kochen von Muskelfleisch wie Rindfleisch, Schweinefleisch, Geflügel und Fisch gebildet. (Beachten Sie auch Kapitel 6 über Vegetarismus.) Forschung, die vom National Cancer Institute (NCI) sowie von japanischen und europäischen Wissenschaftlern durchgeführt wurde, deutet darauf hin, dass heterozyklische Amine innerhalb des Muskelfleischs während der meisten Kocharten bei hoher Temperatur entstehen. Solch starke Gifte allein sind ausreichend, um den Körper anfällig für jede Art von Infektion werden zu lassen.

[5] Das Erhitzen von Tierproteinen härtet und zerstört sie. Das wird Koagulation genannt. Zum Beispiel wird ein rohes Ei, das zunächst flüssig ist, hart, wenn es gekocht oder gebraten wird. Seine Proteine verlieren ihre natürliche dreidimensionale Struktur, was sie praktisch nutzlos für den Körper macht.

[6] Farblose, übelriechende Fäulnisalkaloide, erzeugt durch Aufschlüsselung von Aminosäuren in lebenden und toten Organismen. Putrescin und Cadaverin wurden zuerst im Jahr 1885 vom Berliner Arzt Ludwig Brieger beschrieben. Diese beiden Verbindungen sind größtenteils für den fauligen Gestank des verfaulenden Fleisches verantwortlich, aber sie tragen auch zum Geruch solcher Prozesse wie Mundgeruch und bakterieller Vaginose bei.

In den meisten Krankenhäusern werden sowohl jungen als auch älteren Patienten Fleisch, Wurstwaren, Eier, Fisch und Geflügel gegeben, manchmal einen Tag nachdem der Patient einer Operation oder anderen invasiven Behandlungen unterzogen wurde. Diese Verfahren verursachen im Verdauungssystem eine äußerste Schwächung. Die bereits angespannten Verdauungs- und Immunsysteme der Patienten sind außerstande, diese zusätzlichen Toxine zu verarbeiten, obwohl sie dabei auch versuchen, so viele fäkale Abfallprodukte aus dem Darm zu beseitigen wie möglich. Viele Krankenhauspatienten leiden unter Verstopfung aufgrund von Medikamentenbehandlungen, ganztägiger Bettlägerigkeit oder durch Konsum verstopfungsfördernder Lebensmittel, wie Fleisch und Kartoffeln. Verstopfte Därme sind ein starker Nährboden für mikrobische Infektionen, die mit größerer Wahrscheinlichkeit in der Krankenhausumgebung auftreten werden, wo Keime in größeren Mengen vorhanden sind. Im Wesentlichen stellen Krankenhäuser und ihre Ernährungspläne eine ernste Gefahr für Menschen dar, die bereits krank sind.

Das Leben eines kranken Kindes kann davon abhängen, ob es in der Lage ist, die meisten sich zersetzenden Substanzen in den Eingeweiden auszuscheiden, bevor sie in die Blutbahn und das lymphatische System absorbiert werden. Wenn Gallensteine die Leber-Gallengänge verstopfen (mittlerweile auch unter Kindern stark verbreitet), ist die Leber nicht mehr imstande alle Toxine zu entfernen, die über den Darm ins Blut eindringen; folglich kommt es zu einer „Lebensmittelvergiftung". Die meisten der sogenannten Epidemien sind in Wahrheit Formen von Lebensmittel- oder chemischer Vergiftungen. Sie treten bei Menschen mit hoher Toxizität und niedriger Immunität auf, das heißt, denjenigen, die bereits krank sind. Anstatt Krankenhauspatienten leicht verdauliche Flüssignahrung zu geben, werden ihnen in den meisten Fällen feste, konzentrierte Nahrungsmittel, wie Fleisch, Schweinefleisch, Eier usw., gegeben. Dies verbraucht das kleine bisschen Energie, das sie noch übrighaben. Diese Energie muss jetzt verwendet werden, um sich um das kürzlich aufgenommene Essen zu kümmern, obwohl der Körper seine Energiereserven verwenden sollte, um die Toxizitätskrise zu bewältigen. Ein Immunsystem, das bereits durch einen massiven Zustrom von Toxinen eingeschränkt wurde, ist nicht mehr fähig dazu, effektiv Bakterien, Parasiten oder Viren abzuwehren. Tatsächlich sind diese Keime der letzte Ausweg des Körpers, sich mit der toxischen Last zu befassen.

Ein Kind, das mit Fleisch, Eiern und Milchprodukten, einschließlich Milch, sowie minderwertiger Kost gefüttert wird (nährwertarm oder -frei), wird viel wahrscheinlicher Verdauungsprobleme und Kinderkrankheiten wie Diphtherie, Pocken oder septisches Fieber entwickeln, als ein Kind, das Obst, Salate, Gemüse, Getreideprodukte, Nüsse und viel Frischwasser zu sich nimmt. Die meisten Eltern fühlen sich verantwortlich für die Gesundheit und Sicherheit ihrer Kinder. Indem sie sich mehr ihrer eigenen Essgewohnheiten bewusst werden, werden sie ihren Kindern automatisch die besten und nahrhaftesten Nahrungsmittel und Getränke geben wollen, die es zu kaufen gibt. Dies kann einen großen Beitrag zur Schaffung einer Generation von gesunden, jungen Menschen leisten, die für ihre Gesundheit bekannt sein wird.

Der wesentliche Krankheitsprozess

Der Körper besteht aus Zellen, die in regelmäßigen Abständen, mit einer Rate von ungefähr 30 Milliarden pro Tag, umgewälzt werden. Jeden Tag stehen Zellenzyme der Aufgabe gegenüber, 30 Milliarden alte, ausgediente Zellen zu brechen, die nicht mehr richtig Sauerstoff und andere Nährstoffe absorbieren und verwerten können. Dies hat die Erzeugung großer Mengen Zelltrümmer zur Folge. Außerdem erzeugt jede der 60 bis 100 Billionen Zellen, aus denen sich der Körper zusammensetzt, metabolische Abfallprodukte, die unverzüglich beseitigt werden müssen. Diese Ausscheidungen sind Substanzen, die von den metabolischen Prozessen übrig bleiben, die nicht vom Organismus verwendet werden können. (Sie werden weder benötigt, noch haben sie tödliche Wirkungen.) Diese beinhalten die Stickstoffverbindungen Harnstoff, Harnsäure, Ammoniak, Milchsäuren (durch anaerobe Belastungen), CO2, Phosphate, Sulfate, Indole, Lebensmittelzusätze und dergleichen. Unter normalen Umständen entfernen die Lymphen und das Blut diese Abfallstoffe schnell aus der Flüssigkeit, die die lebenden Zellen (Bindegewebe) umgibt. Zusätzlich zu diesen Ausscheidungen (Nebenprodukte des Zellmetabolismus) lädt das Blut Plasmaproteine (einschließlich Albumine, Globuline, Fibrinogene und regulative Proteine) ins Bindegewebe ab. Wenn diese natürlich vorkommenden Abfallprodukte und Blutproteine nicht schnell entfernt werden, beginnen sie, sich in Bereichen des Körpers anzusammeln, die zu solch einem Zweck nicht geeignet sind. Schließlich entstehen Verstopfungen und der Körper muss drastischere Maßnahmen zur Selbsterhaltung ergreifen. Gemäß einer 1961 durchgeführten Studie können eingeschlossene Plasmaproteine eine Person tatsächlich innerhalb von 24 Stunden töten. Wenn gespeicherte Abfallprodukte erst einmal eine bestimmte Grenze oder Schwelle erreicht haben, verschlechtern sie ernstlich die Funktionen der betroffenen Teile des Körpers – Eingeweide, Leber-Gallengänge,

Gallenblase, Blinddarm, Mandeln, Fortpflanzungsorgane und Nieren, um einige größere zu nennen. Um das Risiko der Schädigung von gesunden Zellen oder Organ- und Systemausfall zu vermeiden, beginnt der Körper, sauerstofffreie Radikale, Enzyme und zerstörerische (fäulniserregende) Bakterien und Pilze einzusetzen, um ihm beim Abbau der Mischung aus toten Zellen und metabolischen Abfallprodukten zu unterstützen. Toxine sind unvermeidbare Nebenprodukte dieser Heilbemühungen des Körpers. In diesem Stadium des Heilprozesses („Krankheit" genannt) beschäftigt sich das Immunsystem mit dem Versuch, sowohl das Abfallprodukt als auch die Toxine sowie jegliche schwachen und beschädigten Zellen, zu entfernen. Diese Reaktion ist allgemein als „entzündliche Krankheit" bekannt. Entzündung wird zunehmend als verbreiteter, unmittelbarster Grund eines jeden akuten und chronischen Krankheitsprozesses gesehen. Aber Entzündungen und Infektionen sind, wie zuvor beschrieben, keine Krankheiten, sondern grundlegende, durch den Körper eingeleitete Überlebensversuche. Verschiedene Organe und Systeme des Körpers sind dazu konstruiert, um sich effizient mit den täglich erzeugten Abfallprodukten zu befassen.

- Die Leber baut Zellbestandteile ab und entgiftet Medikamente, Alkohol und schädliche Substanzen.
- Die Lungen entfernen das hochgradig säurehaltige metabolische Abfallprodukt Kohlendioxyd und andere toxische Gase.
- Die Nieren und Blase entfernen übermäßiges Blutplasma, sowie Harnsäure, Harnstoff, Ammoniak und andere, durch die Leber abgegebene Abfallprodukte.
- Der Darm scheidet Fäkalien, Schleim, tote Bakterien und Parasiten aus.
- Das Haar und die Nägel entfernen Proteine, überschüssige Mineralsalze, Pigmente und Öl.
- Die Haut, das zweitgrößte Ausscheidungsorgan, entfernt Schweiß und 40 bis 60 Prozent aller Abfallprodukte im Körper.
- Das lymphatische System, das kontinuierlich die 18 Liter (19 Quart) Abfallstoff enthaltene Lymphflüssigkeit im Körper umwälzen und reinigen muss, spielt eine Hauptrolle im Entgiftungsprozess.

All diese Tätigkeiten benötigen natürlich reichliche Mengen Wasser. Wenn der Körper dehydriert, wird das Blut übermäßig konzentriert (dick) und zieht daraufhin Wasser aus nahegelegenen Zellen. Obwohl das Blut durch dieses Manöver verdünnt wird, verliert das zellumgebende Bindegewebe und die Zellen selbst wertvolles Wasser, das erforderlich ist, metabolische Abfallprodukte abzusondern und zu entfernen. Das Ergebnis ist Verstopfung, die das Abfallprodukt daran hindert, den Körper zu verlassen. (Um ein Hydratisierungs-Programm durchzuführen, beziehen Sie sich auf die Hinweise im Abschnitt *Trinkwasser – Die beste aller Therapien,* in Kapitel 6.) Im Gegensatz dazu ist ein gut hydratisierter Körper eigenständig sowohl zur Ernährung als auch zur Entgiftung fähig. Dies garantiert, dass das Gleichgewicht des Körpers oder die Balance ständig aufrechterhalten wird. In einem gut hydrierten Zustand können die verschiedenen Tätigkeiten des Körpers auf eine einwandfreie Weise ausgeführt werden, weil es nirgendwo eine Verstopfung oder Überlastung gibt.

In ihren natürlichen Mengen haben Abfallprodukte des Körpers eine geringfügig stimulierende Wirkung. Das ist hilfreich bei der Aufrechterhaltung ihrer Ausscheidungsfunktionen. Wenn jedoch die Energie des Körpers entleert wird und die Immunität aufgrund einer/-s übermäßig stimulierenden Ernährung und Lebensstils oder ungenügender Wasseraufnahme unterdrückt wird, wird der stetig notwendige Entgiftungs- und Abfallbeseitigungsprozess gestört.

Allen schweren Krankheiten ist eine Art der Verstopfung vorausgegangen oder sie wurden durch eine verursacht. Eine Verstopfung in der Leber, zum Beispiel, liegt höchstwahrscheinlich an Gallensteinen in den Gallengängen (intrahepatische Gallensteine). Sie beeinflussen die Nährstoffversorgung, den Metabolismus und die Energieverteilung überall im Körper. Ein verstopfter Dickdarm verursacht die Rückspülung von Abfallprodukten, wodurch der Körper mit Toxinen überschwemmt wird. Nierensteine können zur Speicherung von Urin führen und den Druck des Bluts auf die Arterien erhöhen; Bluthochdruck ist das Ergebnis. Lymphatische Verstopfung führt zu Lymphödemen, Herzüberlastung, Krebs, Fettleibigkeit, Arthritis und fast jeder chronischen Krankheit. Die unterschiedlichen Arten und Stärken der Toxizitätskrisen (Krankheit) ergeben sich aus den verschiedenen Graden und Positionen der Verstopfung im Körper. In Wahrheit ist jedoch der ganze Körper krank, wenn ein Teil des Körpers krank ist. Es ist einfach nicht möglich, solche Systeme wie die kardiovaskulären, Immun-, lymphatischen und Nervensysteme in Abschnitte zu teilen, die sich gegenseitig nicht auf eine unmittelbare und tiefgreifende Weise beeinflussen. Die Schwere der Krankheit wird größtenteils von der Menge der Toxine, Gallensteine, Nierensteine, Fäkalstoffe und metabolischen- und zellularen Abfallmaterialien bestimmt, die der Körper angesammelt hat.

Die grundlegenden Heilmittel gegen die verbreitetsten Krankheiten sind wie folgt:

- Setzen Sie allen unnötigen Energielecks ein Ende und erlauben Sie Ihrem Körper, genug Ruhe zu bekommen
- Räumen Sie die blockierten Gallengänge der Leber frei
- Säubern Sie die Bereiche des Magen-Darm-Trakts
- Nehmen Sie genug frische Luft, sauberes Wasser, natürliches Sonnenlicht und nährstoffreiches Essen auf
- Bewegen Sie sich regelmäßig

Dies alles ist notwendig, um die körperlichen Funktionen, inklusive die Beseitigung täglich erzeugter metabolischer und zellularer Abfallprodukte zu unterstützen.

Die folgende Liste gibt Ihnen eine Übersicht über die möglichen Faktoren, die verstopfungsfördernde Auswirkungen auf die Leber haben, Nierensteine erzeugen, den Körper dehydrieren und seine Energie schwächen.

- Nicht genug Wasser trinken
- Das Trinken von eisgekühlten Getränken, besonders, wenn der Körper heiß ist
- Sich überessen
- Unzureichende Ernährung
- Stark verarbeitete und raffinierte Nahrungsmittel
- Schlecht kombinierte Nahrungsmittel (wie Fleisch und Kartoffeln oder Obst und Getreide)
- Kaffee, Tee, Alkohol oder andere Stimulanzien
- Kohlensäurehaltige Getränke
- Tabak, Betäubungsmittel
- Arzneimittel, wie Statine, Steroide, Antibiotika oder Schmerzmittel
- Unregelmäßiger Tagesablauf
- Ungenügender Schlaf
- Zu großer Fernsehkonsum
- Erschöpfung, Belastung, Stress
- Umweltgefahren
- Verschmutzung, innen und außen

- Ärger, Wut, Neid, Habgier, Angst, Eifersucht, Egoismus, Beklemmung und andere solch negative Gefühle
- Mangel an Harmonie und Glück
- Extreme und übertriebene Gewohnheiten
- Sitzende Lebensweise
- Reizüberflutung der Sinne
- Verletzungen

Einige dieser oder ähnlicher Ursachen der Energieentleerung des Körpers und Geistes können zu einer ernsten Toxizitätszunahme in den Körperflüssigkeiten führen und somit eine Toxizitätskrise (akute Krankheit) auslösen. Die Krise ist notwendig, um das Immunsystem zu mobilisieren, ein Ventil für die Toxine zu finden und den Körper in einen Zustand der Ausgeglichenheit oder Balance zurückzuführen. Wenn die Ursachen jedoch erhalten bleiben und fortfahren, den Körper weiter zu schwächen, bleibt ihm nichts anderes übrig, als eine kontinuierliche Toxizitätskrise zu entwickeln, die als chronische Krankheit bekannt ist. Das folgende Kapitel befasst sich mit dem Bereich unseres Körpers, in dem Toxine höchstwahrscheinlich zuerst erzeugt werden.

Kapitel 4

Wo die meisten Krankheiten beginnen – Und die wahren Geheimnisse zur Verhinderung

Mehr als 56 Millionen Amerikaner berichten von Symptomen der gastroösophagealen Refluxkrankheit, 20,5 Millionen von Gallensteinen, 14,5 Millionen vom Magengeschwür und 3,1 Millionen von Verstopfung. Weitere Millionen berichten zwar nicht von Verdauungsproblemen, leiden aber unter dem Reizdarmsyndrom.

Um die wesentlichen Gründe, warum wir schwach werden, altern oder krank werden, zu begreifen, müssen wir zuerst den Zweck und die Aktivitäten des Verdauungssystems verstehen. Das Verdauungssystem stellt nicht nur den physischen Motor des Körpers dar, sondern auch das Gefühlszentrum und den Sitz des Unterbewusstseins. Wenn Sie die einflussreichste, dennoch unkonkreteste Basis physischer Krankheit verstehen und sich mit ihr befassen möchten, müssen Sie ihre geistigen und emotionalen Aspekte mit einbeziehen. Obwohl Körper und Geist getrennte Einheiten zu sein scheinen, jeder mit einem völlig anderen Zweck, sind sie ihrem Wesen nach eins und funktionieren als Einheit. Alle Ereignisse auf physischer Ebene, wie Nahrungsaufnahme, Zellmetabolismus, Beseitigung von Abfallprodukten oder das Trainieren des Körpers, treten zur gleichen Zeit sowohl auf der geistigen als auch auf der emotionalen Ebene auf. Dementsprechend können Sie nicht eine emotionale oder geistige Erfahrung sammeln, ohne diese vor dem Körper geheim zu halten.

Wenn bei Ihnen zum Beispiel eine bestimmte Krankheit wie Krebs diagnostiziert wird und Sie die Diagnose ernst nehmen, kann der biochemische Einfluss dieser plötzlichen Bedrohung Ihres Lebens (Diagnose) Sie veranlassen zu sterben. Diese ergreifende Überlebensangst ist ausreichend, um sofort die Ausschüttung der körpereigenen natürlichen Krebsmedikamente – Interleukin 2 und Interferon – zu stoppen und drastisch die Produktion der körpereigenen Heilhormone, einschließlich Endorphine und Wachstumshormone, zu reduzieren. Zur gleichen Zeit verursacht die Angst eine starke Stressreaktion (bewirkt die Ausschüttung von Stresshormonen), die so lange, wie der Kampf oder der Konflikt besteht, andauern kann. Beide Veränderungen in der Biochemie des Körpers verhindern praktisch, dass der Körper sich selbst heilt. Anders gesagt – während man von der Furcht vor dem Tod durch Krebs oder jeder anderen Krankheit, die die Gesundheit und das Glück bedrohen, ergriffen ist, wird die Diagnose zu einer sich selbst erfüllenden Prophezeiung. Was die meisten Menschen nicht wissen, ist, dass die Krankheitsdiagnose häufig schädlicher ist als die Krankheit selbst. Ich möchte, dass Sie dies im Hinterkopf behalten, wenn Sie das nächste Mal in Versuchung geraten, sich zu fragen: „Was ist los mit mir?" Was für die Krankheitsdiagnose gilt, gilt auch für andere Konfliktsituationen, wie den Verlust eines geliebten Menschen oder das schmerzhafte Ende einer Beziehung. Es ist wichtig für Sie, die wahren Gründe hinter einem emotionalen Trauma [7] und Krankheit zu verstehen. Sobald Sie sich im Klaren sind, dass Krankheit eigentlich der Versuch des Körpers ist, diese zugrunde liegenden Probleme des Konflikts und des Ungleichgewichts zu beenden, wird die Angst vor dem Unbekannten (was Krankheit in Wahrheit ist) verschwinden und Sie können anfangen, den Heilungsprozess zu unterstützen, anstatt ihn zu sabotieren.

Die Mechanismen hinter dem Krankheitsprozess sind den meisten schleierhaft, sogar den meisten Ärzten. Sehr wenig ist über die wahre Herkunft der heute vorherrschenden chronischen Krankheiten bekannt. Sie kennen sicher die Gefahren, die zu einer Krankheit, unter der Sie leiden, beitragen können, aber wie sich Krankheiten manifestieren – von der Ursache bis zur Auswirkung (Symptom) – bleibt schwer fassbar, es sei denn, dass Sie beginnen, Körper und Geist aus einem ganzheitlichen Gesichtspunkt zu sehen. Die Kenntnis darüber, wie das Verdauungssystem arbeitet und wie es zu Krankheit im Körper und Geist führen kann, kann von enormer Hilfe auf unserer Heilungsreise sein. (Wann auch immer ich mich auf Erkrankung oder Krankheit beziehe, meine ich eigentlich „Toxizitätskrisen", die die körpereigenen natürlichen Heilreaktionen auf unnatürliche Situationen sind.) Um Ihnen ein klareres und umfassenderes Bild des Krankheitsprozesses zu bieten, habe ich einige der grundlegenden Erkenntnisse der *Ayurvedischen Medizin* mit einbezogen, die das älteste und vollständigste System der natürlichen Gesundheitsvorsorge ist. Sobald Sie wissen, wie man Krankheit „erzeugt", werden Sie auch wissen, wie man sie umkehrt. Das ist der Sinn dieses Kapitels.

[7] Für Details sehen Sie das Buch des Autors „Lifting the Veil of Duality".

AGNI – Der „General" der Verdauung

Wann auch immer Sie Essen in den Mund nehmen und es die auf der Oberfläche Ihrer Zunge gelegenen Geschmacksknospen berührt, beginnen Ihre Speicheldrüsen Speichel abzusondern. Speichel ist erforderlich, das Essen gleitfähig zu machen und gekochte Stärke vorzuverdauen. Zur gleichen Zeit erhalten Bauchspeicheldrüse und Dünndarm Instruktionen, sich darauf vorzubereiten, die passenden Arten und Mengen von verdauungsfördernden Enzymen und Mineralien auszulösen, die notwendig sind, um zu helfen, das Essen in die kleinsten Nährbestandteile aufzugliedern.

Der erste und häufigste Grund von Verdauungsstörungen ist das zu schnelle Herunterschlucken von Lebensmitteln. Diese Essgewohnheiten weisen auf Angst, Ungeduld und Nervosität hin. Zu schnell zu essen reduziert die Speichelproduktion in der Mundhöhle, was eine Hauptursache für Karies ist. Eine der Funktionen des Speichels ist der Schutz des Mundes und der Zähne gegen schädliche Substanzen und irritierende Mikroben.

Es gibt andere Gründe, warum das sorgfältige Zerkauen des Essens für unser Wohlergehen so unerlässlich ist. Gemäß faszinierender Forschung, die an der Gifu Universität in Japan durchgeführt wurde, verbessert kauen, durch Reduzierung der Ausschüttung von Stresshormonen, tatsächlich das Gedächtnis. Kernspintomographien (MRT) bewiesen, dass der Hippocampus, der den Stresshormonspiegel des Blutes zu kontrollieren hilft, durch das Kauen stimuliert wird. Infolgedessen senkt ordentliches Kauen sowohl Stress als auch Stresshormone. So kann das gute Zerkauen Ihres Essens tatsächlich Angstzustände reduzieren.

Die japanischen Forscher stellten ebenfalls fest, dass die Versuchspersonen mit fehlenden oder stark beschädigten Zähnen dazu neigten, weniger zu kauen. Später führte dies zu gesteigerten Stresshormonniveaus. Die Schlussfolgerung dieser Studie ist, dass gute Zahngesundheit und die Fähigkeit, richtig zu kauen, wichtige Faktoren in der Erhaltung unserer Erinnerungen zu sein scheinen, während wir altern und uns selbst gegen die schädlichen Effekte des Stresses schützen.

Nachdem die Nahrung die Speiseröhre durchlaufen hat, gelangt sie in den Magen. Wenn die Nahrung Kohlenhydrate enthält (komplexe Zucker und Stärken, wie sie in Gemüsepflanzen und Getreide gefunden werden), verdauen die Speichelenzyme diese Nahrungsmittel für ungefähr eine Stunde weiter, bevor der Magen beginnt seine Magensäfte abzusondern. Wenn die Nahrung zu schnell geschluckt wird, bleiben diese Nahrungsmittel meistens unverdaut und fangen an zu gären.

Magensaft setzt sich aus Salzsäure, Enzymen, Mineralsalzen, Schleim und Wasser zusammen. Die Wirkung der Säure tötet viele der schädlichen Mikroben und Parasiten, die auf natürliche Weise in frischem Obst und

Gemüse, Fleisch, Fisch, Milchprodukten und anderen Nahrungsmitteln enthalten sind. Die Salzsäure baut auch einige der schädlichen Substanzen ab, wie zum Beispiel bestimmte Nahrungsmittelzusätze oder Chemikalien, die im Essen enthalten sein könnten. Spezielle Enzyme beginnen auf bestimmte Proteine einzuwirken, die in der Nahrung vorhanden sein könnten. Einmal mit genug Säure gesättigt, wird die Nahrung in kleinen Strahlen in den Zwölffingerdarm (Duodenum) gezwungen.

Der Zwölffingerdarm ist ein hohler Schlauch, der den Magen mit dem Leerdarm (Jejunum) verbindet, der der zentrale Bereich des Dünndarms ist. Er stellt den ersten und kürzesten Teil des Dünndarms dar und ist der Ort, in dem der größte Teil der chemischen Verdauung stattfindet. Er wird „die Kappe" genannt, weil er auf einem Röntgenbild ein wenig wie eine Kappe aussieht. Danach macht der Zwölffingerdarm eine C-förmige Drehung, von der rechten zur linken Seite des Bauchs. Galle aus der Leber und Absonderungen der Bauchspeicheldrüse kommen durch die *Vater-Ampulle* hinzu, um sich mit der Nahrung im Zwölffingerdarm zu vermengen. Die Säfte der Bauchspeicheldrüse enthalten Verdauungsenzyme, Mineralien und Wasser, um zu helfen, Stärken weiter abzubauen. Die Galle, die über den Gallengang in den Zwölffingerdarm gedrängt wird, hilft bei der Verdauung von Fetten und Proteinen. Der Zwölffingerdarm beteiligt sich an diesem sehr wichtigen Teil des Verdauungsprozesses, indem er spezifische Hormone und Verdauungssäfte freisetzt. Ayurveda nennt die komplette Tätigkeit in diesem Bereich des Verdauungssystems AGNI, oder „Verdauungsfeuer". AGNI „kocht" die Nahrung weiter, um ihre Nährstoffe für die Zellen und Gewebe auf einer späteren Ebene bereitzustellen (siehe Abbildung 5).

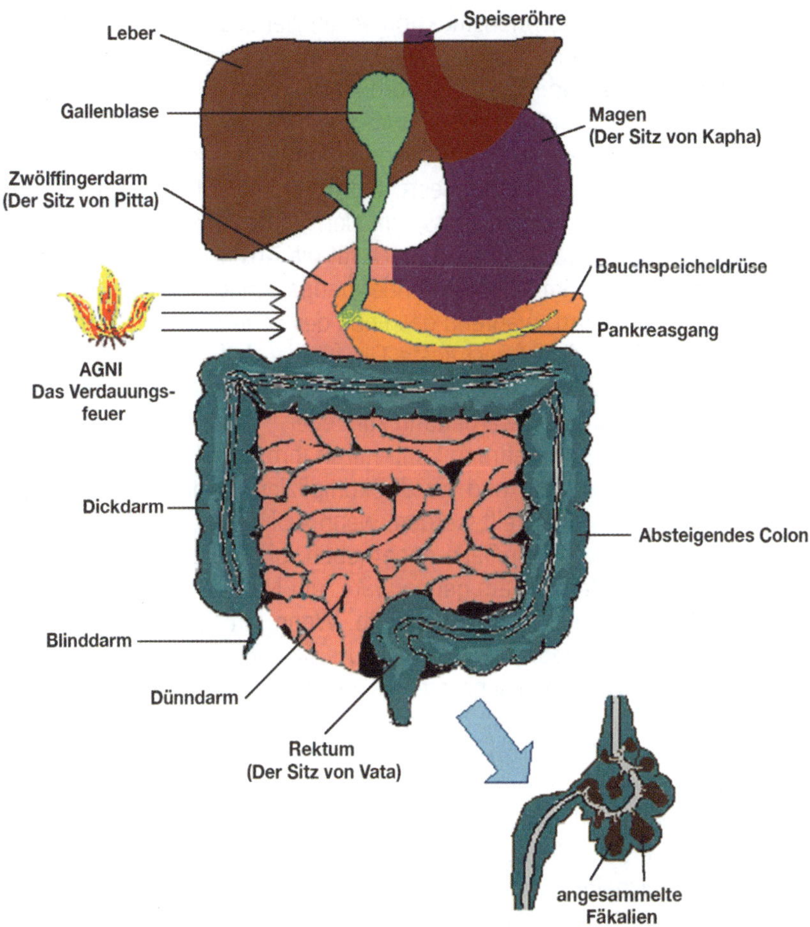

Abbildung 5: Das Verdauungssystem

Der Dünndarm hat eine Gesamtlänge von etwa 6 Metern (18 Fuß). Er ist für die Aufnahme von Nährstoffen, Salz und Wasser verantwortlich. Im Durchschnitt fließen jeden Tag etwa 9 Liter (9.5 Quart) Flüssigkeit in den Jejunum (Leerdarm – oberer Teil des Dünndarms), ein wesentlicher Teil der aus Verdauungssäften zusammengesetzten Flüssigkeit. Der Dünndarm absorbiert etwa 7 Liter (7.4 Quart), so dass nur 1,5 bis 2 Liter in den Dickdarm weiter fließen. Die absorbierende Funktion des Dünndarms wird durch eine komplizierte Reihe von Zellen innerhalb seiner Auskleidung verursacht (Darmfalten und Zotten), die Salze und Nährstoffe, sowie Wasser absorbieren und absondern, um das normale Salz- und Wassergleichgewicht innerhalb des Körpers aufrechtzuerhalten. Bei einem gesunden

Menschen ist die Absorptionsfunktion so effizient, dass mit einer natürlichen, ausgewogenen Ernährung mehr als 95 Prozent der aufgenommenen Kohlenhydrate und Proteine absorbiert werden.

Bestimmte Abschnitte des Dünndarms führen spezielle Aufgaben durch. Zum Beispiel spielt der Zwölffingerdarm eine wichtige Rolle in der Steuerung, wie sich der Magen leert und in welcher Menge Galle in den Darm ausgeschüttet werden muss, um den Verdauungsprozess zu optimieren. Der Zwölffingerdarm spielt auch für die Absorption von Eisen eine entscheidende Rolle. Im Leerdarm findet hauptsächlich die Aufnahme des Vitamins Folsäure statt, während das Ende des Ileums (Krummdarm – unterer Teil des Darms) der wichtigste Ort für die Aufnahme von Vitamin B12 und Gallensalzen ist. Das Blut nimmt alle Nährstoffe auf und transportiert sie zur weiteren Verarbeitung zur Leber.

Die aufgenommene Nahrung kann nur in ihre grundlegenden Nährbestandteile aufgeschlüsselt und für die komplizierten metabolischen Prozesse im Körper bereitgestellt werden, wenn AGNI, das Verdauungsfeuer, stark ist. AGNI wird durch Galle angetrieben, ohne die keiner der anderen Verdauungssäfte wirksam genug wäre, um Nahrung in seine Nährbestandteile abzubauen. Galle ist alkalisch. Wenn mit Salzsäure gesättigte Nahrung in den Dünndarm einströmt, muss sie zuerst mit Galle vermischt werden, bevor Verdauungsenzyme auf die Nahrung einwirken können. Ein PH-Wert des Darms mit hohem Säuregehalt würde die Enzymausschüttung blockieren und zu einem erheblichen Hindernis für die richtige Verdauung der Nahrung werden. Darüber hinaus müssen sich Pankreasenzyme vor dem Passieren der Vater-Ampulle mit Galle verbinden, um aktiviert zu werden. Um dies zu ermöglichen, verbinden sich Gallengang und Bauchspeicheldrüsenkanal zu einem kurzen Kanal, bevor sie sich an den Zwölffingerdarm angliedern. So lange die Galleabsonderung aus den Gallengängen der Leber und der Gallenblase ungehindert durch Gallensteine bleibt, ist gute Verdauung fast garantiert, vorausgesetzt, dass die aufgenommene Nahrung frisch und gesund ist.

Die Kombination aus nährstoffreicher Nahrung und starkem AGNI bildet die ideale Partnerschaft, um dem Körper zu helfen, ausreichende Mengen Aminosäure, Fettsäure, Mineralstoffe, Vitamine, Traubenzucker, Fruktose, Spurenelemente und andere Vitalstoffe für alle seine Bausteine verfügbar zu machen. Das wiederum erzeugt gesundes Blut, Vitalgewebe und einen jungen Körper. Die Qualität des Bluts und der Gewebe des Körpers, einschließlich derjenigen, die die Haut zusammensetzen, spiegeln größtenteils den Zustand der Leber und des Dünndarms wider.

Toxischer Körper – Toxischer Geist

Wenn AGNI aufgrund der folgend erklärten Gründe entleert wird, können sogar die gesündesten Nahrungsmittel schädlich für den Körper werden. Niedriges AGNI bedeutet, dass viel der aufgenommenen Nahrung unverdaut bleiben wird. Unverdaute Nahrung kann die Darmwände nicht durchqueren, um in den Blutstrom zu gelangen, muss aber auf verschiedene Weise bearbeitet werden. Die Nahrung wird Ziel für schädliche Bakterien und fängt an zu gären und zu verfaulen. Diese schädlichen Bakterien erzeugen Toxine und giftige Gase, die für die Darmauskleidung stark reizend sein können, wodurch die Verdauungsfähigkeit noch weiter reduziert wird. Da immer weniger Nahrung absorbiert und durch den Körper verwertet wird, werden immer mehr Abfallprodukte erzeugt, die zunehmend den Magen-Darm-Trakt verstopfen. In diesem Stadium verwandelt sich die Nahrung in Gift. Heutzutage werden bei einem Drittel der Bevölkerung der westlichen Industrienationen Darmprobleme diagnostiziert, die wahre Zahl ist jedoch viel höher, wenn man sich alle undiagnostizierten Fälle vor Augen hält. Schätzungsweise mehr als zwei Drittel der westlichen Bevölkerung ist von irgendeiner Art Darmschwierigkeiten betroffen.

Der Dünndarm, der eine Dicke von einer großen Zehe hat, ist das am meisten versteckte Organ des Körpers und hat keine Verbindung nach außen (im Gegensatz zu Dickdarm und Magen).

Das geistige Gegenstück zu diesem „unsichtbaren" Teil unseres Körpers ist, was wir als den Sitz des „Unbewussten" bezeichnen können. Die gespeicherten Erinnerungen und der verborgene Glaube des unbewussten Geistes üben einen starken Einfluss auf unsere Gedanken, Gefühle, Wünsche und unser Verhalten aus. Ist es nicht interessant, dass die traditionelle Medizin den Ursprung des *Reizdarmsyndroms,* das als Allgemeinbegriff für die meisten Darmkrankheiten benutzt wird, als psychosomatisch erachtet, verursacht durch den Geist? Anders gesagt, wenn Sie sich oft verärgert, böse, beunruhigt oder einfach unglücklich fühlen, sind Sie nicht nur anfällig für „geistige Verdauungsstörungen", sondern auch für physische Verdauungsstörungen. Ungleichgewichte des Dünndarms sind durch das Festhalten an Dingen in unserem Inneren gekennzeichnet, unabhängig davon, ob diese unverdaute Nahrung oder ungelöste emotionale Konflikte sind.

Die Großhirnrinde, die Gedanken steuert, ist eng mit der Verdauung verbunden. Folglich müssen nicht nur Nahrungsmittel, sondern auch Gedanken richtig „verdaut" oder verarbeitet werden, um nützlich für uns zu sein und uns nicht zu schaden. Unverdaute Gedanken haben eine giftige Wirkung auf den Körper als Ganzes und besonders auf das Verdauungssystem. Angst, Wut, Schock, Trauma und ähnlich negative Gefühle können für lange Zeit, und ohne irgendwelche offensichtlichen Anzeigen ihrer Anwesenheit, im Zellgedächtnis der Eingeweide eingeschlossen werden. Sobald sie ein bestimmtes Konzentrationsniveau erreicht haben, können sie plötzlich ausbrechen und die Persönlichkeit eines Menschen auf negative Weise verändern; das kann ebenso eine schädliche Wirkung auf den Körper haben. Es ist interessant festzustellen, dass eines der stärksten Glückshormone des Gehirns ebenfalls im Verdauungssystem erzeugt wird. Tatsächlich werden 95 Prozent Serotonin im Verdauungssystem hergestellt (um die Verdauungsfunktionen zu steuern) und nur 5 Prozent werden im Gehirn erzeugt. Ein Mangel an Glück mindert die Serotoninausschüttung und schwächt dadurch die Verdauung von Nahrungsmitteln.

Die Verbindung zwischen Körper und Geist arbeitet auch in umgekehrter Reihenfolge. Wenn Sie hochgradig verarbeitete, verfeinerte und denaturierte Nahrungsmittel zu sich nehmen, und/oder wenn Sie essen, während Ihr AGNI gering ist (angezeigt durch schlechten Appetit), beginnen Sie toxische Abfallprodukte in Ihren Gedärmen anzusammeln. Die Anwesenheit von Toxinen im Darm kann Nervosität, Hyperaktivität, nervöses Gelächter oder irgendeinen anderen emotional volatilen Zustand verursachen.

Als Verallgemeinerung lässt sich sagen, dass Toxine in den Eingeweiden die physischen Gegenstücke negativer Gedanken sind. Durch die Verbindung von Geist und Körper werden negative Gedanken und Gefühle in Gifte umgewandelt und umgekehrt.

Normalerweise kümmert sich das Immunsystem, von dem zwei Drittel in den Därmen liegen, sowohl um physische als auch um geistige Toxine (negative Gedanken und Gefühle). Das Immunsystem handelt sowohl als unser physisches als auch geistiges Heilsystem. Jedoch kann das Immunsystem leicht überfordert werden, wenn es übermäßig gehaltlosen Nahrungsmitteln und negativen Gedanken (häufig als Stress bezeichnet) ausgesetzt wird. Wie Sie vielleicht bereits wissen, kann die Thymusdrüse, die ein Teil des Immunsystems ist, auf die Hälfte ihrer Größe oder weniger schrumpfen, wenn Sie unter Stress leiden. Dies kann Sie anfällig für Krankheiten machen, die von einer einfachen Erkältung bis hin zu Krebs reichen.

Der „nutzlose" Blinddarm und seine erstaunliche Rolle

Allgemein gesprochen helfen jene Teile des Immun- und Lymphsystems, die im Darm gelegen sind, alles Schädliche zu entgiften, das zusammen mit der Nahrung aufgenommen werden kann. Durch äußerst komplexe Prozesse sind diese Systeme imstande, nützliche Nährstoffe von unbrauchbaren Abfallprodukten zu trennen. Einige potenziell schädliche Abfallprodukte oder Naturkostgifte, wie Pflanzen-Antikörper, dringen zur Entgiftung und Beseitigung in die Lymphgänge ein. Die meisten Nährelemente werden durch die Wände des Dünndarms in die Blutbahn geleitet, die sie zur weiteren Verarbeitung, Verteilung und zum Zellstoffwechsel zur Leber trägt. Andere, spezifischere Nährstoffe, können aber nur durch die Wände des Dickdarms absorbiert werden. Diese Nährstoffe sind dafür bestimmt, das Nervensystem zu nähren und aufrechtzuerhalten. Jegliche Nährstoffe, Mineralstoffe, Wasser und Abfallprodukte, die durch die Dünndärme nicht entfernt werden, dringen nun in den *Colon ascendens,* knapp über dem Blinddarm ein.

In der traditionellen indischen und chinesischen Medizin ist der Blinddarm dafür bekannt, eine lebenswichtige Rolle zu spielen. Er züchtet große Mengen freundlicher, probiotischer Bakterien und liefert sie dem Dickdarm und den anderen Teilen der Eingeweide, um jede schädliche Substanz zu neutralisieren. Die strategische Position des Blinddarms lässt es zu, dass sich diese nützlichen Mikroorganismen mit den flüssigen Fäkalien verbinden, während sie damit beginnen den Dickdarm zu durchlaufen. Mehr als 400 Stränge nützlicher Bakterien leben im menschlichen Magen-Darm-Trakt. Indem sie sich selbst an das Darmfutter anheften, können sie möglicherweise unangenehme Bakterien, wie *Candida Albicans,* verdrängen. Ein ausgeglichener Bestand freundlicher, probiotischer Bakterien im Darm verhindert effektiv Vaginal- und Harnwegsinfektionen. Er verhindert ebenfalls die Entstehung von Tumoren, besonders krebsartige Wucherungen im Dickdarm, entweder indem er schützende Chemikalien aussendet, oder indem er die Produktion von Verbindungen hemmt, die Krebs fördern. Verminderte probiotische Bakterienbestände, die zum Beispiel durch Antibiotika, Alkohol oder ungesundes Essen verursacht werden, setzen das gastrointestinale Futter zahlreichen Toxinen aus. Das führt zu einem übermäßig angeregten Immunsystem und dadurch zur Bildung von Asthma, Allergien und Ekzemen.

Bis vor Kurzem glaubten Ärzte, dass der Blinddarm keinen tatsächlichen Nutzen oder keine Funktion hat. 2005 wurden 321 000 Amerikaner mit Blinddarmentzündung ins Krankenhaus eingewiesen. Die Entfernung des Blinddarms ist eine der am häufigsten durchgeführten Operationen.

Nun sind forschende Chirurgen und Immunologen der Duke University Medical School der Meinung, dass der Blinddarm den Darm schützen soll, was keinesfalls ein einfacher Auftrag ist. Dieser wurmförmige Organauswuchs agiert wie eine Bakterienfabrik, die, gemäß der zuvor erwähnten Studie, veröffentlicht im Oktober 2007 in der Zeitschrift Theoretical Biology, gute Keime kultiviert.

Laut der „neuen" Entdeckung (die Ayurveda seit 6 000 Jahren bekannt ist), scheint die Funktion des Blinddarms offenbar mit der massiven Menge von Bakterien zusammenzuhängen, die das menschliche Verdauungssystem bevölkern. Die meisten der Billionen von Bakterien im menschlichen Körper sind nützlich und hilfreich, Nahrungsmittel zu verdauen. Aber manchmal stirbt die Bakterienflora in den Eingeweiden ab oder sie wird durch zerstörende Bakterien aufgelöst oder überwunden. In Anbetracht der hohen Zahl verstopfter Dickdärme und gereizter Blinddärme ist das ein heutzutage allgemeines Phänomen. Der Blinddarm „agiert wie ein gutes, sicheres Haus für Bakterien", erklärt der Chirurgie-Professor der *Duke University Medical School,* Bill Parker, ein Mitverfasser der Studie. Außerdem arbeite der wurmförmige Organauswuchs ebenfalls wie eine Bakterienfabrik, die die guten Keime kultiviert. Die Aufgabe des Blinddarms ist, das Verdauungssystem neu zu starten.

Praktisch gesehen, und von der Reinigungsleistung der Galle durch die Leber unterstützt, ist es die Aufgabe des Blinddarms, den Dickdarm peinlich sauber zu halten. Wenn große Mengen unverdauter und zersetzter Nahrungsmittel diesen Teil der Eingeweide erreichen, tritt Verstopfung ein. Der Darmverstopfung folgt ein mikrobischer Befall (durch zerstörerische Bakterien), der zur Verdickung der schützenden Schleimhaut und zur Darmwandgeschwürbildung führen kann. Wenn Mikrobenwachstum weiter zunimmt, kann sich der Blinddarm entzünden und sogar durchbrechen (Abbildung 6), was die ordnungsgemäße Leistung des Dickdarms untergräbt. Die Entfernung des Blinddarms kann langfristige Folgen für die Darmgesundheit und, wie im Folgenden erklärt, die Gesundheit des kompletten Körpers haben. In den meisten Fällen eines entzündeten Blinddarms kann mehrtägiges Fasten und eine Darmsäuberung (Colema-, Colosan-, oder Darmspülung) den Blinddarm retten.

Im Gegensatz zur kontinuierlicheren Dünndarmperistaltik werden Fäkalstoffe durch regelmäßige Massenbewegungen in den Dickdarm (jetzt allgemein als „Darm" bezeichnet) vorangetrieben. Diese Massenbewegungen treten ein bis drei Mal täglich in diesem letzten Abschnitt des Verdauungstrakts auf. Sobald sie das Rektum erreicht haben, dehnen die Fäkalien die Nervenenden der Rektalwände und verursachen einen drängenden Stuhlgangreflex.

Der Dickdarm baut in dieser Verdauungsphase keine Nahrungsmittel mehr ab. Er absorbiert lediglich Vitamine, die durch die Bakterien erzeugt wurden, die den Dickdarm bewohnen. Der Dickdarm ist für die Aufnahme von Wasser und das Zusammendrücken der Fäkalien überaus wichtig.

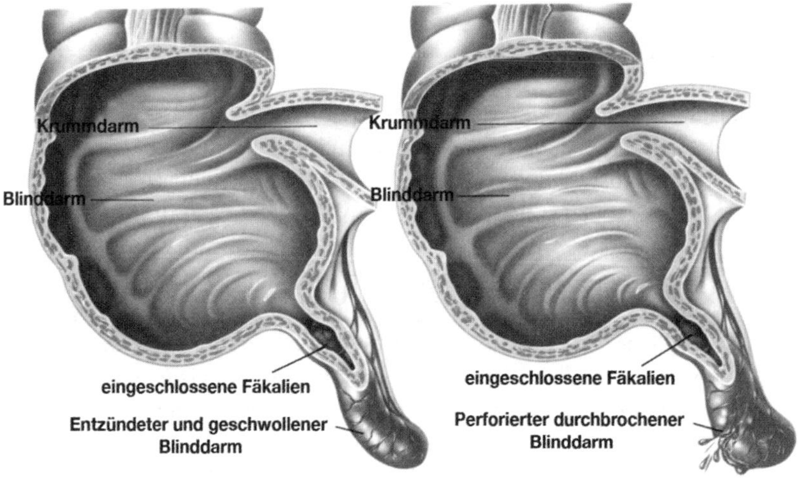

Abbildung 6: Entzündeter und durchbrochener Blinddarm

Der gesamte Verdauungsförderungs- und Ausscheidungsprozess – von der Nahrungsaufnahme bis zum Stuhlgang – sollte etwa 20-24 Stunden dauern, je nachdem, welche Nahrung aufgenommen und auch zu welcher Tageszeit das Essen verzehrt wurde. (Siehe die folgenden Kapitel für Details.) Jedoch benötigt allein die Durchgangszeit der Nahrung durch den Dickdarm beim größten Teil der Bevölkerung mehr als 25 Stunden. Diesen Zustand nennt man Verstopfung. Ich hatte zahlreiche Patienten, die davon berichteten, nur einmal alle 2 bis 5 Tage einen Stuhlgang gehabt zu haben. In extremen Fällen hatte der Patient nur einen Stuhlgang pro Woche oder alle zehn Tage. Andererseits haben viele Menschen 3 bis 4 Mal pro Tag Stuhlgang, und in einigen Extremfällen können es bis zu 16 lose Entleerungen sein; diese Personen können nicht länger als 3 bis 12 Stunden Nahrung bei sich behalten. Da der größte Teil der aufgenommenen Nahrung nicht richtig verdaut wird, zersetzt sie sich durch Hilfe von schädlichen Bakterien. Das ist für die Darmwand so reizend, dass der Körper den Darm so schnell und so häufig wie möglich entleert.

Infolgedessen findet die Ausscheidung der Abfallprodukte viel zu übermäßig und zu häufig statt. Ein- oder zweimal täglich von selber regelmäßigen Stuhlgang zu haben, ist nicht notwendigerweise ein Zeichen für gute Verdauung.

Innere Verschmutzung

Die meisten Darmprobleme treten wegen der Aufnahme schädlicher Nahrungsmittel auf. Die folgenden Nahrungsmittel oder Kochprozesse haben stark reizende Auswirkungen auf die schützende Schleimschicht des Verdauungstrakts, vom Mund bis in den After: devitalisierte, verarbeitete, bestrahlte, veredelte, frittierte, mikrowellengegarte und konservierte Lebensmittel. Hochgradig säurebildende Nahrungsmittel wie Fleisch, Fisch, Geflügel, Eier, Käse, raffinierter Zucker, Tafelsalz, Schokolade, Süßigkeiten, gewerbliche Fruchtsäfte, Kaffee, Alkohol, kohlensäurehaltige Getränke und orale Halluzinogene und Medikamente reizen ebenfalls die Darmauskleidung. Da der Körper kein echtes Interesse daran oder die Kapazität hat, etwas zu verdauen und zu verwerten, was für das Blut und die Zellen potenziell schädlich ist, durchlaufen viele dieser Produkte biochemische Umwandlungen, bekannt als Gärung und Fäulnis. Der Dickdarm allein kann für mehr als 700 verschiedene Arten von Bakterien das Zuhause sein, die normalerweise bei der ordnungsgemäßen Abfallentsorgung helfen. Wenn allerdings dieser Prozess die Gärung und Verwesung großer Mengen falsch verdauter Nahrung einschließt, teilen sich die natürlich anwesenden zersetzerischen Mikroorganismen und erzeugen übermäßige Mengen toxischer Substanzen, die das Darmfutter reizen oder verletzen können. Praktisch gesehen dient die Darmschleimhaut als eine innere Haut, die dazu da ist, das Blut vor Vergiftung zu schützen. Unser Leben ist in Gefahr, wenn diese innere Haut verletzt wird.

Wenn wir unserer „inneren Haut" regelmäßig solch säurebildenden und reizenden Bestandteilen wie der Phosphorsäure und anderen chemischen Zusätzen, die zum Beispiel in Cola enthalten sind, aussetzen, kann dies zu Geschwüren und der Perforierung der Darmwände führen. Ich sehe häufig diese Art der Schädigung als fortgeschrittene Gewebeabtragung, während ich die Iris (Iridologie) von regelmäßigen Softdrinkkonsumenten untersuche. Als natürlicher Nebeneffekt der Reparatur solch innerer Wunden wird Eiter gebildet. Eiter ist verweste Zellmaterie, die viele Bakterienorganismen enthält. Toxine, die durch Bakterien oder Pilze freigesetzt werden, können weiteren Gewebeschaden verursachen und zu schlechter Organfunktion führen. Diese Toxine lösen ebenfalls eine starke entzündliche Reaktion des Körpers aus, der Schmerz und Verstopfung verursachen kann, wie es häufig bei den Krankheiten *Morbus Crohn* und *Colitis ulcerosa* der Fall ist. Wenn die Beseitigung des Eiters aus der Wunde behindert wird, kann der Eiter septisch werden und in den Blutkreislauf sickern und einen septischen Schock verursachen oder zum Tode führen. Um solch ein Szenario zu vermeiden, kann der Körper die Bildung von Polypen und Krebstumoren ermöglichen, die helfen, einige dieser tödlichen Gifte abzusaugen und sie so lange wie möglich vom Blut fernzuhalten. (Beachten Sie bitte auch in Band 2 das Kapitel über die wahren Ursachen von Krebs.)

Bakterien als Ursache für Infektionen verantwortlich zu machen, zeugt von großer Unerfahrenheit gegenüber der Funktionsweise natürlicher Prozesse, sowohl im Körper als auch in der Umwelt. Wie ich bereits erwähnt habe, werden Infektionen nicht durch Bakterien verursacht, sondern durch die Anwesenheit toxischer Substanzen und des daraus resultierenden Zellschadens, der diese Organismen anzieht.

Sogenannte tödliche Bakterien, die an den schwerwiegendsten Infektionen beteiligt sind, sind fast überall zu finden. Sie leben normalerweise an solch gewöhnlichen Orten wie Ihren Händen, Lippen, Haaren, Tassen, Besteck, Türgriffen, Toilettenschüsseln, Badezimmerböden und Küchenspülen, aber nur ein Bruchteil der Bevölkerung wird wegen ihnen krank. Diese Keime sind für uns vollkommen harmlos, es sei denn, dass ungesunde Gewohnheiten oder eine Unterdrückung von Krankheitssymptomen (die auch immer das Immunsystem unterdrückt) sie in tödliche Waffen „verwandeln". Impfstoffe enthalten zum Beispiel hoch toxische Substanzen, die dazu bestimmt sind, Ihre Immunreaktion zu erhöhen, aber stattdessen schwächen sie sie eher. Die stets präsenten Bakterien unserer Umgebung können mit dem Serum verschmelzen und solche Nebenwirkungen wie Schock, Krämpfe, Gehirnschaden und Tod verursachen. (Mehr Details über die Wirkungen von Impfungsprogrammen finden Sie in Band 2) Die Bakterien sind völlig harmlos, so lange ihnen nicht etwas Verdorbenes „zu essen" gegeben wird. Hunde und Katzen lecken sie von ihren Wunden, und sind sie erst einmal in Kontakt mit ihrem Mund und den Magensekreten, werden sie verdaut und unschädlich gemacht. Wir sind ebenfalls mit mehr Waffen ausgestattet, als wir zur wirksamen Bekämpfung jeder Art von Bakterien benötigen. Gesunde Menschen töten alle Bakterien und Parasiten, bevor diese überhaupt eine entfernte Chance haben, ihnen etwas anhaben zu können.

Es ist jedoch etwas anderes, wenn Abfallprodukte aus unverdautem Essen länger im Darm verweilen, als sie sollten, manchmal für Wochen, Monate oder sogar Jahre. Essen, das entweder zu schnell, zwischen den Mahlzeiten, spät abends gegessen wird oder falsch kombiniert ist, senkt AGNI, das Verdauungsfeuer. Wut und Angst senken ebenfalls AGNI. Den tödlichen Keimen, die normalerweise durch die probiotischen Bakterien und das Immunsystem im Darm neutralisiert und in Schach gehalten werden, wird grünes Licht geben, sich überall frei im Verdauungstrakt auszubreiten. Nachdem sie einen fruchtbaren Nährboden in der menschlichen „Abwasserleitung" finden, nimmt die Anzahl der schädlichen Bakterien drastisch zu, um die Abfallprodukte zu bekämpfen. Während sie die Abfallprodukte angreifen, erzeugen diese Keime große Mengen Toxine. Sie verwandeln buchstäblich alles in Gift. Zu den erzeugten Giften zählen *Cadaverin*[8] und *Putrescin*[9]. Diese entstehen aus verfaulenden Proteinen, die denen in Kadavern entsprechen.

Die Freisetzung dieser Toxine veranlasst die Darmschleimhaut und das intestinale Lymphsystem, das die meisten Immunzellen des Körpers beherbergt, die Toxine zu absorbieren und zu neutralisieren. Und doch wird der konstante Zustrom von Toxinen schließlich übermächtig, wodurch Lymphödeme verursacht werden, besonders in den Cisterna Chyli-Gefäßen und dem Brustlymphgang (Abbildung 7). Der gehemmte Lymphfluss führt zur Schwellung des Bauchs und anschließender lymphatischer Verstopfung in anderen Teilen des Körpers.

[8] Ein farbloses, klebriges, toxisches Ptomain, C5H14N2, welches einen abstoßenden Gestank hat, der durch den Einfluss von Bazillen auf Fleisch, Fisch und andere Proteine, einschließlich des Abbaus lebender und toter Organismen, gebildet wird.

[9] Eine organische chemische Zusammensetzung NH2 (CHH2)4NH2 (1,4-Diaminobutan oder Butanediamin), die durch faulendes Fleisch gebildet wird und den Geruch von faulendem Fleisch hat. Andere übelriechende chemische Zusammensetzungen schließen Methylmercaptan und Buttersäure ein. Buttersäure wird auch in ranziger Butter, Parmesan-Käse und Erbrochenem gefunden.

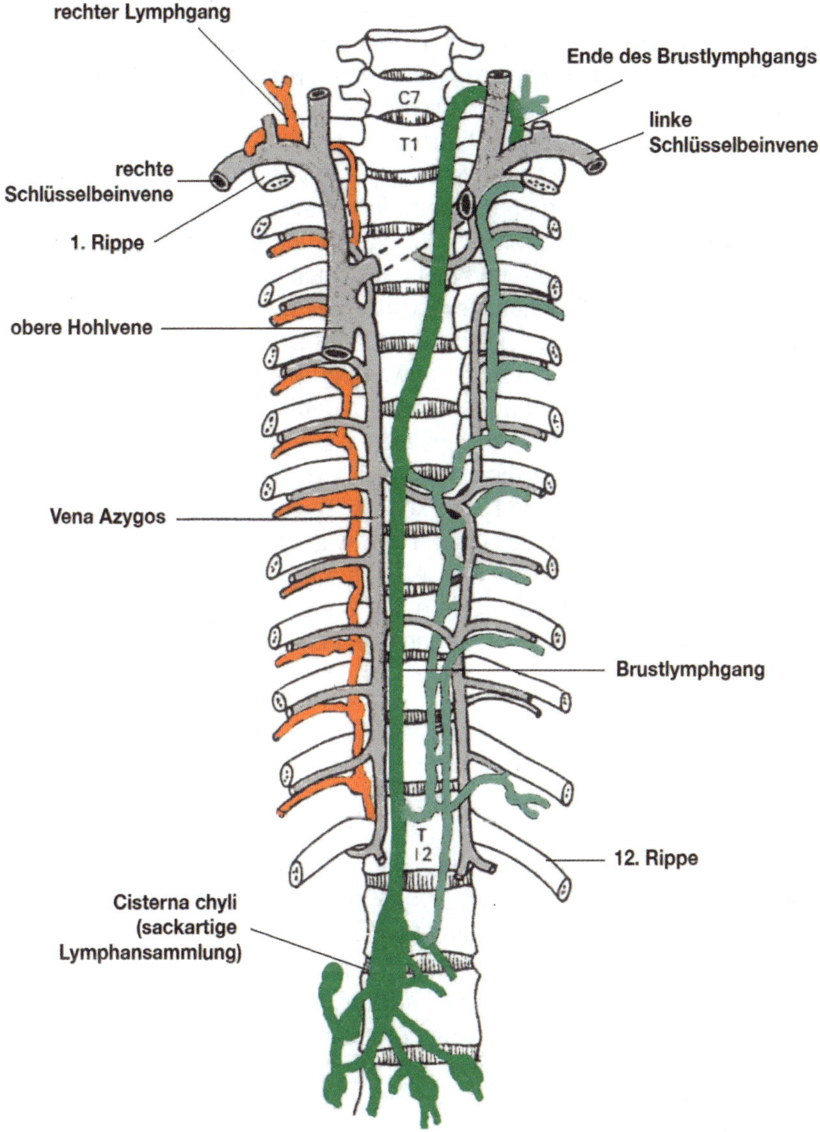

Abbildung 7: Die größten Lymphatischen Gefäße des Körpers

Die Schwellung oder Entzündung des Darmfutters und der Darmlymphe sind Notfallmaßnahmen des Körpers, um die Absorption von Toxinen in den Blutkreislauf zu verhindern. Wenn diese Toxine in den Blutkreislauf eindringen würden, könnte das für die betroffene Person lebensgefährliche Folgen (septischer Schock) haben.

Während der verzweifelten Versuche, eine Vergiftung des Bluts zu verhindern, beginnt der Körper, das betroffene Gewebe zu verhärten. Dies ist Stufe eins der Eiterungsprozesse. Wenn die ungesunden Gewohnheiten fortbestehen, werden mehr und mehr Schichten gehärteten Schleims hinzugefügt, die schließlich eine dicke Kruste um die Problemgebiete bilden. Das führt zu weiterer Verhärtung des Darmtrakts, der seinerseits damit beginnt, die Durchblutung der Darmwand zu hemmen und die Darmbewegungen (Peristaltik) zu verlangsamen. Dementsprechend neigt Nahrung dazu, länger im Körper zu verweilen, als sie es normalerweise würde. Im Laufe der Zeit beginnt die Nahrung sich zu zersetzen, übel riechende Blähungen zu erzeugen und Flüssigkeit zu verlieren. Das verwandelt sie in eine klebrige Masse, die trocken und hart werden kann. Wenn eine große Anzahl von Bakterien in diese Masse eindringt, könnte Durchfall die Folge sein. Zunächst können sich Verstopfung und Durchfall abwechseln, und wenn der Zustand fortbesteht, können vermehrter Stuhlgang und chronischer Durchfall auftreten.

Sollten wir Darmparasiten töten?

Zuallererst – Sie können nie völlig ohne Parasiten leben. Wir nehmen sie mit unserer Nahrung, unserem Wasser oder auf andere Weise auf. Einige überleben immer den Angriff durch Magensäfte. Es ist wichtig, immer daran zu denken, dass Parasiten kein wirkliches Interesse an einer Beschäftigung in einem gesunden, sauberen Darm haben, weil sie einfach nicht in der Lage wären, dort langfristig zu überleben. Stattdessen vermehren sie sich in schmutzigen, belasteten Umgebungen. Parasiten graben sich in die Gewebe jener Darmwände, die Toxine absorbiert haben und schlecht durchblutet und ernährt werden.

Schlechte Verdauung ist die Hauptursache für parasitäre Infektionen, nicht umgekehrt. Sobald Sie jedoch einmal von ihnen befallen sind, können sich die Verdauungsprobleme verschlechtern. Das Problem besteht darin, dass auf jeden Parasiten, den Sie töten, ein anderer folgt, mit dem Sie sich am nächsten Tag zu befassen haben werden. Parasiten können sich ebenso schnell vermehren, wie Sie denken können. Warum sollten

Sie sie also töten und die Last der Beseitigung von Milliarden Parasitenleichen tragen wollen, von denen viele dann in den Abfallprodukten eingeschlossen wären, von denen sie sich ernähren? Eine große Menge dieser toten Parasiten kann ins lymphatische System und ins Blut gelangen. Die Leber versucht sie auszufiltern und sie über die Gallengänge zu entfernen. Sobald Parasiten (tot und lebendig) in die Gallengänge gelangt sind, werden sie von der Galle umschlossen und dadurch zu einer Ursache intrahepatischer Gallensteine (Gallensteine innerhalb der Leber).

Eine bessere Lösung, obgleich nicht ganz so schnell wie ihre Tötung, ist eine Verbesserung der Verdauungsfunktionen durch eine Kombination aus Leber-/Darmreinigung und einer Ernährungs- und Lebensstilanpassung. Das wird dem Immunsystem des Körpers helfen, sich schrittweise um dieses Problem zu kümmern. Der Angriff auf die Parasiten kann fehlschlagen und zu wiederkehrenden parasitären Infektionen führen, indem er das Immunsystem überfordert. Die Tötung von Bakterien durch den Gebrauch von Antibiotika ist nichts anderes. Plötzlich überschwemmt eine massive Menge toter Bakterien den Körper, die lediglich die Voraussetzung für eine Wiederholungsinfektion und viele schädliche Nebenwirkungen bereitet. Tote Bakterien werden zur Nahrung für andere Bakterien. Das ist nur einer der Gründe, warum Antibiotika eine indirekte Hauptursache für Infektionen und zahlreiche degenerative Krankheiten sind. (Mehr Details dazu in Band 2)

In einigen Extremfällen ist die Tötung von Parasiten ratsam, um das Leben eines Menschen zu retten oder zu verlängern (wenn es erwünscht ist). Solche Individuen leiden nahezu unter einer Gesamtschwächung der Immunfunktionen und sind unfähig, die Leber und den Darm zu reinigen. Diese Vorgehensweise ist auch für jene ratsam, die unter einer beträchtlichen Menge schlangengroßer Würmer in ihrem Darm leiden. Der wichtigste Punkt, an den man denken sollte, ist: Wenn Sie versuchen Parasiten oder andere zerstörerische Organismen zu töten, sollten Sie sicher sein, dass Sie auch die Gifte/Toxine entfernen, die diese Schädlinge in Ihren Körper locken. Es gibt mehrere Arten der Parasitenreinigung unter Verwendung von Kräuterheilmitteln wie Wermut, grüne Walnusstinktur und Nelke oder ähnliche Rezepte, die ebenfalls entgiftende Effekte haben. Während dieser Behandlung sowohl die Leber als auch den Darm zu reinigen, ist ebenfalls nützlich, da es die Auswirkungen reduziert, die das „Absterben" auf Ihr Blut und Ihre Lymphe haben kann. Solche Methoden der Parasitenreinigung können jedoch viel Zeit in Anspruch nehmen und nur teilweise erfolgreich sein, abgesehen von einer mir bekannten Ausnahme.

Der Mineralstoff – Natriumchlorit – kann die gleichmäßigste und sofortige Wirkung aller Parasiten-Reinigungsmitteln haben. Die wichtigsten Anforderungen für die erfolgreiche Beseitigung von krankheitsbezogenen Mikroorganismen sind:

1. Neutralisieren Sie die Toxine und Gifte, die das Immunsystem schwächen und die Parasiten nähren.
2. Stärken Sie das Immunsystem, um diese Mikroorganismen zu entfernen und sie fernzuhalten.
3. Rotten Sie schädliche Parasiten, Viren, Bakterien, Pilze, Schimmel und Hefe zeitgleich aus.

Das Produkt *Miracle Mineral Supplement (MMS)* ist eine stabilisierte Sauerstofflösung aus 28%-Natriumchlorit (nicht „Chlorid") in destilliertem Wasser. Wenn eine kleine Menge Zitronensäurelösung, entweder aus Essig, aus Zitronen- oder aus Limonensaft, einigen Tropfen MMS hinzugefügt wird, bildet sich Chlordioxid. Wenn es in dieser Form aufgenommen wird, oxydiert das Chlordioxid innerhalb weniger Stunden schädliche Substanzen wie Parasiten, Bakterien, Viren, Hefe, Pilze und Schimmel. Zur gleichen Zeit stärkt es das Immunsystem um mindestens das zehnfache. Dieses Verfahren hat ebenfalls gezeigt, dass MMS zum Beispiel jegliche Stränge des Tropenfiebers (Malaria) und der HIV-Viren in weniger als 24 Stunden aus dem Blut fast jeder getesteten Person entfernt. MMS ist ebenfalls erfolgreich gegen viele andere ernste Krankheiten, einschließlich Hepatitis A, B und C, Typhus, die meisten Krebse, Herpes, Lungenentzündung, Nahrungsmittelvergiftung, Tuberkulose, Asthma und Grippe verwendet worden. (Für mehr Informationen siehe *Miracle Mineral Supplement (MMS)* in Kapitel 7.)

AMA – Die Hauptursache für Verstopfung im Körper

In einem ungesunden Darm verbinden sich Schleim, Toxine und Fäkalien, um das zu erzeugen, was Ayurveda AMA oder schleimartige Fäkalien nennt. Die Eingeweide beginnen ihre natürliche Form zu verlieren, während sie versuchen, die zusätzlichen Abfallprodukte aufzunehmen (Abbildung 9). Sie haben keine andere Wahl, als Auswölbungen zu bilden, die sich mit Schichten von hemmendem AMA füllen.

AMA ist eine Brutstätte für Parasiten und Mikroben sowie für Krebszellen. Das intestinale Immunsystem versucht soviel von diesem destruktiven Material wie möglich zu zerstören, erliegt aber schließlich der Überbelastung von Toxinen. Das geschieht, wenn septisches Gift beginnt in den Blutkreislauf zu sickern. Blinddarmentzündung, Divertikelentzündung, Dickdarmentzündung, Polypen, Darmverengung, Leistenbrüche, Morbus Crohn, Amöbenruhr und Tumore sind nur einige der Symptome, die direkt mit dem Aufbau und der Aufnahme von giftigen Abfallprodukten in den Eingeweiden in Verbindung stehen (Abbildungen 9 a bis c).

Folgen eines überlasteten Darms

Die strukturellen Änderungen, die die Eingeweide durchleben müssen, um die übermäßige Menge an Abfallprodukten aufzunehmen, sind wirklich außergewöhnlich. Das kann die Gesundheit vieler anderer Organe im Körper beeinflussen (Abbildung 8).

Eine einzelne Obduktion brachte einen Darm mit einem Durchmesser von 23 cm zutage, der mit Schichten verkrustetem alten, unverdautem Essen, vermischt mit gehärtetem Schleim, gefüllt war, der weniger als 1 cm Durchmesser für durchgehenden Stuhl ließ (Abbildung 10).

Eine ständig steigende Anzahl von Männern und Frauen hat 18 Kilogramm oder mehr dieses Abfallstoffs allein im Darm angesammelt. Solch ein Zustand ist durch eine enorm erweiterte Taille erkennbar. In den Vereinigten Staaten sind 65 Prozent der Bevölkerung übergewichtig oder fettleibig. Gewichtsprobleme treten gewöhnlich zuerst im Dickdarm und dann in den anderen Teilen des Körpers auf. Diese Anhäufung von Abfallmaterial kann zu einem prolabiertem Quercolon (querliegender Teil des Colon) führen (Abbildung 9a), was wiederum einen erheblichen Druck auf die Organe des Unterbauchs, einschließlich der Harnblase, Prostata oder der weiblichen Organe darstellt. Infolgedessen können sich diese Organe verschieben, was weiteren strukturellen und funktionellen Schaden verursacht.

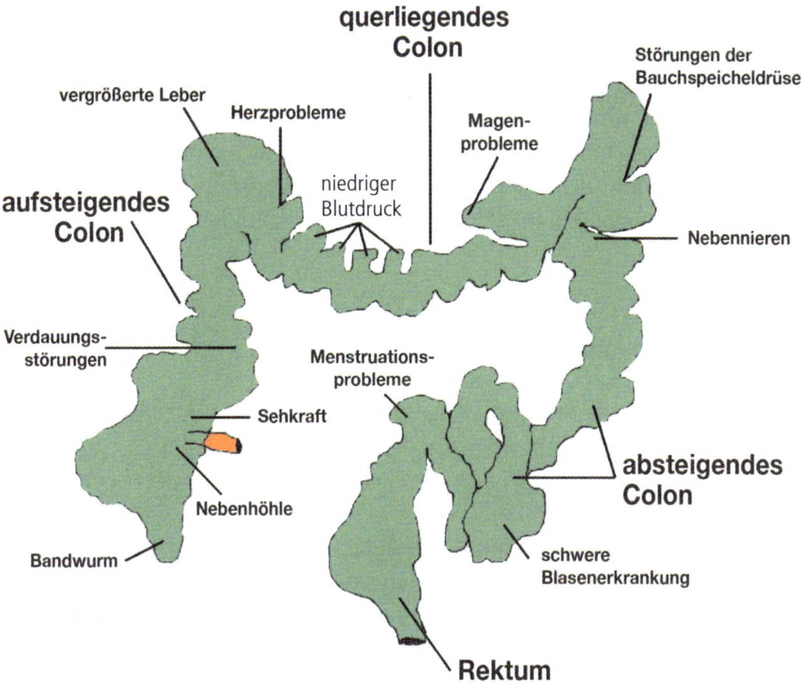

Abbildung 8: Abnorm geformter Colon

Ablagerungen ziehen viele schädliche Bakterien an, die als Nebenprodukt der Abfallzersetzung Toxine erzeugen. Weil einige dieser Toxine beginnen, durch die Dickdarmwände in Blut, Lymphe und die umliegenden Organe zu sickern, beginnen ernstere Komplikationen als nur „Abfallzunahme" zu entstehen. Migräne, Kopfschmerzen, Nacken- und Schulterschmerz, Aufgeblähtsein, prämenstruelle Spannung, unregelmäßige Menstruation, Unterleibskrämpfe, Eierstockzysten, emotionale Instabilität, sexuelle Störungen, Nieren- und Blaseninfektionen, reduzierte mentale Fähigkeiten sowie Krebs sind nur einige der mit einem überlasteten Dickdarm verbundenen Komplikationen. Tatsächlich ist eine chronische Krankheit, die nicht mit einer beeinträchtigten Dickdarmfunktion in Verbindung steht, recht selten. Der Darm ist Sitz der Hauptnervenreflexpunkte, die dieses Organ eng mit jedem Bereich des Körpers verbinden (Abbildung 11). Egal an welchen Teil des Dickdarms sich AMA anheftet, der entsprechende Teil des Körpers wird von Beschwerden und Krankheitssymptomen behaftet.

Wenn zum Beispiel der mittlere Teil Ihres Quercolon chronisch verstopft und geschwächt ist, werden Sie wahrscheinlich Sinusitis entwickeln. Oder wenn jemand toxische Abfallprodukte im gebogenen Bereich seines aufsteigenden / querverlaufenden Colon angesammelt hat (rechte Colonbiegung), werden die Funktionen seines rechten Lungenflügels unterdrückt.

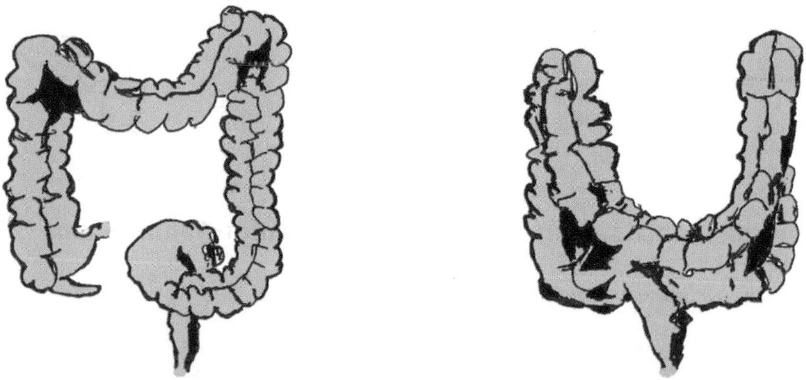

normales Colon **prolabiertes Colon**

Abbildung 9a: Abnormale Zustände des Colon

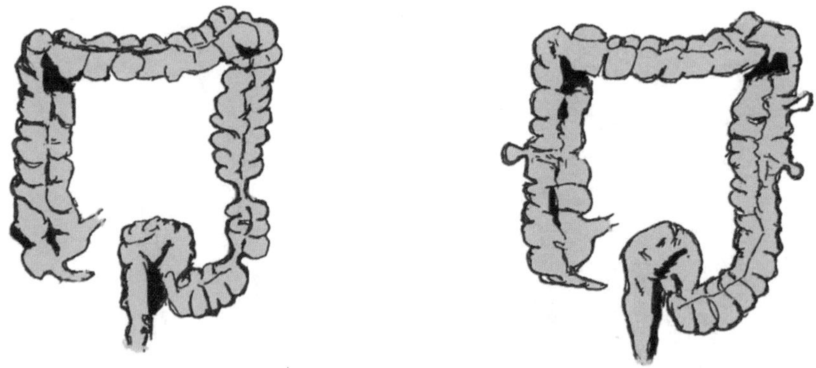

Verengungen **Divertikel**

Abbildung 9b: Abnormale Zustände des Colon

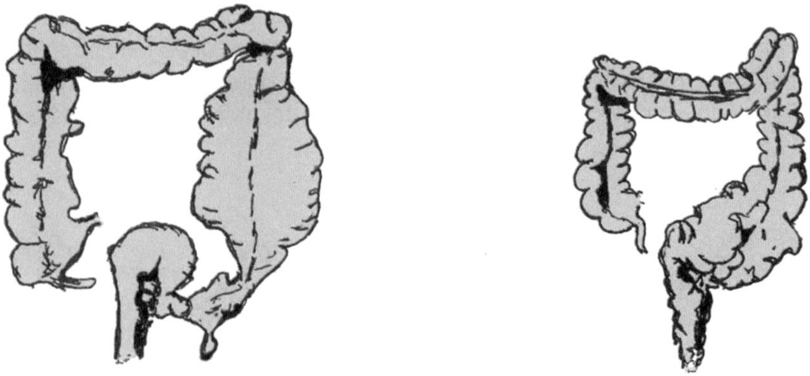

Abbildung 9c: Abnormale Zustände des Colon

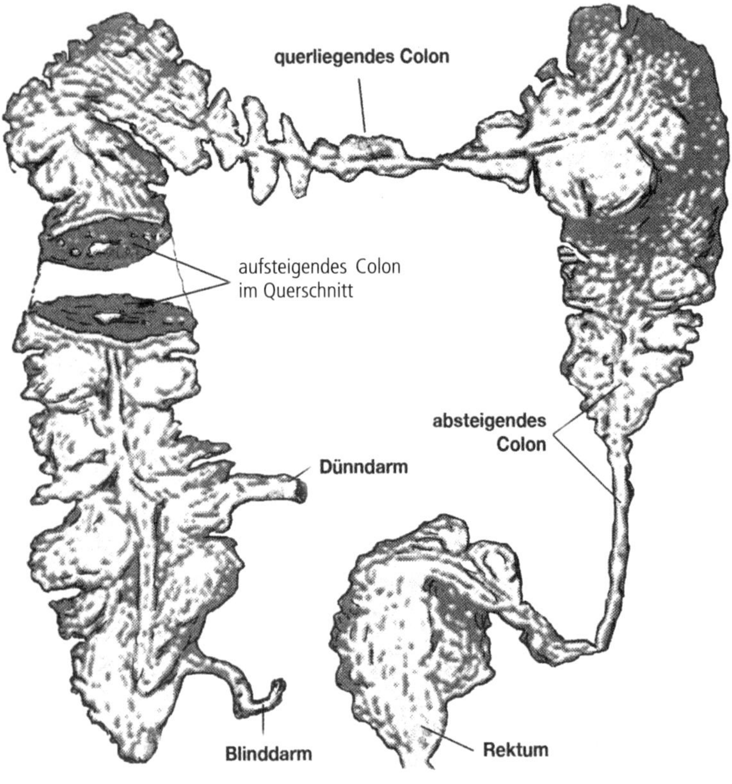

Abbildung 10: Röntgenbild eines überlasteten Colon

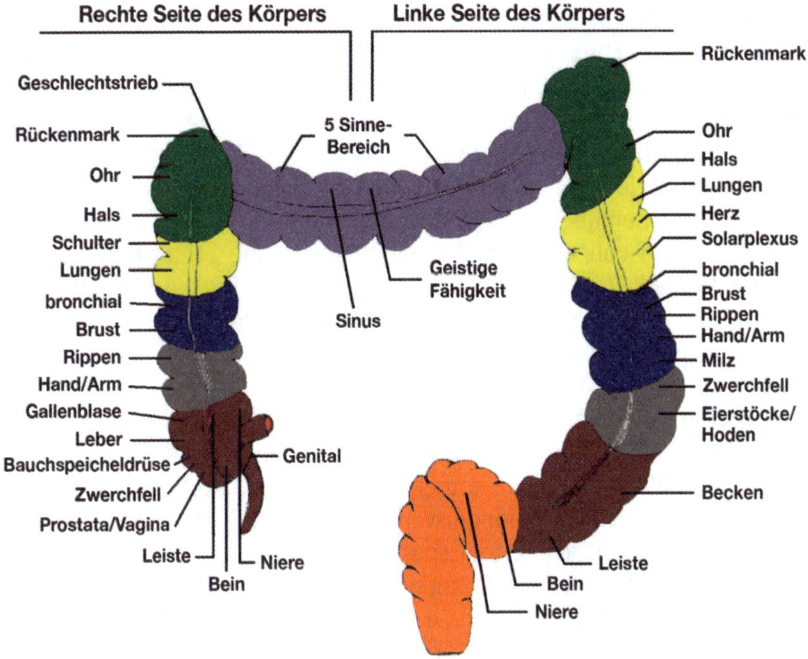

Abbildung 11: Darm-Reflex-Punkte

Wenn sich die rechte Colonbiegung verengt oder krampft, werden die Schultern rundlich, der Sexualtrieb vermindert sich und Migränen können auftreten. Viele Menschen, insbesondere Frauen, leiden unter Migränen, ohne zu wissen, woher sie stammen. Wenn reizende Substanzen in der Nähe des *Knochenmark-Dickdarm Reflexpunkts* vorhanden sind, werden Nervenimpulse *zum verlängerten Rückenmark (medulla oblongata)* an der Basis des Kopfes geschickt, wo es seine vitalen Zentren stimuliert. Eines dieser Zentren kontrolliert die Eng- und Weitstellung der Gefäße. Anfänglicher Schmerz verursacht eine Engstellung der Blutgefäße, wohingegen starker Schmerz Blutgefäßerweiterung, Blutdruckabfall und Ohnmacht verursacht. Das führt zu schlechter Durchblutung, besonders in Händen und Füßen. Bis zu 80 Prozent aller Frauen in den Industrieländern leiden unter leichten oder starken Formen von Migräne, und dies aufgrund einer Dickdarmfunktionsstörung, deren häufigste Ursache Verstopfung ist. Migränen können auch durch andere Formen von Verstopfung im Körper verursacht werden, wie z.B. Gallengangverstopfung, Nierensteine, Verdickung und Schwächung der Blutgefäßwände, usw.

Ein Hinweis für Migränepatienten: Eine neue Studie zeigt, dass Patienten, die unter chronischen Migräneschmerzen leiden, große Linderung durch Pestwurz oder das Pestwurz-Wurzelextrakt, *Petadolex,* finden können. Die Studie wurde in neun Kliniken in den Vereinigten Staaten und in Deutschland durchgeführt und von Forschern des *Albert Einstein College of Medicine* in New York koordiniert. Dem Studienbericht zufolge verspürten Studienteilnehmer, die 75 mg dieses Kräuterproduktes pro Tag über einen Zeitraum von vier Monaten einnahmen, eine 50-prozentige oder größere Häufigkeitssenkung ihrer Migräneattacken. Die einzige berichtete Nebenwirkung war gelegentliches Aufstoßen. Andere, frühere deutsche Studien bestätigen diese Entdeckung. Petadolex kann über viele Internetquellen erworben werden.

Forschungsergebnisse zeigen ebenfalls eine Reduzierung der Migränehäufigkeit durch Riboflavin. Natürliche Lebensmittel, die viel Riboflavin enthalten, schließen grünes Blattgemüse, Avocados und Körner ein. Alkoholkonsum und orale Empfängnisverhütungsmittel neigen dazu, Riboflavinmangel zu verursachen. Ionisches Magnesium ist auch sehr nützlich. Da diese Nährstoffe vom Verdauungstrakt aufgenommen werden müssen, kann ein verstopftes Colon zu Mängeln führen. Eine Ergänzung dieser Nährstoffe während einer Darmtraktreinigung kann die Ursache von Migränen effektiv reduzieren oder beseitigen.

Eventuell können Sie Kopfschmerzen stoppen, indem Sie die natürliche schmerzstillende Fähigkeit Ihres Körpers stimulieren. Indem Sie Druck auf einen Nerv direkt unter Ihrer Augenbraue ausüben, können Sie Ihre Hirnanhangdrüse veranlassen, schmerzstillende Endorphine freizusetzen. Sie schütten ebenfalls Endorphine aus, wenn Sie ein Glas Wasser mit 2 bis 5 Teelöffeln Cayenne Pfeffer trinken, obwohl nicht jeder diese Menge Pfeffer einnehmen kann. Das Gehirn setzt Endorphine frei, wenn der Cayenne Pfeffer auf Ihr Magenfutter trifft. Außerdem können Sie eine kalte Kompresse auf Ihre Stirn oder auf Ihren Nacken legen und die Ohren, Ohrläppchen und den Scheitel Ihres Kopfs massieren.

Kopfschmerzpatienten sollten jedes Medikament, das sie nehmen, auf Nebenwirkungen überprüfen. Verschreibungspflichtige Medikamente sind die häufigste Ursache von Kopfschmerzen bei älteren Menschen. Das Risiko ist größer, wenn Sie mehrere Medikamente einnehmen. Außerdem sind säurehaltige, bearbeitete Nahrungsmittel und Getränke, wie Soft Drinks, Zucker, Schokolade, Milchprodukte, Fisch, Fleisch, Eier, Erdnüsse und andere Nüsse häufige Migräneauslöser.

Andere lebenswichtige Zentren des *Knochenmarks* sind das *Herzzentrum,* das die Häufigkeit und Stärke der Herzkontraktionen kontrolliert; das *Atmungszentrum,* das die Häufigkeit und Tiefe der Atmung kontrolliert; und das *Reflexzentrum,* das Erbrechen, Husten und Niesen initiiert. Colonverstopfung kann zu Störungen in jedem dieser lebenswichtigen Bereiche führen.

Wenn sich toxische Abfallprodukte unter dem Lungenreflexpunkt im ersten Abschnitt des absteigenden Colon anhäufen, können Herzprobleme auftreten. Eine Anhäufung toxischer Abfallprodukte im unteren Bereich des aufsteigenden Colon reizen die Reflexpunkte der Leber und Gallenblase und können zu Kontraktionen der Gallengänge und zur Bildung von Gallensteinen führen.

Ein steifer Nacken auf der rechten Seite deutet darauf hin, dass die Bewegung von Fäkalien im aufsteigenden Colon sehr träge ist, was zu toxischer Überlastung und Reizung des Darms führt. Nackensteifheit auf der linken Seite zeigt, dass Sie unter einem ähnlichen Problem im absteigenden Colon leiden. Wenn Sie auch Steifheit oder Schmerz in den oberen Bereichen der linken und rechten Schulter spüren, deutet dies darauf hin, dass das Quercolon ebenfalls betroffen ist. Eine gründliche Colonreinigung kann Abhilfe schaffen und diese Bereiche entlasten. (Siehe Colonreinigungsverfahren in Kapitel 7.)

Die Ausbreitung von Symptomen

Durch übermäßige Stimulation oder Reizung der neuralen Reflexpunkte des Darms beginnen sich die Symptome von Beschwerden und Krankheiten auf andere Gebiete des Körpers auszubreiten und Darmtoxine in die Lymphe und den Blutkreislauf zu sickern. Infolgedessen können andere Ausscheidungs- und Entgiftungsorgane, wie Leber, Nieren, Haut, Lungen und das lymphatische System, ebenfalls verstopft und überfordert werden, was weitere Entkräftung und Schwäche verursacht.

Das Blut und die Lymphflüssigkeiten sind dazu da, die körpereigenen „natürlichen" Abfallprodukte zu beseitigen, die durch die regelmäßige Stoffwechseltätigkeit der 60 bis 100 Billionen Zellen des Körpers und den Tagesumsatz von mehr als 30 Milliarden Zellen erzeugt werden. Solch eine astronomische Menge alter, abgenutzter Zellen, zusätzlich zur großen Menge täglich erzeugter metabolischer Abfallprodukte abzubauen, zu entgiften und zu entfernen, ist eine ungeheure Arbeit, die der Körper herausgefordert wird pausenlos durchzuführen. Aber wenn der Darmtrakt verstopft ist und schädliche Abfallprodukte die Ausscheidungsorgane überlasten, hat der Körper keine andere Wahl, als eine Toxizitätskrise zu entwickeln, um sich selbst zu retten.

Die Leber ist das erste Organ, das die Flut der Toxine erreicht, die aus dem verstopften Darmtrakt kommen. Wenn sie diesen Toxinen ausgesetzt ist, beginnt die Gallenflora, die aus nützlichen Bakterien besteht, sich zu verändern und es bilden sich intrahepatische Steine in den Gallengängen. Die Steine umschließen die Toxine, um sie davon abzuhalten, weiteren Schaden anzurichten. Aber die Steine behindern ebenso die Gallensekretion und schwächen dadurch AGNI, das Verdauungsfeuer, und machen es ineffizient.

Nun ist der Teufelskreis geschlossen. Niedriges AGNI führt zu weiterer Darmverstopfung und ständig steigender Toxizität in der Leber. Die Leber ist das primäre blutentgiftende Organ des Körpers. Sie entfernt über ihre Gallengänge Toxine, Abfallprodukte, Bakterien, Viren und Chemikalien, mit dem Ziel, diese zur Ausscheidung in den Dünn- und den Dickdarm zu leiten. Unter gesunden Umständen ist das kein Problem. Aber wenn die Gallengänge mit Gallensteinen blockiert werden, bleiben diese schädlichen Substanzen im Blut und werden gezwungen, sich in den Bindegeweben von Organen und Systemen des Körpers, einschließlich des Gehirns und des Nervensystems, anzusammeln. Es ist ein Leichtes sich vorzustellen, dass dies die Organe und Systeme sowohl schwächen als auch vorzeitig altern lässt, und schließlich zu chronischer Krankheit oder sogar zu Organversagen führen wird.

Medizinische Eingriffe, die für gewöhnlich keine Reinigungsverfahren beinhalten, können die Bemühungen des Körpers, die Abfallprodukte zu entfernen, außerordentlich stören. Schmerzlindernde Medikamente führen häufig zu weiterem Schmerz und sogar Tod. Die „Besserung" des Hustens bei einer Lungenentzündung durch medikamentöse Behandlung kann ebenfalls tödlich sein. Die operative Entfernung einer mit Gallensteinen gefüllten Gallenblase löst nicht das zugrunde liegende Problem, weil die Hauptgallengänge der Leber weiterhin verstopft sind. Ist es überraschend, dass medizinische Eingriffe nicht in der Lage sind chronische Krankheiten deutlich zu lindern? Die angesehene Medizinische Zeitschrift New Scientist verkündete auf der Titelseite eines ihrer jüngeren Hefte, dass 80 Prozent der heute angewendeten medizinischen Heilverfahren nie richtig getestet wurden. Niemand weiß wirklich, welche Wirkung sie tatsächlich auf Patienten haben. So viele Faktoren, die zur Krankheit beitragen, können nicht durch die Einnahme einiger Medikamente oder durch Operationen einfach wegbehandelt werden (mehr zu diesem Thema in Was Ärzte Ihnen erzählen sollten in Band 2).

Außerdem können Stress, Anspannung und Anstrengung, die so häufig ein wesentlicher Bestandteil des unaufhörlichen, menschlichen Strebens nach Erfolg, Geld und Macht sind, die Lebensenergie des Körpers entleeren und die Leistungsfähigkeit aller Organe und Zellen in solchem Maße verringern, dass sie beginnen, in ihren eigenen Abfallprodukten zu ersticken. Außerdem können äußere Einflüsse, wie drastische Wetterverhältnisse, Jahreszeitenwechsel, Reisen in andere Länder und die Überschreitung des mittleren Lebensabschnitts die restliche Energie schwächen, die der Körper aufbringen muss, um sich an diese Änderungen anzupassen. Während Sie emotionalen Druck erleben, können alle diese miteinander verbundenen Faktoren plötzlich Auslöser für ein ernstes Gesundheitsleiden werden. Aus diesen oder ähnlichen Gründen haben so viele Menschen in Städten mit großer Umweltverschmutzung während der Sommerzeit Atemschwierigkeiten oder bekommen während des Jahreszeitenwechsels Erkältungen. Lange bevor Sie wirklich krank werden, können Sie unter geringer physischer Energie und einem erschöpften Immunsystem leiden.

Wenn die Zellen und Gewebe des Körpers nicht länger mit ausreichend Nahrung, Wasser und Sauerstoff versorgt werden, beschleunigt sich der Alterungsprozess schnell. Krebs und alle anderen Formen ständiger Toxizität sind in den meisten Fällen der Höhepunkt vieljähriger Überanspruchung oder Unterforderung (Bewegungsarmut) des Körpers, des Geistes und der Sinne, sowie unvollständiger Ausscheidung der Abfallprodukte aus dem Körper. Was wir im heutigen Gesundheitssystem am meisten brauchen, ist die Förderung eines ausgewogenen Lebensstils, gleich von Beginn des Lebens an. Dies hilft jedem, die Lebensenergie des Körpers kontinuierlich aufrechtzuerhalten. Vata – der Hauptstrom der Bewegung im Körper – stellt dem Körper Lebensenergie zur Verfügung.

Vata – Die Kraft der Bewegung

Die Ayurvedische Medizin hatte immer schon ein sehr umfassendes Wissen über den menschlichen Körper und seine komplexen Funktionen. Vor Tausenden von Jahren erklärte Ayurveda, dass die Hauptursachen schlechter Gesundheit und frühzeitigen Todes im Darm liegen. Die alten Heiler betrachteten den Dickdarm, aufgrund seiner lebenswichtigen Rolle, als einen äußerst wichtigen Teil des Körpers. Dies beinhaltet die Synthese und Absorption bestimmter wichtiger Nährstoffe für das Nervensystem und die Ausscheidung von Abfallprodukten. Bedenken Sie, dass der Körper ohne interne Bewegung (Vata) von Flüssigkeiten, Abfallprodukten und Nährstoffen tot wäre.

Vata bedeutet übersetzt „Luft" oder Bewegung und als solche ist sie überall im Körper vorhanden. Betrachten Sie Ihren Körper als ein Netzwerk aus verschiedenen Kanälen, Röhren oder Gefäßen, durch die er Essen, Luft, Wasser, Blut, Lymphe und Abfallprodukte transportiert. Das Nervensystem, das Kreislaufsystem, das lymphatische System, der Verdauungstrakt, die Bronchien und die Lungen, die Gallengänge, die hormonellen Bahnen und die Zellkanäle sind alle Teil dieses enorm komplizierten Netzes, das durch die Bewegung und Kraft von Vata gestützt wird. Verminderte oder übermäßige Bewegung des Körpers macht ihn krank, wohingegen ausgewogene Bewegung ihn gesund und stark hält. Deshalb kann man sich leicht vorstellen, dass die häufigsten Symptome einer „Krankheit", wie Schmerz, Nervosität oder Erschöpfung, natürlich auftreten, wenn solche Bewegungen unsicher oder beschwerlich werden. Wenn Vata (Bewegung) zu hoch ist, kann daraus Hyperaktivität und Bluthochdruck entstehen; wenn Vata sich verlangsamt und zum Stillstand kommt, kann Verstopfung oder ein Gallengangverschluss entstehen. Eine Verstopfung der Kranzarterien, Blutgefäßwände, Lymphknoten, Harnkanäle, Prostata, Gebärmutter, Nebenhöhlen, Schilddrüse und anderer Teile des Körpers sind das Ergebnis gestörter Vata-Aktivität. Der blockierte Vata-Fluss ist für Hunderte von Krankheiten verantwortlich, die die herkömmliche Medizin versucht mit Medikamenten oder medizinischen Behandlungen wegzubehandeln, ohne die Aufmerksamkeit auf die wahren Ursachen der Verstopfung zu lenken.

Vata, eine der drei wichtigsten Kräfte (Doshas), die alle Funktionen des Körpers kontrollieren, ist speziell und vor allem unmittelbar für die richtige Darmaktivität verantwortlich. Der primäre Sitz von Vata ist das Colon. Wenn der Dickdarm frei von Hindernissen ist, ist Vata zur Erfüllung seiner wichtigen Tätigkeit im gesamten Rest des Körpers in der Lage. Das garantiert, dass alle Systeme bestmöglich arbeiten. Andererseits verlangsamt eine Anhäufung von Fäkalien und gehärteten Schleimschichten (AMA) im Dickdarm drastisch die eliminativen Funktionen von Vata im Colon und auch im Rest des Körpers. Auf ähnliche Weise hindert die Anhäufung von Gallensteinen in Leber und Gallenblase Vatas Transport von Galle und beeinträchtigt somit AGNI, das Verdauungsfeuer. Verstopfung in beiden dieser wichtigen Bereiche des Körpers steigert direkt und indirekt die Speicherung schädlicher Substanzen im Darm. Folglich haben gesunde Zellen, die den Darm bilden, nicht mehr genug „Raum" um zu atmen. Abgeschnitten von ihrer Lebensgrundlage, sterben viele von ihnen einfach weg und werden durch Rückstände toxischen, unverdauten Essens ersetzt. Andere, stabilere Zellen mutieren zu Krebszellen.

Wichtige Anmerkung: *Das Sitzen auf einem Toilettensitz im westlichen Stil zwingt dazu, sich anzuspannen, was die Ausscheidung von Abfallprodukten schwierig und unvollständig macht. Menschen sind so beschaffen, ihre Ausscheidung hockend zu verrichten, wie es alle Ureinwohner tun. Um leer gedrückt zu werden, muss das Colon durch die Schenkel zusammengedrückt werden. Außerdem muss der Puborectalis Muskel (Schambein-Mastdarm-Muskel) für die komplette Ausscheidung des Kots entspannt sein und die Ileocecal-Klappe des Dünndarms muss geschlossen werden. Indem sie diese Anforderungen nicht berücksichtigt, macht es die Sitztoilette fast unmöglich das Colon völlig zu entleeren. In sitzender Position zwingt der Puborectalis Muskel den Enddarm aus seiner natürlichen Position und „erwürgt" ihn. Dadurch wird Vata blockiert. Das führt zu Fäkalstagnation und Hämorrhoidenbildung, Blinddarmentzündung, Polypen, Colitis ulcerosa, Reizdarmsyndrom, Diverticulose und Darmkrebs. Andererseits entspannt das Hocken den Puborectalis Muskel und begradigt den Enddarm. Kinder jeder Kultur nehmen instinktiv diese Haltung ein, um sich zu erleichtern. Wie Studien zeigen, entwickeln sie selten diese Darmstörungen, wenn sie nicht umgeschult werden auf westlichen Toilettenschüsseln zu sitzen, außer, ihre Ernährungs- und Lebensgewohnheiten sind unausgewogen.*

Rückenbeschwerden auflösen

Die Anhäufung von Darmabfallprodukten betrifft auch die normalerweise sehr starken Muskeln des aufsteigenden, querliegenden und absteigenden Colon. Unter anderem unterstützen diese den Körper bei der Stabilisierung einer normalen Körperhaltung. Eine nicht ausreichende Blut- und Nährstoffversorgung der Muskelzellen des Dickdarms macht sie locker und schwach. Ein prolabiertes querliegendes Colon, siehe Abbildung 8a, ist bereits ausreichend, um die Körperhaltung eines Menschen erheblich zu deformieren. Die Wirbelsäule wird gezwungen nachzugeben, um dem Rest des Körpers zu helfen, sich an die zusammenbrechenden Strukturen des Colon anzupassen.

Die wichtigsten Bereiche des Magen-Darm-Trakts sind an der Wirbelsäule befestigt. Wenn der Dickdarm also beispielsweise mehr Abfallmaterial als die tägliche Normalmenge unterbringen muss, kann das Gewicht dieser Last die untere Wirbelsäule nach vorne ziehen (siehe Abbildung 12). Da die damit verbundene Deformation der Wirbelsäulenkrümmung eine ungleiche Verteilung des Körpergewichts auf die Wirbelsäule darstellt, erzeugt dies mehrere Stresspunkte, besonders im Bereich der

Wirbelsäule, die dem Enddarm am nächsten liegt. An diesen Stresspunkten ist die Zunahme des Körpergewichts besonders ausgeprägt. Das kann zu großen Problemen im unteren Rücken führen. Die anormale Krümmungsänderung im unteren Rücken (beachten Sie die Haltung des Herrn in der Abbildung, bevor er sich einer Darmreinigung unterzog) führt dazu, dass die oberen Rücken- und Nackenbereiche ebenfalls große anormale Verschiebungen durchleben. In vielen Fällen krümmt sich der Hals nun nach vorne und der Kopf ruht nicht mehr auf den Schultern. Diese Zustände können chronischen Schmerz im Nacken und in den Schultern verursachen. Bitte beachten Sie, dass sich nach der Darmreinigung die Körperhaltung dieses Mannes wieder normalisierte.

Körperliche Bewegung fällt zunehmend schwerer, sobald die Wirbelsäulenstruktur auf diese oder andere anormale Weisen verändert wurde. Somit können das Heben schwerer Gegenstände oder sich zu bücken für mehrere Tage oder Wochen Muskelkrämpfe oder Rückenschmerzen verursachen und es kann sogar Bandscheiben ausrenken. Häufig übt das vergrößerte Colon Druck auf Nieren und Harnröhre (Harnleiter) aus und verschiebt sie. Das kann zur Speicherung reizender und entzündungsverursachender Harnablagerungen führen, die die Hauptursache des qualvollen Schmerzes im unteren Rücken sind, der so viele Millionen Menschen plagt. Die Gesundheit der Prostata und die sexuelle Leistungsfähigkeit können ebenfalls betroffen sein.

Einen weiteren, sehr häufigen Grund von Rückenproblemen stellt die Gallensteinbildung in der Leber und Gallenblase dar. AGNI, das Verdauungsfeuer, wird durch die Galle angetrieben. Jemand, der toxische Abfallprodukte im Colon ansammelt, hat höchstwahrscheinlich auch Gallensteine in Leber und Gallenblase. Diese beiden Störungen arbeiten Hand in Hand. Während die Gallensteine in Größe und Zahl wachsen, vergrößern sich Leber und Gallenblase und üben zunehmenden Druck auf die umliegenden Organe und Körperteile aus. Die Leber umfasst fast die gesamte Breite des Körpers. Wenn sich dieses bereits große Organ noch weiter vergrößert, schränkt es die Bewegung des Zwerchfells ein und reduziert die Atemleistung der Lungen. Die eingeschränkte Atmung zwingt die Lungen, anormale Mengen des Säuregases *Kohlendioxyd* zurückzuhalten. Um sich selbst gegen diese zusätzliche Säure zu schützen, reagieren die Lungen, indem sie mehr Schleim als normal produzieren. Das führt zu Lungenkongestion. Wenn diese Situation nicht auf ursächlicher Ebene gelöst wird, sammeln sich immer mehr Schleim, tote Zellen und Stoffwechselabfälle sowohl in den Lungen als auch in den Bronchien an. Schließlich vergrößern sich die Lungen so sehr, dass sie den Rücken und, in einigen schwereren Fällen, auch die Brust nach außen drücken. Der

Rücken und die Schultern verhärten sich und runden aus, wie es häufig bei Senioren und Leuten mittleren Alters zu sehen ist, aber mittlerweile auch bei Teenagern beobachtet werden kann. All dies kann von Schmerzen im oberen Rücken, Nacken und den Schultern begleitet werden.

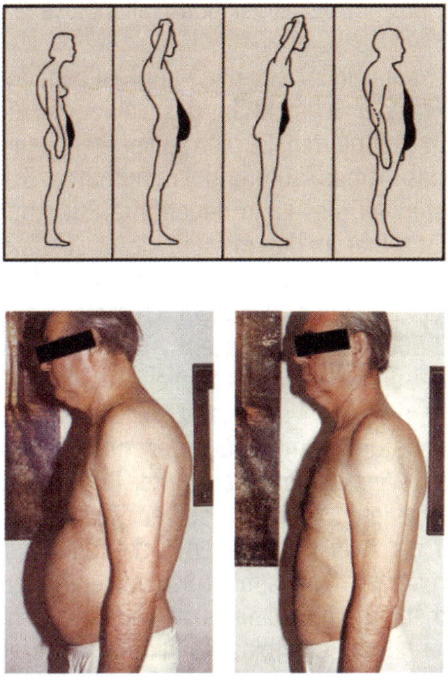

Abbildung 12: Anormale Körperhaltungen

Beachten Sie bitte in der ersten Darstellung den Zusammenhang zwischen den schwarzen Bereichen der Abfallstoffe und der geänderten Wirbelsäulenkrümmung. Das zeigt sich auch in den Fotos.

Die Anhäufung von Gallensteinen in der Gallenblase kann Hunderte verschiedene Symptome im Körper verursachen. Die meisten von ihnen sind detaillierter in meinem Buch Die Wundersame Leber-& Gallenblasenreinigung behandelt worden. Wenn die Gallenblase, die an der Rückseite der Leber befestigt ist, brechend voll mit Gallensteinen ist, muss der Körper in diesem Zusammenhang seine Haltung dem zunehmenden Druck anpassen, den die Gallenblase auf das umliegende Gewebe und die Wirbelsäule ausübt. Das Ergebnis ist eine Rückgratverkrümmung, ein häufiges Phänomen sowohl unter jungen als auch unter alten Menschen. Die rechte Schulter kann absinken und die linke Schulter kann sich anheben.

In einigen Fällen kann sogar der linke Brustkorb beginnen herauszuragen. Es können auch Schmerzen zwischen den Schulterblättern und ein starker, dumpfer Schmerz im mittleren/oberen Rücken auftreten, wenn man für eine Weile aufrecht steht. Die rechte Schulter und der Arm können steif werden. Schultersteife (frozen shoulder) und Tennisarm sind klare Anzeigen dafür, dass in der Leber und Gallenblase Gallensteine vorhanden sind.

Wenn Gallensteine in einem der Hauptgallengänge stecken bleiben, tritt starker, stechender Schmerz um das Gebiet der rechten Schulter auf, der sich auf den kompletten Rücken ausbreiten kann. Während dieses Stadiums fällt das Atmen aufgrund krampfhafter Schmerzattacken zunehmend schwerer. All dies kann dauerhafte Rückenprobleme erzeugen. (Ich persönlich litt selber an den meisten dieser Zustände – inklusive einer schweren Rückgratverkrümmung – und an mehr als 40 Gallenattacken, die alle völlig verschwanden, nachdem ich meine Leber und Gallenblase von insgesamt 3 500 Steinen reinigte.)

Schätzungsweise über 60 Prozent aller Amerikaner haben Rückenprobleme. Ungefähr derselbe Prozentsatz der Amerikaner ist übergewichtig, was im Grunde genommen bedeutet, dass ihre Verdauungssysteme schlecht arbeiten. Wenn Sie ebenfalls unter Rückenschmerzen leiden und überlegen, sich operieren zu lassen, sollten Sie sich der Tatsache bewusst sein, dass mehr als zwei Drittel aller Rückenschmerzpatienten, die sich operieren lassen, letzten Endes mehr Schmerzen haben, als zuvor. Sofern nicht die toxischen Abfallbrocken aus dem Colon und die Gallensteine durch eine Leber- und Gallenblasenreinigung entfernt werden, und die Nieren/Harnleiter gereinigt werden, werden die Ursachen der Rückenschmerzen wahrscheinlich weiterbestehen oder sich verschlimmern. Die mit diesen Blockierungen in Verbindung stehenden Symptome beschränken sich nicht nur auf den Rücken. Eine Verstopfung in diesen Organen kann auch zu einer Energieblockade durch die Rückgratnerven führen, was zu Problemen in den Beinen, wie z. B. schlechter Durchblutung, Taubheit, Schmerz und Krampfadern beiträgt.

Eine andere Hauptursache für Rückenprobleme ist Dehydrierung, die durch stimulierende (harntreibende) Nahrungsmittel wie Fleisch, Kaffee, Tee, Softdrinks, Powerdrinks, Alkohol und durch unzureichende Aufnahme von frischem Trinkwasser verursacht wird. Stellen Sie sich vor, dass das im Kern der Wirbelsäule gelagerte Wasser mehr als 75 Prozent des Oberkörpergewichts stützt! Eingeschränkte Wasserversorgung und angesammelte Abfallprodukte im Darmtrakt reduzieren sowohl das Volumen des Rückgratwassers als auch das Wasser, das im Knorpelgewebe der Scheiben und der umgebenden Rückenmuskulatur enthalten ist. Beides kann auch zu einer Verdünnung der Bandscheiben und zu Muskelkrämpfen führen. Die Verminderung der Körpergröße bei älteren Menschen, die so häufig dem „normalen" Altern zugeschrieben wird, hängt eigentlich nicht mit dem Altern zusammen, sondern ist vielmehr aufgrund der zuvor dargelegten Gründe auf einfache Dehydrierung zurückzuführen.

Rückenprobleme bleiben nur so lange gravierend und kompliziert, so lange den Grundbedürfnissen des Körpers nicht entsprochen wird. Sofern eine Rückenverletzung nicht aufgrund eines Unfalls geschehen ist, können Rückenprobleme dauerhaft gelöst werden; sogar die meisten Verletzungen können erheblich gebessert werden. Nachfolgend finden Sie einfache Lösungen für die komplexesten Rückenprobleme:

1. Geben Sie dem Körper ausreichende Mengen Wasser zu trinken.
2. Entfernen Sie angesammelte Abfallstoffe aus dem Darm.
3. Beseitigen Sie alle Gallensteine aus Leber und Gallenblase.
4. Trennen Sie sich von Nierensteinen (wenn Sie nicht sicher sind, ob Sie welche haben, reinigen Sie trotzdem die Nieren).

Die folgenden Kapitel liefern Ihnen detaillierte Anweisungen zu diesem Zweck. Eine erfolgreiche Bekämpfung der Ursachen chronischer Rückenschmerzen kann für Millionen von Menschen ein neues Leben bedeuten.

Wenn der „Fluss" eine Kehrtwende macht

Während Sie eine Hauptmahlzeit verdauen, erzeugen nützliche Bakterien in Ihren Eingeweiden 10 oder mehr Liter verschiedenartiger Gase (Vata). Diese Gase tragen dazu bei, die peristaltische Bewegung zu stimulieren und zu erleichtern, die notwendig ist, um Nahrung und Abfallstoffe zu transportieren. Sobald diese Aufgabe gelöst wurde, nimmt das Blut diese Gase auf und bringt sie zur Ausscheidung in die Lungen. Wenn jedoch das Colon mit alten, unverdauten Nahrungsmitteln blockiert ist, wird dieses Gas innerhalb der Eingeweide eingeschlossen. Daher verlangsamt sich die natürliche Abwärtsbewegung von Vata, kommt zum Stillstand und wird schließlich umgekehrt. Anstatt alle Abfallprodukte über den Enddarm und After auszuscheiden, macht Vata wortwörtlich eine Kehrtwende und bewegt Teile der toxischen Masse aus gegorener oder verfaulter Nahrung nach oben.

Ein Hindernis in irgendeinem Abschnitt des Darmtrakts wirkt wie ein Damm, der den Nahrungs-, Abfall- und Gas-, sowie Blut- und Lymphfluss behindert. Um das zu verstehen, können Sie sich einen Fluss vorstellen, der durch einen Damm aufgehalten wird. Weil das Wasser beginnt sich anzustauen, verursacht es flächendeckende Überschwemmung.

Die schwerste Form der Blockade ist als Verstopfung bekannt. Verstopfung bremst den Durchlauf aufgenommener Nahrungsmittel durch den Magen-Darm-Trakt, was dazu führt, dass sie verfaulen und gären. Fäulnis kommt vor, wenn Darmmikroben in Proteine, Peptide und Aminosäuren von Eiern, Fisch, Fleisch, Milch und Käse eindringen. Schlecht verdaute Kohlenhydrate, wie Weizen, Bohnen und Obst und Gemüse, werden durch fermentierende Bakterien aufgeschlüsselt. Verfaulende Nahrungsmittel enthalten eine Vielfalt toxischer Abfallprodukte, inklusive Schwefelwasserstoff, Ammoniak, Histamin, Indol, Phenol und Skatol. Schwefelwasserstoff und Ammoniak können die Leber schädigen. Histamin kann zu allergischen Störungen wie Atopische Dermatitis, Urtikaria (Nesselsucht) und Asthma beitragen. Indol und Phenol gelten als karzinogen, d. h. sie können Krebs verursachen. Verstopfung führt zur Rückspülung toxischer Bestandteile, von denen viele ins lymphatische System eindringen. Der verbleibende Rest entweicht entweder nach oben und nach unten oder sammelt sich einfach, wo immer im Darmtrakt möglich, an.

Toxische Abfallprodukte verleihen den menschlichen Fäkalien einen abstoßenden Geruch. Durch den umgekehrten Vata-Druck werden winzige Toxine, schädliche Bakterien, mukoide Fäkalien und einige der schädlichen Gase bis in die oberen Bereiche des Verdauungstrakts gezwungen, was so etwas wie einen „Verkehrsstau" verursacht. Dieses Chaos kann wie Blähungen oder intestinales Aufgeblähtsein, Krämpfe oder Völlegefühl empfunden werden. Blähungen bestehen aus mehr als 250 Gasen, von denen Wasserstoff am häufigsten ist.

Weil sich der Innendruck weiter nach oben ausdehnt, geraten immer mehr Toxine in die lymphatischen Gänge, die dafür verantwortlich sind, den Magen-Darm-Trakt von üblichen metabolischen Abfallprodukten, toten Zellen und natürlichen Lebensmittelgiften, wie z. B. Antikörper zu entleeren. Hierdurch werden *Lymphödeme* in den relativ großen *Cisterna chyli-Gefäßen (Abbildung 7)* erzeugt, die im mittleren Teil des Bauchs (Nabel-Gebiet) liegen und sich durch eine weitere Ausdehnung oder durch Aufblähen des Bauchs bemerkbar machen. Mehr Toxine in den Cisterna chyli-Gefäßen anzusammeln, als man neutralisieren oder abbauen kann, ist meiner Meinung nach einer der Hauptgründe für fast jede chronische Krankheit, inklusive Fettleibigkeit, Herzkrankheit, Diabetes, Arthritis, Alzheimer und Krebs.

Lymphödeme in den Cisterna chyli-Gefäßen verursachen erhebliche Verstopfungen im Brustlymphgang, dem größten lymphatischen Kanal des Körpers, der dafür verantwortlich ist, etwa 90 Prozent der täglich erzeugten säurehaltigen Stoffwechselabfallprodukte des Körpers, tote Zellen und andere toxische Stoffe zu entwässern. Wo auch immer im Körper dieser „Müll" nicht gleich vom Lymphsystem aufgenommen wird, kommt es zu einer Vergiftung der Gewebe und Organe. Wenn der Körper damit beginnt, Maßnahmen zu ergreifen, um sich gegen den Tod durch Übersäuerung zu schützen, neigen die meisten Menschen dazu, Hilfe bei einem Arzt zu suchen, der wiederum zur Überzeugung kommen wird, dass es sich hierbei (Überlebensversuch des Körpers) um eine „Krankheit" handelt. Was der Arzt vermutlich nicht erkennen wird, ist, dass der Körper nicht aufhört zu versuchen sich der toxischen Last zu entledigen, selbst wenn die Behandlung erfolgreich die Symptome der „Krankheit" abschaltet.

Was auch immer von den Abfallprodukten nicht im lymphatischen System landet, setzt seine Reise in aufsteigender Richtung fort. Der kontinuierliche aufwärtsgerichtete Strom aus Abfallstoffpartikeln, Toxinen und Mikroben strömt nun in den Zwölffingerdarm und manchmal sogar durch die *Vater-Ampulle* in den Hauptgallengang. Wie Wasser in ein sinkendes Schiff, kann dieses AMA Material tatsächlich in jeden Winkel des Oberkörpers, einschließlich in den Bauchspeicheldrüsenkanal und die Bauchspeicheldrüse selbst, sickern. Eine Verstopfung des Bauchspeicheldrüsenkanals kann, neben einer Ausschüttungshemmung von Bauchspeicheldrüsenenzymen, eine Bauchspeicheldrüseninfektion und sogar Diabetes verursachen.

All dies erschwert AGNI, das Verdauungsfeuer. Die Lymphdrainage dieser Organe wird zunehmend schwieriger und das Verdauungssystem wird durch die Aufgabe, sich selbst funktionsfähig zu erhalten, stark beansprucht und belastet. Da die Nahrungsverdauung den Körper weiter schwächt, beeinflusst die Menge der eingeschlossenen Fäkalien im Colon sowie der Toxine im Blut und der Lymphe nicht nur, wie der Körper aussieht und sich fühlt, sie macht es auch zunehmend schwieriger für die inneren Organe, ordnungsgemäß zu funktionieren. Die Leber versucht ständig mit der steigenden Menge an Toxinen im Blut fertig zu werden, indem sie neue Gallensteine bildet. Gallensteine in den Gallengängen der Leber können als eine lebende Zeitbombe bezeichnet werden. Nahrung wird, anstatt den Körper mit Energie und Nährstoffen zu versorgen, nun zunehmend in Fett und toxingefüllte Abfallprodukte umgewandelt. Der Körper beginnt jeden Tag ein wenig mehr nachzulassen.

Pitta – Die dynamische Kraft

Der Dünndarm wird hautsächlich von der Energie von Pitta – dem zweiten Körpersaft (Dosha) – kontrolliert. Pitta, was auf Sanskrit „Galle" bedeutet, kontrolliert AGNI und somit die Verdauung und den Stoffwechsel. Pitta sorgt dafür, dass Nahrung richtig verdaut, absorbiert und in seine Grundbausteine umgewandelt wird, die für das Wachstum von neuen Zellen und Geweben benötigt werden. Sobald das Pitta-Dosha an seinem Hauptsitz gestört wird, dort, wo die Gallenblase und die Bauchspeicheldrüse mit dem Zwölffingerdarm verbunden sind, werden folgend alle Stoffwechselprozesse des Körpers gestört. Dadurch wird die Aufnahme und der Stoffwechsel von Nährstoffen insuffizient, und der Körper leidet unter dem Einfluss von Mangelernährung, selbst wenn die Person gut isst. Übergewicht deutet darauf hin, dass der Körper dieses Stadium der Darmfunktionsstörung erreicht hat.

Wenn Vata weiterhin auf umgekehrte Weise arbeitet, werden Darmtoxine und Abfallstofffragmente sowie Teile der Galle, die durch die Gallenblase freigesetzt werden und Enzyme, die durch die Bauchspeicheldrüse freigesetzt werden, weiter in Richtung Magen gedrückt. Eine kontinuierlich verringerte Verfügbarkeit von Galle und verdauungsfördernden Enzymen kann zu Fettleibigkeit führen, was die Voraussetzung für fortgeschrittenen zellulären Hunger sowie für Herzkrankheit und Krebs ist.

Kapha – Zusammenhalt, Struktur und Ausdauer

Die dritte wesentliche Kraft, die den menschlichen Körper kontrolliert, ist Kapha. Kapha steht für Zusammenhalt, Struktur, Ausdauer und Stärke. Sein Hauptsitz ist der Magen und die Brust. Kapha kontrolliert die Verdauungssäfte und bildet das Bindegewebe (die interstitielle Flüssigkeit, die die Zellen umgibt), die Muskeln, das Fett, die Knochen und die Sehnen. Kapha schmiert auch die Gelenke, erzeugt die Schleimhaut in Mund, Hals, Lungen, Magen und den Eingeweiden und hält den Körper zusammen. Ohne die Bindungseigenschaften von Kapha wäre der Körper ein Bündel getrennter, vor Ort verstreuter Zellen.

Kapha wird erschwert, wenn die umgekehrte Bewegung der Vata-Kraft den *Magenpförtnermuskel* erreicht – die Klappe, die den Magen mit dem Zwölffingerdarm verbindet. Der Rückfluss von Galle aus der Gallenblase, sowie Toxine und Mikroben aus den Eingeweiden, und in einigen seltenen Fällen sogar Fäkalien, können die Wände des Zwölffingerdarms ausdehnen und durch den Magenpförtnermuskel in den Magen durchdrücken. Zuweilen kann das krampfartige Verengungen und Schmerz auslösen. Die eingeschlossene Galle und der AMA-Stoff können mancherlei Magenbeschwerden verursachen. Die Magenbeschwerden können je nach den verschiedenen Toxinen und Mikroben variieren. Andere verschärfende Faktoren, wie z. B. Stress, können ebenfalls auftreten. Natürlich beeinflussen Art und Menge der konsumierten Nahrung ebenfalls die Symptome und Schwere der Störung.

In den meisten dieser Situationen reagiert der Magen, indem er große Mengen Schleim absondert, um seine Wände und das Blut gegen das Einströmen dieser reizenden Substanzen zu schützen. Schleim ist eines der wirksamsten Mittel des Körpers, um AMA zu absorbieren und zu „verdauen".

Wenn die gegenwärtige Situation andauert, kann die Magenschleimhaut stellenweise verletzt und dehydriert werden, wodurch sie der zerstörenden Wirkung der Salzsäure ausgesetzt wird. Die Magenzellen beginnen toxische Wasserstoffionen zu absorbieren. Das wiederum vergrößert den inneren Säuregehalt der Zellen, stört ihre metabolischen Prozesse und löst entzündliche Reaktionen aus. Man bezeichnet dies als akute Gastritis, die chronisch werden und zu Magengeschwüren und dem Wachstum von Krebstumoren führen kann. Die Störung von Kapha in diesem Bereich des Körpers kann das psychologische Gleichgewicht und die Zufriedenheit außerordentlich untergraben. Sie geht zumeist einher mit einem „komischen Gefühl im Bauch, sowie mit Unsicherheits- und Nervositätsgefühlen".

Störung der Doshas

Die Symptome umfassen:

- Schlechter Atem
- Häufige Erkältungen
- Husten
- Bronchitis
- Asthma
- Lungenentzündung
- Lymphstau
- Immunschwäche
- Heuschnupfen
- Allergien
- jede chronische Krankheit

Der Rücklauf von Vata in die Eingeweide verschiebt sowohl das Pitta-Dosha (im Mittelteil des Körpers) als auch das Kapha-Dosha (im Magen und der Brust). Je mehr die Toxine beginnen in den Magen-Darm-Trakt zurückzufließen, desto ineffizienter wird die Lymphdrainage der in der Beckengegend liegenden Organe. Achtzig Prozent des lymphatischen

Systems sind mit den Eingeweiden verbunden, was diesen Bereich des Körpers zum größten Immunaktivitätszentrum macht. Das ist kein Zufall. Der Magen-Darm-Trakt ist in Wahrheit der Teil des Körpers, indem die meisten Krankheitserreger erzeugt und neutralisiert werden. Jedes Lymphödem oder andere Arten der Verstopfung in diesem wichtigen Bereich des lymphatischen Systems können in anderen Teilen des Körpers zu potenziell ernsten Komplikationen führen.

Wo auch immer ein Lymphgang versperrt ist, muss es auch anormale Anhäufungen von Lymphflüssigkeit in der Umgebung des Verstopfungsbereichs geben. Somit können die in diesem Gebiet gelegenen Lymphdrüsen die folgenden Dinge nicht mehr ausreichend neutralisieren oder entgiften: tote und lebendige Fresszellen[10] und ihre aufgenommenen Mikroben, tote oder ausgediente Zellen, Zellen, die durch Krankheit beschädigt wurden, Gärungsprodukte, Pestizide in Nahrungsmitteln, eingeatmete oder aufgenommene toxische Partikel, bösartige Tumorzellen und Millionen von Krebszellen, die jeder gesunde Mensch täglich entwickelt. Eine unvollständige Zerstörung dieser gefährlichen Substanzen kann dazu führen, dass sich die damit verbundenen Lymphknoten entzünden, vergrößern und mit Blut überfüllt werden. Infizierte Stoffe können in den Blutkreislauf eindringen und septische Vergiftung und chronische Krankheiten verursachen. In den meisten Fällen tritt die Lymphverstopfung jedoch langsam ein, ohne irgendwelche Symptome außer einer Schwellung des Bauchs, der Hände, der Arme, der Füße oder der Knöchel oder einer Aufgedunsenheit des Gesichts und der Augen. Das wird häufig als „Wassereinlagerungen" bezeichnet, ein Vorläufer oder Begleiter chronischer Krankheit.

Ununterbrochene Lymphverstopfung führt normalerweise zu chronischer Toxizität. Wie schon zuvor erklärt, ist fast jede chronische Krankheit das Ergebnis von Verstopfungen in den Cisterna chyli-Gefäßen (Abbildung 7), die sich vor dem zweiten Lendenwirbel befinden. Diese sackförmige lymphatische Masse sammelt Lymphe aus den beiden lumbalen Lymphstämmen, dem rechten und dem linken, und dem intestinalen Lymphstamm. Anders ausgedrückt, jede Lymphe aus den unteren Gliedmaßen, den Wänden und inneren Organen des Beckens, den Nieren und Nebennieren, den tiefen Lymphgefäßen des größeren Teils der Bauchdecke sowie dem Magen, der Bauchspeicheldrüse, der Milz und dem tiefer gelegenen

[10] Eine Fresszelle ist eine Zelle, die Fremdkörper wie Mikroorganismen oder Ablagerungen durch einen Prozess, bekannt als Phagozytose, aufnimmt und zerstört.

und vorderen Teil der Leber muss die Cisterna chyli passieren, um gefiltert und entgiftet zu werden. Das ist eine enorme Menge Lymphverkehr für diese Zentralstation in der Mitte Ihres Körpers, mit der sie sich jeden Tag auseinandersetzen muss. Sie passiert die Lymphe und den Chylus (eine milchige Flüssigkeit, die aus Lymphe und emulgierten Fetten oder freien Fettsäuren besteht, die im Dünndarm durch Verdauung von Fetten gebildet wird) in den *Milchbrustgang*.

Der Brustkanal ist der Hauptstamm aller Lymphgefäße des Körpers, mit Ausnahme der, die sich auf der rechten Seite des Kopfes, des Halses und der Brust, des rechten Arms, der rechten Lunge, der rechten Seite des Herzens und der Konvexfläche der Leber befinden. Im Erwachsenen schwankt die Länge von 38 bis 45 cm und erstreckt sich vom zweiten Lendenwirbel bis in die Halswurzel. Er transportiert den größeren Teil der Lymphe und des Chylus ins Blut. Seine großen und kleinen Verzweigungen erreichen alle wichtigen Teile des Oberkörpers.

Schließlich wird der Milchbrustgang durch den übermäßigen Zustrom von toxischem Material überlastet und ebenfalls verstopft. Dasselbe Schicksal ereilt auch seine zahlreichen Zweige, die für die Lymphdrainage der umgebenden Bereiche zuständig sind, inklusive Teile der Lungen, der Bronchien, des Herzens, der Schilddrüse, des Kopfes, des oberen Rückens und anderer Gebiete des Oberkörpers. Da die „Abwasserleitung" der Brust den größten Teil der täglich erzeugten, körpereigenen Zellabfallprodukte und andere schädliche Stoffe entfernen muss, verursacht eine dortige Verstopfung die Rückspülung der Abfallprodukte sogar in relativ entfernte Bereiche des Körpers.

Wenn die täglich erzeugten Stoffwechselabfallstoffe und der Zellschutt nicht binnen einer bestimmten Zeitspanne aus einem Bereich des Körpers entfernt wurden, beginnen Krankheitssymptome in Erscheinung zu treten. Nachfolgend finden Sie nur einige Beispiele von Krankheitsindikatoren, die direkt mit chronischem Lymphstau in Verbindung stehen:

Fettleibigkeit, Eierstockzysten, Gebärmutterfibrome, Vergrößerung der Prostata, Rheumatismus in den Gelenken, Vergrößerung des Herzens, kongestive Herzinsuffizienz, verstopfte Bronchien und Lungen, Erweiterung des Nackenbereichs, Steifheit in Nacken und Schultern, Rückenschmerzen, Kopfschmerzen, Migräne, Schwindelgefühl, Gleichgewichtsstörungen, Ohrenklingeln, Ohrenschmerzen, Taubheit, Schuppen, Haarausfall, häufige Erkältungen, Nebenhöhlenentzündungen, Heuschnupfen, bestimmte Asthmaarten, vergrößerte Schilddrüsen, Augenkrankheiten, schlechtes Sehvermögen, Schwellung der Brüste, Brustkrebs, Nierenprobleme, Kreuzschmerzen, Schwellung der Beine und Knöchel, Skoliose, Gehirnstörungen, Gedächtnisschwund, Magenprobleme, vergrößerte Milz, Reizdarmsyndrom, Hernie, Darmpolypen und viele andere.

Normalerweise werden alle lymphatischen Abfallprodukte in den Lymphflüssigkeiten entgiftet (enthalten in den Lymphdrüsen und Lymphgefäßen), bevor sie ins Blut eindringen. Der Milchbrustgang erstreckt sich senkrecht in die Brust und krümmt sich später zur linken *Halsschlagader* und linken *Drosselvene* auf Höhe des C7 Wirbels, um in den Verbindungspunkt zwischen der linken *Schlüsselbeinvene* und der *Drosselvene* unter dem Schlüsselbein, in der Nähe der Schultern, zu münden. Die Schlüsselbeinvene geht in die *obere Hohlvene* ein, die direkt ins Herz führt.

Neben der Blockierung einer einwandfreien Lymphdrainage durch die oben erwähnten Organe oder Teile des Körpers, ermöglicht eine Verstopfung in der Cisterna chyli und im Milchbrustgang toxischen Materialien ins Herz und in seine Arterien einzudringen. Das belastet übermäßig das Herz. Gleichzeitig erlaubt es Toxinen und Krankheitserregern in den allgemeinen Blutkreislauf einzudringen und sich auf andere Teile des Körpers auszubreiten. Eine Krankheit wird nicht selten durch ein gewisses Maß an Lymphverstopfung verursacht. Zumeist haben Lymphverstopfungen ihren Ursprung in schlechten Verdauungsfunktionen und verstopften Leber-Gallengängen. Ein Mangel an körperlicher Bewegung spielt auch eine Rolle. Im Gegensatz zum Kreislaufsystem hat das Lymphsystem keine zentrale Pumpvorrichtung, um die Lymphflüssigkeit in den ganzen Körper zu pumpen. Stattdessen hängt ein korrekter Lymphfluss meistens von der Atmung und von ausreichender Bewegung ab.

Wenn die Rückwärtsbewegung von Vata ohne Abhilfe weiterbesteht, werden Schadstoffe, Gase und schädliche Bakterien aus den unteren Bereichen der Eingeweide durch den Verdauungstrakt weiter aufwärts gebracht. Die Bakterien zur Zersetzung dieser Abfallprodukte beginnen toxische Fäulnisgase zu erzeugen, die gemeinhin als „Mundgeruch" bezeichnet werden. Einige der Gase können auch vom Blut aufgenommen werden, das sie ins Bronchialsystem und die Lungen transportiert, wo sie Reizungen des schützenden Schleimfutters verursachen. Den unangenehmen Geruch, der durch bakterielle Zersetzungsvorgänge von beschädigten oder toten Zellen entsteht, kann man in den seltensten Fällen mit Minze oder Kaugummi überdecken.

Das Versagen des überfüllten lymphatischen Systems, metabolische Abfallstoffe effizient aus den Atmungsorganen zu entfernen, kann eine Vielfalt von Symptomen verursachen. Wenn eingeschlossene Toxine im Bronchialsystem zum Beispiel anfangen, sich mit Bakterien zu vermischen, die dort auf natürliche Weise vorhanden sind, wird der Körper zunächst versuchen, einige von ihnen durch Schleim zu entfernen, der während einer Erkältung oder eines Hustens gebildet wurde. Wenn jedoch solche Bemühungen durch Medikamente unterdrückt oder durch Aufnahme verstopfender Nahrungsmitteln oder Stress unwirksam gemacht werden, beginnt das Schleimfutter sich weiter zu verdicken. Das verursacht Atemprobleme, Bronchitis und letztendlich Asthma. Lungenentzündungen und andere Atemwegsinfektionen treten auf, wenn bestimmte Mikroben, die ständig anwesend und normalerweise ungefährliche Bewohner der Lungen sind, fruchtbaren Boden in der verstopften Umgebung finden und beginnen sich auszubreiten. Das Bronchialsystem und die Lungen versuchen einen Teil dieses übermäßigen Schleims zu entfernen, der als Reaktion auf die Reizung gebildet wurde, indem sie ihn durch den Rachen aushusten. Kettenraucher werden ebenfalls mit diesem Problem konfrontiert, nachdem sie am Morgen aufwachen.

Während sich die Lymphverstopfung verschlimmert, wird die Versorgung von Lunge, Herz, Leber, Nieren, Magen, Eingeweiden und anderen Teilen des Körpers mit Sauerstoff und Wasser immer knapper. Infolgedessen kann der Körper die ordentliche Ausscheidung von Kohlendioxyd und anderen Stoffwechselabfallstoffen sowie von Zellschutt aus den Geweben und Organen nicht mehr garantieren.

Wenn der Körper die Verdauungsgifte AMA, in seinen Bemühungen die aufgestauten Toxine zu beseitigen, weiter antreibt, können einige von ihnen in und um die Thymusdrüse herum, die dafür verantwortlich ist, Immunzellen zu aktivieren, abgelagert werden. Die Verstopfung des Thymus schwächt die natürliche Verteidigung des Körpers gegen Krebs, Bakterien, Parasiten und Viren. Wenn Schnupfen auftritt, ist es nicht ratsam, ihn wie eine örtlich begrenzte Störung zu behandeln. Eine Erkältung ist eine Toxizitätskrise, die das Bedürfnis des Körpers darstellt, sich von Toxinen zu befreien, die sich bereits überall ausgebreitet haben. Wenn Schnupfen oder Grippe häufig auftreten, können die Schleimmembranen überempfindlich auf Staub und Pollen reagieren, was Niesanfälle, Bronchialspasmen und ständiges Augentränen – typische Symptome von Heuschnupfen – verursachen kann.

Alle Toxine haben eine dehydrierende Wirkung, weil die Zellen des Körpers wertvolles Wasser abgeben müssen, um sie zu entfernen – Wasser, auf das sie nicht verzichten können. Allergien und Asthma deuten darauf hin, dass der Körper die Produktion des Neurotransmitters *Histamin* erhöht hat, welcher sowohl für die Regulierung des Wassermetabolismus und der Wasserversorgung, als auch für antibakterielle und antivirale Aktivitäten verantwortlich ist. In einem gut hydrierten Körper werden Fremdstoffe wie Bakterien, Viren, Chemikalien und Proteine, wie sie in Pollen vorkommen, ganz einfach neutralisiert, ohne dass dabei das Histaminniveau übermäßig angehoben werden muss. Die *Histamin*aktivität wird übersteigert, wenn der Körper dehydriert wird, was aufgrund von Toxinen oder ungenügender Wasseraufnahme vorkommen kann. Im letzten Fall kann der Körper auf alle Arten Allergene überempfindlich werden, einschließlich des Kaliums im Orangensaft.

Bei Asthmatikern fördert die übermäßige Abgabe von Histaminen

Bronchialverengungen. Sobald die dehydrierten Körper der Patienten die täglich normale Menge Wasser[11] aufnehmen und die vorhandenen Toxine entfernt werden, einschließlich derer, die durch gegorene und verfaulte Darmabfälle sowie Gallensteine aus der Leber erzeugt wurden, lässt die Histaminproduktion wieder nach. Dadurch beginnt die Bronchialverengung sich zu vermindern oder zu verschwinden. In einigen seltenen Fällen kann es aber auch notwendig sein, das komplette Gedächtnis der Immunzellen zu löschen, das für die Bildung von Antikörpern beim Kontakt mit normalerweise harmlosen Allergenen (Fremdstoffen) verantwortlich ist, um eine Allergie dauerhaft zu beseitigen. Um das Gleichgewicht des Körpers vollständig wiederherzustellen, kann es notwendig sein alle vorhandenen Allergien, einschließlich der versteckten auf Nahrungsmittel, Pollen, Staub, Chemikalien, Metalle und dergleichen, zu neutralisieren. (Für Details beachten Sie bitte Kapitel 7, *Die Heilkraft der Natur einsetzen*.)

Wenn der Körper weiter Toxine schneller ansammelt, als er imstande ist zu entfernen, wird er ihnen gegenüber letztlich „tolerant". Anders gesagt, Sie können sich an das Trinken alkoholischer Getränke, Rauchen, zu viel zu essen und sich selbst zu zermürben „gewöhnen", ohne irgendwelche Anzeichen größerer Beschwerden zu entwickeln. Das bedeutet lediglich, dass der Körper nicht mehr auf den Aufbau von Toxinen reagiert.
In diesem Fall ist der Körper nicht mehr fähig, sich „tapfer zu halten" und kann keiner weiteren Toxizitätskrise unterliegen. Erkältungen und Fieber treten nun nicht mehr auf. Das ist jedoch der Zeitpunkt, an dem die wirklichen Probleme anfangen.

Unfähig, die toxischen Ablagerungen zu entfernen, wird der Körper massiv verstopft. Daher können die normalen Signale intakter Selbstverteidigungsmechanismen nicht mehr entstehen und scheitern, vor der drohenden Gefahr eines Dauerschadens zu warnen. Das ist der Beginn chronischer Krankheit. Was zuvor ein gelegentlicher Schnupfen gewesen wäre, verwandelt sich jetzt in chronische Bronchitis, Lungenentzündung, ein Magengeschwür, chronische Blasenentzündung, Syphilis, Alzheimer, Multiple Sklerose (MS), Fibromyalgie (FMS), Herzkrankheit, Krebs oder irgendeine andere Krankheit. Eine Krebsgeschwulst wie ein lokales,

[11] Um die Histaminreaktion des Körpers auf Dehydrierung zu stoppen, was die Durchblutung einengt und Ihr Bedürfnis nach Wasser reduziert, könnte alles, was Sie brauchen, Wasser sein. Also sollten Sie beim nächsten Asthmaanfall versuchen, 2 oder 3 Gläser Wasser zu trinken, anstatt zu Medikamenten zu greifen. Es könnte Ihr Verhalten fast unverzüglich stoppen. (Und sorgen Sie dafür, jeden Tag 6-8 Gläser Wasser zu trinken.)

separates Krankheitsereignis zu diagnostizieren und zu behandeln, ist genauso unlogisch, wie die ausgetrockneten Blätter einer Pflanze dafür verantwortlich zu machen, dass die Pflanze verwelkt und stirbt. Wasser auf die Blätter zu gießen, anstatt auf die Wurzeln, hat keinen Sinn und es rettet die Pflanze nicht. Jene, die die Reinigungsmechanismen ihrer Körper weiterhin wie eine Infektion oder eine einfache Erkältung unterdrücken, verletzen sich mehr als sie wissen. Sie schaffen einen Teufelskreis von Krankheiten. Den Körper bei seinen eigenen Bemühungen zu unterstützen, Toxine durch natürliche Reinigung und immunstärkende Ansätze zu entfernen, wie z. B. durch die Einnahme von MMS, Pau D' Arco oder Olivenblattextrakt (siehe Kapitel 7), führt zu mehr Erfolg, als zu versuchen, die eigenen Hilfsmaßnahmen des Körpers zu stören oder zu beenden. MMS (siehe auch www.ener-chi.com) schlüsselt beispielsweise Toxine in harmlose Bestandteile auf, während es das Immunsystem stärkt und gleichzeitig alle Krankheitserreger tötet.

Wenn Vata „den Kopf trifft"

Symptome schließen ein:

- Arrhythmie
- Gewichtsverlust
- Muskelschwund
- Hitzewallungen
- Gewichtszunahme
- Vorstehende Augen
- Nervosität
- Mentaler Stress
- tyreoidale Probleme
- Stoffwechselstörungen
- Ohreninfektion
- Meningitis
- Schwerhörigkeit
- Rachen-, Zahn- und Nebenhöhlenprobleme
- Augenprobleme, Kopfschmerzen
- Haarausfall
- Gedächtnisschwund

Wenn der „Fluss aus Toxinen" in die oberen Bereiche des Körpers fließt, erreicht er schließlich solch empfindliche Gebiete wie die Schilddrüse. Die Durchblutung und die Lymphdrainage werden beeinträchtigt. Der Blutstau, der durch die Verdickung des Bluts gekennzeichnet ist, hindert die Hormone daran, ihre Zielorte im Körper rechtzeitig und in ausreichenden Mengen zu erreichen. Infolgedessen verfallen die Drüsen in eine Hormonhypersekretion (Überproduktion). Wenn sich die Schilddrüse auf fehlgeleitete Art verhält, steigt der gesamte Energieumsatz des Körpers an. Die

Zellen des Körpers werden hyperaktiv und benötigen eine ständig steigende Menge an Nährstoffen.

In Anbetracht der Verstopfung der abdominalen Cisterna chyli-Gefäße und des Brustlymphgangs gelingt es den Lymphgängen nicht, die Stoffwechselabfälle aus der Schilddrüse in den Brustlymphgang ausreichend abzupumpen. Wenn die Lymphdrainage aus den Drüsen mangelhaft ist, verstopfen sie. Lymphdrüsen können anfangen anzuschwellen und die Schilddrüse vergrößert sich. Das verursacht Hormonhyposekretion (Mangel).

Krankheiten, die mit einer Störung des Gleichgewichts der Schilddrüse verbunden sind, sind toxischer Kropf, Basedowsche Krankheit, Kretinismus, Myxödem, Tumore der Schilddrüse und des Hypoparathyreodismus, der die Kalziumaufnahme reduziert und grauen Star verursacht. Verhaltensstörungen und Demenz können ebenfalls ihren Ursprung in Gleichgewichtsstörungen der Schilddrüse haben. Die mangelhafte Entgiftung der Schilddrüse führt zu *Schilddrüsenfunktionsstörungen.*

Eine hohe Toxizität der Schilddrüse verursacht häufig Herzrhythmusstörungen, ein ernstes Herzleiden, unter dem ich litt, als ich ein Kind war. Das Herz wird einfach überlastet, weil es versucht, zusätzlichen Sauerstoff und Nährstoffe an die hyperaktiven Körperzellen zu liefern. Anverwandte Symptome umfassen anormale Gewichtsabnahme, Muskelschwund und -schwäche, übergroße Wärmeentwicklung, Rötung der Brust, des Halses und des Gesichts und Hyperaktivität des Nervensystems. Der letztgenannte Zustand verursacht Nervosität, körperliche Unruhe und physischen Stress.

In vielen Fällen beginnen die Augen aufgrund von überschüssigen Fettablagerungen, degenerierten Proteinen, fibrösem Gewebe und anderen Schadstoffen, sowohl im Inneren als auch hinter den Augäpfeln herauszuragen. Der Augeninnendruck kann Starren, Unbeweglichkeit der Augen und andere Sehprobleme verursachen.

Wenn ein Lymphstau besonders in der Schilddrüse eines Kapha-Körpertyps auftritt (siehe Abschnitt über die Körpertypen in Kapitel 5), senkt die daraus entstehende geringe Produktion von Schilddrüsenhormonen die Grundstoffwechselrate des Kapha-Körpertyps, was zu Gewichtszunahme und Verlangsamung der geistigen Fähigkeiten führen kann. In diesem Fall kann der Körper frieren, selbst wenn die Umgebungstemperatur hoch ist. Bei Vata- und Pitta- Körpertypen kann es Haarausfall hervorrufen.

Ohrbeschwerden treten gewöhnlich auf, wenn Stoffwechselgifte aus den Brust- und Kopfbereichen aufgrund der Lymphverstopfung nicht richtig abgepumpt werden. Andere Schadstoffe, die aus dem Magen-Darm-Trakt stammen, können ebenfalls in die Ohrtrompete (Eustachische Röhre) gezwungen werden. Wenn dies mit einer Infektion der oberen Atemwege einhergeht, können Mikroben aus dem Brustbereich in die Ohrkanäle gelangen und schmerzhafte Ohrinfektionen und Eiteransammlungen (tote, abgebaute Zellen) verursachen. Wenn diese falsch behandelt werden (durch pharmazeutische Medikamente), kann dies zu Tumorbildung, Gehirnhautentzündung und anderen Gehirnstörungen und sogar zu Taubheit führen. Wenn Ihnen Flüssigkeit aus den Ohren läuft oder Sie eine Schwellung in der Nähe der Ohren entdecken, müssen Sie sofort einige Reinigungsverfahren starten. (Siehe Kapitel 6 und 7.)

Anmerkung: *Kurzfristige Linderung kann die uralte Technik der Ohrkerzentherapie bieten, die hilft altes Wachs, Pilze und giftige Rückstände aus den Ohren zu entfernen und die Lymphkanäle für verbesserte Drainage zu öffnen. Es ist ebenfalls hilfreich einige Tropfen Urin in die Ohren zu geben, um einen Teil der Verstopfung zu lösen.*

Wenn der Körper in diesem Stadium des Ungleichgewichts noch einigermaßen hydratisiert ist und nicht gestört wird, wird er zusätzliche Flüssigkeits- und Schleimmengen liefern, um zu verhindern, dass Toxine in den Blutstrom eindringen. Jeder Eingriff in diesen überaus sensiblen Bereich des Körpers sollte mit äußerster Sorgfalt vorgenommen werden, weil er die Sinnesorgane (Sehvermögen, Gehör, Geruch, Geschmack und den Tastsinn) beschädigen kann.

Die meisten Menschen glauben, dass Probleme wie Karies, Mandelinfektionen, Ohrenschmerzen, Schwindelgefühl, Tinnitus, Angina, Nacken- und Schultersteifheit, Haarausfall, eine heisere Stimme, defektes Sprachvermögen, Kopfschmerzen, verstopfte Nasen, Nebenhöhlenverstopfungen usw. nur zufällige Ereignisse sind, die nicht sehr ernst genommen werden müssen. Und doch können diese „geringen" Beschwerden auf ein größeres Ungleichgewicht im Verdauungssystem hinweisen. Sie können die Vorzeichen von potenziell lebensbedrohlichen Kreislaufproblemen, Herzanfällen, Schlaganfällen und sogar Gehirntumoren sein. Eine epidemiologische Studie, die von den US-Gesundheitsbehörden CDC (Centers for Disease Control and Prevention) durchgeführt und in der Zeitschrift *Stroke* veröffentlicht wurde, kam zu der Erkenntnis, dass ein größerer Zahnverlust mit einer erhöhten Herz- und Schlaganfallsgefahr einhergeht. Durch die Überwachung einer Gruppe von 1 056 Patienten war es einem gemeinsamen Team aus Ärzten und Zahnärzten der *Oral Infections and Vascular Disease Epidemiology Study* (INVEST) möglich, in der Zeitschrift *Circulation* zu berichten, dass Menschen mit hoher Paradontalbakterienzahl auch dickere Auskleidungen der Halsschlagadern – ein Hauptrisikofaktor für Schlaganfall – aufwiesen. Zuletzt berichteten Forscher der Coronary Event and Periodontal Disease Study (CORODONT) in den *Annals of Internal Medicine,* dass eine hohe Paradontalbakterienzahl im Zusammenhang mit einem vermehrten Auftreten von Herzkrankheiten unter den 789 CORODONT Teilnehmern stand. Wenn sich der Toxinfluss aus dem Körper umkehrt und beginnt, die Organe und Systeme des Oberkörpers zu beeinflussen, können die anscheinend unbedeutenden, durch diese Gifte verursachten Symptome zu chronischen Krankheiten oder sogar zum Tod führen.

Ein kontinuierlicher Zustrom von Toxinen in die Nasengegend kann eine Vergrößerung des Nasenbeins oder Nasenknorpels verursachen. Die Toxine arbeiten wie starke Stimulanzien und können Wachstumsfaktoren vergrößern, was zu übermäßigem Gewebewachstum führt. In diesem Fall kann Heuschnupfen entstehen. Sinuskopfschmerzen, Sehschwäche, wunde Stellen, angeschwollene oder aufgedunsene Augen sowie Kopfschmerzen allgemein stehen direkt mit einer Anhäufung von Toxinen in Verbindung, die durch Lymphverstopfung und Rückspülung von Toxinen aus den Eingeweiden verursacht wird. Die Namen der verschiedenen Symptome sind nicht relevant. Jedoch ist es wichtig zu wissen, dass alle diese Symptome Anzeichen für die Versuche des Körpers sind, Toxine zu beseitigen, die sich an verschiedenen Orten angesammelt haben. Die Behinderung der Vata-Aktivität, d. h. der Bewegung von Luft, Wasser, Lymphe, Blut, Abfallmaterial oder jedem anderen Material durch den Körper, ist der gemeinsame Faktor jeder Toxizitätskrise (Krankheit).

Die Krise entsteht, wenn keines der drei *Doshas* dazu fähig ist seine zugewiesenen Aufgaben richtig auszuführen. Indem sie von ihren jeweiligen Aufenthaltsorten vertrieben werden, werden die normalerweise ungefährlichen Doshas Vata, Pitta und Kapha beeinträchtigt und zerstörerisch. Durch Unterdrückung oder Bekämpfung der Beschwerden oder Krankheitssymptome verlieren die Doshas noch mehr das Gleichgewicht. Der Einsatz von Medikamenten, die nur darauf abzielen, die Krankheitssymptome zu lindern, kann einen langfristigen Schaden der Physiologie verursachen und sollte nur als letztes Mittel eingesetzt werden.

Jeder erfolgreiche Heilansatz muss auf dem Ausgleich der drei Doshas – Vata, Pitta und Kapha – beruhen. Sobald sie an ihren rechtmäßigen Orten ruhen, stellen sie sicher, dass der Körper mit der bestmöglichen Genauigkeit und Leistungsfähigkeit arbeitet. Alle Zirkulationskanäle bleiben frei, die Verdauung bleibt stabil und die Beseitigung von Abfallmaterial verläuft gleichmäßig, vollständig und reibungslos. Dies ermöglicht dem Körper, jede Zelle und jedes Gewebe kontinuierlich mit Nahrung zu versorgen. Das Ergebnis ist dauerhafte Gesundheit und Jugend, ein ganzes Leben lang.

Hautkrankheiten? Spieglein, Spieglein …

Mehrere Dutzend verschiedene Hautstörungen sind bis heute identifiziert worden. Jedoch spiegelt jede den Zustand des Bluts und der inneren Organe und Systeme wider, wie ein Spiegel. Die bekanntesten Hautprobleme sind: Akne, Juckreiz, verschiedene Formen von Hautentzündung, Staphylokokkeninfektionen der Haut, Gesichtsrose, Follikulitis, Eiterbeulen (Furunkel), Karbunkel, Akne Inversa, Pilzinfektionen, Kandidose (Candida), Krätze, Pedikulose, schleichender Ausschlag, Warzen, Kupferfinnen, Hypertrichose (Überbehaarung), Haarausfall, Pseudofolliculitis barbae, keratinöse Zyste, Schuppenflechte, Knötchenflechte, toxische epidermale Nekrolyse, Erythema multiforme, Granuloma anulare, Pemphigus, Ichtyose, Reibeisenhaut, Schwielen, Hühneraugen, Dekubitalgeschwüre, Hypopigmentierung (Weißfleckenkrankheit), Hyperpigmentierung, Muttermale, Haut-Tags, Lipome, Angiome, eiterbildende Granulome, Seborrhoische Keratose, Basaliom, Stachelzellkrebs, schwarzer Hautkrebs, Pagetkrankheit, Kaposisarkom, Schwangerschaftsstreifen, Falten, Leberflecken, Krampfadern, „Spinnen"-Venen, Gürtelrose, Geschlechtskrankheiten, Herpes und andere.

Die Haut ist das größte Organ des Körpers und wiegt 3,2 bis 5,5 kg. Sie ist mit jedem Bereich des Körpers lebenswichtig verbunden und dient als Reflektor des inneren Zustands des Organismus. Die Haut kann „gelesen" werden, sie kann wichtige Hinweise über den Zustand des Bluts, der Lymphe und der verschiedenen Organe und Systeme des Körpers geben. „Das Lesen" der Haut ist eine der genauesten Formen der verfügbaren Diagnostik. Wenn die Haut erkrankt, ist eine oberflächliche Behandlung nicht vernünftig. Medikamentenpflaster, Salben, Spritzen, chemische Anwendungen, kosmetische Behandlungen, Sprays und Röntgenstrahlen können äußerst schädlich sein und vorhandene Hautstörungen häufig verschlimmern. Stattdessen sollte die Aufmerksamkeit auf die Ursachen der Hautstörungen gelenkt werden.

Die Außenhaut setzt sich über die Lippen bis zu den Nasenlöchern fort und dringt in die innersten Bereiche des Körpers ein. Dies bildet die innere Haut, die die Öffnungen (Ausgänge und Eingänge) sowie den kompletten Verdauungstrakt auskleidet. Struktur, Farbe und Erscheinungsbild der Außenhaut können nährstoffbedingte Mangelerscheinungen oder Drüsenstörungen widerspiegeln. Bei jeder Entzündung der Außenhaut (Hautkrankheit) gibt es auch eine Entzündung irgendwo im Innern des Körpers. Entzündung ist keine Krankheit, sondern eine geeignete Heilreaktion des Körpers, um sich von schädlichen, reizenden Substanzen zu befreien. Solange die interne Entzündung oder das Ungleichgewicht weiter besteht, wird die Außenhaut weiter unter Krankheiten leiden (es sei denn, dass die Symptome mit Medikamenten oder anderen Maßnahmen unterdrückt werden).

Jedes Mal, wenn sich die Funktionen von Vata im Körper verschlechtern, werden die Ausscheidungsorgane überfordert und müssen entlastet werden, indem sie schädliche, faulige Abfallstoffe an die Haut zur Ausscheidung weitergeben. Sobald sich der Normalzustand der Ausscheidungsorgane wieder hergestellt und regeneriert hat, wird die vorher hässliche, pickelige, raue, aufgedunsene und abstoßend aussehende Haut ihren natürlichen Glanz und ihre Schönheit wieder annehmen. Rote Pusteln oder andere Ausschläge klingen ab und sogar die Vergröberung und Faltenbildung der Haut wird geglättet und verschwindet.

Farbänderungen, Flecken, Pickel, Mitesser, Blasen, Furunkel, Rauheit, Dicke, Trockenheit, übermäßige Fettigkeit, Überempfindlichkeit, Härte und Verlust der Elastizität deuten auf innere Verschmutzung hin und sind eine ständige Ermahnung, die innere Hygiene zu verbessern. Die Hauptausscheidungswege des Körpers sind Leber, Nieren, Lungen, Gedärme, das Lymphsystem und die Haut. Wenn die Menge der zu entleerenden Toxine und Gifte ungewöhnlich groß ist, muss die Haut bei der Ausscheidung helfen, wird aber infolgedessen an Entzündungen leiden. Ungesund aussehende Haut spricht Bände über den Kampf, den der Körper physisch, emotional und geistig durchmacht. Wenn es der Haut an Gesundheit mangelt, bedeutet dies, dass das komplette System von Geist/Körper Aufmerksamkeit braucht. Die meisten „ansteckenden Hautkrankheiten" sind einfach nur die Bemühungen des Körpers, Gifte auszustoßen und sich zu reinigen. Genau bezeichnete Hautausschläge (zum Beispiel Scharlach, Masern, Windpocken, Pocken, usw.) zeugen einfach von unterschwelligen Toxizitätskrisen innerhalb des Körpers.

Hautkrankheiten sind ein sichtbares und wertvolles Anzeichen der kompletten Körperverfassung. Die Schwere der Hautentzündung ist von der Menge und Art der Toxine abhängig, die die Haut entfernen muss, um die anderen Ausscheidungsorgane zu entlasten. Die Hautkrankheit ist lediglich ein Hinweis des Körpers, dass die Ausscheidung toxischer Ablagerungen durch die Haut stattfindet. Gesunde Haut muss mehr als ein halbes Kilo Abfallprodukte pro Tag absondern. Wenn der Körper mehr als diese Menge in die Haut ablädt, um seine lebenswichtigen Organe zu schützen, wird ein Teil dieser Abfallprodukte im Hautgewebe eingelagert, was zu Hautreizung und Entzündung führt.

Einige Menschen neigen eher zu Hautstörungen als andere. Dies liegt größtenteils an einer vererbten Schwäche bestimmter innerer Organe, wie Leber, Nieren, Lungen oder Gedärme. In meinem eigenen Fall erlitt meine Mutter vor meiner Geburt drei Leberentzündungsanfälle, infolge derer meine Leber schwach war und anfing, in einem bereits sehr frühen Alter Gallensteine zu bilden. (Nachdem ich meine Leber gereinigt hatte, war sie gesund und vital.) Eine vererbte Schwäche ist jedoch nicht für die Tatsache einer Krankheit verantwortlich; diese ist personenabhängig. Aufgrund von Stress, einer unausgewogenen Ernährung und eines einseitigen Lebensstils sowie durch eine Überbelastung mit Toxinen legt das schwächste Glied der erblichen Kette fest, welches Organ, welches Gewebe oder welche Funktion zuerst aufgeben wird. Das wiederum legt fest, welches Hautproblem (Furunkel, Pickel, Ausschläge, Juckreiz, Beulen, Warzen, Muttermale, Läsionen oder Tumore) verursacht wird. All diese Hautprobleme sind das Ergebnis von Toxinen im Blut und in den Lymphen, die versuchen, dem Körper durch die Haut zu entweichen. Verstopfungen in den Ausscheidungsorganen und Ernährungs- und Lebensstilfehler sind die primären Ursachen für trockene oder fettige Haut, für Hautatrophie und für einen fleckigen Teint und Pickel. Neben der Änderung des Ernährungs- und Lebensstils kann regelmäßiges Sonnenbaden jeden Teil des Körpers und des Gesichts schnell von Akne und fast jeder anderen Hautkrankheit heilen. (Siehe hierzu auch Kapitel 8 des Buches *Healing Secrets of the Sun*)

Kapitel 5

28 bewährte Geheimnisse, um zur ausgiebigen Gesundheit zurückzukehren

„Die eigentliche Ursache der menschlichen Krankheit ist die Folge unserer Überschreitung der universalen Gesetze des Lebens."

~ Paracelsus

Die Wunder unserer Biorhythmen

Obwohl es einem Laien nicht offenbar sein kann, wird der menschliche Körper größtenteils durch „biologische Rhythmen" geleitet. Alle Organe, Systeme und Zellen werden von genauen, zyklischen Mustern aus Ruhe und Aktivität beherrscht, die wir treffend die „universellen Gesetze des Lebens" nennen können. Im Folgenden finden Sie einige Beispiele der biologischen Rhythmen, die diesen Gesetzen folgen:

- Normale Menstruationszyklen wiederholen sich von selbst alle 27 Tage.
- Die Stresshormone Adrenalin und Cortisol werden während der frühen Morgenstunden natürlich in den Blutkreislauf freigesetzt, um körperliche Aktivität voranzutreiben.
- Immunität und Eisenkonzentrationen im Blut werden bei Frauen während der Menstruation geschwächt und während des Eisprungs erhöht.
- Die Leber ist nachts aktiver als tagsüber.
- Rotes Knochenmark produziert nachts mehr Blutzellen.
- Die meisten verdauungsfördernden Enzyme werden während des Tages abgesondert.
- Die Gallensekretion erreicht mittags ihren Höhepunkt.
- Der Dickdarm ist während der frühen Morgenstunden am aktivsten und effektivsten.
- Unterschiedliche Zelltypen haben eine unterschiedliche Lebensdauer und werden während bestimmter Abstände umgesetzt.
- Das Glücksgefühl produzierende Gehirnhormon Serotonin wird in Verbindung mit natürlichem Tageslicht produziert.

- Das schlaffördernde Hormon Melatonin wird als Reaktion auf die Dunkelheit der Nacht produziert.

Schätzungsweise mehr als 1 000 dieser biologischen Rhythmen wirken auf den menschlichen Körper ein und kontrollieren ihn.

Die menschliche innere Uhr

Jeder biologische Zeitplangeber diktiert einer Gruppe von Zellen, einem Organ oder einer Hormondrüse einen bestimmten Rhythmus oder ein zyklisches Verhalten. Die verschiedenen individuellen Zeitplangeber oder inneren Uhren sind untrennbar mit einer gemeinsamen Hauptuhr verbunden. Die Hauptuhr koordiniert die individuellen Uhren miteinander und sorgt dafür, dass jede Aktivität im Körper gemäß ihrem Produktionsplan ausgeführt wird. Dieser Produktionsplan besteht aus nichts anderem, als dem ständigen Bestreben des Körpers, ständig vollkommen ausgeglichen oder in Balance zu sein.

Die Hauptuhr des Körpers wird vom einflussreichsten Zyklus der Natur, dem *zirkadianen* (tagesperiodischen) *Rhythmus,* kontrolliert. Der zirkadiane Rhythmus veranlasst uns, am Morgen aktiv zu werden und am Abend zu entspannen. Die Sonne ist der wichtigste Lebensspender des Planeten. Sowohl organische als auch anorganische Lebensformen benötigen Sonnenlicht oder Sonnenenergie für ihre Existenz, und somit auch alle Menschen. Die Bewegungen der Erde um ihre Achse und um die Sonne schaffen die präzisen Tages- und Nachtzyklen, genauso wie die Jahreszeitenwechsel. Diese rhythmischen, sich wiederholenden Muster der Naturkräfte programmieren wiederum unsere DNA, um alle körperlichen Aktivitäten mit vollkommener Präzision und idealem, exaktem Timing abzuwickeln.

Alle äußeren Begebenheiten, die in der natürlichen Umwelt auftreten, sind mit ähnlichen Ereignissen innerhalb des Körpers verbunden. Ein Sonnenaufgang in der Natur löst zum Beispiel einen „Sonnenaufgang" in Ihrem Körper aus. Er weckt Sie auf und bringt Sie auf die Beine. Das Morgenlicht erreicht Ihre Augen, sobald Sie sie öffnen. Zuerst wird das Licht durch die Linsen Ihrer Augen in sein gesamtes Farbspektrum (sieben Farben) zerlegt. Sofort bewegen sich die individuellen Lichtstrahlen zur Hauptdrüse des Körpers, dem Hypothalamus.

Der Hypothalamus, der die biologische Uhr des Körpers kontrolliert, entsendet dann lichtkodierte Nachrichten zur Epiphyse (Zirbeldrüse), die häufig als das „dritte Auge" bezeichnet wird. Diese Nachrichten enthalten spezifische Instruktionen für die Epiphyse, um Hormone auszuschütten.

Eines der stärksten Hormone der Epiphyse ist der Neurotransmitter Melatonin. Die Ausschüttung von Melatonin erfolgt in einem regelmäßigen 24-stündigen Rhythmus. Die Produktion von Melatonin erreicht ihr Maximalniveau zwischen 1 und 3 Uhr und fällt mittags auf ihren niedrigsten Stand. Die Epiphyse sondert dieses Hormon direkt in den Blutstrom ab, was es sofort für alle Zellen des Körpers verfügbar macht und ihnen sagt, „wie spät" es in der Natur ist, was bedeutet, welche Position die Erde bezogen auf die Sonne hat. Es teilt auch einem spezifischen Gen der DNA jeder einzelnen Zelle mit, wenn es Zeit ist zu sterben und durch eine neue Zelle ersetzt zu werden. Ohne die rechtzeitige Absonderung von Melatonin werden die Zeitvorgaben der normalen Zellteilung verlängert und es entwickeln sich, gemäß der jüngsten Krebsforschung (Nurses' Study 2006), Krebszellen.

Das Gehirn baut einen anderen wichtigen Neurotransmitter auf, *Serotonin,* der mit unserem Zustand des Wohlbefindens verknüpft ist. Das Serotonin hat einen starken Einfluss auf Tages- und Nachtrhythmen, Sexualverhalten, Gedächtnis, Appetit, Impulsivität, Angst und sogar Selbstmordneigungen. Im Gegensatz zu Melatonin steigt Serotonin mit dem Tageslicht – mit maximalem Ausstoß am Mittag – und auch durch körperliche Betätigung und den Konsum von Zucker. Es ist sehr interessant, dass mehr als 95 Prozent dieses äußerst wichtigen Neurotransmitters in Wahrheit in Ihrem Darm hergestellt wird, nicht in Ihrem Gehirn. Diese Verbindung zwischen Darm und Gehirn zeigt, wie entscheidend der Verzehr guten Essens und gesunde Verdauungsfunktionen für das gesamte Wohlbefinden, sowohl des Geistes als auch des Körpers und umgekehrt, sind.

Jede Abweichung vom zirkadianen Rhythmus verursacht eine abnormale Aussonderung der Hormone Melatonin und Serotonin. Diese hormonelle Gleichgewichtsstörung führt wiederum zu unregelmäßigen biologischen Rhythmen, die im Weiteren das harmonische Funktionieren des kompletten Organismus, inklusive der Nahrungsverdauung, des Zellstoffwechsels und des gesamten hormonellen Gleichgewichts, stören können. Plötzlich können wir uns asynchron oder zittrig fühlen und werden empfänglich für Krankheiten, zu denen ein einfacher Schnupfen, Kopfschmerzen, Depression oder sogar ein krebsartiger Tumor gehören können. Die Zirbeldrüse kontrolliert die Fortpflanzung, den Schlaf und die Motorik, den Blutdruck, das Immunsystem; die hypophysären und tyreoidalen Drüsen kontrollieren das Zellwachstum, die Körpertemperatur und viele andere lebenswichtige Funktionen. Alle diese sind vom regelmäßigen Melatoninzyklus abhängig, der wiederum von unserer körpereigenen Fähigkeit gesteuert wird, im Gleichtakt mit den Rhythmen der Natur zu sein. Die Menge des bereitgestellten Melatonins, die der Körper als Reaktion auf die Dunkelheit der Nacht produziert, hängt von der Serotoninkonzentration ab, die als Reaktion auf die Menge des natürlichen Lichts ausgeschüttet wird, dem wir tagsüber ausgesetzt sind. Während sich das Tageslicht verringert, wird Serotonin automatisch in Melatonin umgewandelt.

Wenn Ihr Körper eine gesunde Menge Serotonin aus natürlichem Licht zur Verfügung stellt, wird er auch gesunde Mengen Melatonin während der Nacht erzeugen, vorausgesetzt dass Ihre Augen geschlossen sind. (Wenn Sie Licht ausgesetzt sind, stößt die Zirbeldrüse nicht genügend Melatonin aus.) Die Zirbeldrüse beginnt zwischen 21.30 Uhr und 22.30 Uhr (abhängig von Ihrem Alter) Melatonin auszustoßen. Wenn Sie in dieser Zeit keine Aufputschmittel wie Koffein oder Nahrung zu sich nehmen, verursacht Melatonin auf natürliche Weise Schläfrigkeit oder Trägheit.

Eine Tierstudie, die von spanischen Wissenschaftlern zusammen mit dem spanischen Altersforschungsnetz (RNIE) durchgeführt wurde, fand heraus, dass Melatonin sogar den Alterungsprozess verlangsamen kann. Mit einer ausreichend hohen Menge Melatonin im Blut ist der Körper imstande, sich zu regenerieren und sich zu verjüngen. Das trägt zu guter Gesundheit, Lebenskraft und Langlebigkeit bei. (Anmerkung: Melatonin in Tablettenform ist ein populäres Schlafmittel, aber es stört die körpereigene Produktion von Melatonin, deren Dosierung und Timing perfekt mit dem zirkadianen Rhythmus synchronisiert ist.) Die Zyklen von Melatonin und Serotonin sind völlig voneinander abhängig und werden von unserer sich wandelnden Umgebung exakt geregelt. Indem man diese rhythmischen Änderungen in der Natur ignoriert und gegen diese unausgesprochenen Gesetze lebt, bewegen sich Körper und Geist mit Sicherheit asynchron zueinander. Das ist eine Hauptursache für physische und geistige Krankheit.

Eines der größten Geheimnisse guter Gesundheit liegt in der Entdeckung unseres innigen Verhältnisses mit dem Universum. Jedes Trennungsgefühl zwischen der Natur und uns kann nur im Geiste existieren, nicht im Körper. Der Körper hat eine lebensnotwendige Verbindung mit der Außenwelt geschaffen. Alle seine Bemühungen sind darauf ausgerichtet mit unserer unmittelbaren und entfernten Umwelt, einschließlich des Mondes, synchronisiert zu bleiben.

Geheimnisse der Mondzyklen

Es ist nicht länger nur eine mythologische Überzeugung, dass der Mond einen starken Einfluss sowohl auf den Menschen als auch auf die Natur als Ganzes hat. Der Wechsel der Gezeiten, Schlafwandeln und der weibliche Menstruationszyklus sind nur einige der unzähligen Phänomene, die durch diese starke kosmische Kraft stimuliert und geregelt werden. Wir sind dazu bestimmt, diese Kraft für unsere Gesundheit, Gartenarbeit, Landwirtschaft und fast jedes andere Gebiet menschlicher Belange zu nutzen. Sobald Sie die Geheimnisse der Mondzyklen entdeckt und Ihr Leben und Ihre Aktivitäten mit ihnen synchronisiert haben, werden Sie aus dieser neu geschaffenen Harmonie mit der natürlichen Welt außerordentlich profitieren.

Menschen, andere Säugetiere und die meisten Vögel und Insekten sind dieser mysteriösen Kraft der Natur ausgesetzt. Alle natürlichen Prozesse wie Schwangerschaft, das Wachstum von Pflanzen und ihre Reife sowie die Dauer verschiedener Krankheiten hängen von den Mondzyklen ab. Unsere Vorfahren waren Meister des „richtigen Timings". Ihre erhöhten Wahrnehmungsfähigkeiten, ihr Scharfsinn und präzise Beobachtungen der Phänomene in der natürlichen Umwelt machten ihnen folgende Punkte bewusst:

- Viele Vorgänge in der Natur – die Gezeiten, die Geburt, das Wetter und die Menstruationszyklen der Frauen – stehen in direkter Beziehung mit den Bewegungen des Mondes.
- Land- und Wassertiere stimmen ihre Aktivitäten, z. B. die Nahrungssuche, die Nahrungsaufnahme und die Paarung mit der Position des Mondes ab.
- Die Effektivität und der Erfolg des Alltagslebens, wie Holzfällen, Kochen, Haare schneiden, Gartenarbeit und die Verwendung von Dünger in der Landwirtschaft unterliegen den Zyklen des Mondes. Zum Beispiel kochen während der abnehmenden Mondphase Nahrungsmittel schneller und werden schneller verdaut, und Holz kann leichter während der zunehmenden Mondphase, wenn der Feuchtigkeitsgehalt größer ist, gefällt werden.
- Bestimmte chirurgische Operationen und die Verwendung eines Medikaments können an einigen Tagen erfolgreich sein, aber an anderen völlig nutzlos oder schädlich. Diese Wirkung ist häufig von der Dosierung und Qualität des Medikaments und den Sachkenntnissen des behandelnden Arztes unabhängig.

- Pflanzen, Gemüse und Heilkräuter sind an bestimmten Tagen verschiedenen Arten von Energie ausgesetzt und beinhalten zu bestimmten Zeiten beträchtlich aktivere Inhaltsstoffe als zu anderen Zeiten. Kräuter und Gemüsepflanzen sind daher stärker, wenn sie während der Vollmondperiode geerntet werden. Die Zunahme des Mondes belebt den Saftfluss in den Pflanzen, was sie mit mehr Nährstoffen, Lebenskraft und Energie anfüllt.

Am Ende des 19. Jahrhunderts wurde der gesamten Menschheit die Uhr als Zeitmesser zugänglich gemacht. Die Kenntnis über die natürlichen Tag- und Nachtzyklen und über die Änderungen der Positionen von Mond und Sternen wurden schrittweise als für den modernen Menschen „nicht mehr wichtig" verworfen. Die Uhr hatte die umfassenden Kenntnisse, die die meisten Menschen einmal von diesen natürlichen kosmischen Ereignissen und deren Auswirkungen auf alle Lebensformen der Erde besaßen, „erfolgreich" abgelöst. Die alten Weisheiten, an denen die natürlichen Lebensweisen im Laufe der Jahrhunderte festgehalten hatten und die von Generation zu Generation weitergegeben wurden, wurden schnell als Aberglaube betrachtet. Heute besteht jedoch wieder ein plötzliches und erneutes Interesse an der Entdeckung unserer Beziehung zu den Mondzyklen. Im Zusammenhang mit der Erde durchläuft der Mond die folgenden Hauptphasen:

Neumond

Der Mond umkreist die Erde fast alle 28 Tage. Während sich der Mond zwischen Erde und Sonne befindet, können wir ihn nicht mehr sehen. Dies wird Neumond genannt. Neumond kann man mit der Ausatmungsphase beim Atmen gleichsetzen, wenn wir toxische Gase und Abfallprodukte aus dem Körper beseitigen. Sie können viele Krankheiten verhindern, indem Sie in dieser Zeit für einen Tag fasten, weil der Körper mehr als bereit ist, sich von angesammelten Toxinen zu reinigen. Dies ist ebenfalls ein guter Zeitpunkt für eine Leberreinigung.

Neumond bedeutet auch einen Neuanfang. Wenn Sie alte Gewohnheiten wie Rauchen oder Alkohol trinken aufgeben möchten, ist dies der beste Zeitpunkt dafür. Sie können angestrengt versuchen, solche Angewohnheiten zu anderen Zeiten des Monats zu ändern, können aber enttäuscht werden, weil diese Anstrengungen nicht von Erfolg gekrönt sind.

Das alte Sprichwort „Frisch gewagt ist halb gewonnen" gilt für den Neumond. Ein kranker Baum kann seine Gesundheit und Lebenskraft wiedergewinnen, wenn er während Neumond gestutzt wird. Ebenfalls kann eine zu Neumond begonnene Behandlung zu schneller Heilung führen.

Der zunehmende Mond

Nur ein paar Stunden nach Neumond können wir den äußeren Rand seines Halbmondes erkennen. Die Zeit bis zum Vollmond umfasst ungefähr 13 Tage. Was immer dem Körper an Gutem und Nahrung in dieser Zeit zuteil wird, wird viel nützlicher sein, als zu anderen Zeiten des Monats. Das erklärt auch, warum die Fruchtbarkeit stark erhöht ist und warum während dieser Phase des Mondes und zu Vollmond mehr Kinder gezeugt und geboren werden.

Andererseits ist es auch sinnvoll zu wissen, dass bei zunehmendem Mond die körpereigene Fähigkeit, sich nach einer Verletzung oder Operation selbst zu heilen, vermindert ist. Zahnfüllungen, Kronen oder Brücken werden wahrscheinlich schlechter halten, wenn sie während der zunehmenden Phase des Mondes eingesetzt werden. Sogar die Reinigung von Kleidung ist während dieser Phase, trotz Verwendung desselben Reinigungsmittels, weniger erfolgreich.

Vollmond

Nachdem er die Hälfte seiner Reise um die Erde vollendet hat, ist der Mond voll, d. h. er ist für uns nachts und manchmal sogar während Teilen des Tages sichtbar. Das ist die Zeit, in der der Mond einen starken Einfluss auf alle planetarischen Lebensformen ausübt. Schlafwandeln, übermäßige Blutung von Wunden, größere Wirkung von Kräutern, die während der Vollmondnacht gesammelt wurden, eine Zunahme von Unfällen und gewaltsamen Verbrechen und eine erhöhte Geburtenrate sind alles Effekte des erhöhten Mondeinflusses. Bäume während des Vollmonds zu stutzen, kann sie abtöten.

Da der Körper dazu neigt, Flüssigkeiten während des Vollmonds zurückzuhalten, ist es in dieser Zeit ebenfalls am besten, Leberreinigungen oder andere Reinigungen zu vermeiden. Vermeiden Sie bei Vollmond ebenfalls Operationen, einschließlich Zahnbehandlungen, weil Sie Komplikationen oder Infektionen mit sich bringen können.

Der abnehmende Mond

Während der folgenden 13 Tage steht der Mond wieder allmählich im Schatten. Antike Kulturen wussten, dass dies ein guter Zeitpunkt für eine Operation (wenn erforderlich) ist, da die Heilfähigkeit des Körpers am stärksten ist. Wenn möglich, machen Sie Ihren Termin beim Zahnarzt während dieser Phase oder während Neumond. Das Ziehen eines Zahns sollte nur während des abnehmenden Mondes oder bei Neumond durchgeführt werden. Außerdem verbraucht körperliche Betätigung in dieser Zeit weniger Energie und ist erfolgreicher. Das Verdauungssystem arbeitet ebenfalls effizienter, sodass sogar der Verzehr einer etwas größeren Menge Nahrung als normal keine Gewichtszunahme verursachen wird.

Die biologische Routine des Menschen

Ayurveda, was wörtlich „Lebensweisheit" bedeutet, behauptet: „Der Mikrokosmos ist wie der Makrokosmos." Gleichermaßen ist unser Körper der Spiegel des Universums. In jedem Moment durchläuft der Körper tiefgreifende Veränderungen, indem er sich an die sich ständig ändernde Umgebung und wiederkehrenden zyklischen Muster anpasst. Ayurveda hat ein einzigartiges Verständnis dieser Zyklen. Ayurveda kennt drei Hauptkräfte oder Energien, von denen jede zweimal täglich in vierstündigem Rhythmus einen starken Einfluss auf Körper und Geist ausstrahlt. Diese Naturgewalten, die all die komplexen Tätigkeiten im menschlichen Körper dirigieren und dem Weltall Kraft geben, sind die sogenannten drei Doshas: Vata, Pitta und Kapha. Lassen Sie uns jetzt einen näheren Blick darauf werfen, was in unserem Körper während eines 24-stündigen Zyklus geschieht (siehe Abbildung 13).

Der erste Kapha Zyklus

Der erste Zyklus beginnt mit der „Geburt" eines neuen Tages. Gehen wir davon aus, dass um 6.00 Uhr Sonnenaufgang ist. Um 4.30 bis 5.00 Uhr fängt die Natur an zu erwachen. Sie wird immer aktiver, während die Sonne höher steigt. Ayurveda nennt die Periode zwischen 6.00 und 10.00 Uhr „Kapha Zeit", was bedeutet, dass Ihr Körper noch ein bisschen langsam ist. Das erlaubt dem Körper, Kraft und Ausdauer zu tanken.

Ungeachtet dessen, ob Sie mit einem Wecker geweckt werden, stoßen etwa um 6.00 Uhr die Nierendrüsen die Stresshormone Cortisol und Adrenalin aus, um Ihren Körper auf die Beine zu bringen; dies ähnelt einer Batterie, die einen Motor startet. Zu dieser Zeit erreichen die Sexualhormone im Körper ebenfalls ihren Höchstwert. Und, sofern Ihre Augen tatsächlich natürliches Tageslicht sehen, erhöht das Gehirn die Produktion des mächtigen Hormons Serotonin, welches Ihnen dabei hilft, genug Fröhlichkeit und Begeisterung zu erzeugen, um einen stressfreien, freudigen Tag zu erleben. Da Kapha aus den schwereren Elementen der Erde und des Wassers zusammengesetzt wird, zeigen wir während der frühen Morgenstunden mehr „Urtümlichkeit" und „Liquidität" (wie sich geerdet und unbekümmert fühlen) in Geist und Körper, als zum Beispiel während des Nachmittags.

Der erste Pitta Zyklus

Um 10:00 Uhr morgens beginnt die Hitze der Sonne aufgrund ihrer höheren Position beträchtlich zuzunehmen. Die Verbreitung der Sonnenenergie erreicht zum Mittag ihr Maximalniveau. Zwischen 10:00 Uhr morgens und Mittag sind wir am aufmerksamsten und unsere kognitiven Fähigkeiten sind auf ihrem Höhepunkt. Die Pitta Periode dauert von 10:00 Uhr bis 14:00 Uhr. Zur Mittagszeit ist das Verdauungsfeuer AGNI am effizientesten, d. h. die Verdauungssäfte (Galle, Salzsäure, Enzyme und andere verdauungsfördernde Substanzen) sind im Überfluss und konzentriert vorhanden. Der Pitta Zyklus folgt dem Serotonin-Zyklus, was nicht überraschend ist, da der größte Teil des Serotonins zum Mittag ins Verdauungssystem ausgeschüttet wird. Starke Serotoninausschüttung gleicht starkem AGNI. Niedriges AGNI geht andererseits mit schlechtem Appetit, Ausdauermangel und Depressionen einher. Nur eine leichte Mahlzeit zu essen, wenn sich der Körper darauf vorbereitet hat, die größte Mahlzeit des Tages zu verdauen, ist dem Betanken eines Autos mit 15 Litern Benzin ähnlich, für eine Reise, die einen vollen Tank benötigt. Der Körper wird nicht genug Brennstoff (Nährstoffe) erhalten, um die zahlreichen, komplizierten Tätigkeiten durchzuführen, die erforderlich sind, Sie gesund und aktiv zu halten. Aus diesem Grund gibt Ayurveda Ihnen den Rat, Ihre Hauptmahlzeit des Tages zwischen 12:00 Uhr und 13:00 Uhr zu sich zu nehmen. Anmerkung: Wenn Sie nicht die Möglichkeit haben nach Hause zu gehen, um in dieser Zeit eine Hauptmahlzeit für sich zu kochen, können Sie sich einen Salat und einen Gemüseteller zubereiten, der am

Morgen mit Reis oder anderem Getreide gekocht wurde. Isoliergefäße halten das Essen für viele Stunden warm. Unter der Woche zu anderen Zeiten als am Wochenende zu essen, ist jedoch noch schlechter, als die Hauptmahlzeiten am Abend zu sich zu nehmen. Es ist wichtig einen regelmäßigen Essensplan beizubehalten, um ein Verwirren der Hormon- und Verdauungssekrete des Körpers zu vermeiden.

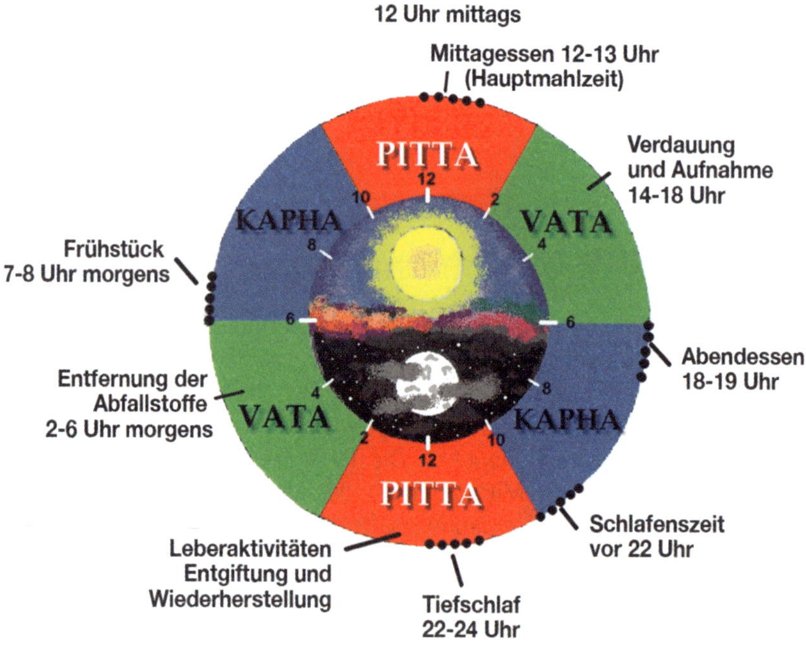

Abbildung 13: Die biologische Uhr

Der ideale Tagesablauf

1. Aufstehen zwischen 6:00 Uhr und 7:00 Uhr am Morgen.
2. Ein leichtes Frühstück (optional) zwischen 7:00 Uhr und 8:00 Uhr.
3. Die Hauptmahlzeit des Tages zwischen 12:00 Uhr und 13:00 Uhr.
4. Eine leichte Abendmahlzeit zwischen 18:00 Uhr und 19:00 Uhr.
5. Vor 22:00 Uhr schlafen gehen.

Vorausgesetzt, dass die Nahrung gesund und nahrhaft ist, wird der Verdauungsprozess Sie mit der meisten Energie und Lebenskraft versorgen, die Sie in den nächsten 24 Stunden brauchen. Wenn Sie sich nach der Mahlzeit müde und schläfrig fühlen, deutet das darauf hin, dass Ihr AGNI zu schwach ist, das Essen richtig zu verdauen. Anstatt durch die Nahrungsaufnahme gekräftigt und wiederbelebt zu werden, muss der Körper auf seine Energiereserven zurückgreifen, um das Essen zu verarbeiten. Infolgedessen bleiben nur kleine Mengen Restenergie für andere Formen der körperlichen oder geistigen Aktivität übrig. Insgesamt kann die Schläfrigkeit nach einer Mahlzeit an einem oder mehreren der folgenden Gründe liegen:

- Ihre Mahlzeit ist zu schwer oder besteht aus schlecht kombinierten Nahrungsmitteln,wie Früchte mit Getreide, Tierproteine mit Speisestärken (siehe Kapitel 6).
- Sie bekommen während der Nacht nicht genügend Schlaf.
- Sie essen Ihre Mittagsmahlzeit viel später als 13:00 Uhr.
- Sie sondern (aufgrund von Gallensteinen) nicht genug Galle (Pitta) für eine starke Verdauung ab.

Der erste Vata Zyklus

Vata oder „Bewegung" kontrolliert die Stunden zwischen 14:00 Uhr und 18:00 Uhr. Vata dirigiert den physischen Transport der Nahrung durch den Darm und ist dafür verantwortlich, die Nährstoffe zu absorbieren und sie in die Billionen von Körperzellen zu liefern. Vata kann nur dann hohe Leistung bringen und planmäßig funktionieren, wenn Pitta (Galle und andere Verdauungssäfte) rechtzeitig auf die Nahrung einwirken kann. Wenn Sie Ihr Mittagessen zum Beispiel um 14.00 Uhr oder 15.00 Uhr zu sich nehmen, wird Pitta gestört. Eine geringe Absonderung von Galle und anderer Verdauungssäfte führt zu schlechter Absorption – eine der Hauptursachen von Ernährungsmangel.

Die nachmittägliche Vata Periode ist förderlicher für effizientere geistige Leistungsfähigkeit und Studien, als andere Zeiten. Das liegt an der gesteigerten Nerven- und Nervenzellenaktivität. Somit ist die Vata Periode gut, um Information aufzunehmen und zu behalten. An der University of Wales durchgeführte Studien zeigten, dass Studenten, die Nachmittags- oder Vorabendkurse besuchten, bei Prüfungen besser abschlossen als jene, die dem Unterricht am Vormittag beiwohnten.

Es ist vielleicht ebenfalls nützlich zu erwähnen, dass ein nachmittäglicher Zahnarztbesuch, aufgrund besserer Nervenleistung und geringerer Empfindlichkeit, weniger schmerzhaft ist als am Morgen. Probleme mit einer schlechten Darmresorption und einem unbalancierten Stoffwechsel werden zu dieser Zeit jedoch verstärkt. Ein Vata-Ungleichgewicht kann als erhöhte Reizbarkeit, Nervosität, Aufgedunsenheit, Blähungen und Heißhunger auf zuckerhaltige Speisen oder andere Stimulanzien wie Tee, Kaffee, koffeinhaltige Softdrinks, Schokolade oder Zigaretten erscheinen. Die meisten Alkoholiker werden am Ende der Vata Periode nach ihrem ersten Drink des Tages suchen. Gelüste, besonders während des Nachmittags, weisen darauf hin, dass der Körper unter Verdauungsproblemen und Ernährungsmangel leidet, die möglicherweise dadurch verursacht werden, dass die Hauptmahlzeit des Tages nicht um die Mittagszeit herum gegessen wird.

Der zweite Kapha Zyklus

Die Energie des Sonnenlichts lässt nach 18.00 Uhr beträchtlich nach, genauso wie die Vata Aktivität auch. Dies kennzeichnet auch den Beginn der abendlichen Kapha Phase, die die Verdauung, den Stoffwechsel und andere körperliche Aktivitäten verlangsamt. Menschen, die im Einklang mit den Zyklen ihres Körpers sind, neigen dazu sich zu schonen, wenn die Kapha-Eigenschaften beginnen zu dominieren.

Das Verdauungsfeuer AGNI, das dem Lauf der Sonne exakt folgt, nimmt mit Ausbruch der Dunkelheit stark ab. Deshalb empfiehlt Ihnen Ayurveda nur ein leichtes Abendessen zu sich zu nehmen, vorzugsweise um 18:00 Uhr. Das gibt Ihnen noch genug Zeit, Ihr Essen vor dem Zubettgehen zu verdauen. Untersuchungsergebnisse weisen darauf hin, dass die wichtigsten Verdauungsenzyme nach 20:00 Uhr nicht mehr hergestellt werden. Ein spätes Abendessen (nach 19:00 Uhr) wird daher nicht richtig verdaut und zersetzt sich, während es sich noch im Magen befindet. Jeder kennt das Gefühl einen „Stein" im Magen zu haben oder den Schmerz von in der Speiseröhre aufsteigender Säure – beide dieser unangenehmen Empfindungen sind Zeichen einer Verdauungsstörung.

Während der Kapha Periode (18:00 bis 22:00 Uhr) eignen sich Körper und Geist schwerere und langsamere Eigenschaften an. Das ist schlaffördernd. Tatsächlich ist es sehr günstig, vor Ende des Kapha-Einflusses (um 22:00 Uhr) ins Bett zu gehen und zu schlafen. Die meisten Menschen sind zwischen 21:00 Uhr und 22:00 Uhr müde oder schläfrig. Diese Gefühle entstehen durch die Ausschüttung eines natürlichen Beruhigungsmittels, welches das Gehirn produziert, wenn es will, dass Sie schlafen gehen. Nach Auffassung von Forschern der *Harvard Medical School,* werden während des Schlafes die meisten Gehirnzellen durch ein chemisches Signal ‚abgeschaltet', das von einer Gruppe von Zellen im Hypothalamus ausgesandt wird, der häufig „das Gehirn des Gehirns" genannt wird. Das „Ausschalten der Lichter" erlaubt uns schlafen zu gehen. Es scheint, als habe Melatonin ebenfalls einen beträchtlichen Einfluss auf die Schlafinduktion, da wir umso schläfriger werden, je mehr wir davon während der Abendstunden ausschütten. Die Personen, die sich um 21:30 bis 22:00 Uhr nicht mehr schläfrig fühlen, leiden unter einem gestörten Melatoninzyklus.

Um 21:00 Uhr beginnt das körpereigene Immunitätsniveau zu sinken, worauf ein plötzlicher Abfall von *Endorphinen* und *Corticosteroide* – den Waffen des Körpers gegen Entzündungen – hinweist. Während der Kapha Periode versucht der Körper so viel Energie und physische Mittel wie möglich zu sparen, aus einem sehr guten Grund, wie im nächsten Abschnitt erklärt wird.

Der zweite Pitta Zyklus

Der Körper „verleitet" Sie dazu schlafen zu gehen, bevor Pitta seine zweite Runde in dem 24-stündigen Zyklus wieder aufnimmt. Der Einfluss von Pitta beginnt um 22:00 Uhr und dauert bis 2:00 Uhr. Während dieser Zeit wird die Pitta Energie größtenteils für Reinigung, Wiederherstellung und Verjüngung des Körpers verwendet. Die Leber – ein typisches Pitta-Organ – erhält in dieser Zeit den größten Teil der Körperenergie und führt eine erstaunliche Reihe von Aktivitäten durch, die sich auf mehr als 500 verschiedene Funktionen belaufen. Hierzu zählt die Lieferung von lebenswichtigen Nährstoffen und Energie an alle Teile des Körpers, der Abbau schädlicher Substanzen und die Reinigung des Bluts. Außerdem erzeugen die Leberzellen in dieser Zeit Galle, die am folgenden Tag zur Verdauung von Nahrungsmitteln, besonders Fetten, erforderlich ist. Eine der wichtigsten Leberfunktionen ist es, Proteine zu synthetisieren, die als wesentliche Bausteine von Zellen, Hormonen und Blutbestandteilen dienen. Weil die Leber so ein aktives Organ ist, verwendet sie eine beträchtliche Menge Energie. Die hohe Stoffwechselrate dieses Organs erzeugt sehr viel Hitze, was die Leber zum größten wärmeproduzierenden Organ des Körpers macht. Wenn Sie jedoch fortfahren die biologischen Rhythmen des Körpers zu ignorieren und während dieses Zyklus wach bleiben, ist viel weniger Energie verfügbar, um die wichtigen Aufgaben der Leber zu bewerkstelligen, woraus schließlich Leberfunktionsreduzierung, intrahepatische Steine und eine Verschlechterung der Gesundheit entstehen kann.

Warum richtiger Schlaf für Sie so wichtig ist

Die Leber benötigt alle Energie, die sie bekommen kann, um all diesen und vielen anderen Pflichten nachzukommen. Das kann aber nur in ausreichendem Maße geschehen, wenn Sie während der Pitta-Nachtzeit schlafen. Wenn Sie die Nachtenergie der Leber aufbrauchen, indem Sie sie zur Verdauung von Nahrung zwingen oder indem Sie sich mit geistigen oder körperlichen Tätigkeiten beschäftigen, bleibt diesem lebenswichtigen Organ zu wenig Energie, seine extrem wichtigen Arbeiten zu erledigen. Das meiste der verfügbaren Pitta-Energie sollte in die Leber und bis zu einem gewissen Grad auch in die Nieren geleitet werden. Das hilft den Nieren Blutplasma zu filtern, Körperflüssigkeiten ausgeglichen zu halten und einen normalen Blutdruck beizubehalten.

Obwohl das Gehirn bloß ein Fünfzigstel der Masse des Körpers ausmacht, enthält es für gewöhnlich mehr als ein Viertel des gesamten Körperbluts. Während der nächtlichen Pitta-Periode bewegt sich jedoch der größte Teil des im hinteren Bereich des Gehirns angesiedelten Bluts zur Einlagerung und Reinigung in die Leber. Wenn Sie in dieser Zeit geistig oder körperlich aktiv sind, bekommt die Leber nicht genug Blut, um richtig zu funktionieren. Dadurch kann sie das Blut auch nicht ausreichend reinigen. Das führt zu einer Anhäufung von Schadstoffen in der Leber und dem Blutkreislauf. Wenn diese Toxine weiterhin im Blut zirkulieren, lassen sie sich in der interstitiellen Flüssigkeit (Bindegewebe) der Organe und Systeme nieder, wodurch der Säuregehalt steigt und Schädigung verursacht wird. Das schließt auch die Leber ein. Hohe Bluttoxizität kann zur Ausschüttung von Stresshormonen, Gehirnnebel und verletzten Kapillaren, Arterien und Herzmuskeln führen. Die meisten Herzkrankheiten sind das Ergebnis einer schlecht funktionierenden Leber, die außerstande ist, täglich alle toxischen, schädlichen Substanzen aus dem Blut zu entfernen. Wenn wir der Leber nicht die Energie geben, die sie für die Ausführung ihrer grundlegendsten Tätigkeiten benötigt, bereiten wir überall im Körper den Weg für Krankheiten.

Der Schlaf kann in zwei große Teile – vor Mitternacht und nach Mitternacht – geteilt werden. Bei Erwachsenen finden die wichtigsten

Prozesse der Reinigung und Erneuerung während der zwei Stunden des Schlafes vor Mitternacht statt. Diese Periode umfasst den Tiefschlaf, häufig als „Schönheitsschlaf" bezeichnet. Der Tiefschlaf dauert ungefähr eine Stunde, von 23.00 Uhr bis Mitternacht. Während dieser Periode treten Sie in ein traumloses Stadium ein, in der der Sauerstoffverbrauch des Körpers um ungefähr acht Prozent sinkt. Daraus resultiert tiefe physische Ruhe und Entspannung. Die körperliche Ruhe, die Sie während dieser Stunde des traumlosen Schlafes bekommen, ist mindestens dreimal tiefer als die, die Sie während des Schlafes nach Mitternacht bekommen, wenn der Sauerstoffverbrauch des Körpers wieder um 5-6 Prozent steigt.

Wachstumsfaktoren, allgemein als somatotrope Hormone bekannt, werden während dieser Stunde des Tiefschlafs reichlich ausgeschüttet. Diese starken Hormone sind für Zellwachstum, Reparatur und Verjüngung verantwortlich. Menschen altern schneller, wenn sie nicht genügend somatotrope Hormone erzeugen. Der letzte „Schrei" auf dem Gebiet des Schönheitsmarkts ist es, synthetische somatotrope Hormone zu verwenden, die zwar „fantastische" Verjüngungsresultate bewirken, aber auch verheerende Nebenwirkungen, inklusive Herzkrankheiten und Krebs, haben können. Wenn der Körper hingegen diese Hormone rechtzeitig und in den richtigen Mengen erzeugt, wie es während des Tiefschlafs geschieht, können sie den Körper in jedem Alter lebendig und jung halten.

Tiefschlaf tritt nie nach Mitternacht auf, und er kommt nur zustande, wenn Sie mindestens zwei Stunden vor Mitternacht schlafen gehen. Wenn der Tiefschlaf regelmäßig zu kurz kommt, werden sowohl Ihr Körper als auch Ihr Geist übermüdet. Das löst abnormale Stressreaktionen in Form von einer konstanten Ausschüttung von Stresshormonen, wie Adrenalin, Cortisol oder Cholesterin aus. (Ja, Cholesterin ist ein Stresshormon, das durch Stress steigt!) Um diese künstlich erzeugten Energieschübe mindestens eine Zeit lang beizubehalten, können Sie versucht ein Aufputschmittel wie Zigaretten, Kaffee, Tee, Süßigkeiten, koffeinhaltige Softdrinks oder Alkohol zu sich zu nehmen. Wenn die Energiereserven des Körpers jedoch erschöpft sind, werden chronische Ermüdungserscheinungen auftreten und Stimulanzien werden nicht mehr wirken.

Erschöpfung ist ein kausaler oder mitwirkender Hauptfaktor heutiger Gesundheitsprobleme. Wenn Sie sich müde fühlen, ist es nicht nur Ihr Geist, der müde ist. Wenn Sie erschöpft sind, leiden vielmehr alle Zellen, die Ihr Herz, die Lungen, die Verdauungsorgane, die Nieren und jedes Organ und System des Körpers zusammensetzen, unter Energiemangel und sind außerstande, richtig zu arbeiten. Wenn Sie müde sind, erhält Ihr Gehirn nicht mehr ausreichende Mengen Wasser, Traubenzucker, Sauerstoff und Aminosäuren – seine lebenswichtigsten Nährstoffe. Der geringe

Vorrat an Gehirnnährstoffen kann bei einem Menschen zu unzähligen Problemen in Geist, Körper und Verhalten führen, inklusive zu weiterer Erschöpfung. Wenn Sie zum Beispiel nachts Auto fahren, muss Ihr Körper gegen das „müde" Hormon Melatonin ankämpfen, welches auf natürliche Weise versucht, Ihren Körper auf dem niedrigsten Leistungs- und Aktivitätsniveau zu halten. Untersuchungen im Bereich der *Chronobiologie* haben ergeben, dass die Aufmerksamkeitsspanne nach Mitternacht spürbar nachlässt. Dies erhöht drastisch das Risiko Fehler zu machen und einen Unfall zu bauen. Meistens kommt es nachts zu Unfällen auf der Autobahn und während der Nachtschicht in Fabriken ist die Unfallwahrscheinlichkeit um 20 Prozent höher als während der Tagschicht.

Ärzte der University of California in San Diego haben herausgefunden, dass einige Stunden Schlafmangel nicht nur für ein Müdigkeitsgefühl am nächsten Morgen sorgen, sondern auch das Immunsystem betreffen können und vielleicht sogar die Fähigkeit des Körpers, Infektionen zu bekämpfen, beeinträchtigen. Da sich die Immunität vermindert, während die Müdigkeit zunimmt, ist Ihr Körper außerstande sich gegen Bakterien, Mikroben und Viren zur Wehr zu setzen. Ebenso kann er die Zunahme schädlicher Substanzen im Körper nicht effizient bewältigen. Häufige Müdigkeit und Energiearmut gehen jeder Art chronischer und den akutesten Krankheiten, einschließlich Krebs, Herzkrankheit, Multipler Sklerose, chronischem Erschöpfungssyndrom, AIDS, Erkältung und Grippe voran. Studien haben eine direkte Beziehung zwischen dem Schlaf und dem Gesundheitszustand nachgewiesen. Schlafmangel beeinflusst sogar die Ausschüttung des Wachstumshormons, das in Zusammenhang mit Fettleibigkeit steht. Wenn die Menge der Hormonausschüttung abnimmt, steigt die Wahrscheinlichkeit auf Gewichtszunahme. Anders gesagt, je geringer die Qualität des Schlafs ist, den Sie bekommen, desto fetter werden Sie. Darüber hinaus fällt normalerweise während des Schlafzyklus der Blutdruck. Jedoch kann unterbrochener Schlaf diesen normalen Blutdruckabfall negativ beeinflussen, was zu Hypertonie (Bluthochdruck) und kardiovaskulären Problemen führen kann. Letztendlich beeinträchtigt Schlafmangel die Fähigkeit des Körpers Insulin zu verbrauchen, was zum Ausbruch von Diabetes führt.

Die Schattenseite von nächtlichem Licht – Krebswachstum

Wie bereits erwähnt, ist eins der wichtigsten jemals entdeckten Ergebnisse im Zusammenhang mit Krebs, dass geringe Melatoninwerte im Blut drastisch das Krebsrisiko erhöhen. Der Nurses' Studie (veröffentlicht Januar 2006) zufolge, der ausführlichsten und am längsten fortwährenden Krebsstudie der Welt, entdeckte man, dass geringes Blutmelatonin bei examinierten Krankenschwestern für ein 50mal höheres Risiko verantwortlich ist, dass sich Krebs entwickelt. Krankenschwestern leiden aufgrund der Art ihrer Arbeit unter gestörten Schlafzyklen. Melatonin kontrolliert das Gen, das verantwortlich dafür ist, die Lebenszyklen von Zellen im Körper unter Kontrolle zu halten. Anders gesagt, je weniger Melatonin Sie während der Nacht produzieren, desto wahrscheinlicher ist es, dass Zellen länger als ihre natürlichen Lebenszyklen leben und dadurch an der Entstehung von Krebs beteiligt sind.

Die ersten Anzeichen folgenschwerer Effekte von Licht auf die nächtliche Melatoninabsonderung wurden bei Nagetieren beobachtet. „Zumindest bei Ratten kann ein kleines Licht die Nacht über einen drastischen Einfluss auf Krebs haben", beobachtete David E. Blask des *Mary Imogene Bassett Research Institute* in Cooperstown, New York. Indem er Ratten mit konstantem Licht bestrahlte, was nahezu eine Gesamtunterdrückung von Melatonin verursachte, zeigte Blask, dass Tumore besonders schnell wachsen können. Sogar kleine Mengen Licht können die natürlichen Biorhythmen des Körpers beeinflussen. Blask's Mitarbeiter stellten fest, dass bei Tieren, die nur dem Lichteinfall unter einer Tür ausgesetzt waren, Tumore fast zweimal so schnell wuchsen, als bei Tieren, die die Nacht in kompletter Dunkelheit verbrachten.

Blask betreibt seit über 30 Jahren Krebsforschung und hat sich in den letzten 20 Jahren auf Melatonin spezialisiert. Die Entdeckungen, dass Melatonin das Krebswachstum hemmt und dass Licht wiederum die Melatoninproduktion hemmt, sind im Hinblick auf die Behandlung von Krebs und die Krebsvorsorge monumental. Laut Blask ist Melatonin ein wichtiger Signalgeber, der rhythmisch Informationen über umgebungsbedingte Licht- und Dunkelheitszyklen an alle Körperzellen, einschließlich Krebszellen, weiterleitet.

Er stellte fest, dass erhöhte Linolsäureaufnahme (eine verbreitete mehrfach ungesättigte Fettsäure) Krebswachstumsraten anregt, da Krebszellen Linolsäure aufnehmen und umwandeln. Bei Dunkelheit blockieren große Mengen durch die Zirbeldrüse freigesetzten Melatonins die Fähigkeit von Tumoren, Linolsäure aufzunehmen und sie in 13-HODE (ein Molekül namens 13-Hydroxy-9,11octadecadiensäure) umzuwandeln. Unter Lichteinfluss sind die Melatoninspiegel jedoch extrem gering und Tumore werden nicht mehr vom Melatonin vor der tumorstimulierenden Wirkung der Linolsäure geschützt. Anders ausgedrückt, wenn wir nachts künstlichem Licht ausgesetzt sind, wird die innere Uhr unseres Gehirns verdreht.

Nächtliches Licht wird die Melatoninproduktion augenblicklich stoppen und somit Tumorwachstum fördern.

Organisationen, die zur Forschung von Blask beigetragen haben, sind Mitglieder des *Basset Research Institute Laboratory of Chrono Neuroendocrinology*, der *Thomas Jefferson University Medical School*, der *University Of Connecticut School Of Medicine* und der *Northwestern University School Of Medicine.* Finanziert wurde die Forschung von der *Stephan C. Clark Foundation*, dem *National Cancer Institute*, dem L*aura Evans Memorial Breast Cancer Fund* der *Edwin W. Pauley Foundation*, dem *National Institute of Environmental Health Sciences* und dem *Louis Busch-Hager Cancer Center Research Fund.* Die Unterstützung dieser Organisationen deutet ein wenig auf eine Verlagerung der Forschungspolitik im Bereich der Krebsforschung hin.

Weitere Gesundheitszustände, die im Zusammenhang mit Schlafmangel stehen

Früher oder später werden schätzungsweise fast 50 Prozent der US-Bevölkerung unter den negativen Auswirkungen des Schlafentzugs leiden. Schlafmangel ist verantwortlich für:

- Fast 20 % aller Verkehrsunfälle und tausende Todesopfer jährlich
- Einen endlosen Stresszyklus
- Zahllose gescheiterte Beziehungen und häusliche Gewalt
- Schlechte Arbeitsleistung und eingeschränktes Ertragspotenzial
- Milliarden Dollar Einkommensverluste aufgrund von Arbeitsunfähigkeit und Fehlzeiten
- Drogenmissbrauch
- Depression, Angst, Aggression und schlechtes Urteilsvermögen
- Schlechte Leistungen in der Schule und bei Prüfungen

Eine ständig steigende Anzahl von Kindern ist ebenfalls Opfer von Schlafmangel und dessen Folgen. Die entscheidende Rolle von Schlaf und die negativen Einwirkungen von Schlafstörungen in der kindlichen Entwicklung sind wiederholt bewiesen worden. Gemäß veröffentlichten Forschungsergebnissen kann Psychopathologie bei Kindern durch Schlafmangel und sich daraus ergebender Erschöpfung und Schläfrigkeit hervorgerufen oder verschlimmert werden. Es besteht eine besonders starke Verbindung zwischen Schlafstörungen und neuropsychologischen

Funktionen bei Kindern. Schlafstörungen stehen häufig in Zusammenhang mit Aufmerksamkeitsstörungen und Hyperaktivität (ADHS) bei Kindern, weil Schlafmangel und die daraus entstehende Schläfrigkeit zu ADHS-artigen Symptomen führen können. Es gibt klare Anzeichen dafür, dass Lern- und Aufmerksamkeitsfähigkeiten durch Schlafmangel oder Schlafstörungen erheblich gestört werden können. Dies beschränkt sich keineswegs nur auf Kinder.

Die meiste Müdigkeit ist das Ergebnis des entgangenen Schlafs in den zwei Stunden vor Mitternacht; die Stunde Tiefschlaf vor Mitternacht ist die wichtigste Stunde Schlaf. Jede Krankheitsbehandlung, die nicht eine natürliche Tiefschlaf-Therapie umfasst, kann nicht zu dauerhaftem Erfolg führen, da das körpereigene Heilsystem selbst, das Immunsystem, von einwandfreien, gesunden Schlafzyklen abhängt, um kraftvoll und effizient zu sein.

Das Verdauungsfeuer (AGNI) kontrollierende Pitta wird ebenfalls gestört, wenn Sie Ihr Abendessen regelmäßig spät (nach 18:30 Uhr oder 19:00 Uhr) zu sich nehmen oder während der Pitta (Nacht)-Zeit Snacks essen. Indem Sie nachts Pitta erschweren, stören Sie ebenfalls die Pitta-Funktionen während und nach der Mittagszeit, was wiederum Störungen der Leber, der Milz, der Gallenblase, des Magens und der Bauchspeicheldrüse verursacht.

Können Sie nicht einschlafen oder wachen Sie oft auf? Außer einer gestörten inneren Uhr (gestörte hormonelle Zyklen, verursacht durch einen unregelmäßigen Lebensstil) ist die häufigste Ursache für Schlafstörungen die Zirkulation von Toxinen im Blut. Die meisten Toxine sind das Ergebnis nicht richtig verdauter Nahrung, entweder durch den Verzehr schwerer Mahlzeiten am Abend oder dem Essen kurz vor dem zu Bett gehen. Diese Toxine können, genauso wie Alkohol, die Gehirnbarriere durchbrechen und ins Gehirn eindringen, wo sie die Gehirnzellen potenziell schädigen. Um einen Gehirnschaden zu verhindern und die Toxine zu verdünnen, muss das Gehirn soviel Blut wie möglich erhalten. Dazu muss es dafür sorgen, dass Sie nicht einschlafen oder es muss Sie aufwecken, wenn die Toxine zu hoch konzentriert sind (gewöhnlich während des zweiten Vata Zyklus). Wie immer können Sie auf die Weisheit des Körpers zählen. Anmerkung: Frauen im Alter zwischen 40 und 55 können durch die hormonellen Änderungen während der Wechseljahre häufiger oder weniger häufig unter Schlafstörungen leiden, unabhängig davon, ob diese Änderungen auf Hitzewallungen oder anderen Symptomen beruhen.

Der zweite Vata Zyklus

Die Zeit von 2.00 Uhr bis 6.00 Uhr wird von Vata kontrolliert. Sein früher Morgenzyklus ist dafür verantwortlich, die Abfallprodukte des Körpers aus der Leber, den Zellen, den Eingeweiden und allen anderen Bereichen des Körpers zu den Entgiftungs- und Ausscheidungsorganen und -systemen zu bewegen. Dementsprechend neutralisiert das Lymphsystem schädliche Mikroben, Stoffwechselabfallprodukte, Zelltrümmer, ausgediente Zellen und durch Krankheit beschädigte Zellen. Der Enddarm verdichtet Fäkalien und veranlasst die Entleerung des Darms. Die Nieren leiten den Urin zur Blase weiter, was Blasenentleerung hervorruft. Die Haut nimmt ebenfalls Abfallstoffe auf, die in dieser Zeit zum Vorschein kommen. Aus diesem Grund ist es wichtig sich morgens zu waschen oder zu duschen. Der komplette Körper ist auf die Ausscheidung nutzloser Abfallstoffe ausgerichtet. Ungefähr 70 Prozent aller Abfallprodukte des Körpers werden über die Lungen, 20 Prozent über die Haut, 7 Prozent über den Urin und 3 Prozent über die Fäkalien ausgeschieden. Die regelmäßige und komplette Ausscheidung von Abfallstoffen aus diesen Organen ist für die ausgeglichene und ausgewogene Funktionsweise aller Zellen des Körpers lebensnotwendig. Jede dauerhafte Verstopfung in Darm, Leber und Nieren verwandelt den Körper in einen Abwasserspeicher.

Am Ende der Pitta-Periode, die den Anfang der Vata-Zeit kennzeichnet, beginnt die Körpertemperatur zu fallen und erreicht ihren Tiefpunkt ungefähr um 4.00 Uhr (der Höhepunkt der Vata-Zeit). Danach steigt die Körpertemperatur wieder allmählich. Zum Ende der Vata-Zeit, wenn die Natur aktiver wird, werden Körpertemperatur und Stresshormonlevel (wie Adrenalin und Cortisol) ausreichend sein, um mit einer gründlichen Entleerung in den Tag zu starten. Um die komplette und effiziente Beseitigung von Abfallstoffen zu unterstützen, muss der Körper allerdings wach und in einer stehenden Position sein. Die Schwerkraft spielt bei den körpereigenen Kreislauf- und Ausscheidungsfunktionen eine wichtige Rolle. Daher empfiehlt Ayurveda, dass wir möglichst vor Sonnenaufgang oder bei Tagesanbruch aufstehen, aber nicht nach Sonnenaufgang. Da die Zeiten des Sonnenaufgangs von Jahreszeit zu Jahreszeit und von Land zu Land variieren, durchlebt Vata ebenfalls gewisse Schwankungen. Und dennoch ist für die meisten Menschen 6:00 Uhr in der Regel die empfohlene Zeit, um aufzustehen.

Anmerkung: *Kleine Kinder, Teenager und sogar Jugendliche, deren natürlicher Melatoninzyklus früher in der Nacht beginnt als der von Erwachsenen, brauchen abends mindestens eine oder zwei Stunden zusätzlichen Schlaf.*

Ein Wecker, um am Morgen aufzuwachen, beendet abrupt den schrittweisen Übergang in die verschiedenen, aufeinanderfolgenden Schlafrhythmen und kann im Laufe des Tages Reizbarkeit, Kopfschmerzen und Nervosität verursachen. Sie können sich fühlen, als ob Sie noch nicht richtig wach wären. Der einfachste Weg Ihre Aufwachzeit zu steuern ist die Anpassung der Schlafenszeit am Abend. Wenn Sie zum Beispiel normalerweise 8 Stunden Schlaf brauchen, um sich am Morgen frisch und ausgeruht zu fühlen, wäre es gut für Sie, wenn Sie um ca. 22:00 Uhr schlafen gehen würden. Wenn Sie mehr Zeit brauchen, um sich frisch zu fühlen, dann gehen Sie noch früher ins Bett. Wenn Sie tatsächlich nur 7 Stunden Schlaf brauchen (obwohl die meisten Erwachsenen ungefähr 8 Stunden benötigen), dann gehen Sie um 22:00 Uhr ins Bett und stehen um 5:00 Uhr auf, eine noch bessere Zeit für Vata, um wirksam zu sein. Die Darmtätigkeit ist die stärkste Art der Bewegung im Körper und benötigt einen großen Teil der Körperenergie. Um den Körper dabei zu unterstützen, müssen wir in aller Frühe auf den Beinen sein. Früh schlafen zu gehen und früh morgens aufzustehen ist eine der wichtigsten Empfehlungen aus dem Bereich der Gesundheit, die Sie bekommen können. Sie sollten Sie Ihr ganzes Leben lang befolgen.

Risiken, vom Programm der Natur abzuweichen

Regelmäßig von den natürlichen Biorhythmen abzuweichen kann das Gleichgewicht Ihres Körpers und Geistes stören. Gehen wir zum Beispiel davon aus, dass Sie bis 8.00 Uhr schlafen, d. h. 2 Stunden in die Kapha-Periode (verlangsamte Aktivität) hineinreichend. Das bedeutet, dass die Ausscheidungsfunktionen/-bewegungen von Vata die Beseitigung der Abfallstoffe während der Endphase von Vata um 6.00 Uhr nicht mehr vollenden können. Da jedoch der Einfluss von Vata in dieser Zeit noch sehr stark ist, wird die Bewegung eingeschränkt und umgekehrt, ähnlich dem Verlauf eines Flusses, der durch eine Staumauer behindert wird. Folglich wird ein Teil der Abfallstoffe in den Körper zurückgedrängt, statt ausgeschieden zu werden. Das trifft auch auf das Harnsystem zu.

Ein Teil des Urins staut sich an und kehrt in die Nieren zurück, was den Flüssigkeitshaushalt des Körpers durcheinander bringt und zu Schwellungen des Gesichts, der Augen und des Bauchs führen kann. Außerdem werden Abfallstoffe, die die Haut versucht zu beseitigen, resorbiert und dringen in die Gewebsflüssigkeit und die Blutbahn ein. Wenn Fäkalien anfangen in das Colon zurückzufließen, kommt es überall im Magen-Darm-

Trakt zu Verstopfungen. Lymphkanäle werden versperrt, was zu Ödemen in den Eingeweiden und anderen Bereichen des Körpers führt. Solch lymphatische Schwellungen können zum Beispiel als harte Klumpen über oder um den Bauchnabelbereich herum abgetastet werden. Diese Knoten, die so groß wie eine Faust werden können, sind berührungsempfindlich (feststellbar, wenn man auf dem Rücken liegt). Der größte Teil der Ödeme kommt in den Cisterna chyli-Gefäßen vor.

Die auftretende Lymphstauung belastet außerordentlich das Herz und schwächt seine Bemühungen, die eigentliche Durchblutung aufrechtzuerhalten. Der fehlgeleitete Vata-Druck kann bis zum Atmungssystem, zum Mund, zu den Zähnen, zu den Nebenhöhlen, den Ohren, den Augen und zum Gehirn reichen, was dazu führt, dass toxische Ablagerungen in diesen Bereichen zurückbleiben. Dies kann, unter anderem, Schwerfälligkeit, Trägheit und Schwellungen der Augen und des Gesichts verursachen. Ein rundes Gesicht (Mondgesicht) ist ein Indiz für langfristige Darmverstopfung. Diese Symptome bringen auch Flüssigkeiten wie Schleim und Lymphflüssigkeit mit sich, was zu mit Kapha in Verbindung stehenden Problemen führt. Da es während der Kapha-Periode beträchtlich mehr Flüssigkeiten im Körper gibt, um Kraft zu sammeln und aufzubauen, und um sich auf den Verdauungsprozess (6.00 Uhr bis 10.00 Uhr) vorzubereiten, leuchtet es ein, dass wir in dieser Zeit alles vermeiden sollten, was verstopfende Wirkungen haben könnte. Ayurveda weist darauf hin, dass das Schlafen während der Kapha-Periode am Morgen starke Verstopfungen verursachen kann, was zu Atemwegs- und Kreislaufproblemen führt. Beides sind Kapha-Störungen. Während der Kapha-Periode zu schlafen kann auch zu mentaler Trägheit, allgemeiner Schwerfälligkeit und Teilnahmslosigkeit führen, die viele Stunden andauern kann. Ohne Sonnenbestrahlung in den frühen Morgenstunden bleibt auch die Serotoninausschüttung gering. Das kann ebenfalls zu einem Mangel an Glücksgefühlen und Begeisterung führen, was letztendlich in chronischer Depression endet. Der Wunsch weiterzuschlafen und am Morgen nicht aufstehen zu wollen, ist das erste Anzeichen einer Depression.

Einer aktuellen deutschen Studie zufolge könnte spätes aufstehen sogar ein Hauptrisikofaktor für Herzanfälle sein. Es ist schon lange bekannt, dass mehr Menschen am Montagmorgen um 9.00 Uhr an Herzinfarkten sterben, als zu jeder anderen Zeit und an jedem anderen Tag der Woche. Die Studie zeigt, dass die meisten Herzinfarktopfer ungefähr um 7.30 Uhr aufgestanden sind, was laut Ayurveda die „Gefahrenzeit" ist. Wenn Verschlafen zur Gewohnheit wird, ist der Körper nicht in der Lage, Abfallstoffe effizient über die Lungen und anderen Ausscheidungsorgane zu beseitigen, was zu Verstopfung und Erschöpfung des Herzens führt.

Denken Sie an ein Wochenende, an dem Sie lange schliefen und spät aufwachten. Fühlten Sie sich schlecht, als ob Sie betäubt wären? Vielleicht waren Sie sogar ausreichend träge, um sich den Rest des Tages zu trüben. Das lag daran, dass die Leber außerstande war, während der Nacht Toxine aus dem Blut zu entfernen und sich Ihr Zustand während der Kapha-Zeit durch träge Durchblutung noch zusätzlich verschlimmert hat.

Eine weitere Nebenwirkung, die daraus entsteht, bis in die Kapha-Periode hinein zu schlafen, ist die Unterdrückung von AGNI, was zu Verdauungsproblemen führt. AGNI nimmt auf natürliche Weise mit einem steigenden Serotoninspiegel am Morgen zu. Deshalb ist es ratsam, sich von Sonnenaufgang an dem Sonnenlicht auszusetzen. Das war früher in jedem Teil der Welt so üblich, bevor sich Elektrizität durchsetzte und Uhren erfunden wurden. Da Serotonin sehr eng mit Glück verbunden ist, und Glück die wichtigste Voraussetzung für gute Gesundheit ist, liegt es auf der Hand, dass die Bestrahlung mit natürlichem Licht von früh bis spät einer der wesentlichsten gesundheitsfördernden Faktoren ist.

Benjamin Franklin fasst den Grund passend zusammen, warum alle alten Kulturen in der Welt immer am tagesperiodischen Rhythmus festgehalten haben: „Wer früh zu Bett gehn, frühe aufstehn kann, wird ein gesunder, reicher, weiser Mann." Sogar die Bibel erwähnt im ersten Kapitel des Buches Genesis (die Entstehungsgeschichte) „Es wurde Abend und es wurde Morgen: erster Tag." Sprich, der nächste Tag wird vom Abend zuvor bestimmt. Ich möchte dem hinzufügen, „frühes Mittagessen und frühes Dinner, macht Sie fast sicher zu einem Gewinner." Indem Sie einfach Ihren Tagesablauf dem Timing der natürlichen Gesetze anpassen, tragen Sie aktiv zu den notwendigsten Voraussetzungen für Heilung, Gesundheit und Glück in ihrem Leben bei. Weil die Vata-, Pitta- und Kapha-Zyklen von den zirkadianen Rhythmen festgelegt werden, können Sie nicht Ihre eigenen individuellen Rhythmen schaffen, ohne sich selbst in einem Kampf gegen die starken Strömungen der natürlichen Gesetze wiederzufinden. Das Ausmaß Ihrer Abweichung von den natürlichen Rhythmen wird den Grad des Kampfes in Ihrem Körper widerspiegeln, d. h. die Beschwerden oder die Krankheit, mit der sich Körper und Geist auseinandersetzen müssen. Krankheit ist eine Maßnahme, den Menschen zu motivieren, wieder oder zum ersten Mal im Leben, diese kraftvollen und nützlichen Naturgesetze zu befolgen.

Wenn Sie zu einem entfernten Ort gereist sind, der in einer anderen Zeitzone liegt, können Sie das Phänomen des Jetlags kennen. Sonnenauf- und Sonnenuntergang ereigneten sich zu unterschiedlichen Zeiten und störten für mehrere Tage Ihre biologische Uhr, bevor die Zellen und Organe Ihres Körpers in der Lage waren, sich den neuen Tag- und Nachtzyklen dieses Landes anzupassen. Bevor Sie wieder Sie selbst sind, können

Sie mitten in der Nacht Hunger haben, am Morgen müde sein und in den frühen Morgenstunden vollkommen wach sein.

Eine Grundregel für den Jetlag besagt: Für jede Stunde Zeitunterschied benötigen Sie einen Tag, um Ihre biologischen Rhythmen dem zirkadianen Rhythmus in diesem Teil der Welt anzupassen, in den Sie reisen. Nach maximal zehn Tagen (bei einer 10-stündigen Zeitverschiebung) werden sich die Zellfunktionen Ihres Körpers wieder normalisieren, sofern Sie sich an die am neuen Standort natürlichen Tages- und Nachtzyklen halten.

Viele Menschen in den Industrienationen sind täglich von den Nebenwirkungen eines „künstlichen" Jetlags betroffen. Sie lassen es zu, dass andere Faktoren wie Arbeitsbedingungen, Fernsehen oder soziale Verpflichtungen ihnen diktieren, wann sie essen, schlafen und aufwachen sollen, wodurch die enge Beziehung des Körpers mit den Rhythmen der Natur gestört wird. Dies stellt einen der kräftezehrendsten Einflüsse unserer Zeit dar. Ich empfehle jedem, der unter einem Gesundheitsproblem leidet, eindringlich in Harmonie mit allen natürlichen Rhythmen des Körpers zu leben. Das wird den Heilprozess außerordentlich unterstützen und Krankheiten vorbeugen. Im Einklang mit den natürlichen Lebensrhythmen zu sein, stellt für gesunde Menschen eine der besten Versicherungen für anhaltende Gesundheit dar. Es erfordert lediglich, dass Sie den ständigen Nachrichten, die Ihr Körper Ihnen sendet, zuhören und darauf reagieren.

Hören Sie auf Ihren Körper und er hält Sie gesund!

Wie ein eingeschalteter Funkempfänger erhält Ihr Körper unaufhörlich eine Fülle an Daten und Informationen von der Außenwelt. Erde, Sterne, Sonne und alle Lebensformen geben ständig Strahlung ab, die Ihr Körper registriert und verarbeitet, um eine ausgeglichene Arbeitsweise und harmonische Beziehung mit der Umwelt zu sichern. Alles strahlt eine Form von Energie aus (einschließlich Licht, Wärme, Luft, erdelektrische Felder, Mikrowellen, magnetische Felder, Radioaktivität und ähnliches). Als Reaktion auf alle diese sichtbaren und unsichtbaren Einflüsse erzeugt Ihr Körper konkrete Nachrichten, die versuchen, Sie wissen und fühlen zu lassen, was in jedem Moment zu tun ist. Schlaf, Hunger, Durst und jeder andere natürliche Antrieb oder jedes andere Ereignis in Ihrem Körper zeigen an, dass Ihr „Radio" eingeschaltet ist und Sie im Einklang mit der Natur sind. Jeder von uns wird ständig gefordert zuzuhören und nach den Nachrichten zu handeln, die wir erhalten.

Wenn wir nicht länger im Einklang mit den äußeren Kräften sind, wie den Zyklen der Sonne und des Monds, beginnen wir aus dem Gleichgewicht zu kommen und vielleicht krank zu werden. Das bedeutet, dass wir mehr Eigenverantwortung übernehmen müssen, dazu bedarf es einer Hingabe zu sich selbst, Selbstwertschätzung und Eigenliebe. Dies sind die Eigenschaften, die eine Krankheit positiv beeinflussen. Die meisten ernsten Krankheiten entstehen aus einem schlechten Selbstbild oder schlechtem Selbstwertgefühl. Wie bei allen negativen Dingen gibt es einen positiven Grund hinter einer Krankheit, der da wäre uns zu heilen und uns wieder zu komplettieren – nicht nur physisch, sondern auch geistig und spirituell. Anstatt bloß zu versuchen die Symptome einer Krankheit zu beseitigen, können wir stattdessen etwas Wertvolles über uns selbst und unsere Lebensweise erfahren. Indem wir uns mit den Ursprüngen der Krankheit beschäftigen, akzeptieren und schätzen wir uns für gewöhnlich mehr als vorher.

Es ist natürlich wesentlich bequemer einen Virus für die Erkältung verantwortlich zu machen, die Sie sich eingefangen haben, anstatt zuzugeben, dass unregelmäßige Schlafgewohnheiten oder viel ungesundes Essen, sowie die Gründe hinter diesem Lebensstil und Verhalten etwas damit zu tun haben könnten. Noch einmal, alles Negative hat ebenso etwas Positives in sich verborgen. Angesichts der Umstände, die Sie für sich selbst geschaffen haben, ist es tatsächlich keine Pechsträhne oder eine Form von Strafe, die Sie krank macht. Alle Arten von Krankheit dienen als Möglichkeiten, mehr über sich selbst, Ihren Körper, Ihre Vergangenheit und den Lebensweg, für den Sie sich momentan entschieden haben, zu lernen. Krankheit kann Sie in ein höheres Bewusstseinsstadium führen, wenn Sie sie als Herausforderung sehen im Leben voranzukommen, anstatt sie wie ein Ärgernis zu betrachten.

Sie müssen Geist und Herz öffnen, um imstande zu sein zuzuhören und den Regeln zu folgen, die die Natur für eine reibungslose und mühelose Funktion des Körpers vorgesehen hat. Darauf zu drängen alles wissenschaftlich erklären zu müssen, bevor es Gültigkeit erlangt und in Betracht kommt, ist nicht nur kontraproduktiv, sondern zeigt auch mangelndes Selbstbewusstsein und einen schlechten Urteilssinn. Wissenschaftliche Beweise abzuwarten dient nur als Entschuldigung dafür, nicht der eigenen Intuition und dem natürlichen Instinkt zu vertrauen. Die Botschaften, die uns die Natur schickt, sind direkt und benötigen keine intellektuelle Interpretation. Sich Gedanken darüber zu machen, alles herausfinden zu wollen, es intellektuell zu erfassen, bringt Sie dazu, der inneren Weisheit nicht mehr zuzuhören, die die Natur Ihnen verliehen hat. Die Weisheit dessen, wie man ein gesundes, glückliches Leben lebt, liegt in Körper, Geist und Seele einer jeden Person verborgen.

Die vielen Botschaften des Körpers

Sie müssen beispielsweise nicht die exakten Mechanismen hinter dem Hungersignal verstehen, das Ihr Körper Ihnen gibt, wenn er Nahrung braucht. Alles, was Sie tun müssen ist essen und erfahren, wie das Hungergefühl abklingt. Indem Sie den Drang zu essen gewohnheitsmäßig ignorieren, können Sie Ihren Magen, Ihre Bauchspeicheldrüse und Ihren Dünndarm „verunsichern", was dazu führen kann, dass sich diese Organe an Ihren neuen Lebensmaßstab anpassen, indem sie die Produktion von Verdauungssäften möglichst gering halten, um die wertvollen Energien und Ressourcen des Körpers nicht zu verschwenden. Daher werden Sie nach einem für Sie überraschenden Verzehr einer reichhaltigen, normalen Mahlzeit mit großer Wahrscheinlichkeit unter Verdauungsstörungen leiden.

Andererseits, wenn Ihr Magen Ihnen mitteilt, dass Sie keinen Hunger haben, dass Sie momentan kein Essen benötigen, Sie aber trotzdem aus Höflichkeit, Neugierde, Langeweile oder Versuchung essen, wird die Stimme des Verzichts Ihres Verdauungssystems überstimmt. Da der Körper zu diesem Zeitpunkt nicht darauf eingestellt ist Nahrung zu verdauen, kann er es auch nicht. Das ist eine andere Ursache für Verdauungsstörungen.

Wenn Sie den natürlichen Drang eines Stuhlgangs verspüren, leitet der Körper Sie zur Toilette. Aber wenn Sie dieses Signal ignorieren, weil es vielleicht zu einem ungünstigen Zeitpunkt kommt, hat Ihr Körper keine andere Wahl, als die Abfallstoffe einzubehalten. Letztendlich sinkt der Drang den Darm zu entleeren und den Fäkalien wird immer mehr Wasser entzogen, bis sie zu trocken und zu hart sind, um einen Stuhlgang auszulösen. Diesen Zustand bezeichnet man als Verstopfung. Destruktive Bakterien beginnen einen Teil der Abfallstoffe abzubauen, was zur Bildung von toxischen Gasen und anderen Schadstoffen führt. Dies kann Blutvergiftung und andere Störungen des Verdauungssystems verursachen.

Wenn Ihr Körper müde und schläfrig ist, verspüren Sie den natürlichen Drang sich hinzulegen und zu schlafen. Eine Tasse Kaffee oder eine Zigarette versorgt Sie jedoch mit genug Adrenalin, um Sie wach zu halten. Wenn Sie die Schlafsignale des Körpers routinemäßig ignorieren, kann die Überproduktion von Adrenalin und anderer Stresshormone Hyperaktivität auslösen und Sie unfähig machen, sich zu entspannen oder richtig zu schlafen.

Das Ignorieren der natürlichen Botschaften des Körpers ist heutzutage die Grundlage der meisten Krankheiten. Hinzu zur bereits vorhandenen Verwirrung über Gesundheitsfragen sind Bücher, Radio, Fernsehen und besonders Zeitschriften mit einer überwältigenden Masse an Tipps und Informationen über die neuesten Schlankheitskuren, Programme und

Lifestyle-Angebote, die „für Sie so gut sein sollen", schnell bei der Hand. Zum Beispiel wurde uns vor nicht allzu langer Zeit gesagt, dass Kartoffeln und Nudeln zu den am meisten dick machenden Nahrungsmitteln zählen. Wenig später betrachteten Ernährungswissenschaftler sie als gut zum Abnehmen, und die letzte kohlenhydratarme Welle lehnte sie als ungesund ab. Hin und hergerissen zwischen verschiedenen Gesundheitsdoktrinen, suchen wir nach den perfekten Antworten auf unsere Probleme. Vielleicht werden Sie, wenn Ihr Körper aufgrund der ständigen Bemühungen, sich einer Diät nach der anderen anzupassen, völlig ausgelaugt ist, letztendlich verstehen, dass der Bedarf Ihres Körpers etwas Einzigartiges ist und dass er sich ständig verändert, häufig von einem Tag auf den anderen.

Wenn Sie feinfühlig sind, werden Sie bemerkt haben, dass Sie an bestimmten Tagen des Monats oder zu verschiedenen Tageszeiten ein bestimmtes Lebensmittel leichter verdauen können. Dasselbe Lebensmittel kann Ihnen an einem Tag Vitalität und Schwung verleihen und Ihnen an einem anderen Tag Magenschmerzen, Blähungen oder Krämpfe bereiten. Ein Nudelgericht wird an einem Tag schnell nach der Mahlzeit verdaut, wohingegen Ihnen das gleiche Gericht zwei Wochen später wie ein Fels im Magen liegt und Sie sich fühlen, als hätten Sie Verstopfungen. Vielleicht nehmen Sie auch tatsächlich zu. Abgesehen von den täglichen und jahreszeitlichen Wechselzyklen, liegt die Antwort auf dieses rätselhafte Verhalten des Körpers unter anderem an der kontinuierlichen Bewegung der Planeten und deren verschiedenen Positionen.

Gute Gesundheit erfordert natürlichen Instinkt

1984 bewies der Nobelpreisträger Carlo Rubbia, dass der menschliche Körper größtenteils aus Energie und zum geringen Teil aus Materieteilchen besteht. Genauer gesagt kommen 974 600 000 Energieeinheiten (Photonen) auf jedes Materieteilchen. Anders ausgedrückt, nur ein Millionstel Teil Ihres Körpers besteht aus Materie, der Rest besteht aus Schwingungsenergie. Alle Materie, die Ihr Körper, der Stuhl auf dem Sie sitzen und der Planet auf dem Sie leben enthält, verhält sich im Wesentlichen auf quantenmechanische Weise. Da alle äußeren Einflüsse wie Sonnenstürme, Klimaveränderungen und der Durchlauf des Monds durch einen bestimmten Tierkreis verschiedene Energiestadien darstellen, können sie sofort entsprechende Aktionen, Reaktionen und Transformationen innerhalb Ihres Körpers auslösen. Als Reaktion auf diese äußeren Einflüsse sendet Ihr Körper unterschwellige Signale oder unmittelbare Nachrichten, um Ihnen zu sagen, dass sich seine Anforderungen für solche lebensnotwendigen Dinge wie Essen, Wasser, Ruhe, Bewegung, Wärme und Kälte geändert haben. Das erfordert jedoch von Ihnen Einfühlungsvermögen und Wachsamkeit. Diese werden aber fehlen, wenn Sie die natürlichen Bedürfnisse Ihres Körpers (Hunger, Durst, Stuhlgang, Blasenentleerung, Schlaf, usw.) ständig unterdrücken, Ihr Verdauungssystem mit Essen und Abfallprodukten überlasten und sich selbst emotional abhängig vom Rat anderer Leute machen, gleichwohl wie nützlich er scheinen mag.

Jedes gute Gesundheitssystem ist durch ein Merkmal erkennbar: Es lehrt Sie, auf Ihren Körper zu hören und eigenverantwortlich zu wissen, was für Sie in jedem Augenblick, zu jeder Zeit nützlich ist. Lassen Sie sich in jedem Fall von Ihren Erfahrungen leiten, um herauszufinden, was für Sie das Beste ist und was nicht. Eine bloße Theorie macht Sie nicht gesund. Wenn Sie anfangen, auf die unterschwelligen Botschaften Ihres Körpers zu hören, werden Sie feststellen, dass das Verhalten, die Aktionen, die natürlichen Bedürfnisse und die Krankheitssymptome des Körpers keinesfalls willkürlich oder zufällig sind.

Gesundheitliche Beschwerden treten dann auf, wenn wir an der Fähigkeit unseres Körpers zweifeln, richtige Entscheidungen zu treffen, und das ist genau das, was wir fast vom Beginn unseres Lebens an gelernt haben zu tun. Viele unserer natürlichen Instinkte wurden unterdrückt oder durch menschengemachte Regeln, Überzeugungen, Manipulation und Werbung gedämpft. Sie diktieren uns unseren Lebensstil, unsere Essgewohnheiten und unsere Essens- und Schlafenszeiten, und sie bestimmen, wann wir unsere Abfallstoffe ausscheiden (Details hierzu in Kapitel 6).

Wenn wir weiterhin die Urinstinkte des Körpers ignorieren, beginnt der Geist nach Ersatz zu suchen, was (gesetzmäßig) Gelüste auf oder Süchte nach Lebensmitteln, Getränken, Aufputschmitteln, Sex usw. verursacht. Indem Sie Ihrem Körper ein wenig zusätzliche Aufmerksamkeit schenken, wird er Ihnen bald den Unterschied zwischen einem/einer ausgeglichenen und einem/einer unausgeglichenen Einfluss oder Nachricht zeigen. Wenn Ihr Magen zum Beispiel noch voll ist und Sie noch etwas essen wollen, werden Sie feststellen, dass es nicht Ihr Magen ist, der mehr Nahrung will. Nahrungsmittelgelüste sagen Ihnen, dass Ihr Körper nicht mehr in der Lage ist zu verdauen und richtig aufzunehmen, und dass er eigentlich unterernährt ist. Dieser zellulare Hunger ist für die Nahrungsmittelgelüste verantwortlich. Wenn Sie einen leeren Magen haben und hungrig sind, fragen Sie Ihren Magen, was er wirklich gern essen würde. Die ernährungsbedingten und emotionalen Ansprüche des Körpers ändern sich täglich, als direkte Reaktion auf Veränderungen in der nahen und fernen Umgebung. Ein Ernährungsplan würde daher nicht den konkreten täglichen Bedarf des Körpers decken, da er auch die Nachrichten blockiert und verdreht, die der Körper versucht Ihnen zu übermitteln.

Die natürlichen Instinkte des Körpers folgen bestimmten wesentlichen Kräften, die alle Bereiche der körperlichen Entwicklung betreffen. Die einzigartige Darstellung dieser Kräfte in Ihrem Körper entscheiden letztlich über Ihre natürlichen Neigungen und Instinkte. Sie sind für die spezifischen Eigenschaften Ihres Körpertyps verantwortlich. Um die natürlichen Instinkte Ihres Körpers wieder herzustellen, was für die Wiedergewinnung dauerhafter Gesundheit und Lebenskraft von wesentlicher Bedeutung ist, müssen Sie zuerst Ihren persönlichen Körpertyp bestimmen.

Lernen, gesund zu sein. Wie erkenne ich meinen Körpertyp?

Ein sehr wichtiger Schritt bei den Bemühungen um gute Gesundheit ist, erstens, herauszufinden, welcher Körpertyp Sie sind und zweitens, festzustellen, wie sie Ihrem Körper helfen können, seine natürliche Balance und Vitalität wiederherzustellen. Ayurveda weiß, dass jede Person einen einzigartigen psycho-physiologischen Körpertyp hat, der auf Nahrungsmittel, Medizin, Klima, Jahreszeiten, Stress, Farben, Gerüche und andere Reize auf einzigartige und spezifische Weise reagiert. Kein Mensch kann genau dem anderen gleichen, weil die drei Körpersäfte oder Doshas – Vata, Pitta und Kapha – jeweils in verschiedensten Stufen in jedem Menschen auf diesem Planeten vertreten sind. Zusammen mit dem Erbgut werden die individuellen Eigenschaften des Aussehens und Verhaltens, sowie verschiedene angeborene Entscheidungen bezüglich der Arten von Lebensmitteln, Farben, Klima und des Umfelds angelegt, die jede Person bevorzugt. Demzufolge müssen wir, bevor wir die Balance in Körper und Geist wiederherstellen können, herausfinden, wer wir in einem psycho-physiologischen Sinn sind.

Wenn wir uns als Vata-, Pitta-, oder Kapha-Körpertypen bestimmen (Abbildung 14), sollten wir uns immer vor Augen halten, dass keine körperliche Verfassung besser ist als die andere. Die drei Doshas setzen sich aus den großen Naturelementen *Erde, Wasser, Feuer, Luft und Raum* zusammen. Diese fünf Elemente sind die Protoelemente (Urelemente), sie sind Energien, die auf verschiedenen Frequenzen schwingen. Zum Beispiel haben die Photonen (Lichtpartikel), die ständig in der Luft um Sie herum erzeugt werden, ein unterschiedlich charakteristisches Energiemuster als die Energie, die durch die Partikel erzeugt wird, die in einem Tonstück oder im Wasser enthalten sind, das durch einen Fluss fließt. Jede Materie, egal wie dicht, ist ein ständiges Vermischen dieser fünf Elemente oder Schwingungsenergien. Im Körper werden diese elementaren Energien zusammengefasst und durch die drei Doshas dargestellt, wodurch eine untrennbare Verbindung mit der Umwelt gebildet wird. Die Kräfte der Natur arbeiten innerhalb und außerhalb, und je mehr wir ihre großen Kräfte in unserem Innern erkennen und begreifen, desto mehr harmonisieren wir mit der Außenwelt. Gesundheit ist das spontane Ergebnis von Harmonie zwischen uns und der Natur.

Vata, Pitta, und Kapha sind die wichtigsten Kontrollmächte allen Lebens im Universum. Momentan werden sie außerordentlich gestört und verursachen Verwüstung und Turbulenzen, sowohl in uns als auch in der Umwelt. Indem wir das Gleichgewicht zwischen den drei *Doshas* unseres Körpers wiederherstellen, beruhigen wir automatisch die großen Elemente, die unsere Welt ausmachen. Das ist unbedingt notwendig, da wir auch eine gesündere Umwelt schaffen müssen, um gesund zu werden und zu bleiben.

Wenn Vata in der Natur aus dem Gleichgewicht gerät, verursacht es Erdbeben, Dürren, Orkane und Tornados. Gestörtes Pitta führt zu Hitzewellen und großer Zerstörung durch Feuer. Irritiertes Kapha führt zu übermäßiger Kälte, Regen und Überschwemmung. Im Körper verursacht ein unausgeglichenes Vata-Dosha Blähungen, Druck, Schmerz, Trockenheit, Zittern und Nervosität. Wenn das Pitta-Dosha gestört wird, überhitzt der Körper, übersäuert oder leidet an Entzündungskrankheiten. Ein unausgewogenes Kapha-Dosha führt zu Verstopfungen in Magen, Brust und Nebenhöhlen, sowie zu Wasserspeicherung und Gewichtszunahme, vergleichbar mit Phänomenen in der Umwelt. Wenn Sie anfangen in Ihrem Inneren eine Balance zu schaffen, wird das Äußere auch heller scheinen und vital und frisch werden. Die Kenntnis Ihres körperlichen Aufbaus wird Ihnen helfen eine harmonische Verbindung mit dem Aufbau Ihrer Umgebung einzugehen und alle Vorteile zu nutzen, mit denen die Natur Sie auf Ihrer Reise zu einem gesunden, fruchtbaren und erfüllten Leben versorgen kann.

Vata Typ **Pitta Typ** **Kapha Typ**

Abbildung 14: Die drei Hauptkörpertypen

Die menschliche Körperstatur setzt sich aus allen drei Doshas oder dynamischen Naturkräften zusammen. Das menschliche Bewusstsein wählt eine einzigartige Kombination der drei Doshas, um seinen spezifischen Lebenszweck zu erfüllen und ihm nachzukommen. In Harmonie zusammenarbeitend, erlauben die Doshas dem Individuum sich geistig, körperlich und spirituell bestmöglich zu entwickeln. Die Kenntnis der drei Doshas und ihre jeweilige Konzentration im Körper können daher für die Weiterentwicklung von Körper, Geist und Seele äußerst dienlich sein.

Es gibt zehn grundlegende Körpertypen. Ayurveda definiert sie als *Einzeldosha*-Typen, *Doppeldosha*-Typen und *Samadosha*-Typen. Sama-Dosha ist der seltenste aller Körpertypen und offenbart sich nur, wenn alle drei Doshas zu gleichen Teilen vorhanden sind. Einzeldosha-Typen sind ebenfalls relativ selten, da nur wenige Menschen von nur einem Dosha beeinflusst werden. Am häufigsten sind die Doppeldoshas. Jedes Doppeldosha kann verschiedene Mengen der beiden Komponenten enthalten. Daher weist ein Vata-Pitta-Typ mehr Luftenergie auf, wohingegen ein Pitta-Vata-Typ mehr Feuerenergie in sich hat. Ein Kapha-Pitta-Typ wird von Wasserenergie dominiert, mit Feuerenergie als untergeordnete Kraft. Ein Vata-Kapha-Typ wird größtenteils von Luftenergie gesteuert, mit sekundären Wasser- und Erdenergien. Und ein Kapha-Vata-Typ weist mehr Wasser- und Erdgrundsätze auf, mit der Luftenergie von Vata als zweitrangigem Einfluss.

Die zehn Körpertypen

Einzeldosha-Typen:

Vata	Luft/Raum
Pitta	Feuer/Wasser
Kapha	Wasser/Erde

Samadosha-Typ:

Vata-Pitta-Kapha
Alle Elemente gleichermaßen vorhanden

Doppeldosha-Typen:

Vata-Pitta	1. Luft/Raum	2. Feuer/Wasser
Pitta-Vata	1. Feuer/Wasser	2. Luft/Raum
Pitta-Kapha	1. Feuer/Wasser	2. Wasser/Erde
Kapha-Pitta	1. Wasser/Erde	2. Feuer/Wasser
Kapha-Vata	1. Wasser/Erde	2. Luft/Raum
Vata-Kapha	1. Luft/Raum	2. Wasser/Erde

Der folgende Fragebogen gibt Ihnen einen Überblick über Ihre besonderen Merkmale und Eigenschaften und etwaige Ungleichgewichte in Geist und Körper. Von da ab werden Sie in der Lage sein zu verstehen, warum jeder von uns spezielle Bedürfnisse und Ansprüche hat, und was wir tun können, um ihnen zu entsprechen. Beginnen Sie damit, indem Sie zu allen drei Doshas alle Fragen beantworten. Danach addieren Sie die Punkte für jeden Abschnitt und dann untersuchen Sie die Merkmale des Körpertypen, der die meisten Punkte erzielt hat. Denken Sie daran, dass Ihre momentane Ernährungsweise, Ihr Lebensstil und physische Probleme Ihre Bewertung ein wenig beeinflussen können. Um also bei der Beantwortung der Fragen genauere Ergebnisse zu erzielen, berücksichtigen Sie auch die Gewohnheiten, Eigenschaften und Gesundheitsprobleme der letzten 10 bis 20 Jahre. Da sich Ihre Gewohnheiten ändern könnten, wiederholen Sie diese Auswertung sechs Monate nach Umsetzung des ayurvedischen Programms. Die Ergebnisse der nächsten Auswertung werden Ihrer tatsächlichen körperlichen Verfassung eher entsprechen.

Körpertyp-Quiz

Der Vata-Typ

- Ich bin für gewöhnlich eine sehr aktive Person und meine Körperbewegungen sind schnell.
- Mein Erinnerungsvermögen ist ziemlich schlecht.
- Ich lerne sehr schnell neue Dinge.
- Ich bin naturgemäß eifrig, dynamisch und lebhaft.
- Ich bin sehr groß (oder klein), sehr dünn und habe Probleme Fett anzusetzen.
- Meine Gelenke ragen heraus und die Sehnen und Adern meiner Hände und Unterarme sind deutlich erkennbar.
- Mein Haar ist allgemein trocken, drahtig, dünn und stumpf.
- Ich neige zu Unentschlossenheit und Zögerlichkeit, wenn es darum geht Entscheidungen zu treffen.
- Ich neige schnell zu Verstopfungen und vertrage keine gasbildenden Lebensmittel wie Bohnen.
- Ich mache mir viele Sorgen, sogar, wenn es dazu keinen Grund gibt.
- Unter Stress werde ich nervös, aufgewühlt, unruhig oder wahnsinnig.
- Ich neige zu kalten Händen und Füßen, sogar im Sommer.
- Ich liebe heißes Wetter und Sonnenbaden.
- Meine Haut ist allgemein trocken, dunkel, kalt, ledrig und rau.
- Meine Augen sind schmal, klein, trüb und neigen zu Trockenheit und jucken.
- Mein Schlaf ist häufig gestört und unterbrochen, und ich habe Schwierigkeiten einzuschlafen.
- Ich spreche schnell und andere könnten mich gesprächig nennen.
- Wenn ich auf mich selbst angewiesen bin, neige ich dazu Mahlzeiten auszulassen und unregelmäßig zu schlafen.
- Inmitten der Natur zu sein beruhigt mich, macht mich glücklich und entspannt mich.
- Ich bin ein guter Berater oder Lehrer.

Vata Punktzahl:

Der Pitta-Typ

- Ich bin für gewöhnlich eine sehr effiziente, genaue und organisierte Person.
- Ich neige zu übermäßiger Transpiration und manchmal zu starkem, unangenehmen Körpergeruch.
- Ich bevorzuge kalte Nahrungsmittel und Getränke; Hitze macht mich nervös.
- Ich speichere Wasser und habe ein aufgedunsenes Gesicht oder geschwollene Augen.
- Ich verliere schnell meine Geduld und kann reizbar, zynisch und genau sein.
- Ich werde sehr schnell zornig, beruhige mich aber auch schnell wieder.
- Ich habe einen starken Appetit und esse häufig mehr als ich brauche.
- Ich fühle mich unwohl, wenn ich eine Mahlzeit auslasse oder wenn sie verzögert wird.
- Ich habe sehr regelmäßigen Stuhlgang, und ich habe mit größerer Wahrscheinlichkeit dünnere Stuhlgänge als Verstopfungen.
- Ungeduld ist eine meiner größten Schwächen.
- Mein Körper ist durchschnittlich gebaut, athletisch straff und mittelgroß.
- Meine Haut ist gelblich/rötlich und anfällig für Sommersprossen, Muttermale, Ausschläge, Pickel und Sonnenbrand.
- Ich vertrage generell keine heißen und würzigen Nahrungsmittel, aber unter Stress sehne ich mich nach ihnen, sowie nach anderen berauschenden Nahrungsmitteln und Getränken.
- Ich bin anfällig für frühes Ergrauen und Kahlköpfigkeit; mein Haar ist dünn, fein und glatt, und es ist rot, blond oder sandfarben.
- Meine Augen sind mandelförmig, grün, hellbraun oder Haselnussbraun.
- Meine Lederhaut (das Weiße des Auges) ist manchmal gelb und/oder blutunterlaufen.
- Ich bin sehr wetteifernd, erfolgsorientiert und ein wenig energisch.
- Ich schlafe für ungefähr sechs bis acht Stunden und meine Träume können gewalttätig sein.
- Unter Stress neige ich zu Geschwüren, Schlaflosigkeit, Durchfall und Gewichtsverlust.
- Ich neige dazu, anderen und mir selbst gegenüber kritisch zu sein.
- Ich glaube mit Intelligenz, Charisma, Zuverlässigkeit und sogar Brillanz ausgestattet zu sein. Ich fühle mich in Führungspositionen sehr wohl und ich denke, dass ich darin recht gut bin.

Pitta Punktzahl:

Der Kapha-Typ

- Mein Körperbau ist groß, massiv und breit. Meine Schenkel, Arme, Pobacken, Brust und Hüften sind dick.
- Ich ziehe es vor, Dinge langsam und systematisch durchzuführen.
- Obwohl ich eine weiche, sanfte und liebliche Stimme habe, ist sie oft mit Schleim verstopft.
- Freunde bezeichnen mich als ruhig, gelassen, unbekümmert oder sogar „cool".
- Mein Schlaf ist tief, ungestört und stark, und ich muss acht bis zwölf Stunden schlafen, um mich über den nächsten Tag hinweg wohl zu fühlen.
- Meine Haut ist dick, fettig, weich, glatt, glänzend, kühl; sie hat einen etwas blassen Teint.
- Ich fühle mich besser, wenn ich gelegentlich eine Mahlzeit auslasse.
- Ich liebe heißes Wetter und sonnige Tage. Kaltes, feuchtes Wetter stört mich.
- Meine Augen sind rund, groß und klar mit dichten Wimpern. Freunde sagen, dass sie sinnliche Ansammlungen aus schwarz, beziehungsweise blau sind.
- Ich gehe in einer langsamen und bedächtigen Gangart.
- Ich bin eine gutartige, liebevolle und nachsichtige Person.
- Mein Haar ist üppig, dick, blond oder schwarz und lockig.
- Ich bin körperlich stark, habe gute Kondition, lange Ausdauer und dauerhafte Energie.
- Wenn ich unter Stress stehe, neige ich dazu mich zu überessen, zu verschlafen, mich nach dem Aufwachen erschöpft zu fühlen und morgens nur langsam auf die Beine zu kommen.
- Meine Verdauung und mein Stoffwechsel scheinen langsam zu sein, und ich neige dazu, mich nach dem Essen schwer zu fühlen.
- Ich neige zu erhöhtem Schleim, Auswurf, chronischer Verstopfung, Asthma und Nebenhöhlenproblemen.
- Ich lerne nicht so schnell und einfach wie andere Leute, aber was immer ich gelernt und verstanden habe, ist für lange Zeit in meinem Gedächtnis gespeichert.
- Wenn ich unglücklich oder gestresst bin, werde ich engstirnig, störrisch, nachlässig, besitzergreifend oder anhänglich.
- Ich würde gerne nichts tun und faul sein, aber ich arbeite hart.
- Ich halte an vielen Dingen fest, einschließlich Geld, Beziehungen und Körpergewicht.

Kapha Punktzahl:

Nachdem Sie die Punkte aller zutreffenden Eigenschaften in jedem Abschnitt addiert haben, vergleichen Sie die Gesamtpunkte für Vata, Pitta und Kapha. Wenn Ihre Endsummen z.B. Vata 15, Pitta 12 und Kapha 4 betragen, dann ist Ihr Körpertyp Vata-Pitta (Vata-dominierend). Wenn Vata 3, Pitta 4 und Kapha 11 sind, dann können Sie sich als einen Kapha-Typ betrachten. Es kann sein, dass Ihre Punktzahl für Vata 10 beträgt, für Pitta 19, und für Kapha 10; in diesem Fall ist Ihr zweites Dosha noch nicht klar. Betrachten Sie sich als einen Pitta-Typ und unterziehen Sie sich in sechs Monaten einer erneuten Prüfung; Sie werden dann feststellen, dass durch die Entfernung von Fremdstoffen aus dem Körper, entweder Vata oder Kapha eine klarere Haltung eingenommen haben. Für den seltenen Fall, dass Ihre Punktzahl ungefähr wie folg aussieht Vata 13, Pitta 14 und Kapha 14, dann sind Sie ein SAMA-Körpertyp.

Anfangs ist es vielleicht schwierig seinen Körpertypen zu bestimmen. Ich brauchte viele Jahre der Ausbildung, um den Körpertyp eines Menschen bestimmen zu können und ihn von den Ungleichgewichten zu trennen, die er vielleicht hatte. Beispielsweise kann eine Person überwiegend Vata sein, aber ein Pitta Ungleichgewicht, wie etwa ein Hautproblem (z. B. Akne, Ausschläge oder Hautrötung), haben. Aus diesem Grund kann er vielleicht 12 Vata-, 11 Pitta- und einige wenige Kapha-Punkte haben. Das kann verwirrend sein und aus diesem Grund ist er vielleicht nicht in der Lage, das ohne die Hilfe eines Ayurvedischen Gesundheitsberaters zu sortieren.

Grundsätzlich gerät Vata in solch einem Fall zuerst aus dem Gleichgewicht (durch Verstopfung, die durch unregelmäßige Ess-/Schlafgewohnheiten, trockene Nahrungsmittel oder geringe Galleausscheidung verursacht wird), was dann dazu führt, dass Toxine vom Blut und der Lymphe aufgenommen werden. Das überfordert die Leber und die Nieren. Anschließend können diese Organe keine Darmtoxine mehr entfernen, die dann durch die Haut beseitigt werden, was zu solchen Hautproblemen wie Hautunreinheiten, Pickeln oder Akne führt. Dadurch führt das Vata-Problem zu einem Pitta-Verfassungszustand.

Sobald die Organe gereinigt sind und das Verstopfungsproblem gelöst ist, lösen sich die Hautprobleme auf und die Pitta Punktzahl sinkt. In diesem Fall kann sich die Punktzahl der Person nun wie folgt verteilen: Vata 12 und nur an die 7 für Pitta, was die Person überwiegend zu einem Vata-Typ macht (mit Pitta oder Kapha an zweiter Stelle).

SAMA-Dosha bezieht sich nur auf Menschen, die bei jedem Dosha fast die gleiche Punktzahl und auch keinerlei Gesundheitsbeschwerden haben. Wie ich früher bereits erklärt habe, kommt das nur sehr selten vor. Die meisten Menschen leiden unter einigen Ungleichgewichten, die ihren wahren Körpertyp verzerren können. In den meisten Fällen lichtet sich das Durcheinander, wenn sie ihre Organe reinigen und sich ausgewogener ernähren.

Es ist gut zu wissen, dass kein einzelner Körpertyp vorteilhafter ist als der andere. Ein SAMA- oder Kapha-Typ kann zwar einen stärkeren Körperbau haben, was vorteilhafter zu sein scheint, aber er bemerkt für gewöhnlich nicht, wenn er die Linie überschreitet. Wenn er aus dem Gleichgewicht ist, kann er seine Gesundheit nur langsam wiederherstellen. Menschen mit einem schwachen Körperbau, wie der Vata-Typ, machen hingegen weniger Fehler, weil Schmerzen, Sorgen und andere Beschwerdearten das nicht zulassen würden.

Der Schwerpunkt liegt darauf, jeden Körpertyp perfekt auszubalancieren und all seine natürlichen Stärken und Gesundheitsmerkmale hervorzubringen. Die unterschiedlichen Anteile und Verbindungen von Vata, Pitta und Kapha in jedem Menschen sind für den Aufbau eines einzigartigen Individuums verantwortlich. Um Ihnen eine Vorstellung von den Hauptmerkmalen eines Vata-, Pitta- oder Kapha-dominierten Körpertypen zu geben, sehen Sie sich die folgenden entsprechenden Auflistungen an. Halten sie sich jedoch vor Augen, dass Sie immer eine Kombination aller drei Doshas sind.

Charakteristiken der Körpertypen

Der Vata-Typ

- Magerer, dünner Körperbau, schmale Gestalt; gebogene oder unregelmäßig geformte Nase
- Bewegt sich oder führt Aktivitäten schnell durch
- Tendenz zu trockener, rauer, kalter und dunkler Haut
- Abneigung gegenüber kaltem Wetter
- Unregelmäßiger Hunger und Verdauung
- Leichter, unterbrochener Schlaf, Schlaflosigkeit
- Begeisterungsfähigkeit, Lebhaftigkeit, Vorstellungskraft, Wahrnehmungsvermögen, spirituelle Neigung
- Reizbarkeit, Launenhaftigkeit, unberechenbar
- Begreift schnell Informationen, vergisst sie aber auch schnell wieder
- Neigung zu Sorgen, Angst, Unruhe
- Neigung zu Blähungen und Verstopfung
- Ermüdet schnell, neigt zu Überanstrengung und Hyperaktivität

- Geistige und physische Energie kommt in Stößen
- Geringe Toleranz gegenüber Schmerz, Geräuschen, hellem Licht

Das Leitmotiv des Vata-Typs ist „Unbeständigkeit". Da sich Vata aus den Elementen Luft und Raum zusammensetzt, sind Bewegung und Veränderlichkeit natürliche Merkmale dieses Körpertyps. Vatas lehnen jede Art des Ist-Zustands ab. Sie lieben Aufregung und ständigen Wandel, aber wenn das nicht möglich ist, verfallen sie in einen unregelmäßigen Lebensstil. Zum Beispiel können sie jeden Tag zu unterschiedlichen Zeiten schlafen gehen oder Mahlzeiten auslassen. Ihre unberechenbare Natur macht sie zu den untypischsten Menschen.

Vata Typen fühlen sich häufig isoliert und unbeholfen, wenn sie sich gegenüber dem kernigen Kapha-Typ oder dem starken Pitta-Typ behaupten müssen. Jedoch begeistert ihre luftige Aura, Beweglichkeit und Vehemenz besonders Pittas und Kaphas, denen es an diesen Qualitäten mangelt. Vatas sehen elegant aus, wenn sie gut gekleidet sind. Kleidung deckt ihren Bedarf an Isolierung und Selbstvertrauen; ihr kühler, hagerer und fast „hungriger" Blick ist ideal fürs Modeln, ein Grund, warum die meisten Topmodels Vatas sind. Physisch sind Vatas von allen Körpertypen am dünnsten; ihre Schultern und Hüften sind für gewöhnlich schmal und häufig rundlich. Einige Vatas sind chronisch „untergewichtig" und obwohl sie große Mengen Nahrung zu sich nehmen, nehmen sie selten zu. Andere Vata-Typen sind während ihrer ganzen Jugend hindurch dünn und werden erst im mittleren Alter übergewichtig.

Von allen Körpertypen neigen Vatas am ehesten zu körperlichen Unregelmäßigkeiten. Einige Vata-Typen haben Hände oder Füße, die für ihren zierlichen Körper zu groß oder zu klein sind. Ihre Zähne können schief sein, hervorstehen oder zu klein sein. Vatas können gut gebaut sein, aber wenn sie gestresst sind und Verstopfungen haben, sind sie anfällig für Wirbelsäulendeformitäten (Skoliose) oder andere Skelettprobleme. Einige Vatas werden mit sehr leichten Knochen, andere mit sehr schweren, aber länglichen Knochen geboren. Sie erkennen Vatas an ihren sichtbaren Gelenken, Sehnen und Venen. Das liegt am geringen Fettgehalt ihrer Haut. Ein weiteres typisches Anzeichen für die Physiologie von Vatas ist hörbares Gelenkknacken.

Ausgeglichene Vata-Typen sind eifrig, energisch und geistig erbaut. Ihr allgemein scharfer Verstand und erhöhtes Bewusstsein machen sie zum besten Kandidaten für spirituelle Entwicklung. Vatas werden von ihrem erhöhten Tastsinn und ihrem Gehör beherrscht. Sie fühlen und hören die

Welt mehr, als sie sie sehen, ein Grund, warum sie häufiger Umarmungen und aufmunternde Worte brauchen. Sex an sich ist für Vatas nicht so wichtig, aber das Gefühl geliebt und umsorgt zu werden. Sie haben keine Schwierigkeiten, längere Zeit ohne Sex auszukommen, aber sobald sie einen Partner gefunden haben, der sie aufrichtig akzeptiert und dafür liebt, wer sie sind, sind sie sehr erfüllende Sexualpartner. Vata-Typen brauchen reife Kapha-Pitta- oder Pitta-Kapha-Typen um in einer Beziehung ihr Bestes zu geben.

Da Vata die Hauptkraft der Bewegung im Körper ist, regelt es die Darmtätigkeiten, die Nahrungsaufnahme, die Atmung, das Sprechen, die Nervenimpulse und den Transport von Blut und Lymphe. Es ist ebenfalls für die Bewegung der Muskeln und des ganzen Körpers verantwortlich. Vata ist im Nervensystem stark ausgeprägt. Daher werden sich Vata-Ungleichgewichte wahrscheinlich in Form von Nervenstörungen, inklusive Zittern, Spasmen, Krämpfen, Angst, Depression und klinisch psychischen Störungen zeigen. Sobald Vata wieder im Gleichgewicht ist, werden solche Störungen, die sich sonst herkömmlichen Behandlungen widersetzen, häufig spontan verschwinden.

Vatas, die nicht im Gleichgewicht sind, neigen dazu, sich sehr viele Sorgen zu machen, selbst wenn es wirklich nichts gibt, um das man sich sorgen müsste. Daraus kann sich letzten Endes Schlaflosigkeit, sowie anhaltende Unruhe und Ängstlichkeit entwickeln. Angst, die typischste Empfindung des Vata-Typs, beeinflusst die Verdauung und besonders die Ausscheidung von Fäkalien. Der Hauptsitz von Vata ist das Colon. Wenn Vata im Colon gestört wird, verursacht es Verstopfungen und Gase, was wiederum zu erhöhter Unruhe und Nervosität führt. Wenn Vata gestört ist, können sich der Magen und die Eingeweide aufgrund eingeschlossener Luft, die starken Druck auf den Magen-Darm-Trakt und den Abdominalinhalt ausübt, verkrampfen. Unregelmäßige Blutungen, PMS und Menstruationsbeschwerden treten ebenfalls öfter bei Vata-Typen auf, als bei anderen Körpertypen. Vatas werden leicht unausgeglichen, wenn sie nicht genug Ruhe und Schlaf bekommen, und insbesondere, wenn sie die beiden Stunden Schlaf vor Mitternacht auslassen. Während sie sich selbst zu hart antreiben und einen unregelmäßigen Lebensstil führen, überanstrengen sie sich leicht. Dies kann zu chronischer Erschöpfung und einigen der zuvor genannten geistigen oder körperlichen Probleme führen. Der Schlüssel zu Vatas Balance ist ‚Regelmäßigkeit'.

Die folgenden Faktoren sind für den Vata-Typ am irritierendsten:

- Übertriebenes Training und physische Belastung
- Kalte Lebensmittel und Getränke
- Schlafentzug (insbesondere vormitternächtlicher Schlafmangel)
- Aufputschmittel jeglicher Art
- Stürze
- Lärmbelästigung
- Unregelmäßige Essenszeiten
- Angst und Kummer
- Über viele Stunden zu sitzen
- Fasten
- Tuberkulose
- Scharfe, stopfende und bittere Nahrungsmittel
- Unterdrückung natürlicher Dränge
- Spätherbst und Spätwinter
- Kaltes Klima

Der Pitta-Typ

- Mittelgroß, wohlgeformt, athletisch gebaut
- Mittelstark und mittlere Ausdauer
- Starker Hunger und Durst, starke Verdauung
- Unter Stress Tendenz zu Wut und Reizbarkeit
- Kann arrogant sein, egozentrisch
- Anpassungsfähig, intelligent, aufgeweckt
- Tendenz zu rötlicher/-m Haut und Haar, Leberflecken, Sommersprossen, Hautproblemen
- Wenn aus dem Gleichgewicht, frühzeitig kahl und/oder grau
- Spitze, rötliche Nase
- Durchdringende, manchmal blutunterlaufene Augen
- Abneigung gegen Sonne, heißes Wetter
- Bevorzugt kalte Speisen und Getränke
- Unternehmungslustig, mag Herausforderungen, guter Organisator
- Scharfer Verstand
- Guter, genauer, wortgewandter Redner
- Kann keine Mahlzeit auslassen; ansonsten reizbar
- Durchschnittliches Gedächtnis
- Erfolgreicher Anführer

Das Motiv, das den Pitta-Typ am besten beschreibt, ist „intensiv". Er wird größtenteils vom Feuerelement und dessen verschiedenen Eigenschaften beherrscht. Feuer steht für die Dynamik der Natur und ist für alle Transformationsprozesse in Körper und Geist verantwortlich. Der Mentalkörper (nichtphysische), der Gedanken, Gefühle und Emotionen umfasst, hängt von Pitta ab. Die Pitta-Energien sind im mittleren Bereich des Körpers angesiedelt, dem sogenannten Solarplexus. Der Solarplexus wirkt wie eine Vermittlungszentrale sowohl für psychologische als auch für physiologische Aktivitäten. Das Bauchgefühl, das wir manchmal bei einer bestimmten Person oder Situation haben, ist an die Pitta-Kraft gebunden. Durch sie haben wir den natürlichen Trieb nach reinen Lebensmitteln, sauberer Luft, frischem Wasser, anregenden Freundschaften, unterstützenden emotionalen Beziehungen und dergleichen zu suchen, sodass wir im physischen, geistigen und emotionalen Gleichgewicht bleiben können.

Pitta-Dosha hilft uns auch, beim Essen, Trinken, bei sexuellen Aktivitäten und unseren anderen Bedürfnissen Maß zu halten. Diese angeborene Eigenschaft ist im ausgeglichenen Pitta-Typ hoch entwickelt, was ihn zu einem Sinnbild von Sattva macht, d. h. jemandem, der die Reinheit des Geistes hat. Eine Störung von Pitta führt jedoch zum Verlust des Urteilsvermögens darüber, was nützlich und geeignet ist und was nicht. Dies wird wahrscheinlich zu einem übermäßigen Konsum von Aufputschmitteln wie Alkohol, Tabak und Rauschgiften, sowie Macht- und Einflussgier führen. Einer dieser Stoffe oder Zustände verändert das richtige Maß der Gallenbestandteile in den Gallengängen der Leber und erzeugt dadurch intrahepatische Steine. Pitta bedeutet auch Galle. Das Pitta-Dosha auf die oben genannte Weise durcheinander zu bringen führt zu reizbarer Persönlichkeit, für die dieser Körpertyp bekannt ist.

Wir alle brauchen Pitta-Energie, um unsere Ideen in konkrete Gegebenheiten umzusetzen. Da diese Energie im Pitta-Typ sehr stark vorhanden ist, zeigt er eine sehr dynamische, ehrgeizige und vielleicht sogar aggressive Persönlichkeit. Pittas erledigen die Dinge. Ihre große Vorstellungskraft und Voraussicht ist auf das Feuerelement zurückzuführen, das ihnen ein klares inneres und äußeres Sehvermögen gibt. Wenn ein Pitta jedoch seine Kraft missbraucht und sein Gleichgewicht stört, wird er der Erste sein, bei dem sich Augenprobleme und überdies Schwierigkeiten mit seinem inneren Sehvermögen ausbilden.

Das im zentralen Teil des Körpers gelegene Pitta-Dosha kontrolliert Kapha und Vata. Das stellt sich auch in der Persönlichkeit der Pittas dar; sie wollen immer jede Situation beherrschen. Wenn sein Pitta-Dosha ausbalanciert ist, ist er tatsächlich der erfolgreichste aller Körpertypen. Sein eingerichteter Fokus und seine Brillanz finden fast immer für jedes Problem eine Lösung und übertreffen alles. Sein wahres Können liegt auf geistigem

Gebiet, wo er seine wahre Macht und Fähigkeiten zeigt. Er ist ein wortgewandter und sprachgewandter Redner und ein guter Führer der Gesellschaft.

Aufgrund der strategischen Position von Pitta im Körper spielen Pitta-Typen eine sehr gute, zentrale Rolle im Leben. Der Solarplexus ist mit der Sonnenenergie verbunden, die alles Leben auf dem Planeten steuert. Pittas sind sich ihrer Solarplexus-Kraft bewusst und sind folglich natürlich selbstsicher. Wenn sie in der Lage sind, die in ihrem Leben angesammelten Exzesse, Luxus und Arroganz umzuwandeln, werden sie voraussichtlich Zugang zum tiefgreifendsten Wissen ihres Selbst haben. Pittas können auch sehr gut das, was sie aufgrund ihrer oft erstaunlichen Einblicke und Erlebnisse erlernt haben, weitergeben.

Die Situation verändert sich jedoch, wenn sich die Pitta-Energien aus dem Solarplexus in andere Teile des Körpers bewegen. Der Pitta-Typ wird plötzlich feurig, eifersüchtig, zynisch, böse und egoistisch. Er verliert schnell die Kontrolle, wie ein Waldbrand, der sich durch starke Winde schnell ausbreitet. Wenn sich seine „Ich-Bezogenheit" übersteigert, kann er versuchen seine Vata und Kapha Gegenstücke vor allem im Bereich der Sexualität zu unterdrücken. Die überwältigende Leidenschaft der Pittas, immer auf jedem Gebiet des Lebens ein Gewinner sein zu wollen, kann sehr wenig Raum für ein gesundes, sexuelles Zusammenspiel lassen. Es kann ihm an der notwendigen Geduld und Demut mangeln, die während der intimsten Momente des Teilens und der Gleichwertigkeit erforderlich sind. Der unausgeglichene Pitta-Typ versucht ebenfalls jedes sich bietende Mittel einzusetzen, um sich nicht geschlagen geben zu müssen. Die geeignetsten Partner für Pittas sind die starken Kapha-Typen, oder die Kapha-Vata- oder Vata-Kapha-Typen. Zwei Pitta-Typen, die z. B. eine Partnerschaft eingehen, sind allerdings keine gute Idee.

In physikalischer Hinsicht kann sich die Ausbreitung übermäßiger Pitta-Energie in Form von Sodbrennen, Magengeschwüren, Darmbrennen, Durchfall und Hämorrhoiden äußern. Diese destruktive Pitta-Energie kann auch die Haut betreffen, die anfällig für Ausschläge, Pickel, Entzündungen und Akne wird. Besonders die Gesichts- und Brusthaut kann leicht rot und heiß werden. Rosazea ist bei Pittas keine Seltenheit. Hitzewallungen und Schweißausbrüche in der oberen Körperhälfte sind auch typische Anzeichen für ein Ungleichgewicht bei Pittas. Unausgeglichene Pitta Frauen haben während der Wechseljahre oft solche Symptome.

Die Augen der Pittas neigen leicht dazu, blutunterlaufen und trüb zu werden und sie sind häufig überempfindlich gegenüber Sonnenlicht. Diese Sonnenlichtempfindlichkeit und die tränenden Augen sind die Hauptgründe dafür, warum Pittas, deren Doshas aus dem Gleichgewicht sind, darauf bestehen, Sonnenbrillen zu tragen. Ihre natürliche innere Wärme macht sie zu den schlechtesten Kandidaten für ein Sonnenbad. Sie bevorzugen kühle und schattige Plätze, und sie lieben kalte Duschen, wenn es draußen wärmer wird. Wenn sie ihren natürlichen Instinkten bezüglich Sonneneinstrahlung und Hitze nicht folgen, verbrennen sie schnell ihre Haut und werden anfällig für Hitzschlag.

Körperlich sind Pittas gut proportioniert, sportlich gebaut und mittelgroß. Dasselbe gilt auch für ihr Gesicht. Ihre Augen sind mittelgroß, mit zum Teil durchdringendem Blick. Sie können einen kaukasischen Pitta-Typ leicht aus weiter Entfernung erkennen, da er wahrscheinlich rotes, blondes oder sandfarbenes Haar haben wird. Der Pitta-Typ wird auch von allen Körpertypen als Erster graue Haare oder eine Glatze haben. Pittas ist selten kalt, sogar während des Winters. Wenn die Sonne herauskommt, sind sie die Ersten, die sich über die Hitze beklagen. Ihre schöne, warme und weiche Haut wird höchstwahrscheinlich von Sommersprossen und Muttermalen oder Hautunreinheiten betont.

Anmerkung: *Einige dieser Pitta Eigenschaften treffen aber nicht auf dunkelhaarige und dunkelhäutige Menschen zu.*

Pitta-Typen haben nur durchschnittliche körperliche Energie, was verhindert, dass sie zu viel trainieren oder ihre Grenzen überschreiten. Sie verfügen über mäßige Ausdauer, aber dafür ist ihre Verdauungsenergie ausgiebig. Regelmäßiges Überessen kann jedoch zu schlagartigen Darmproblemen führen. Daher profitieren sie von einer maßvollen Nahrungsaufnahme und einem ausgeglichenen Lebensstil. Wenn sie zur Hauptmahlzeit des Tages mehr als zwei Handvoll essen (idealerweise mittags), bekommen sie Darmprobleme. Unreine Nahrungsmittel, verunreinigtes Wasser und verunreinigte Luft, Alkohol, Kaffee, Zigaretten, alkoholfreie Getränke und andere ungesunde Substanzen bringen besonders Pitta-Typen durcheinander und verursachen häufig sehr unangenehme Reinigungsreaktionen wie Hautausschläge, Magenprobleme oder seelische Verzweiflung. Pittas werden ebenfalls vom Tragen synthetischer Kleidung negativ beeinflusst.

Wut ist das vorwiegende Warnsignal für Pittas, das ihnen mitteilt, dass sie unausgeglichen sind. Diese Wut kann Pittas Feuerenergie in so großem Ausmaß mit Brennstoff versorgen, dass ihr Körper toxisch und krank wird. Der Schlüssel zu Pittas Balance ist „Mäßigung".

Die folgenden Faktoren sind für den Pitta-Typ am irritierendsten:

- Wut
- Essig
- Schlafmangel
- Unreine Lebensmittel
- Starker Sonnenschein
- Unreife Früchte
- Fasten
- Leinsamen
- Sesamkörner und Sesamprodukte
- Joghurt
- Wein und andere alkoholische Getränke
- Scharfe (würzige), salzige und saure Lebensmittel
- Kaffee und andere Aufputschmittel
- Spätsommer und Herbst

Der Kapha-Typ

- Massiver, starker und schwerer Körperbau
- Gut entwickelte und „geschmierte" Gelenke
- Viel körperliche Kraft und Ausdauer
- Haar kann schwarz, blond, dunkelbraun, dick, wellig, fettig sein
- Gefestigte und zuverlässige Persönlichkeit
- Gleichmäßige Energie; langsam und anmutig
- Ruhige, entspannte Persönlichkeit, wird nicht schnell wütend
- Kalte, geschmeidige, blasse, häufig fettige Haut
- Unsichtbare Venen und Sehnen
- Langsam im Erfassen neuer Informationen, vergisst langsam
- Tiefer, ausgedehnter Schlaf
- Neigung zu Übergewicht, Fettleibigkeit
- Langsame Verdauung, schwacher Hunger
- Exzessives Schlafbedürfnis
- Ruhig, herzlich, selbstzufrieden, nachsichtig, versöhnlich, bildend, mütterlich
- Tendenziell besitzergreifend, stur, anhänglich, kleinkariert.

Der Kapha-Typ wird von den Elementen Erde und Wasser kontrolliert, wodurch er zum bodenständigsten und stabilsten aller Körpertypen wird. Das Wort, das ihn am treffendsten beschreibt, ist „langsam". Die Kapha-Kraft, die im Körper vor allem in der oberen Brusthöhle liegt, durchdringt die Nahrungsmittelbestandteile. Sowohl der Magen als auch die Lungen sind zentrale Bereiche von Kapha. Die Schmierung des Schleimfutters und der Gelenke spielt bei der Stärkung des Körpers und der Widerstandskraft gegenüber Krankheiten eine wesentliche Rolle.

Da Kapha-Typen die wesentlichen Elemente von Erde und Wasser annehmen, sind sie am besten auf das Tempo irdischen Überlebens abgestimmt. Es ist daher ganz und gar nicht überraschend, dass sie von allen drei Körpertypen am längsten leben. In gewisser Hinsicht repräsentieren sie Mutter Erde und ihre Nähr-, Vitalitäts- und Stabilitätseigenschaften. Kaphas repräsentieren die *Nährkraft* und sind die genauen Gegenteile der Vatas, die die *Kraft der Bewegung* repräsentieren. Pitta ist die *dynamische* Kraft zwischen den beiden. Ein Kapha ist liebevoll, sinnlich, ruhig und versöhnlich. Er ist ein ausgezeichneter Elternteil, weil er naturgemäß tolerant und nicht reizbar ist, selbst wenn um ihn herum viel Krach oder Unruhe herrscht. Kapha-Typen existieren hauptsächlich auf physischer- und Astralebene. Sie fühlen sich auf der Erde mehr zu Hause als Vatas oder Pittas, da die Elemente Erde und Wasser in ihren Körpern am stärksten konzentriert sind. Ihre dominierenden Sinne sind Geruch und Geschmack, was Essen zu einer ihrer Lieblingsbeschäftigungen macht. Dieser Umstand macht sie zu besonders guten Köchen, ein Charakterzug, der bei Vatas selten ist.

Kaphas sind körperlich sehr stark und ausdauernd. Die meisten Gewichtheber sind Kaphas, die auf beträchtliche Energiereserven zurückgreifen und sie verwerten können. Ihre Knochen und Gelenke sind schwer und kräftig gebaut, aber sie sind von einer schützenden Fettschicht verborgen. Sie haben breite Hüften und breite Schultern, die häufig bei Rugby-Spielern und Schwergewichtsboxern anzutreffen sind. Ihre kompakten und schweren Körper entwickeln sich unter sportlicher Leistung und körperlicher Betätigung. Da sie sich danach viel lebendiger fühlen, sind sie gerne bereit anstrengende körperliche Arbeiten durchzuführen.

Übermäßiges Sitzen oder Schlafen macht Kaphas andererseits träge und faul, was ihren bereits niedrigen Stoffwechsel verlangsamt. Ein sitzender Lebensstil macht sie anfällig dafür, sehr leicht zuzunehmen; manchmal sogar, wenn sie Essen bloß anschauen. Sie neigen dazu, ungelöste emotionale Probleme mit Essen zu kompensieren, da ihnen Essen die meiste Freude bereitet. In diesem Sinne stellt Essen für sie eine vorübergehende Möglichkeit dar, einer unangenehmen Situation zu entfliehen.

Unausgeglichene Kaphas sind durch ihr Übergewicht erkennbar. Sie werden häufig fettleibig, wenn sich in ihrem Leben nichts bewegt. Wenn sie sich verletzt und unsicher fühlen, bilden sie unter ihrer Haut eine schützende, dicke Fettschicht.

Kaphas haben von allen Körpertypen die größten Augen. Ihre dunklen oder blauen Iriden stehen im klaren Widerspruch zu ihrer milchig-weißen Lederhaut, was sie wiederum sehr attraktiv macht. Das typische Merkmal eines Kaphas ist seine Haut, die seidigweich, sanft, kühl, dick und blass ist, ohne irgendwelche Anzeichen von Sommersprossen oder Muttermalen. Auch in fortgeschrittenem Alter neigt seine Haut dazu, klar und faltenfrei zu sein. Ihre natürliche Fettigkeit gibt der Haut einen glänzenden Schimmer.

Kapha-Typen machen alles langsam, einschließlich Essen, Gehen und Reden. Sie sind nicht leicht reizbar und reagieren langsam. Sie sind ruhig, distanziert und lieben friedliche Umgebungen. Sie sind die lockersten und romantischsten aller Körpertypen; ein romantisches Abenddinner für zwei ist für sie eines der aufregendsten Dinge. Kaphas neigen dazu, mit jedem unschuldig zu flirten und sich auf körperliche Gefühle zu verlassen, was sie zu idealen Liebhabern macht. Sie fühlen sich nur selten in ihren sexuellen Energien blockiert, und sie haben eine Menge davon. Kaphas sind für alle Körpertypen wunderbare Partner, insbesondere für jene, denen sexuelle Leistungsfähigkeit wichtig ist und die ein Bedürfnis nach viel Nachkommenschaft haben. Kaphas finden Erfüllung, wenn sie sich um eine Familie kümmern.

Wenn Kaphas nicht fähig sind, sich mit inneren Konflikten auseinanderzusetzen, neigen sie im Gegensatz zu den Vata-Typen, aus denen alles was sie denken und fühlen heraussprudelt, dazu, diese in sich hineinzufressen. Solch gespeicherte Unruhe und Feindseeligkeit kann den Grundstoffwechsel der Kaphas stören und Verstopfung, Stagnation und eine schwere Form von Depression verursachen. Depression und Schwermut sind die Art Schwingungen, die die wertvollsten Anlagen der Kaphas in sehr zerstörerische Kräfte umwandeln. Die meisten Krebserkrankungen werden durch ein Ungleichgewicht des Kapha Doshas verursacht und Kaphas entwickeln am ehesten ein Kapha-Ungleichgewicht; dementsprechend sind sie anfälliger für Krebserkrankungen als andere Körpertypen.

Da das Kapha-Dosha das feuchte Gewebe des Körpers kontrolliert, ist die Schleimhaut der erste Bereich, der Anzeichen eines Ungleichgewichts aufweist. Unausgeglichene Kaphas klagen oft über Bronchitis, feuchten Husten, Asthma, Nebenhöhlenverstopfung, Allergien und schmerzende Gelenke, besonders am Ende des Winters und im Frühling (Kapha Jahreszeit).

Ein anderes Anzeichen für einen unausgeglichenen Kapha-Typ ist seine

Neigung an Besitztümern, Jobs, Geld, Essen, Energie und Beziehungen festzuhalten. Er würde es vorziehen, dass alles so bleibt, wie es ist. Damit dies so bleibt, ist er sehr darauf bedacht, jeden außer sich selbst zufrieden zu stellen, was ihn wiederum zu einem potenziellen Krebskandidaten macht.

Auch wenn es nicht notwendigerweise ein Teil ihrer Natur ist, profitieren Kapha-Typen außerordentlich von der Aufregung in ihrem Leben. Stillstand verwandelt die Stabilität von Kaphas in Trägheit, die ihr größter Feind ist. Kaphas blühen physisch, emotional und spirituell auf, wenn sie sich darauf konzentrieren, ihr Leben ausreichend zu stimulieren. Aktivitäten wie Training, Ausgehen, Reisen, Singen, Tanzen und Musizieren „hält sie am Leben". Sie müssen im Leben vorankommen, um sich gut zu fühlen. Im Gegensatz dazu macht sie Fernsehen passiv und depressiv. Ebenso macht sie mangelnde Bewegung, kaltes und schweres Essen, Überernährung und rezeptive Arbeit (passiv kontra aktiv) langsamer. Kaphas müssen aktiv sein und sie können ihr großes inneres Sicherheits- und Stabilitätsvermögen nur erkennen, wenn sie in Aktion sind. Das hält sie jung und gesund. Der Schlüssel zu Kaphas Balance ist daher Stimulation.

Die folgenden Faktoren sind für den Kapha-Typ am irritierendsten:

- Tagsüber schlafen
- Frühling und Frühsommer
- Schwere Speisen
- Zucker und Süßigkeiten
- Süße, saure und salzige Nahrungsmittel
- Trägheit
- Trainingsmangel und Mangel an körperlicher Aktivität
- Milch und Milchprodukte
- Kälte und Feuchtigkeit
- Zu viel Schlaf

Kapitel 6

Der einfachste Weg, der Ihnen erlaubt, mühelos maximale Gesundheit zu erhalten

Dieses Kapitel ist den wichtigsten Verfahren, Methoden und Erkenntnissen gewidmet, die Sie nutzen können, um Ihr Leben wirklich ausgewogen zu gestalten. Sobald das Gleichgewicht hergestellt ist, wird dies unwillkürlich Gesundheit nach sich ziehen. Diese grundsätzlichen Naturgesetze gelten für alle Lebewesen und die gesamte Natur. Dennoch müssen Sie die Balance nicht nur einmal in Ihrem Leben herstellen. Es ist vielmehr ein kontinuierlicher Prozess, der Körper und Geist erlaubt in vollkommener Abstimmung und Harmonie miteinander und mit der natürlichen Umwelt zu arbeiten. Ein ausgewogenes Leben wird Ihnen ermöglichen, mit physischer und geistiger Stärke sowie Kreativität und Weisheit, freudig und leidenschaftlich mit den ständig zunehmenden Herausforderungen unserer Zeit zurechtzukommen.

Faktoren, die Ihre Gesundheit stören könnten, haben innerhalb der relativ kurzen Zeit der letzten Jahrzehnte enorm zugenommen. Vor nicht allzu langer Zeit war es verhältnismäßig einfach mit den Naturgesetzen und der Umwelt in Harmonie zu leben. Jetzt müssen Sie sehr vorsichtig sein, nicht von den zerstörerischen Folgen menschlicher Erzeugnisse eingeholt zu werden. Viele Großstadtkinder wachsen in dem Glauben auf, dass Nahrung hochgradig bearbeiteter Schnellfraß ist; dass Wasser zu trinken nicht notwendig ist, aber Soft Drinks; und dass die Natur bloß etwas ist, was man auf dem Discovery Channel, einem amerikanischen Kabelsender, sehen kann.

Der Preis dafür, ein ausgewogenes Leben hinter sich zu lassen, ist astronomisch. Viele Menschen begreifen, dass unsere moderne Lebensweise, mit ihrem ständig steigenden Komfort und materiellen Anschaffungen und den Ansprüchen, diese zu erwerben und zu pflegen, eine gesunde Lebensweise nicht erlauben. Die Vereinigten Staaten sind von einem Gesundheitssystem abhängig, das uns kränker macht und für die meisten unbezahlbar ist, während es das Land an den Rand des finanziellen Ruins treibt. Obwohl wir mehr in die Gesundheitsfürsorge investieren als die meisten Entwicklungsländer zusammen, sind 65 Prozent der Bevölkerung krank und leiden unter dem ein oder anderen Gesundheitsproblem.

Nie zuvor hatten wir solch ein starkes Bedürfnis nach einer ausgewogenen Lebensweise, aber nur vergleichsweise wenige schaffen es. Dennoch sind Balance oder Gesundheit von Geist, Körper und Seele ein Weg, den die meisten von uns beschreiten können, indem sie den einfachen, aber kraftvollen Empfehlungen dieses Kapitels folgen. Ein Großteil der hier vorgestellten Anleitungen ist der alten medizinischen Wissenschaft Ayurveda und meiner 35-jährigen Erfahrung auf dem Gebiet der Komplementärmedizin entnommen. Ich habe sie als Reaktion auf die Resonanz tausender Patienten, die diese Leitsätze im Alltag angewandt haben, angepasst und verbessert.

Leitsätze für den Alltag und die Ernährung

Regelmäßigkeit

» Schließen Sie sich den Rhythmen der Natur und Ihres Körpers an, wie in Kapitel 5 beschrieben. Somit können Körper und Geist ruhig und mit optimaler Energie arbeiten. Zudem wird die Voraussetzung für Heilung geschaffen.

Regelmäßige Ruhe- und Schlafenszeiten

» Optimale Bettzeit ist zwischen 21.00 und 22.00 Uhr.

» Machen Sie sich keine Sorgen, wenn Sie Probleme haben einzuschlafen; legen Sie sich einfach mit geschlossenen Augen hin und entspannen Sie. Sie werden noch 90 Prozent des Nutzens vom Schlaf erhalten. Dieses Programm kann dazu beitragen, die Ursachen für Schlafstörungen zu beseitigen.

Regelmäßiges Training und körperliche Aktivitäten

» Morgen- und/oder Abendspaziergang.

» Sûrya Namaskâra oder „Sonnengruß" – das älteste, vollkommenste und einfachste Trainingsprogramm (Abbildung 15).

» Kniebeugen stellen bei allen Stammesvölkern einen sehr wichtigen Teil des Lebens dar.

Die Vorteile:

- Verbesserung der Atmung fast aller Körperzellen. Durch Kniebeugen werden fast alle Muskeln des Körpers betätigt.
- Vergrößerung des Chi oder der Lebensenergie durch wichtige Meridiane (die die meisten psychophysiologischen Funktionen des Körpers kontrollieren).

- Verbessertes Pumpen von Flüssigkeiten, zur Beseitigung von Abfallprodukten und zur Lieferung von Nährstoffen an alle Körpergewebszellen.
- Heilsamer physiologischer Stress für Ihr Hormonsystem.
- Kniebeugen erleichtern den Durchgang von Fäkalien durch den Darm und fördern regelmäßige Stuhlgänge.

Beginnen Sie mit nur einigen Kniebeugen und erhöhen Sie täglich die Anzahl um 1 bis 5. Wenn sie 100 Kniebeugen hintereinander machen können, wird Ihr Körper damit beginnen, sich für seinen Energiebedarf auf Chi (Lebenskraft) zu verlassen, anstatt seine physischen Energieressourcen aufzubrauchen.

» Suchen Sie sich eine andere Form von körperlicher Bewegung, die zu Ihrem Körpertyp passt. (Siehe dazu den Abschnitt über *Übungen gemäß den Doshas.*)

» Wann immer Sie trainieren, versuchen Sie durch Ihre Nase einzuatmen, indem Sie den Mund geschlossen halten, um schädliche Adrenalin-Atmung zu vermeiden. Mundatmung kann zu schneller Erschöpfung der Energiereserven führen und die Ausschüttung von Stresshormonen auslösen. Falls nötig, können Sie durch Ihren Mund ausatmen. Einige aerobe Übungen sind gut, solange Sie die Nasenatmung gegenüber der Mundatmung beibehalten. (Weitere Einzelheiten zum Thema Training finden Sie im Abschnitt *Trainieren Sie sich gesund.*)

» Trainieren Sie nur bis zu 50 Prozent Ihrer Belastbarkeit. Erlauben Sie sich nicht, müde zu werden. Wenn Sie beispielsweise 30 Minuten schwimmen können bis Sie müde werden, schwimmen Sie nur 15 Minuten. Mit der Zeit wird sich Ihre Belastbarkeit erhöhen. Übermäßige Bewegung, wie z. B. beim Ausdauertraining, schwächt Immunsystem, Herz und Lungen und überschwemmt das Blut mit schädlichen, säurehaltigen Chemikalien.

» Gehen Sie mindestens ein- oder zweimal täglich für mindestens eine halbe Stunde an die frische Luft, um dafür zu sorgen, dass der Kreislauf in Schwung kommt und die Zellen des Körpers ausreichend mit Sauerstoff versorgt werden.

» Regelmäßiges Yoga, Tai Chi, Chi Kung, Pilates oder ähnliche Fitnessprogramme sind sehr empfehlenswert, um Energie und Flexibilität aufrechtzuerhalten. Die Fünf Tibeter, die Peter Kelder in seinem Buch *Ancient Secret of the Fountain of Youth* beschreibt, ist eins der hervorragends ten und einfachsten Trainingsprogramme, das Sie durchführen können.

- Pranayama: Fünfminütige Atemübungen zur Steigerung von Prana oder Chi (Lebensenergie), wie im Folgenden ausgeführt. Diese führt man am besten vor der Meditation und vor dem Essen durch.
- Meditation nach Wahl: Ich empfehle die „Technik für Bewusstes Atmen", wie in meinem Buch *It's Time to Come Alive* beschrieben und nachstehend in „Bewusste Atemmeditation" zusammengefasst.

Regelmäßige Mahlzeiten

- Das Mittagessen sollte die Hauptmahlzeit des Tages sein. Essen Sie zwischen 12.00 und 12.30 Uhr. (Die beste Zeit zu essen ist, wenn die Sonne am höchsten steht.)
- Das Abendessen sollte leicht sein, da die Verdauung am Abend gering ist. Nach 20.00 Uhr werden sehr wenige Verdauungssekrete ausgeschüttet. Wenn man am Abend eine schwere Mahlzeit zu sich nimmt, bleibt das Essen größtenteils unverdaut.
- Essen Sie zwischen 18.00 und 19.00 Uhr zu Abend, sodass der größte Teil der Verdauung vor der Schlafenszeit abgeschlossen ist und Ihren Schlaf nicht stört.
- Essen Sie Ihre Mahlzeiten täglich zu ungefähr derselben Zeit, sodass das Verdauungssystem immer bestmöglich arbeiten kann. Wenn man immer zu unterschiedlichen Zeiten isst, ist es für den Körper schwierig, für jede Mahlzeit die erforderliche Menge Verdauungssäfte zu produzieren.
- Essen Sie gemäß Ihres Hungers. Wenn Sie keinen Hunger haben, essen sie nicht. Warten Sie, bis Ihr normaler Appetit (Verdauungskraft) zurückgekehrt ist. Anmerkung: Heißhungerattacken haben nichts mit Hunger zu tun und sollten wie eine Sucht behandelt werden. (Siehe Kapitel 7, *Die heilenden Kräfte der Natur einsetzen*.)
- Trinken Sie ungefähr 6 bis 8 Gläser Wasser pro Tag. Pures, frisches Wasser ist am besten. Gefiltertes Leitungswasser aus dem öffentlichen Wassernetz ist in Ordnung. Machen Sie es zur täglichen Gewohnheit, ungefähr ½ Stunde vor jeder Mahlzeit und 2 bis 2 1/2 Stunden nach jeder Mahlzeit ein Glas Wasser zu trinken. Das kurbelt die Verdauung an und hält das Blut flüssig. (Für genaue Anweisungen beachten Sie den Abschnitt *Trinkwasser – Die beste aller Therapien*.) Vermeiden Sie es zu den Mahlzeiten zu trinken, da dies die Verdauungssäfte verdünnt und die Magensekretionen stört.
- Setzen Sie sich zum Essen hin, auch wenn es nur für einen kleinen Snack ist. Das Verdauungssystem kann besser ausgewogene Mengen Verdauungssäfte ausschütten, wenn Sie im Sitzen essen.
- Essen Sie in einer ruhigen Umgebung, ohne Radio, Fernsehen oder

Lesen. Jede Ablenkung vom Essen beeinträchtigt den Genuss der Nahrung und die Fähigkeit des Körpers, die zur Verdauung geeigneten Enzyme zu liefern.

» Sitzen Sie nach der Mahlzeit mindestens 5 Minuten lang still, sodass das Essen die Möglichkeit hat, sich in Ihrem Magen niederzulassen. Sich für ein paar Minuten auf die linken Seite zu legen und danach für 10 bis 15 Minuten spazieren zu gehen, unterstützt ebenfalls außerordentlich die Verdauung.

Morgens

Stuhlgang

» Für optimale Gesundheit sollte der Stuhlgang regelmäßig am Morgen nach dem Aufstehen, idealerweise am Ende der Vata Periode (um 6.00 Uhr) stattfinden, solange Vata noch stark genug ist, Abfallstoffe aus dem System zu beseitigen. Nehmen Sie sich etwas Zeit, aber erzwingen Sie den Stuhlgang nicht. Unterdrücken Sie außerdem niemals einen natürlichen Drang, da das im Körper zu großen Vatastörungen, inneren Verletzungen und eventuell zu Hämorrhoiden führen kann.

» Trinken Sie jeden Morgen nach dem Aufstehen ein Glas warmes Wasser. Das trägt dazu bei, die „Dürre" der Nacht zu beenden und die Regelmäßigkeit des Stuhlgangs zu erhöhen. Trinken Sie kurz darauf ein zweites Glas warmes Wasser, dem Sie einen Teelöffel Honig und den Saft von einer oder zwei Scheiben frischer Zitrone hinzufügen. Damit können Sie AMA und schädliche Bakterien besser aus dem Magen-Darm-Trakt entfernen und die Eingeweide dabei unterstützen, alle angesammelten Abfallstoff zu beseitigen. Warten Sie mindestens 30 Minuten, bevor Sie frühstücken.

Regelmäßiges Trockenbürsten und Ölmassagen

» Bürsten Sie entweder Ihren ganzen Körper zügig mit einer trockenen Körperbürste, die aus natürlichen Borsten hergestellt ist, oder mit einem guten Natur-Luffaschwamm. Das fördert die Durchblutung, stärkt und verjüngt die Haut und hilft bei der Lymphdrainage. Das Bürsten der Haut öffnet ebenfalls die Poren und erhöht die Wirksamkeit der Ölmassage, die im Anschluss durchgeführt wird. Beginnen Sie mit den Extremitäten und bürsten Sie immer in Richtung des Herzens.

» Abhyanga oder Ölmassage: Massieren Sie sich entweder mit Sesamöl oder mit Kokosnuss-, Sonnenblumen- oder Olivenöl (alle expeller- oder kaltgepresst und unraffiniert, erhältlich in Naturkostläden). Abhyanga ist hilfreich, um Toxine herauszufiltern und die Durchblutung zu verbessern. Schließen Sie die Massage mit einem warmen Bad oder einer Dusche ab (Anweisungen für die Ölmassage folgen). Sesamöl dringt besonders schnell in alle Hautschichten ein, bindet und entfernt Toxine unterschiedlicher Art (inklusive schädlicher Fettsäuren) und hilft die Blutgefäße von Belag und Zellschutt zu befreien. Das hilft dem Körper bei der Verhütung und Umkehr von Arterienverhärtung. Abhyanga stimuliert ebenfalls die Produktion von Wachstumshormonen und verbessert die Immunität, da sich nahezu ein Drittel des Immunsystems in der Haut befindet. Führen Sie die Massage so häufig durch, wie es für Sie angenehm ist. Einige machen es täglich (Weitere Details über Abhyanga finden Sie nachstehend).

Frühstück

» Wenn Sie nicht hungrig sind, lassen Sie das Frühstück aus (Kapha-Typen brauchen selten Frühstück.)

» Wenn Sie Hunger haben, essen Sie ein leichtes Frühstück. Die Wahl der Nahrungsmittel sollte aus nahrhaften, gesunden Nahrungsmitteln, wie Haferflocken (Haferbrei) oder anderem heißen Getreide bestehen. (Bitte überprüfen Sie aber, ob Sie an einer Weizen- oder Glutenallergie leiden) Essen Sie Ihr Getreide mit expeller-gepresstem Kokosnussöl oder ungesalzener Butter; unraffiniertem Meersalz; Reis-, Hanf-, Hafer- oder Mandelmilch; und fügen Sie vielleicht ein wenig Ahornsirup, Stevia, Agavensirup, rohen Honig oder Xylitol-Zucker zur Süßung hinzu. Dadurch haben Sie ein nahrhaftes Frühstück. Weetabix oder geröstetes Vollkornbrot (fein gemahlen) mit Butter ist ebenfalls gut. Andere Frühstücksflocken enthalten Buchweizencreme, Reiscreme, Hirse, Maisgrütze, Quinoa und andere Getreidesorten dieser Art. Wenn man Hafer oder anderes Getreide über Nacht einweicht und einen oder mehrere Esslöffel Weizenkeime (erhältlich in den meisten Lebensmittelgeschäften) hinzufügt, werden die Körner vorverdaut. Das kann die Verdaulichkeit von 30 Prozent bis auf etwa 90 Prozent erhöhen.

Anmerkung: *Sojamilch sollte aufgrund ihrer natürlichen Lebensmitteltoxine (Enzym-Hemmstoffe), möglicher Genmanipulation und der potenziell* *schädlichen Auswirkungen auf das hormonelle Gleichgewicht vermieden werden. (Soja verhält sich im Körper wie Östrogen und erhöht damit die Gefahr von Brustkrebs.) Wenn Sie ganz sicher gehen wollen, wenden Sie das Muskel-Testverfahren in Kapitel 1 an. Fügen Sie Ihrem Getreide ebenfalls kein Obst hinzu, weil das zu Gärung und Toxizität führt, worauf ich später näher eingehe.*

» Vermeiden Sie Tierproteine wie Käse, Fleisch, Schinken oder Eier sowie saure Nahrungsmittel, einschließlich Joghurt und Zitrusfrüchte. All diese unterdrücken schnell AGNI, welches am Morgen auf natürliche Weise schwach ist. Ein Frühstück, das lediglich aus Obst besteht (außer Zitrusfrüchten) ist gut.

Mittagessen

» Machen Sie das Mittagessen zu Ihrer Hauptmahlzeit.
» Vermeiden Sie es zur Mahlzeit etwas zu trinken, da dies die konzentrierten Verdauungssäfte verdünnt und selber zur Ursache von Verdauungsstörungen und Gewichtszunahme wird. Wenn Sie während der Mahlzeit jedoch an etwas heißem Wasser nippen, kann es Ihnen helfen die Verdauungsfähigkeit zu erhöhen. Damit das Blut dünnflüssig und der Gallenfluss normal bleibt, ist es ratsam, ungefähr 1/2 Stunde vor und wieder 2 bis 2 1/2 Stunden nach dem Mittagessen ein Glas Wasser zu trinken.
» Wenn Salat ein Bestandteil Ihrer Mahlzeit ist, essen Sie ihn vor der gekochten Mahlzeit, quasi als Vorspeise. Da man zur Verdauung roher Nahrungsmittel andere Verdauungsenzyme benötigt, als zur Verdauung gekochter Nahrungsmittel, macht es das getrennte Essen dieser Nahrungsmittel (d. h. nacheinander zu essen) leichter für das Verdauungssystem. Wenn man, nachdem man gekochte Lebensmittel zu sich genommen hat, rohe Lebensmittel verzehrt, bleiben diese größtenteils unverdaut und gärend zurück. Geben Sie keine gekochten Nahrungsmittel in Ihren Salat, besonders keine eiweißhaltigen Nahrungsmittel. (Weitere Informationen folgen.) Während kalter Tage und im Winter kann es sein, dass Sie nicht so oft Salat essen möchten; das liegt daran, dass Salat stark kühlende Effekte auf den Körper hat.

Anmerkung: Stellen Sie sicher, dass Sie für Ihren Salat ein Vollfett-Salatdressing, wie natives Olivenöl extra[12] und Zitronensaft, verwenden. Ein Forscherteam der Iowa State University hat eine Studie durchgeführt, die zeigte, dass die Nährstoffe des Salats nur richtig verdaut und aufgenommen werden können, wenn sie mit einem Vollfett-Salatdressing, anstatt eines fettreduzierten oder fettfreien Produkts gegessen werden.

Abendessen

» Am Abend empfiehlt Ayurveda den Verzehr von Fleisch, Schweinefleisch, Geflügel, Fisch, Schinken, Eiern, Nüssen oder anderen konzentrierten Formen von Protein zu vermeiden, weil AGNI zu dieser Zeit zu schwach ist, um proteinhaltige Nahrungsmittel verarbeiten zu können. Sogar tagsüber muss man diese Lebensmittel 4 bis 7 Stunden im Magen verdauen. Denken Sie daran, dass die Produktion von Verdauungsenzymen um ca. 20.00 Uhr gestoppt wird, und Lebensmittel, die Sie am Abend zu sich nehmen, bis in die frühen Morgenstunden im Magen bleiben. Zu dieser Zeit wird der Magen das jetzt größtenteils unverdaute Essen in den Dünndarm abladen, um zersetzende Bakterien zu veranlassen, das Essen zu zersetzen.

» Joghurt, Käse, Früchte und Salate sollten ebenfalls am Abend vermieden werden. Diese Nahrungsmittel haben von Natur aus einen hohen Bakteriengehalt. Wenn sie in der Nacht der warmen und feuchten Umgebung des Magens und Dünndarms ausgesetzt sind, verursachen sie letzten Endes Verdauungsstörungen und Gärung (zusammen mit einer Menge minderwertigem Alkohol).

[12] Eine jüngere Studie in Italien stellte fest, dass nur 40 Prozent der Olivenölmarken „reines" Olivenöl sind. Dasselbe gilt für in Großbritannien verkauftes Olivenöl. 1995 testete die US amerikanische Lebensmittel- und Arzneimittelzulassungsbehörde (FDA) Olivenöl auf seine Reinheit und fand heraus, dass nur 4 Prozent der 73 getesteten Marken pures Olivenöl enthielten. Die meisten Olivenölprodukte sind mit Pflanzenölen gepanscht, wie Raps-, Mais-, Baumwollsamen- und Sojaöl, die erwiesenermaßen Herzkrankheiten verursachen und nicht vermeiden. Einige Olivenöle enthielten nur 10 Prozent Olivenöl. Kaufen Sie Ihr Olivenöl vorzugsweise nur in Naturkostläden. Je billiger die Öle sind, desto wahrscheinlicher sind sie nicht rein. Vermeiden Sie folgende Marken: Andy's Pure Olive Oil (Italien), Bertolli (Italien), Castel Tiziano (Italien), Cirio (Italien), Cornelia (Italien), Italico (Italien) Ligaro (Italien), Olivio (Griechenland), Petrou Bros. Olive Oil (Kalifornien), Primi (Italien), Regale (Italien), Ricetta Antica (Italien), Rubino (Italien), San Paolo (Italien), Sasso (Italien), Terra Mia (Italien).

» Ölige, gebratene und frittierte Nahrungsmittel sowie Wurzelgemüse, wie Kartoffeln (mit Ausnahme von gekochten Karotten, roter Bete oder weißen Radieschen), sind nachts ebenfalls sehr schwer zu verdauen. Kokosnussöl und ungesalzene Butter oder Butterschmalz (Ghee) sind zum Verbrauch ausgezeichnet geeignet.
» Ein Beispiel für ein leichtes Abendessen ist eine frisch zubereitete (gemischte) Gemüsesuppe mit Vollkornweizen- oder Dinkelbrot, Vollkornweizentoast oder Roggenkräcker mit ungesalzener Butter, Ghee oder Kokosnussöl als Beilage. Eine weitere Möglichkeit ist gekochtes Gemüse mit Reis, oder andere leichte, gegarte Getreideprodukte. Die Suppe oder das Gemüse kann während des Kochens oder vor dem Servieren mit Gewürzen und Kräutern, Gemüsebrühe, unraffiniertem Meersalz sowie Butter, Ghee oder Kokosnussöl gewürzt werden – zirka einen Teelöffel Butter, Ghee oder Kokosnussöl pro Person (vermeiden Sie am Abend andere Öle, da sie schwieriger zu verdauen sind).

Allgemeine Richtlinien

» Am besten vermeiden Sie schweres, öliges und gebratenes Essen; reifen Käse; Joghurt; Zwiebel und Knoblauch, besonders roh; hochverarbeitete und veredelte Nahrungsmittel; kohlensäurehaltige Getränke, Alkohol, Kaffee, herkömmlichen Tee; künstliche Süßstoffe und Handelszucker.
» Versuchen Sie täglich ein oder zwei Stücke frisches Obst in Ihre Ernährung einzubinden. Wenn Sie Fruchtsaft verwenden, stellen Sie sicher, dass er frisch zubereitet und nicht älter als eine Stunde ist (am besten mit Wasser verdünnt). Abgefüllte Fruchtsäfte werden pasteurisiert, was sie säurebildend macht, sie ihrer natürlichen Enzyme beraubt und den Körper von wichtigen Mineralien und Vitaminen entleert. Viele Marken enthalten künstliche Süßstoffe, die dem Körper Wasser entziehen und Gehirn, Nervensystem und Immunsystem schädigen können. Vorzugsweise sollten Sie immer nur eine Sorte Obst essen.

Obst oder Fruchtsäfte sollten immer auf leeren Magen gegessen oder getrunken werden. Da Obst nur 20 bis 40 Minuten im Magen bleibt, ohne eine Tätigkeit des Magens auszulösen, ist es wichtig, Obst nicht mit anderen Nahrungsmitteln zu sich zu nehmen; wenn man Obst dennoch mit anderen Nahrungsmitteln mischt, führt dies zu Gärung, Blähungen und sogar zu Durchfall. Am besten isst man vormittags oder mittags Obst oder einfach pur zum Frühstück.

Um eine optimale Verdauung zu gewährleisten, sollten Sie vorzugsweise nur saisonales Obst konsumieren. Wenn das Obst zu früh gepflückt wird, hat es nicht seinen normalen Reifegrad erreicht und es mangelt ihm an den meisten Vitaminen und wichtigen Zuckern. Das Obst kann auch die Darmwände reizen, da es eine hohe Konzentration von Antikörpern (die im Körper wie Antigene wirken) und Enzym-Hemmstoffen (äußerst toxisch) besitzt. Sobald sie vollständig sonnengereift sind, werden die Toxine in den Früchten neutralisiert. Sollten Sie feststellen, dass Sie Schwierigkeiten haben Obst zu verdauen, könnte der häufigste Grund dafür sein, dass das Obst zu früh geerntet wurde.

Da es eine erfrischende Wirkung hat, können Sie während der Sommermonate häufiger Obst essen. Während der kalten Jahreszeit ist es weniger geeignet, da wir in dieser Zeit mehr wärmende Nahrungsmittel brauchen. Die besten Obstsorten sind die, die normalerweise in Ihrer Region wachsen. Um ausländisches Obst richtig verdauen zu können, brauchen wir andere Verdauungsenzyme. Wir können diese Enzyme nur erzeugen, wenn wir für einige Zeit in dem Land gelebt haben, aus dem das Obst stammt und sich unser Körper an diese neue Umgebung angepasst hat.

» Sie können eingeweichtes Dörrobst, wie Sultaninnen, Feigen, Datteln oder Trockenpflaumen entweder zum Frühstück (ohne andere Nahrungsmittel) oder wie anderes Obst als Snack essen. Überprüfen Sie anhand des „Muskeltests", welches Dörrobst für Sie am geeignetsten ist! Dörrobst enthält Enzymhemmstoffe, die es gasbildend und verstopfend machen können. Wenn es über Nacht oder für einige Stunden eingeweicht wird, werden diese natürlichen Chemikalien abgebaut, was das Dörrobst leichter verdaulich macht.
» Essen Sie täglich 8 bis 12 Mandeln. Das liefert den Zellen des Körpers, und besonders den Augen und Knochen, lebenswichtige Nährstoffe. Entfernen Sie die Haut der Mandeln, indem Sie sie für 15 bis 20 Minuten in kochendes Wasser legen. Die Haut wird sich leicht ablösen. Wenn Sie sie über Nacht einweichen, wird die Verdaulichkeit der Mandeln erhöht.

Anmerkung: Die Haut der Mandeln enthält schädliche Säuren, die dazu da sind, die Nuss vor Insektenangriffen und Pilzen zu schützen. Diese Säuren können bei empfindlichen Personen zu Reizungen oder sogar Allergien führen.

» Am besten vermeiden Sie Speisereste, mit Ausnahme von Reis und Bohnen, die länger als einen oder zwei Tage aufbewahrt und dann wieder aufgewärmt werden. Untersuchungen haben gezeigt, dass es in Omas aufgewärmter Suppe mehr zerstörerische Bakterien gibt, als auf einem einen Monat alten Spülschwamm. In Bezug auf Gemüse bedeutet das, dass sich die aktiven Lebenskräfte (Prana- oder Chi-Energie) und wichtige Enzyme und Vitamine auflösen, nachdem man es eine Stunde gekocht hat. Tiefkühlkost ist frei von dieser Lebenskraft und hat somit eine verringerte Nährstoffbindung. Obst sollte nur frisch gegessen werden. Mikrowellen, die zum Kochen von Nahrung benutzt werden, verursachen einen Gesamtverfall der Molekularstruktur des Essens und zerstören seine Lebenskraft. Ohne ihre Lebensenergien kann Nahrung nicht richtig verdaut und aufgenommen werden[13].

» Um eine Tiefengewebereinigung durchzuführen, trinken Sie häufig heißes (ionisiertes) Wasser: Kochen Sie für 15 bis 20 Minuten Wasser. Bewahren Sie es in einer Thermosflasche auf. Nehmen Sie alle halbe Stunde, oder je nach Durst, 1 bis 2 Schlückchen. Um eine reinigende Wirkung zu erzielen, muss das Wasser so lange gekocht und genauso heiß getrunken werden, wie Sie Tee trinken würden. Um den Geschmack ein wenig zu verbessern, können Sie ein kleines Stück erfrischenden Ingwer in die Thermosflasche geben. Dadurch, dass Sie das Wasser ununterbrochen für mindestens 15 Minuten kochen, wird eine große Anzahl negativ geladener Sauerstoffionen erzeugt. Während Sie das Wasser in regelmäßigen Schlückchen über den Tag hinweg zu sich nehmen, beginnen diese negativ geladenen Ionen das Körpergewebe systematisch zu reinigen und es von positiv geladenen Ionen zu befreien – insbesondere das Körpergewebe, das mit hohem Säuregehalt und Toxinen in Verbindung steht. Wenn Sie übergewichtig sind, kann Ihnen dieses Reinigungsverfahren helfen mehrere Kilo Körperabfallprodukte zu verlieren, und zwar ohne starke, unerwünschte Nebenwirkungen. (Nähere Angaben dazu in Kapitel 7) Dieses Reinigungsverfahren kann bei jedem Gesundheitsproblem angewendet werden, das mit der Verschlackung eines Körperteils zusammenhängt.

[13] Normales, raffiniertes Tafelsalz (Natriumchlorid) ist eine Hauptursache für Herz-, Lymph- und Nierenprobleme und sollte vermieden werden. Beachten Sie ebenfalls den Abschnitt über die großen Vorteile von Rohsalz in Kapitel 7.

- Vermeiden Sie eiskalte Nahrungsmittel oder Getränke, weil sie das Verdauungsfeuer AGNI für viele Stunden „löschen“ können. Außerdem können sie die Nervenenden des Magens beschädigen. Eine in Eiswasser getauchte Hand wird taub. Ähnlich bewirken kalte Getränke oder Nahrungsmittel, dass sich die Magenzellen zusammenziehen und keine ausreichenden Mengen Verdauungssäfte absondern. Sie machen den Magen ebenfalls unempfindlich gegenüber potenziell schädlichen Nahrungsmitteln oder Getränken, und sie stören wirksam seinen Informationsaustausch mit dem und eventuelle Warnsignale an das Gehirn. Außerdem brauchen Verdauungsenzyme eine ganz bestimmte Temperatur, um optimal zu arbeiten. Indem man das Umfeld der Enzyme „abkühlt“, beginnen sich ihre Verdauungs- und antitumorösen Eigenschaften ebenfalls zu reduzieren, was empfänglich für erhöhte Gewichtszunahme und sogar für Krebs machen kann. Außerdem zwingt der plötzliche Kälteeinfluss, wie er zum Beispiel von Eis oder eisgekühlten Getränken verursacht wird, den Körper, seine innere Wärmeerzeugung zu erhöhen, um den schädlichen Temperaturabfall zu kompensieren. Diese Reaktion verbraucht die Energiereserven des Körpers und lässt ihn sich noch heißer und durstiger fühlen als zuvor, besonders während des Sommers. Lebensmittel und Getränke die Raumtemperatur haben oder warm sind, sind für den menschlichen Körper am besten geeignet und am natürlichsten.
- Verwenden Sie großzügige Mengen der Gewürze, die für Ihren Körpertyp geeignet sind. Sie sind in den weiter hinten aufgeführten Ayurvedischen Nahrungsmitteltabellen verzeichnet. Gewürze verbessern nicht nur den Geschmack des Essens, sondern enthalten auch lebenswichtige Nährstoffe und Aromen, die bei der Verdauung von Nahrung helfen und den Stoffwechsel ankurbeln. Menschen, die unter geringem Stoffwechsel leiden (hauptsächlich Kapha-Typen), können durch den Einsatz wärmender oder Hitze erzeugender Gewürze in ihrer Nahrung ihre Stoffwechselrate auf bis zu 30 Prozent beschleunigen. Scharfes Chili oder Gewürzmischungen, die Chili enthalten, sollten vermieden werden, da sie sich auf die Brust auswirken können und Schleimirritationen im Magen und in den Eingeweiden hervorrufen. Wenn Sie Ihr Essen scharf und würzig mögen, dann ist Cayenne Pfeffer die beste Alternative.
- Soweit verfügbar, trinken Sie vor dem Mittagessen 60 bis 120 ml frisch zubereiteten Karottensaft. Anmerkung: Bevor Sie dieses Programm durchführen, sollten Pitta-Typen zuerst den Muskeltest für Karottensaft durchführen, da Karotten Pitta steigern können.
- Für einen Tag pro Woche oder Monat empfiehlt es sich, nur flüssige

Kost zu sich zu nehmen (Suppen, frisch zubereitete Säfte, Wasser, Kräutertees, ionisiertes Wasser, usw.). Dann bauen Sie allmählich wieder eine normale Ernährung auf. Dies kann das Verdauungssystem stark von seiner täglichen Arbeitsbelastung entlasten und die Fähigkeit verbessern, alle angesammelten toxischen Abfallmaterialien zu entfernen. Frauen profitieren außerordentlich von einem „Flüssigtag", wenn sie ihn ein bis zwei Tage vor ihrer Menstruation einlegen: Er kann helfen, die Menstruation angenehmer und effektiver zu gestalten.

Trinkwasser – Die beste aller Therapien

Dehydration ist vielleicht das weitverbreitetste, jedoch größtenteils unerkannte Problem heutiger moderner Gesellschaften. Alkohol, Kaffee, Tee und Soft Drinks sind besonders bei der jüngeren Generation die erste Wahl, wenn es darum geht den Durst zu löschen. Der wichtigste Effekt dieser Getränke ist jedoch, Wasser – die wichtigste und wertvollste Quelle des Körpers – aus Blut, Zellen und Organen zu entziehen. Ausreichende Mengen Frischwasser zu trinken ist eine wichtige Voraussetzung dafür, Krankheiten zu vermeiden und den Alterungsprozess zu verlangsamen. Jeder gesunde Mensch, der auch das Bedürfnis hat es zu bleiben, muss täglich 1,5 bis 2 Liter Frischwasser trinken. Dadurch wird gewährleistet, dass die 60-100 Billionen Zellen des Körpers ihre täglich benötigte Wassermenge erhalten, um eine effiziente Verdauung, den Stoffwechsel und die Entfernung von Abfallstoffen aufrechtzuerhalten. Kinder müssen 1 bis 1,5 Liter Wasser pro Tag trinken, je nach körperlicher Beanspruchung.

Vorschlag

» Starten Sie in den Tag, indem Sie ein Glas warmes Wasser trinken, um die „Dürre" der Nacht zu beenden und angesammelte Abfallstoffe aus den Ausscheidungsorganen zu entfernen. Wie bereits zuvor erwähnt, können Sie im Anschluss daran ein weiteres Glas warmen Wassers trinken, das Sie mit Zitrone und Honig angereichert haben.

» Trinken Sie eine halbe Stunde vor dem Essen ein Glas Wasser. Das wird Ihr Blut flüssig halten und ihm dadurch ermöglichen, Nährstoffe aufzunehmen und sie an die Zellen zu verteilen. Das Wasser ist ebenfalls hilfreich, die Absonderung von Verdauungssäften zu steigern und es verhindert, dass Galle zu dickflüssig wird. Wenn sie jedoch zu Ihrer Mahlzeit viel Wasser oder andere Getränke zu sich nehmen, verdünnt dies die Verdauungssäfte. Das sollte vermieden werden, da es den Verdauungsprozess schwächt.

» Nach dem Essen verbraucht das Blut eine beträchtliche Menge Wasser, um Nährstoffe an die Zellen zu verteilen, und aus diesem Grund kann es sehr schnell zu Wassermangel kommen. Wenn man circa 2 Stunden nach jeder Mahlzeit ein weiteres Glas warmes Wasser trinkt, wird der Wasserbedarf des Bluts wiederhergestellt.

Diese einfachen Anleitungen können helfen, die schwerwiegendsten Krankheiten zu verhindern, die heutzutage in den modernen Gesellschaften verbreitet sind. Zur richtigen Zeit ausreichende Mengen Wasser zu trinken kann und sollte Teil einer jeden Therapie zur Krankheitsbehandlung sein.

Aber Vorsicht:
Jeder Versuch den richtigen Hydrationszustand des Körpers wiederherzustellen, sollte schrittweise durchgeführt werden. Andernfalls kann es zu ernsthaften Schäden führen. Eine dehydrierte Person, d. h. jemand, der über mehrere Wochen, Monate oder Jahre nicht die minimal erforderliche Menge Wasser zu sich genommen hat und/oder seinen Zellen größere Mengen Wasser entzogen hat, weil er über einen längeren Zeitraum koffein- oder zuckerhaltige Nahrungsmittel oder Getränke konsumiert hat, ist anfällig für Krankheiten. Während der Dehydratisierung sind die Körperzellen nicht mehr in der Lage effizient zu arbeiten. Um sich gegen weiteren Wasserverlust zu schützen, werden ihre Membranen weniger wasserdurchlässig, indem sie zusätzliche Mengen an Fett, inklusive *Cholesterin,* anziehen. Dieser Überlebensmechanismus hindert jedoch auch Stoffwechselabfälle daran die Zellen zu verlassen, was dazu führt, dass die Zellen in ihren eigenen Abfallstoffen ersticken. Um ihr Überleben in dieser toxischen Umgebung zu gewährleisten, müssen sich einige der Zellen genetisch verändern und zu Krebszellen mutieren.

Während der Dehydratation halten die Nieren, genauso wie der Rest des Körpers, Wasser zurück. Zu diesem Zeitpunkt entwickeln viele Menschen Gelüste und überessen sich mit Salz oder salzigen Nahrungsmitteln, da der Körper mehr Salz benötigt, um das wenige, noch vorhandene Wasser zu halten. Dadurch ziehen sich jedoch die Nieren zusammen und filtern noch weniger Wasser als zuvor. Der Harn konzentriert sich immer mehr und wird knapp. In diesem Zustand extremer Austrocknung wäre es nicht vernünftig, plötzlich die empfohlenen 6 bis 8 Gläser Wasser pro

Tag zu trinken. Da die Zellen zur Wassereinsparung eine Barriere errichtet haben, sind sie nicht in der Lage, eine solch große Menge Wasser, die sie nicht mehr gewohnt sind, auf einmal aufzunehmen. Das Wasser würde einfach außerhalb der Zellen stagnieren und zu Wassereinlagerungen und Gewichtszunahme führen. Unter diesen Umständen sind die Nieren nicht in der Lage, viel von diesem Wasser zu filtern, und Urin wird weiterhin knapp bleiben. Jede plötzliche Einnahme großer Mengen Wasser kann tatsächlich starke Lymphstaus, Schwellungen und, in einigen Fällen, sogar Tod verursachen. Die Folge wäre Wasservergiftung, eine potenziell tödliche Störung der Gehirnfunktion, die auftritt, wenn das normale Elektrolytengleichgewicht des Körpers durch eine sehr schnelle Wasseraufnahme außerhalb sicherer Grenzwerte gedrängt wird. Der Übergang von schwerer Austrocknung zu verbesserter Hydratation sollte nur sehr allmählich vonstattengehen und am besten von einem Heilpraktiker überwacht werden, der grundlegende Kenntnisse über den Wassermetabolismus hat.

Richtlinien für schrittweise Rehydratation

Trinken Sie nur ein Glas Wasser pro Tag mehr, als Sie normalerweise zu sich nehmen, und kontrollieren Sie, ob Sie häufiger Wasser lassen müssen. Wenn dies der Fall ist, trinken Sie weitere 1 bis 2 Gläser pro Tag. Falls nicht, reduzieren Sie die zusätzliche Menge auf ein Drittel bis ein halbes Glas Wasser pro Tag. Es ist von grundlegender Bedeutung, dass Ihre Nieren damit anfangen mehr Wasser zu filtern, wenn Sie mehr Wasser trinken. Sie wollen doch wohl keinen ‚Damm' in Ihren Nieren anlegen, was dazu führen könnte, dass sogar Ihre Lungen überflutet werden. Die Nieren werden rechtzeitig erkennen, dass im Körper kein Wassermangel mehr herrscht und werden gegebenenfalls die notwendigen Anpassungen vornehmen, um die Blasenentleerung zu steigern. Zur gleichen Zeit wird der Körper sowohl die Salzproduktion als auch die Salzspeicherung auf natürliche Weise reduzieren. Wenn dies geschieht, wird sich das Verlangen viel Salz oder salzige Nahrungsmittel zu essen ebenfalls verringern. Diese Reaktion wird durch die natürlichen entwässernden Effekte des Wassers verursacht. Wenn Sie harntreibende Medikamente einnehmen, sollten Sie wissen, dass Wasser ein viel effizienteres harntreibendes Mittel ist, als es vielleicht jedes Medikament sein kann, und es hat keine schädlichen Nebenwirkungen. Harntreibende Medikamente sollten nur allmählich und nur unter Aufsicht eines Heilpraktikers abgesetzt werden.

Sobald die Nieren keine Probleme mehr mit der Ausscheidung von Urin haben, können Sie Ihre Wasserzufuhr auf das Minimum des täglichen Bedarfs von 6 bis 8 Gläsern erhöhen. Dies wird die Gesundheitsrisiken drastisch reduzieren, die einem von einer Krankheit auferlegt werden. Um jahrelange Dehydratation rückgängig zu machen und um wieder vollkommen hydratisiert zu werden, braucht es jedoch bis zu einem Jahr und manchmal noch länger.

Aber Vorsicht: Wenn der Körper dehydriert ist, versucht er sein Salz zu speichern, um Wasser zu binden. Wenn die Harnausscheidung erst einmal in Folge der verbesserten Hydratation steigt, werden diese Salze allmählich mit dem Urin ausgeschieden. Wenn die Hydratisierungsversuche zu schnell durchgeführt werden, können die Bereiche mit der größten Salzansammlung Lymphödeme entwickeln. Jede auftretenden Schwellung der Augen oder um die Augen herum, oder Schwellungen der Knöchel, deutet darauf hin, dass der Hydratisierungsprozess allmählicher erfolgen sollte. Sobald die Schwellung abnimmt, können Sie weiter normale Mengen Wasser trinken. Durch die erhöhte Wasserzufuhr ist Ihr Körper ebenfalls imstande das übermäßige Salz zu entfernen. Sie dürfen jedoch keinen Salzmangel bekommen. Daher sollten Sie etwas unraffiniertes Salz[14] zu einem wichtigen Bestandteil Ihrer Ernährung machen. Benutzen Sie Ihre Muskeln nicht in ausreichendem Maße und leiden Sie besonders nachts unter Muskelkrämpfen, bekommt Ihr Körper höchstwahrscheinlich nicht genug oder das falsche Salz (kommerziell erzeugtes Tafelsalz).

Sowohl Wasser als auch Salz sind absolut notwendig, um den Wasserhaushalt ausgewogen zu halten und genug hydroelektrische Energie zu erzeugen, um die Zellaktivitäten aufrechtzuerhalten. Wassertrinken ist die wichtigste aller Therapien, denn es gibt nichts im Körper, was nicht von Wasser abhängig ist. Trinkwasser und der Abbau aller energieentleerenden (reizüberflutenden) Einflüsse sollten immer die allerersten Behandlungsmethoden im Falle einer Krankheit sein, bevor man etwas anderes ausprobiert. In den meisten Fällen verschwindet das Problem auf natürliche Weise, wenn der Körper ausreichend mit Flüssigkeit versorgt ist und ihm erlaubt wird, sich auszuruhen.

[14] Normales, raffiniertes Tafelsalz (Natriumchlorid) ist eine Hauptursache für Herz-, Lymph-, und Nierenprobleme und sollte vermieden werden. Beachten Sie ebenfalls den Abschnitt über die großen Vorteile von unraffiniertem Salz in Kapitel 7.

Bewegen Sie sich gesund

Der Zweck des Trainings

Unter normalen Umständen wäre das Trainieren des Körpers nicht nötig. Der Mensch ist, wie jedes andere Tier, dazu bestimmt, in der Natur zu leben, viel frische Luft zu haben und sich ausreichend körperlich zu betätigen, damit der Körper gesund und lebendig bleibt. Technologischer und wirtschaftlicher Fortschritt haben jedoch zu einer zunehmend sitzenden Lebensweise geführt, die es nötig macht, dass wir uns körperlich bewegen, um unsere Körper gesund und stark zu halten.

Der Zweck von körperlichem Training besteht nicht nur darin, sich selbst zu beweisen, dass man imstande ist dem Alterungsprozess zu trotzen, gut auszusehen oder einen Herzanfall zu vermeiden. Training erhöht auch die Fähigkeit zur Nahrungsverdauung und die Fähigkeit physische und emotionale Fremdstoffe auszuscheiden. Außerdem steigert es sowohl die Stabilität als auch die Biegsamkeit des Körpers, sowie die Fähigkeit, mit anstrengenden Situationen fertig zu werden. Das Lymphsystem, besonders der Bereich, der toxische und schädliche Substanzen aus den Bindegeweben der Organe und Muskeln ableitet, ist von den täglichen Bewegungen des ganzen Körpers abhängig. Im Gegensatz zum Blut, das durch das Herz im Körper umgewälzt wird, steht der Lymphflüssigkeit keine solche direkte Pumpvorrichtung zur Verfügung. Das Lymphsystem ist stark von der Atmung abhängig und davon, wie gut wir diese einsetzen. Wenn sich der für die Atmung der Lungen (Zwerchfell) verantwortliche Muskel in den Bauchraum ausstreckt, übt er starken Druck auf die Darmlymphgefäße aus, wodurch ihr Inhalt zusammengequetscht wird. Das zwingt die Lymphe, sich durch die Lymphkanäle, wie z. B. den Milchbrustgang, zu bewegen. Somit dient jede Einatmung und Ausatmung für das Lymphsystem wie eine indirekte Pumpe. Flache Atmung, die sich aus einem sitzenden Lebensstil (und Darmverstopfungen) ergibt, hat einen schädlichen Einfluss auf die richtige Lymphdrainage. Training kann die Lymphfunktionen außerordentlich verbessern und dadurch einer Vielzahl von Krankheiten vorbeugen.

Leibesübungen sind ein hervorragendes Immunstimulans, wenn sie in Maßen ausgeführt werden, und sie verbessern auch die neuromuskuläre Integration aller Altersgruppen. Ihr Selbstbewusstseins und Selbstwertgefühl steigernder Effekt wird gewissermaßen durch die gesteigerte Sauerstoffversorgung der Zellen und dem daraus resultierenden Wohlbefinden aller Bereiche von Körper und Geist verstärkt. Training ist ein ausgezeichnetes Mittel zur Stärkung des Lebensglücks, besonders dann, wenn es um Herausforderungen geht, die Kreativität erfordern.

Herkömmliche Trainingsmethoden vertreten die Überzeugung, dass Sie durch gutes Training an die Grenzen Ihrer Ausdauer gebracht werden und vollkommen müde und erschöpft sein müssen. Das ist nicht wahr. Training, das Ihren Körper erschöpft, ist ein indirekter Gewaltakt, den der Körper wie eine Art Strafe für unzureichende Leistung wahrnimmt. Der Schmerz, der sich auf den Gesichtern der Menschen zeigt, die sich durch ein zähes Trainingsprogramm kämpfen, ist ein Anzeichen dafür, dass der Körper überanstrengt ist. Diese Art Training ist sinnlos. Jede Form starker körperlicher Belastung stört Vata und bewirkt die Ausschüttung abnormer Mengen Stresshormone wie Adrenalin, wodurch der Körper unruhig und zittrig wird. Der energieentleerte Körper ist nicht mehr in der Lage die Reparaturarbeiten durchzuführen, die sich aus diesem anspruchsvollen Training ergeben, wodurch das Herz-Kreislauf-System geschwächt und für andere Stressfaktoren verwundbar wird.

Die Erschöpfung nach dem Training ist eine ernste Krankheitsursache, die viele ahnungslose Menschen betrifft, die denken, dass sie sich etwas Gutes tun, wenn sie den Körper bis an seine Grenzen bringen. In Begeisterung für Wettkampfsportarten merken die meisten nicht, wie unermüdlich Sie sich anstrengen, aber sobald der *Adrenalinrausch* vorüber ist, treten die Nebenwirkungen auf. Neben Erschöpfung und möglichen Verletzungen ist für professionelle Athleten das Risiko groß, unter einem gestörten Immunsystem zu leiden, was wiederum den Körper anfällig für Infektionen und andere Erkrankungen macht. Aus diesem Grund konsumieren Athleten eine viel größere Menge verschreibungspflichtiger Medikamente als der Durchschnittsmensch. Die Thymusdrüse, die dafür zuständig ist die *Lymphozyten* zu aktivieren und die Energieversorgung zu kontrollieren, könnte schrumpfen und den Körper, in direkter Folge der Überkonditionierung des Körpers und Stressens des Geistes, matt und geschwächt zurücklassen.

Übungen gemäß der Doshas

Am besten trainiert man gemäß der Belastbarkeit und des psycho-physiologischen Körpertyps. Ein Vata-Typ, der die geringste Trainingskapazität besitzt, profitiert am meisten von solch leichten Mitteln sich fit zu halten wie Gehen, Tanzen, Radfahren, kurze Wanderungen, Balancieren und Dehnen. Vatas kommen in der Regel gut mit Yoga, Tai Chi und Chi Kung zurecht. Da bei Vata-Typen die Energie in Schüben auftritt, sollten sie besonders sorgfältig darauf achten, sich nicht zu überanstrengen. Wenn ihre

Energie plötzlich sinkt, können sie sich noch lange Zeit danach erschöpft fühlen. Dies führt häufig zu Depressionen.

Die von Natur aus konkurrenzfähigen Pitta-Typen verfügen über mehr Tatkraft und Energie als Vatas. Sie sind für gewöhnlich nicht mit den eher gewöhnlichen Formen des Sporttreibens zufriedenzustellen. Um körperliche Befriedigung zu finden, brauchen sie ein gezielteres Trainingsprogramm. Jedoch verfügen sie ebenfalls nicht über grenzenlose Energie und sollten besser in Maßen trainieren. Pittas fühlen sich vom Wandern in den Bergen, Skilaufen, Joggen, Schwimmen, Tennis spielen oder anderen Sportarten gefordert, die ihnen ein Erfolgsgefühl vermitteln.

Sie können unausgeglichene Pitta-Typen leicht am Sport erkennen. Sie sind häufig schlechte Verlierer und werden wütend, wenn sie glauben „nicht gut genug" zu sein. Pittas, die beim Sport häufig wütend werden, sollten sich ein weniger wettbewerborientiertes Trainingsprogramm aussuchen, um ihren Befriedigungsgrad zu erhöhen. Wenn Pittas unausgeglichen sind, neigen sie zu überschüssiger Wärme. Aus diesem Grund ist Schwimmen, aufgrund seiner abkühlenden Wirkung auf den Körper, für Pittas eine der besten Bewegungsalternativen. Ein Spaziergang im kühlen Wald ist ein anderes ausgezeichnetes Mittel, um einen unausgeglichenen Pitta-Typ zu beruhigen.

Kapha Typen sind ideale Kandidaten für ein gutes bzw. mittelschweres Training. Krafttraining, Laufsport, Rudersport, etwas Aerobic, Langstreckenradfahren, langes Tanzen, Fußball-, Basketball- und Tennisspielen ist für alle Kaphas sehr geeignet. Die kontinuierliche Energie des Kapha-Typs versorgt ihn mit der erforderlichen Ausdauer und Kondition, um lange Wettkämpfe ohne Müdigkeit durchzustehen. Die Bewegung reinigt den Körper von allen übermäßigen Kapha-Verstopfungen, entfernt überschüssiges Wasser und Fett und verbessert den allgemeinen Kreislauf. Das führt dazu, dass er sich anschließend erfrischt und munter fühlt.

Grundsätzliche Richtlinien für gesunde Bewegung

» Am besten trainiert man nicht mehr als bis zu 50 Prozent seiner Belastbarkeit, was auch immer das für Sie bedeutet. Training bedeutet nicht, anderen zu beweisen, wie leistungsfähig Sie sind, sondern einen persönlichen Nutzen und Befriedigung daraus zu ziehen. Wenn Sie, bevor Sie müde werden, 30 Minuten laufen können, dann laufen Sie bitte nur 15 Minuten. Wenn Sie während des Trainings müde werden, vernichtet das den Zweck des ganzen Trainings. Wenn Sie sich im Anschluss an das Training erfrischt, neu belebt und dynamisch fühlen, deutet das darauf hin, dass das Training erfolgreich war. Mit der Zeit wird sich Ihre Leistungsfähigkeit von ganz alleine auf natürliche Weise steigern.

» Hören Sie auf zu trainieren, wenn Sie durch den Mund atmen müssen. Sobald Sie durch den Mund atmen müssen, haben Sie die 50-Prozent-Schwelle Ihrer Belastbarkeit überschritten. Das sind Anzeichen dafür, dass Ihr Körper zur Adrenalinatmung übergegangen ist, was Ihre wesentlichen Energiereserven aufbraucht und den zellulären Sauerstoff abzieht. Sie haben Ihr Limit erreicht, wenn Sie Ihr Herz heftig pochen fühlen, stark schwitzen oder Ihr Körper zu zittern beginnt. In diesem Fall sollten Sie das Training beenden, indem Sie für kurze Zeit normal gehen und atmen. Grundsätzlich gilt: Immer durch die Nase und nicht durch den Mund atmen. Trainieren Sie einmal täglich bis Sie beginnen zu schwitzen.

» Um den typischen Ansprüchen des Tages gerecht zu werden, wie z. B. Treppensteigen, Lebensmittel tragen, kleine Kinder hochheben, Putzen, Reiten, in einem See schwimmen, Wandern, Radfahren oder andere normale Tätigkeiten, ohne Gefahr zu laufen, sich zu verletzen, brauchen Sie gute, starke Muskeln. Die beste Art den Muskeltonus und die Kraft zu erhöhen ist, die Herz- und Muskelaktivität schnell zu steigern, bis man beginnt zu hecheln. Anschließend sollten Sie eine Phase geringer Aktivität (genannt „aktive Erholung") folgen lassen. Ein- bis zweiminütige Intervalle (der Aktivität und Ruhe) sind ideal. Dieses Programm täglich für 10 bis 20 Minuten durchzuführen, ist effektiver als stundenlanges anstrengendes Training. Außerdem erhöhen sich dadurch Muskeltonus, Lungenkapazität und Herzgesundheit. Während der Hechelphasen verbraucht der Körper die komplexen Zuckerreserven der Muskeln. Wenn Sie abnehmen wollen: Diese Methode verursacht anschließenden Gewichtsverlust, da der Körper versucht, die verlorenen Zuckerreserven durch Abbau von Fetteinlagerungen wieder aufzufüllen, während Sie sich ausruhen. Das Gewicht, das Sie jedoch während anstrengender Ausdauertrainingsprogramme verlieren, neigt dazu wieder zurückzukehren, da der Körper versucht die verlorenen Fettpolster schnell wieder aufzufüllen, um sich auf die nächste kräftezehrende Trainingseinheit vorzubereiten. Der Körper sieht das anstrengende Training als Bedrohung an. Vata- und Pitta-Typen werden am negativsten von anstrengendem Training betroffen. Reine Kapha-Typen können als einzige von dieser Art Training profitieren.

» Am besten trainieren Sie tagsüber. Die beste Trainingsfähigkeit kann während der Kapha Periode am Morgen (6.00-10.00 Uhr) und am Ende der Vata-Periode am Nachmittag (17.00-18.00 Uhr) abgerufen werden. Wenn Sie tagsüber trainieren, erhöhen sich die Trainingsvorteile um ein Vielfaches. (Siehe Band 2, *Sonnenlicht – Naturmedizin.*)

» Ayurveda rät vom Trainieren nach Sonnenuntergang ab. Erlauben Sie dem Körper, sich am Abend zu beruhigen und sich auf einen erholsamen und verjüngenden Schlaf vorzubereiten. Trainieren Sie nie kurz vor oder nach einer Mahlzeit, da dies das Verdauungsfeuer AGNI beeinträchtigt und Verdauungsstörungen verursacht. Allerdings wirkt 15minütiges Wandern nach den Mahlzeiten wie ein guter Verdauungshelfer. Trinken Sie vor und nach dem Training immer Wasser, um einer Verdickung des Bluts vorzubeugen und die Zellen vor Dehydrierung zu bewahren.

Eine Warnung vor Aerobic-Übungen: Die medizinische Zeitschrift Lancet berichtete, dass Aerobic-Training zu Arterienverstopfung und Herzkrankheiten führen kann, auch wenn die betreffenden Personen vorher niemals Herzbeschwerden hatten. Gemäß *The American Journal of Cardiology* sind einige Jogger ebenfalls durch Herzinfarkte tot zusammengebrochen. Obduktionen zeigten starke Arterienerkrankungen. Regelmäßiges und anstrengendes Training schädigt tatsächlich das Herz genauso stark wie kontinuierlicher Stress. Das Herz schwebt durch die übermäßigen Trainingseinheiten buchstäblich in ständiger Gefahr. Marathonläufer verlieren bekanntermaßen Muskelmasse, sowohl im Herzen als auch im Rest des Körpers. Viele von ihnen sind direkt nach dem Überschreiten der Ziellinie tot umgefallen. Kurzstreckenläufer bauen hingegen gesunde Muskeln und starke Herzen auf, wie zuvor in Punkt 3 erklärt.

Eifriges Krafttraining kann ebenso schädlich sein. Es führt zu anormal vergrößerten, aufgeschwemmten Muskelfasern, die sogar nicht mehr richtig funktionieren und anfällig für Verletzungen werden können. Übergroße Muskeln verbrauchen ständig einen großen Teil wertvoller Energie (komplexe Zuckerreserven), die der Körper für wichtigere Aufgaben benötigt. Durch Krafttraining wird in Bereichen des Körpers überschüssiges Muskelgewebe aufgebaut, die dafür niemals vorgesehen waren. Dadurch werden die natürlichen Bewegungsabläufe des Körpers behindert. Krafttraining kann ebenfalls zu einer Erhöhung des Blutdrucks führen und die Gefahr von Schlaganfällen und Aneurysmen vergrößern. Die Natur hat den menschlichen Körper nicht dazu geschaffen, sich mit weiteren gravitativen Einflüssen zu befassen, die ihm durch das Heben schwerer Gewichte auferlegt wurden. Die häufige Beanspruchung der Gelenke, Muskeln und Sehnen führt zu vorzeitiger Alterung. Übermäßiges Krafttraining kann den Körper dauerhaft schädigen.

Surya Namaskara (Sonnengruß)

Surya Namaskara (Abbildung 15) ist eines der ältesten und ganzheitlichsten Übungsprogramme überhaupt. Es stellt einen wesentlichen Bestandteil von Yoga dar, das sowohl Geist als auch Körper unterstützt. Es ist deshalb einzigartig, da es alle bedeutenden Muskelgruppen stärkt und dehnt, alle inneren Organe massiert, die Lymphdrainage aus jedem Bereich des Körpers unterstützt und die Energiezentren und Akupunkturpunkte des Körpers belebt. Dieses Bewegungsprogramm steigert die Durchblutung und den Kreislauf, regeneriert die Wirbelsäule und erhöht die Flexibilität der Gelenke. Die natürlichen Ergebnisse dieser täglichen Routine sind Grazie, Flexibilität, sowie physische Stabilität. Sie können nicht erwarten, die Übung gleich von Anfang an zu beherrschen, aber durch regelmäßige Übungszeit werden Sie die verschiedenen Positionen leicht und natürlich durchführen können.

Abbildung 15: Surya Namaskara

Anleitung: Surya Namaskara besteht aus zwei Übungszyklen von je zwölf ineinander übergehenden Bewegungen. Während des ersten Zyklus zieht man in den Positionen 4. und 9. das rechte Knie nach vorne an die Brust, und während des zweiten Zyklus das linke Knie. Abgesehen von dieser Ausnahme sind alle anderen Bewegungen für beide Zyklen genau gleich. Die zwölf Haltungen oder Positionen werden nacheinander in flüssiger Folge durchgeführt und mit der Atmung koordiniert. Bei dieser Übung ist es wichtig sich nicht übermäßig anzustrengen, da sich die Vorteile nur einstellen, wenn die Übung mühelos und leicht durchgeführt wird. Sollten Sie ein Müdigkeitsgefühl verspüren, legen Sie sich hin, ruhen Sie sich aus und atmen Sie ausgiebig durch. Beginnen Sie mit ein, zwei kompletten Zyklen und beobachten Sie, wie Sie sich anschließend fühlen. Auf diese Art und Weise wird sich Ihre Leistungsfähigkeit allmählich erhöhen. Grundsätzlich kann gesagt werden, dass Männer schließlich zwölf komplette (doppelte) Runden und Frauen mindestens sechs komplette Runden durchführen können.

Sie werden feststellen, dass sich Ihre Atmung nach einigen Zyklen den verschiedenen Bewegungsformen auf natürliche Weise anpassen wird. Nach einiger Übung werden die Bewegungsabläufe automatisiert und Sie werden nicht mehr auf die Anleitungsabbildungen schauen müssen.

Atemübungen (Pranayama)

Ayurveda empfiehlt einfache Atemübungen oder Pranayama. Sie sind hilfreich die Energie und Lebenskraft, sowohl von Geist als auch von Körper, innerhalb kürzester Zeit (Minuten) aufzufrischen und wiederherzustellen. Das Wort Pranayama setzt sich aus zwei Sanskrit-Wörtern zusammen. Prana bedeutet „Lebensenergie" oder „Lebensatem". Es trägt die Lebensenergie aus der Umgebung in den Körper. *Yama* bedeutet Selbstkontrolle, die den Prana-Strom erhöht und dadurch alle Funktionen von Körper und Geist stimuliert. *Pranayama* kann ein außergewöhnliches Gleichgewicht im Bewusstsein herbeiführen. Es hat eine tief reinigende Wirkung und es reinigt die *Nadis,* die pranischen Energiebahnen – die Kanäle für Prana, die in der Akupunktur auch als ‚Meridiane' bekannt sind. Die Vorteile von Pranayama umfassen die Reduzierung von Stress und Verspannungen, die Verbesserung der Atmung und des Kreislaufsystems, sowie die Bewusstseinserweiterung und Klarheit des Geistes. Patienten, die unter Atembeschwerden, Kopfschmerzen oder Migräne und Depressionen leiden, können durch Pranayama besonders große Linderung erfahren. Der größtmögliche Erfolg lässt sich erzielen, wenn man eine der drei folgenden Arten von Pranayama (je nach Körpertyp) zweimal täglich für jeweils fünf Minuten durchführt. Die Übungen sollten vorzugsweise morgens oder abends auf leeren Magen, vor der Meditation oder wenn Sie unter Stress stehen durchgeführt werden. Immer ein Pranayama ist für den jeweiligen Körpertyp am besten geeignet, obwohl Vata Pranayama von jedem Körpertyp mit Problemen angewendet werden kann. Die Atmung sollte normal und leicht sein. Für maximalen Nutzen sollte man gerade, aber bequem und mit geschlossenen Augen sitzen.

Die Atmung sollte auf die natürlichen Bewegungen des Körpers abgestimmt werden. Atmen Sie immer ein, wenn Sie die Wirbelsäule strecken oder den Körper dehnen und atmen Sie aus, wenn Sie den Körper beugen oder verschränken.

Vata-Pranayama

Menschen mit Vata Körperbau oder Vata Ungleichgewicht profitieren am meisten von *abwechselnder Nasenlochatmung,* die alle Ebenen von Geist und Körper ins Gleichgewicht bringt.

Anleitung:

» Halten Sie Ihr rechtes Nasenloch mit dem Daumen Ihrer rechten Hand zu und atmen Sie durch das linke Nasenloch ein.
» Anschließend halten Sie das linke Nasenloch mit dem Mittel- oder dem Ringfinger derselben Hand zu und atmen Sie durch Ihr rechtes Nasenloch aus.
» Atmen Sie wieder durch das rechte Nasenloch ein. Halten Sie das rechte Nasenloch wieder mit Ihrem Daumen zu und atmen Sie durch Ihr linkes Nasenloch aus.
» Verbleiben Sie so und atmen Sie wieder ein.

Pitta-Pranayama

Ein Mensch mit Pitta Körperbau oder Pitta Ungleichgewicht kann „sich beruhigen" und weibliche Energien im Körper steigern, indem er die *linke Nasenlochatmung* durchführt. Das linke Nasenloch entspricht dem Kühlsystem des Körpers. Wenn es verstopft ist, überhitzt der Körper.

Anleitung:

» Halten Sie Ihr rechtes Nasenloch mit dem Daumen der rechten Hand zu und atmen Sie durch Ihr linkes Nasenloch ein.
» Dann halten Sie Ihr linkes Nasenloch mit Ihrem Mittel- oder Ringfinger zu und atmen Sie durch Ihr rechtes Nasenloch aus.

Wiederholen Sie dies für fünf Minuten, atmen Sie normal und natürlich während Sie aufrecht und bequem sitzen.

Kapha-Pranayama

Ein Mensch mit Kapha Körperbau kann sich buchstäblich aufwärmen und die männlichen Energien im Körper steigern, indem er die rechte Nasenlochatmung durchführt. Das *rechte Nasenloch* entspricht dem Heizsystem unseres Körpers. Wenn es blockiert ist, wird der Körper zu kalt.

Anleitung:

» Verschließen Sie Ihr linkes Nasenloch mit dem Mittel- oder Zeigefinger der rechten Hand und atmen Sie durch Ihr rechtes Nasenloch ein.
» Dann halten Sie Ihr rechtes Nasenloch mit dem Daumen zu und atmen durch Ihr linkes Nasenloch aus.

Wiederholen Sie dies für fünf Minuten, atmen Sie ohne Anstrengung und sitzen Sie aufrecht und bequem.

Obese-Pranayama

Adipöse Menschen sollten ein schnelles Pranayama durchführen.

Anleitung:

- » Sitzen Sie in einer bequemen Position, atmen Sie tief ein und schnell und kraftvoll wieder durch die Nase aus. Sie werden naturgemäß nach jedem Ausatmen wieder Einatmen.
- » Wiederholen Sie dies für eine Minute; dann ruhen Sie sich für eine Minute aus.
- » Führen Sie diese Übung insgesamt fünf Mal durch und ruhen Sie sich nach jedem Mal für eine Minute aus.

Diese Übung beschleunigt die Stoffwechselrate und *entspricht ungefähr dem Laufen von etwas mehr als 3 Kilometern.* Sie werden sich heiß fühlen und anfangen, zu schwitzen. Zu diesem Zeitpunkt ist es wichtig, keine kalten oder gekühlten Getränke zu trinken, da sie das AGNI löschen und den Aufbau von Fett im Körper erhöhen. Trinken Sie Wasser, das Raumtemperatur hat.

Bewusste Atemmeditation

Bewusstes Atmen wird in bequemer Sitzhaltung (auf einem Stuhl oder auf dem Fußboden) und mit geschlossenen Augen praktiziert. Am besten sitzt man gerade, damit der Körper ohne größere Anstrengung atmen kann.

Um die besten Ergebnisse erzielen zu können, sollte diese Meditation einmal täglich für 15 Minuten ausgeübt werden, obwohl es günstiger ist sie zweimal täglich morgens und abends durchzuführen. Meditieren Sie vor, oder frühestens 2 bis 3 Stunden nach dem Essen.

Obgleich Sie Ihre Augen schließen oder sich einfach auf Ihre Nasenspitze oder auf Ihre Brust konzentrieren, spüren Sie die Bewegungen des Einatmens und Ausatmens. Atmen Sie ruhig und natürlich. Je länger Sie üben, umso eher wird Ihr Geist dem Atemrhythmus folgen und sich entspannen. Um in einen friedlichen Zustand zu gelangen, muss Ihr Geist nicht aufhören zu denken. Tatsächlich ist der einzige Fehler, der Ihnen bei dieser Übung unterlaufen kann, der Versuch mit dem Denken aufzuhören oder Gedanken zurückzuhalten. Wenn Sie von Ihren Gedanken, Gefühlen oder Emotionen mitgerissen werden, versuchen Sie es bitte nicht zu verhindern. Lenken Sie stattdessen einfach Ihr Bewusstsein wieder auf Ihre Atmung, Ihre Nase oder Ihre Brust, und sollten die Gedanken weiterhin abschweifen, ist das in Ordnung. Eine Steigerung der Denkaktivität während dieser Übung deutet darauf hin, dass das Nervensystem Stress abbaut. Der Stressabbau führt auf natürliche Weise zu gesteigerter körperlicher Aktivität. Das wiederum steigert die mentale Aktivität, d. h. die Gedanken, Gefühle und die Vorstellungskraft.

Machen Sie so lange weiter, bis Sie glauben, dass ungefähr 15 Minuten vergangen sind. Sie müssen sich keine Sorgen machen, ob Sie die Übung richtig durchführen. Atmung ist natürlich und sich auf sie zu konzentrieren ist ebenfalls natürlich. Sie können nicht verbessern, was die Natur bereits perfektioniert hat. Versuchen Sie nicht stärker oder tiefer zu atmen, als Sie es normalerweise im Sitzen würden.

Indem sich Ihr Geist wiederholt intensiv auf die Ein- und Ausatmung konzentriert, wird er in zunehmendem Maße ruhiger und friedlich. Wenn während eines kurzen Moments Ihr Geist zu einem Ganzen wird, werden Sie sich nur Ihrer selbst bewusst sein, ohne einen Gedanken oder ein Gefühl. Für diesen kurzen Moment sind Sie selbstverwirklicht, weil Ihr Selbst die einzige Sache ist, auf die Sie sich beziehen können. In diesem Augenblick hat Ihr Geist aufgehört zu denken; und Ihr Körper wird diesem Beispiel passend folgen, indem er sich sehr entspannt. Zu diesem Zeitpunkt sind Körper und Geist perfekt aufeinander abgestimmt, ein Moment der Heilung, sowohl für Körper, als auch für Geist. Sie können diese Momente jedoch nicht bewusst erzeugen. Sie entstehen, wenn Sie sie am wenigsten erwarten, d. h. wenn Sie durch den Prozess völlig entspannt sind, ohne Erwartungen oder Anstrengungen.

Durch regelmäßiges bewusstes Atmen werden Sie feststellen, dass sich dieser friedliche und entspannte Zustand Ihres Geistes mit der Zeit ausdehnen und Sie im Laufe des Tages während Ihrer geistigen und körperlichen Aktivität begleiten wird. Es wird ein starkes Gefühl der Ruhe, Zentriertheit und Selbstsicherheit entstehen, sogar in anstrengenden Situationen oder inmitten von Lärm und Chaos.

Die Tiefe dieser Erfahrung steigert sich, bis Ihr eigenes grenzenloses Bewusstsein, der tiefste Aspekt Ihres Bewusstseins, mit den dynamischsten Aktivitäten Ihres Körpers und Geistes koexistiert.

Anweisungen:

» Schließen Sie Ihre Augen und sitzen Sie bequem.
» Konzentrieren Sie sich auf Ihre Nasenspitze oder auf Ihre Brust und atmen Sie bewusst, aber natürlich.

» Wenn Ihnen andere Gedanken kommen, ist das in Ordnung, lenken Sie jedoch allmählich Ihre Aufmerksamkeit auf das Atmen zurück.
» Öffnen Sie nach ungefähr 15 Minuten langsam Ihre Augen.
» Idealerweise meditieren Sie zweimal täglich, morgens und abends vor dem Essen.

Abhyanga – Ayurvedische Öl-Massage

In erster Linie ist *Abhyanga* oder Ölmassage ein Teil des ayurvedischen Tagesablaufs. Sie soll helfen die Anhäufung physiologischer Toxine (AMA) zu verhindern und die Beweglichkeit der Muskeln, Gewebe und Gelenke zu schmieren und zu fördern. Einmal auf der Haut, zieht das Öl schnell durch die verschiedenen Hautschichten und die darunter liegenden Binde- und Fettgewebe ein. Das Öl verbindet sich mit allen Toxinen, insbesondere solchen, die fettlöslich sind. Binnen Minuten nach der Hautmassage wird das Öl durch die Haut zusammen mit den Toxinen ausgestoßen.

Die klassischen ayurvedischen Texte zeigen, dass tägliche Ölmassagen die Weichheit und den Glanz der Haut, sowie die Jugendlichkeit fördern. Die Haut ist ein bedeutender Produzent endokriner Hormone und mit jedem Teil des Körpers durch Tausende Hautnerven verbunden. Die tägliche Ölmassage kann daher die beiden übergeordneten Systeme des Körpers – das Nervensystem und das endokrine System – ausbalancieren. Nachfolgend finden Sie Anweisungen, die Ihnen dabei helfen, die ayurvedische tägliche Do-it-yourself-Ölmassage zu erlernen.

» Sofern Ihnen kein bestimmtes Öl empfohlen wurde, sollten Sie kaltgepresstes (auch Expeller-gepresst genannt) und unraffiniertes Sesamöl (nicht aus gerösteten Samen) bevorzugen. Sollten Sie Hautreizungen feststellen, obwohl Sesamöl für alle Körpertypen geeignet ist (zur äußeren Anwendung), können Sie alternativ Olivenöl oder Kokosnussöl versuchen. Um das Massageöl zu reinigen „heilen" Sie es, indem Sie es auf ungefähr 100 Grad Celsius erhitzen. Fügen Sie dem Öl zu Beginn einen Tropfen Wasser hinzu und wenn das Wasser beginnt zu spritzen, wissen Sie, dass die richtige Temperatur erreicht wurde. Entweder bereiten Sie den kompletten Flascheninhalt auf einmal oder je nach Bedarf zu.
» Vor dem Beginn der Massage sollte das Öl entweder genau oder ein wenig über Körpertemperatur haben, besonders im Winter. Wenn Sie sich anschließend die Haare waschen, beginnen Sie mit einer Kopfmassage. Geben Sie eine kleine Menge Öl auf die Fingerspitzen und

Handflächen und beginnen Sie, die Kopfhaut kräftig zu massieren. Da der Kopf und die Füße im Abhyanga als die wichtigsten hervorzuhebenden Teile des Körpers gelten, nehmen Sie sich mehr Zeit für den Kopf und die Füße als für andere Körperteile.

» Nachdem Sie den Kopf massiert haben, verteilen Sie mit den Händen sanft Öl auf Ihr Gesicht und die äußeren Teile Ihrer Ohren.
» Massieren Sie sowohl die Vorderseite des Halses als auch den Nacken, sowie den oberen Teil der Wirbelsäule.
» Sie können auch eine kleine Menge Öl auf den ganzen Körper auftragen und Ihren Körper massieren.
» Als Nächstes massieren Sie Ihre Arme. Sie massieren richtig, wenn Sie die Röhrenknochen der Länge nach (hin und her) und die Gelenke in kreisenden Bewegungen massieren. Massieren Sie auch Ihre Hände und Finger.
» Verteilen Sie nun Öl auf Brust und Bauch. Sie sollten den Bereich über Ihrem Herzen in sehr sanften, kreisenden Bewegungen massieren. Wiederholen Sie diese kreisenden Bewegungen das „Darm-Muster" entlang, im Uhrzeigersinn vom rechten unteren Bereich des Bauchs zum linken unteren Bereich des Bauchs.
» Massieren Sie den Rücken und die Wirbelsäule. Einige Bereiche sind schwieriger zu erreichen, daher sollten Sie Ihren Partner um Hilfe bitten.
» Massieren Sie die Beine. Massieren Sie die Röhrenknochen wie bei den Armen immer der Länge nach und die Gelenke in kreisenden Bewegungen.
» Als Letztes massieren Sie die Fußsohlen. Da sich alle Körper-Reflexpunkte in den Füßen befinden, sollten Sie sich zum Massieren der Füße ausreichend Zeit nehmen.

Idealerweise sollte man 5 bis 10 Minuten Zeit in die Massage investieren, möglichst jeden Morgen. Wenn nicht genug Zeit für eine Ganzkörpermassage ist, sollten Sie eine 1-2-minütige Minimassage des Kopfes und der Füße durchführen. Nehmen Sie nach der Massage eine Dusche oder ein Bad. Benutzen Sie Seife ausschließlich im Genitalbereich und unter den Achseln. Indem Sie nur Ihren Genitalbereich und Ihre Achseln mit Seife reinigen, bleibt ein dünner Ölfilm auf Ihrer Haut zurück. Dieser Ölfilm wirkt sich sehr förderlich auf die Straffung der Haut aus und hält die Körpermuskeln den Tag über warm. Wenn Sie versehentlich zu viel Öl verwendet haben, können Sie zur Reinigung eine Seife aus Naturstoffen verwenden. Insbesondere Sesamöl verfügt über eine desinfizierende Wirkung, durch die schädliche Mikroben abgewehrt werden.

Tägliche Ölbehandlung – Das Ölziehen

Die Ölbehandlung ist eine einfache, dennoch erstaunlich wirksame Methode das Blut zu reinigen. Sie ist hilfreich bei zahlreichen Störungen, einschließlich Blutkrankheiten, Lungen- und Leberstörungen, Zahn- und Zahnfleischerkrankungen, Kopfschmerzen, Hautkrankheiten, Magengeschwüren, Darmproblemen, Appetitlosigkeit, Herz- und Nierenleiden, Enzephalitis, nervösen Beschwerden, schlechtem Gedächtnis, frauenspezifische Krankheiten, Gesichtsschwellung und Tränensäcken. Die Therapie besteht einfach daraus, Öl im Mund umherzubewegen.

Für diese Behandlung brauchen Sie Expeller-gepresstes, unraffiniertes Sonnenblumen-, Sesam- oder Olivenöl. Nehmen Sie am Morgen, vorzugsweise nach dem Aufstehen oder irgendwann vor dem Frühstück, 1 bis 2 Esslöffel Öl in den Mund, schlucken es aber nicht runter. Lassen Sie das Öl langsam für insgesamt 3 bis 4 Minuten in Ihrem Mund zirkulieren, kauen Sie es und ziehen Sie es durch Ihre Zähne. Das vermischt das Öl gründlich mit Speichel und aktiviert die freigesetzten Enzyme. Diese Enzyme entziehen dem Blut Toxine. Daher ist es wichtig, das Öl nach nicht mehr als 3 bis 4 Minuten auszuspucken. Sie wollen doch nicht, dass ein Teil der freigesetzten Toxine wieder resorbiert wird. Sie werden feststellen, dass das Öl eine milchig-weiße oder gelbliche Farbe annimmt, sobald es mit Toxinen und mit Milliarden zerstörerischer Bakterien gesättigt ist.

Für optimale Ergebnisse sollten Sie diesen Vorgang noch zweimal wiederholen. (Wenn zu viele Toxine freisetzt werden und Sie sich unwohl fühlen, führen Sie die Behandlung nur einmal durch.) Spülen Sie anschließend Ihren Mund mit einem halben Teelöffel Backnatron oder unraffiniertem Meersalz aus (lösen Sie es in etwas Wasser auf). Diese Lösung entfernt alle Öl- und Toxinreste aus Ihrem Mund. Um ganz sicherzugehen, dass Ihr Mund wirklich sauber ist, putzen Sie sich die Zähne. Zungenschaben wird ebenfalls geraten.

Zwei sichtbare Effekte des Ölziehens sind die Beseitigung von Zahnfleischblutung und das Aufhellen der Zähne. Im Krankheitsfall kann man dieses Verfahren dreimal täglich wiederholen, aber nur auf leeren Magen. Die Ölbehandlung entlastet und unterstützt außerordentlich die Leberfunktionen, da sie dem Blut Toxine entzieht, die die Leber entfernen oder entgiften kann. Davon profitiert der gesamte Organismus.

Ernährung gemäß der Körpertypen

„Keine Krankheit, die durch Ernährung behandelt werden kann, sollte auf andere Weise behandelt werden", sagte Moses Maimonides (1135-1204). Die Verwendung von Nahrung als Medizin war nicht nur in früheren Zeiten ein allgemein bekanntes Behandlungsmodell, sondern wird jetzt mehr und mehr als überlebenswichtig anerkannt. Nährstoffbedingte Mangelerscheinungen stellen bei den meisten chronischen Erkrankungen den Hauptgrund für die zugrunde liegenden Entartungen von Zellen, Geweben und Organen dar. Anstatt dass Nahrungsmittel unsere beste Medizin sind, hat die moderne Nahrungsmittelherstellung unsere besten Nahrungsmittel in die schädlichsten Gifte der Menschheit verwandelt. Viele jüngere Menschen haben fast vollständig den Bezug zur einfachen Wahrheit verloren, dass *der Mensch ist, was er isst.* Selbst studierte Ärzte erklären ihren Patienten, dass Erkrankungen wie Herzanfall, Krebs und arthritische Schmerzen nicht mit den Ernährungsgewohnheiten in Verbindung stehen. Genauso behaupteten Ärzte vor nicht allzu langer Zeit, dass Rauchen gut sei. Nur selten informiert sich ein Arzt über die Essgewohnheiten seines Patienten, etwas, was der Arzt dringend tun sollte, bevor er den Patienten zahlreichen Tests unterzieht. Der alleinige Zweck dieser Tests ist es, ein Medikament und einen zugehörigen Wirkstoff oder ein Heilverfahren zu finden, das die Symptome des Patienten unterdrückt. Die Behandlung besteht aus Methoden, die das Symptom/die Symptome verschwinden lassen. Wenn dies gelingt, wird der Patient als gesund angesehen, zumindest für kurze Zeit. Sich in die Illusion der Heilung einzukaufen ist kostspielig, aber nur für den Patienten. Jeder andere profitiert davon. Mit 7,8 Milliarden Dollar Umsatz pro Jahr ist Pfizer das profitabelste aller Fortune 500 Unternehmen (die 500 umsatzstärksten Unternehmen der Welt). Wer gewinnt, und wer verliert? Betrachten wir die folgenden Tatsachen. In den Vereinigten Staaten:

» Sind unerwünschte Nebenwirkungen auf verschreibungspflichtige Medikamente jährlich für den Tod von 105 000 Menschen verantwortlich.

» Werden 95 Prozent aller Nebenwirkungen von Ärzten nicht eindeutig identifiziert oder gemeldet, daher sind die tatsächlichen Risiken und potenziell tödliche Folgen nicht bekannt.

» Behandeln Ärzte nicht nur Krankheitssymptome, sondern auch die Nebenwirkungen dieser Behandlungen. Diese Nebenwirkungen werden zu neuen Krankheiten, die weitere Behandlung erfordern. Daher ist es in den Vereinigten Staaten zu einer enormen Krankheitssteigerung gekommen, die jedes Jahr mindestens 2 Billionen Dollar verschlingt.

» Ist die unordentliche Handschrift von Ärzten auf Rezepten jährlich für den Tod von 7 000 Patienten verantwortlich.
» Werden 1,5 Millionen Menschen jedes Jahr aufgrund von vermeidbaren Medikamentenirrtümern verletzt.
» Unterziehen sich jedes Jahr 7,5 Millionen Amerikaner unnötigen medizinischen und chirurgischen Verfahren.
» Ist Zucker in Form von Maissirup das meistgebrauchte Nahrungsmittel. Dies hat zu einer Fettleibigkeits-, Diabetes-, Krebs- und Herzerkrankungsepidemie geführt. Diese Epidemie wird nicht auf Ursachenebene behandelt. Anmerkung: Da die Fruktose in Maissirup weder die Insulin-Ausschüttung stimuliert noch das Hungerhormon *Ghrelin* reduziert, werden Sie sich weiterhin hungrig fühlen, während der Körper die Fruktose in Fett umwandelt. Die daraus resultierende Fettleibigkeit erhöht die Gefahr für Diabetes und andere Krankheiten.

Da Sie offensichtlich nicht viel Hilfe von denjenigen erwarten können, die nur wissen, wie man die Folgen einer Krankheit, aber nicht die Ursachen behandelt, müssen Sie Ihre Gesundheit in die eigenen Hände nehmen. Nahrungsmittel haben eine beinahe sofortige Wirkung auf den Körper. Es ist bekannt, dass sich während des Essens die Biochemie des Körpers binnen weniger Minuten verändert. Sie können den starken Einfluss, den Nahrung auf Ihren Körper hat, leicht durch den Muskeltest nachprüfen (siehe Kapitel 1). Wenn Sie etwas für Sie vollkommen schädliches essen, wird Ihr Magen mit Verdauungsstörungen reagieren. Einige Nahrungsmittel können schwerwiegendere Schäden verursachen als nur Sodbrennen. Forschungsergebnisse zeigen, dass der Konsum von Fleisch am Abend einen Herzanfall am Morgen auslösen kann.

Damit Sie leichter herausfinden können, welche Ernährungsweise und welcher Lebensstil für Sie am günstigsten ist, müssen Sie zunächst Ihren Körpertyp bestimmen. Wie schon gesagt, verdauen und verwerten unterschiedliche Menschen dasselbe Essen auf unterschiedliche Weise. Wenn ein Vata- und ein Pitta-Typ in einem Restaurant dieselbe Mahlzeit bestellen, kann sich einer der beiden später gestärkt und der andere träge und dick fühlen. Wenn Vata und Pitta etwa gleich sind, richten Sie sich je nach Unausgeglichenheit. Wenn Sie z. B. regelmäßig unter Hautausschlägen, innerer Hitze oder ständigem Schwitzen (Pitta-Ungleichgewicht) leiden, greifen Sie zu Nahrungsmitteln aus der Pitta Nahrungsmittelliste. Wenn Sie anfällig für Verstopfung, trockene Haut oder Kopfschmerzen sind (Vata-Ungleichgewicht), entscheiden Sie sich für Nahrungsmittel aus der Vata Nahrungsmittelliste. Wenn Sie frieren und unter fettiger Haut oder Nasen- und Nebenhöhlenverstopfung leiden, sollten sie ebenfalls dem Kapha-Ernährungsplan folgen.

Über die folgenden Nahrungsmitteltabellen erhalten Sie spezifische Nahrungsmittellisten, die für jeden der drei wichtigsten Körpertypen und jede Unausgeglichenheit am besten geeignet sind. Im idealen Fall bräuchten Sie keine Liste, um zu wissen, welche Nahrungsmittel für Sie gut sind, da Ihr natürlicher Instinkt diese Entscheidung für Sie treffen würde. Aber die Doshas der meisten Menschen wurden durch Fertig-Babynahrung und synthetisch hergestellte Nahrungsmittel gestört, die zu ihrer Nahrungsgrundlage wurden. Sobald in Ihrem Körper ein Dosha aus dem Gleichgewicht ist, werden Sie genau diese Nahrungsmittel essen wollen, die dieses Ungleichgewicht unterstützen. Wenn der Körper verstopft ist, werden die natürlichen Dränge und Signale des Körpers ebenfalls unterdrückt und Gelüste entstehen. Zum Beispiel kann sich ein unausgeglichener Pitta-Typ nach würzigen, sauren und salzigen Nahrungsmitteln sehnen, und ein unausgeglichener Kapha-Typ neigt dazu Kuchen, Süßigkeiten und fettige Nahrungsmittel zu essen. Gesunde Pittas und Kaphas hätten eine natürliche Abneigung gegen diese Nahrungsmittel. Unsere natürlichen Instinkte lassen uns auch im Stich, wenn wir unseren Geschmack an Nährwertangaben, Zeitplänen und Werbeversprechen orientieren.

Da die drei Naturkräfte (Doshas) in unserem Körper auf einzigartige und individuelle Weise vertreten sind, hat jeder von uns andere Ansprüche an die verschiedenen im Essen enthaltenen Nährstoffe. Unser Körper kann nur die Nährstoffe jener Nahrungsmittel verwerten, die für unseren Körpertyp geeignet sind, genauso wie bestimmte Futtermittel nur für bestimmte Tiere geeignet sind. Wenn Sie versuchen ein Kaninchen mit Olivenöl zu füttern, wird es sofort krank. Geben Sie das Öl einer Ratte, wird sie es problemlos verdauen.

Bestimmen Sie jetzt zuerst Ihren Körpertyp oder Ihr dominierendes Dosha, indem Sie die folgenden Abschnitte lesen und eventuell den Körpertyp-Fragebogen am Ende des 5. Kapitels ausfüllen. Dann schauen Sie in den Tabellen nach und suchen die Nahrungsmittel raus, die dieses Dosha ins Gleichgewicht bringen. Wenn Sie im Körpertyp-Quiz z. B. eine Punktzahl von Vata 6, Pitta 15 und Kapha 8 erreicht haben, schauen Sie in diesem Kapitel im Abschnitt über „Pitta beruhigende Ernährung" nach.

Um sich selber besser kennenzulernen, machen Sie sich mit den Nahrungsmitteltabellen vertraut, die auf Ihren Körpertyp zutreffen und essen Sie mehr von den Nahrungsmitteln, die auf der „Favorisieren"-Liste stehen. Gleichzeitig vermeiden Sie bitte die Nahrungsmittel auf der „Vermeiden"-Liste. Die Nahrungsmittel in der „Reduzieren"-Liste sollten in Maßen, d. h. nur gelegentlich und in kleinen Mengen gegessen werden.

Sie brauchen sich nicht allzu sehr auf die Nahrungsmittellisten zu fixieren, besonders dann nicht, wenn Sie kein eindeutiger Körpertyp sind.

Dennoch können diese Listen hilfreich sein, um Körper und Geist wieder zu einem ausbalancierten Zustand zurückzuführen. Zu diesem Zweck finden Sie in den Listen die dafür optimalsten Nahrungsmittel. Wenn Sie sich zu einem besonderen Nahrungsmittel hingezogen fühlen, das nicht auf Ihrer Liste steht, überprüfen Sie es noch einmal anhand des Muskeltests. Sie werden fühlen, ob Ihr Körper davon profitieren kann oder nicht. Sowohl die Nahrungsmittellisten als auch der Muskeltest können Ihnen helfen, sich besser kennen zu lernen und Ihre natürlichen Instinkte wieder zum Vorschein zu bringen. Wenn Sie ein erfahrener Wünschelrutengänger sind, können Sie auch die Wünschelrute verwenden, um die Richtigkeit Ihrer Nahrungsmittelwahl zu bestätigen. Sie können diese Methode sogar dazu verwenden Ihren Körpertyp zu bestimmen, falls Sie sich nicht ganz sicher sein sollten. Wenn z. B. alle Nahrungsmittel auf der Vata-Liste positiv ausschlagen, sind Sie höchst wahrscheinlich ein Vata-Typ. Wenn Sie jetzt und/oder als Kind unter chronischer Verstopfung leiden/litten, sind Sie höchstwahrscheinlich ein Vata-Typ. Pitta-Typen leiden selten unter Verstopfung, tendieren jedoch vermehrt zu dünnem Stuhl und häufigen Stuhlgängen.

Kinder haben in der Regel dieselben Körpertypen wie ihre Eltern. Pitta-Eltern tendieren beispielsweise eher dazu, Pitta-Kinder auf die Welt zu bringen, häufig mit rotem Haar, heller Haut und Sommersprossen (wenn sie europäischer Abstammung sind). In diesem Fall kann die ganze Familie im Wesentlichen dasselbe essen. Wenn ein Elternteil aber ein Vata-Typ ist und der andere Elternteil ein Kapha-Typ, kann es passieren, dass die Kinder keinen so klaren Körpertyp haben. In diesem Fall kann es etwas schwierig sein dem Ernährungsbedarf jedes Familienmitglieds gerecht zu werden. Wenn Sie den Kindern jedoch gleich von Beginn an gesunde Nahrungsmittel anbieten, werden Ihre Kinder Ihnen ziemlich schnell mitteilen, welche Nahrungsmittel sie am besten finden.

Vata beruhigende Ernährung

Favorisieren

Warme Lebensmittel und Getränke; mittelschwer; Ghee, Butter, Öl hinzufügen; größtenteils stark flüssigkeitshaltige und nahrhafte Nahrungsmittel; süße, saure und salzige Nahrungsmittel.

Der Vata-Typ – hauptsächlich beeinflusst durch die Elemente von Luft und Raum – reagiert auf natürliche Weise empfindlich auf leichte, trockene und kalte Nahrungsmittel. Vata-Typen mangelt es an den Eigenschaften schwer, fettig und heiß, die sie, wenn sie in Form von Nahrung und Getränken aufgenommen werden, ausgewogen erhalten. Außerdem beruhigen Nahrungsmittel, die die beherrschenden Geschmäcker *süß, sauer und salzig* enthalten, das Vata. Im Gegensatz dazu bringen *scharfe* (wie in würzigen Nahrungsmitteln), *bittere* (wie in bitterem Gemüse) und *adstringierende* Geschmäcker (wie in normalem schwarzen Tee oder Bohnen) das Vata außerordentlich aus dem Gleichgewicht. Eine Mahlzeit, die aus Kopfsalat, heißem Gemüsecurry mit gedämpften Kartoffeln, Kidneybohnen und Eiscreme besteht, kann das Vata für viele Tage stören. Eine Mahlzeit, die jedoch aus Avocado mit Zitrone und Salz, angebratenem Spargel und Basmati Reis mit Butter und Mandeln besteht, kann den Vata-Typ ausgewogen und stark erhalten.

Das Vata-Dosha ist von Natur aus kalt, trocken und leicht, die Eigenschaften, die im Herbst und Anfang des Winters vorherrschen. Besonders während dieser Jahreszeit muss Vata von milden und wärmenden Nahrungsmitteln, wie herzhaften Eintöpfen und Suppen, gekochten Gemüseaufläufen, frisch zubereitetem Brot, Pudding und heißer Getreidebrei beruhigt und genährt werden. Butter, Öle und Sahne halten Vata ebenfalls im Zaum. Da Vatas sehr sensibel sind, werden sie gestört, wenn es um die Essenszeit herum zu viele Geräusche und Störungen gibt.

Vata-Typen brauchen am ehesten ein nahrhaftes Frühstück. Heißer Getreidebrei wie Haferflocken/Haferbrei, der mit Mandelmilch oder Hafermilch gekocht ist, beruhigt das Vata genauso, wie Milchreis oder Grießbrei. Von koffeinhaltigen Getränken wie Kaffee oder Tee werden Vatas jedoch, aufgrund des bitteren und adstringierenden Geschmacks und der stimulierenden Wirkung, aufgeregt und nervös.

Vata-Typen leiden eher an Verstopfung mit trockenen und harten Stühlen, wenn sie zu viel Reis, Nudeln oder Getreideprodukte zu sich nehmen. Jedoch sind diese Nahrungsmittel, wenn sie mit viel gut gekochten, saftigen Gemüsen gegessen werden, ebenfalls Vata beruhigend. Kartoffeln jeglicher Art bereiten Vatas häufig Probleme, da sie eine trocknende und entwässernde Wirkung haben. Popcorn ist ein weiteres, typisch Vata steigerndes Nahrungsmittel. Für Vatas lautet ein wichtiger Grundsatz bezüglich stärkehaltiger Nahrungsmittel, den sogenannten Kohlenhydraten, diesen reichlich Fett hinzuzufügen. Andernfalls passieren sie zu schnell den Dünndarm und werden im Dickdarm von Bakterien zum Gären gebracht. Das verursacht die typischen Gase und Blähungen, über die Vatas so häufig klagen.

Milde, beruhigende, süße und starke Gewürze, wie folgend aufgelistet, sind ebenfalls gut für Vatas. Da ihr Verdauungsfeuer (ANGI) schwankt und unregelmäßig ist, können Ingwer, Kardamom, Fenchel und Zimt den

Appetit anregen und die Verdauung verbessern. Diese Gewürze helfen auch Blähungen zu verringern, ein Problem, für das Vatas besonders anfällig sind.

Der Vata-Typ benötigt als einziger Körpertyp mehr Salz in seinem Körper. Er kann außerordentlich davon profitieren, wenn er sein Essen mit Salz würzt, obwohl es immer besser ist, dies während des Kochprozesses zu tun. Es ist jedoch Vorsicht geboten, wenn das Salz in getrockneter Form, wie auf gesalzenen Kräckern oder Chips, gegessen wird. Raffiniertes, gewerbliches Salz reizt Vata, wohingegen unbehandeltes Salz Vata beruhigt. (Siehe auch Kapitel 7). Vatas sollten unverarbeitete Nahrungsmittel zu sich nehmen, wie z. B. ungesalzene Nüsse, die süß, schwer und fettig sind, alles Vata beruhigende Eigenschaften. Seien Sie sich dessen bewusst, dass Nüsse und Samen sehr konzentrierte und reichhaltige Nahrungsmittel sind, was bedeutet, dass sie nur in kleinen Mengen gegessen werden sollten. Vatas können sie leichter verdauen, wenn sie gemahlen oder in Butter gemischt sind. Seien Sie aber mit gewerblicher Nussbutter vorsichtig. Nüsse werden nach dem Mahlen innerhalb von einigen Tagen ranzig, selbst wenn sie im Kühlschrank aufbewahrt werden. Nussbutter ist dafür bekannt, Lebensmittelvergiftungen und Entzündungen im Magen-Darm-Trakt zu verursachen. Am besten stellt man Nussbutter frisch her und bewahrt sie nicht länger als 2 bis 3 Tage auf. Eine der besten Nusssorten, um Vata zu beruhigen, sind hautlose Mandeln (8 bis 10 pro Tag). Wenn man Nüsse und Samen über Nacht einweicht, erhöht das außerordentlich ihre Verdaulichkeit.

Reife und süße Früchte sind ebenfalls vorteilhaft für Vata, vorausgesetzt dass sie auf leeren Magen und nicht am Abend gegessen werden. Vata-Typen sollten Früchte vermeiden, die einen adstringierenden Geschmack haben, wie unreife Bananen oder Dattelpflaumen. Der saure Geschmack von Grapefruit hilft jedoch, Vata zu beruhigen.

Die trocknenden, kühlenden und leichten Elemente der Luft und des Raums/ Äthers sind die häufigsten Elemente im Vata-Typ. Deshalb haben Vatas, wenn sie in einem ausgewogenen Zustand sind, eine natürliche Abneigung gegen die folgenden Luft/ Raum Nahrungsmittel:

Luft/Raum Nahrungsmittel

die reduziert oder vermieden werden sollten)

- Alle Kohl-Familien
- Grünes Gemüse und Kopfsalat
- Alle trockenen, rohen und abgelaufenen Nahrungsmittel

- Alle Nachtschatten-Früchte und Gemüse
- Bitteres Gemüse
- Die meisten trockenen und kompakten Hülsenfrüchte
- Eingefallenes Gemüse mit winzigen Samen (außer Pfeffer)

Vata Nahrungsmitteltabelle

Früchte

Favorisieren

- Aprikosen
- Kokosnüsse
- Zitronen
- Avocado
- Datteln, frisch
- Mango
- Bananen
- Feigen, frisch
- Gedünstetes Obst
- Beeren
- Grapefruit
- Eingeweichtes Trockenobst
- Kirschen
- Weintrauben
- Melonen (süß)
- Orangen
- Ananas
- Mandarinen
- Papaya
- Pflaumen
- Pfirsiche
- Rhabarber

Reduzieren

- Äpfel
- Trockenobst, gekocht
- Preiselbeere
- Granatäpfel
- Birnen
- Quitten

Vermeiden

- Dattelpflaume
- Wassermelone
- Backpflaume

Anmerkung: Alle Früchte sollten reif und süß sein. Sie sollten auf leeren Magen gegessen werden. Äpfel und Birnen sollten gekocht werden.

Gemüse

Favorisieren

- Artischocken
- Porree, gekocht
- Zucchini
- Spargel
- Okra, mit Fett
- Brunnenkresse
- Karotten
- Kürbis, weiß und orange
- Sellerie, gekocht
- Radieschen, gekocht
- Winterkürbis (Eichelkürbis, Butterkürbis, Butternusskürbis)
- Gurke, kernlos
- Süßkartoffeln, mit Fett
- Grüne Bohnen

Reduzieren

- Brokkoli
- Kopfsalat
- Kochbanane
- Kohl
- Sareptasenf
- Radieschen
- Mais, frisch
- Zwiebel, gekocht
- Spinat
- Topinambur
- Pastinaken
- Stielmus

Vermeiden

- Paprika
- Aubergine
- Kartoffeln, weiß
- Rosenkohl
- Endivie
- Mangoldgemüse
- Kohl
- Kohlrabi
- Sprossen
- Blumenkohl
- Pilze
- Tomaten
- Sellerie, roh
- Zwiebel, roh
- Erbsen

Getreide

Favorisieren

- Basmati-Reis, weiß
- Chiasamen (super Korn)
- Vollkornreis, gut gekocht
- Hafer, gekocht
- Weizenflocken, nicht trocken
- Wildreis

Reduzieren

- Amarant
- Vollkornnudeln
- Ungebleichtes weißes Mehl
- Gerste
- Inkakorn
- Vollkornmehl
- Udon-Nudeln
- Reismehl
- Couscous
- Weizengrütze

Vermeiden

- Buchweizen
- Hirse
- Roggen
- Mais
- Hafer, trocken
- Weißmehl Nudeln
- Getreide, trocken

Hülsenfrüchte, Bohnen, Erbsen

Favorisieren

- Adzukibohnen
- Rosa Linsen
- Toor-Dal-Linsen
- Mungobohnen (gespalten oder ganz)
- Tofu, fermentiert und gekocht*

*Sojamilch und gewerblich hergestellter Tofu enthalten mindestens zwei hoch toxische Enzymhemmstoffe. Sie können das Krebsrisiko und das Risiko an anderen Krankheiten zu erkranken erhöhen. (Weitere Informationen in Eine Anmerkung zur Verdaulichkeit von Hülsenfrüchten.) Japanischer Tofu wird durch einen mehrere Jahre anhaltenden Prozess richtig in Gärung gebracht. Dadurch werden diese Gifte unschädlich gemacht.

Reduzieren

- Schwarze KichererbseN
- Mattenbohnen
- Urad Dhal

Vermeiden

- Schwarze Bohnen
- Kidneybohnen
- Sojabohnen
- Limabohnen
- Schälerbsen
- Kichererbsen
- Navybohnen
- Weiße Bohnen
- Linsen, braun
- Pintobohnen
- Schwarze Augenbohnen und -erbsen

Molkereiprodukte

Favorisieren

- Buttermilch, selbstgemacht
- Kuhmilch, Vorzugsmilch
- Butterschmalz
- Hüttenkäse, selbstgemacht
- Ungesalzene Butter
- Joghurt, selbstgemacht

Achtung:_Mit Ausnahme vom Ghee und Butter, verwenden Sie diese Nahrungsmittel sehr sparsam. Wenn sie Schleimbildung, Zungenbelag oder Nasen-/Nebenhöhlenverstopfung verursachen, hören Sie sofort auf sie zu essen und vermeiden Sie sie komplett. Milchprodukte können zu ernster lymphatischer Verstopfung und Verdickung der Blutgefäßwände führen. (Für mehr Details sehen Sie den Abschnitt Milch-Kontroverse in Band 2.)

Reduzieren

- Sauerrahm
- Käse, weich & hart
- Ziegenmilch

Vermeiden

Alle gewerblich hergestellten Milchprodukte, einschließlich fettarmer Milch und fettarmem Eis, mit Ausnahme von ungesalzener Butter und Sahne.

Nüsse und Samen

Favorisieren

- Mandeln
- Pekannüsse
- Sesamsamen, geröstet
- Paranüsse
- Pinienkerne
- Cashewnüsse
- Pistazien
- Sonnenblumenkerne
- Maronen
- Kürbiskerne
- Walnüsse

Anmerkung: *Erdnüsse sollten vermieden werden.*

Süßstoffe

Favorisieren

- Brauner Reissirup
- Kandiszucker
- Unraffinierter Zucker
- Dattelsirup
- Stevia
- Zuckerrohrprodukte
- Honig, roh
- Xylitol
- Palmzucker
- Zucker-rohrsaft

Reduzieren

- Gerstenmalz
- Ahornsirup
- Melassesirup

Vermeiden

- Honig, erhitzt oder gekocht
- Zuckerersatzstoffe (Aspartame, Sweet'N'Low, NutraSweet)
- Weißer Zucker
- Süßstoff

Anmerkung: *Wenn Sie Probleme mit Hefepilzen haben, vermeiden Sie alle Süßstoffe außer Stevia und kleine Mengen Xylitol.*

Öle/Fette

Favorisieren

- Mandelöl
- Butterschmalz
- Sonnenblumenöl
- ungesalzene Butter
- Sesamöl

Reduzieren

- Kokosnussöl
- Olivenöl
- Walnussöl
- Senf
- Safloröl

Vermeiden

- Tierische Fette, mit Ausnahme von Butte und Ghee
- Rapsöl
- Synthetisch abgeleitete Fette
- Pflanzenöl, gemischt
- Maisöl
- Fettarme Produkte

Anmerkung: Alle raffinierten und heißgepressten Öle sind für Ihre Gesundheit schädlich!

Kräuter, Gewürze, Würzen

Favorisieren

- Piment
- Mandelextrakt
- Anis
- Rosmarin
- Salbei
- Ingwer, getrocknet oder frisch
- Zitronensaft
- Bohnenkraut
- Kreuzkümmel
- Dill, Blätter oder Samen
- Asant
- Basilikum
- Lorbeer
- Muskatblüte
- Schwarzkümmel
- Schwarzer Pfeffer
- Paprika
- Pfefferminz
- Fenchel
- Sesamsalz
- Steinsalz
- unraffiniertes Meersalz
- Lakritzwurzel
- Kümmel

- Majoran
- Mangopulver
- Estragon
- Thymian
- Muskat
- Koriander
- Grüne Minze
- Tamarinde oder Mango
- Kardamom
- Zimt
- Nelken
- Oregano
- Chutney, Kokosnuss
- Senfsamen, schwarz & gelb
- Vanille
- Oliven, schwarz oder grün

Reduzieren

- Cayennepfeffer
- Bockshornklee
- Petersilie
- Chilipfeffer
- Knoblauch, gekocht
- Safran
- Koriandersamen
- Meerrettich
- Kurkuma
- Curry Blätter oder Pulver
- Minze

Anmerkung: Sie können diese Gewürze in Maßen verwenden, aber vermeiden Sie rohen Knoblauch und alle sehr bitteren und adstringierend schmeckenden Gewürze und Kräuter.

Aufgussgetränke, Getränke, Tees

alle sind annehmbar, mit Ausnahme von:

- Alkohol
- Preiselbeersaft
- Brombeertee
- Apfelsaft
- Kohlensäurehaltige Getränke
- Koffeinhaltige Getränke
- Power Drinks
- Pflaumensaft
- Löwenzahn-Tee
- Birnensaft
- Scharfe Getränke
- Kalte Getränke
- Tomatensaft
- Kletten-Tee

Pitta beruhigende Ernährung

Favorisieren: Kühle oder warme Nahrungsmittel und Getränke; mittelschwer; geringere Mengen Butter und Fette, abgesehen von Ghee und Kokosnussöl; Nahrungsmittel, die von süßem, bitterem und adstringierendem Geschmack sind.

Der Pitta-Typ ist von Natur aus mit einer starken Verdauungskraft ausgestattet, die ihm erlaubt, aus einer größeren Vielfalt von Nahrungsmitteln zu wählen, als die anderen Körpertypen. Sein größter Feind ist jedoch das Überessen. Solange er seine starke Verdauungskraft nicht missbraucht, ist es schwer ihn aus dem Gleichgewicht zu bringen. Wenn er unter Verdauungsschwierigkeiten leidet, kann gerade der Verzehr geringerer Mengen Nahrung seine körperliche Balance wiederherstellen.

Die vorherrschenden Elemente im Pitta-Typ sind Feuer und Wasser. Deshalb bringen scharfe und saure Nahrungsmittel (beide haben heizende Eigenschaften), sowie salziges Essen (mit kommerziell erzeugtem Salz) Pitta durcheinander und sollten nur sparsam verwendet werden. Das Natriumchlorid in herkömmlichem Tafelsalz verursacht Wasserspeicherung, Malabsorption von Nährstoffen und Blutdruck-Probleme. Wenn es jedoch in Maßen verwendet wird, hat unraffiniertes Meer- und Steinsalz sogar für den Pitta-Typ positive Auswirkungen. Die Dominanz des Feuerelements führt dazu, dass Pittas besonders während des heißen Sommers, kühlende, erfrischende Nahrungsmittel und Getränke bevorzugen.

Im Gegensatz zum Vata-Typ, der von fettigen, sauren, salzigen und wärmenden Nahrungsmitteln begünstigt wird, wird der Pitta-Typ von ihnen erheblich gestört. (Anmerkung: Wenn Sie ein Vata-/Pitta-Typ und nicht sicher sind, welches der zwei Doshas das dominierende in Ihrem Körper ist, wenden Sie den Muskeltest auf einige der wichtigsten Lebensmittel der Pitta-Liste an und sehen sie, ob die Ergebnisse mit Ihrer Körpertyp-Punktzahl zusammenpassen). Pittas profitieren mehr von bitteren und adstringierenden Geschmäcken, die beide in Kopfsalat, Kräutern und grünem Blattgemüse enthalten sind. Hülsenfrüchte sind zum Großteil adstringierend und werden allgemein von allen Pittas gemocht. Nahrungsmittel mit kalten, schweren und trockenen Eigenschaften sind für Pittas eher geeignet. Minze hat zum Beispiel kühlende Eigenschaften, wohingegen Honig wärmend ist. Verglichen mit den leichten und wärmenden Eigenschaften von Buchweizen oder Hirse, hat Weizen sowohl kühlende als auch schwere Eigenschaften. Kartoffeln oder Blumenkohl sind im Vergleich zur Fettigkeit von Eiern oder Erdnüssen sehr trocken. Das starke AGNI von Pitta hat kein Problem die trockeneren, kälteren und schwereren Nahrungsmittel zu verdauen. Aus diesem Grund sind sie für ihn nicht gasbildend. Getreideprodukte verursachen ihm andererseits Schwierigkeiten, wenn sie ganz gelassen werden. Naturreis und schwere Vollkornbrote können das Pitta-Dosha durcheinander bringen, so wie es bei unraffiniertem braunem Rohrzucker der Fall ist. Pittas sind die Einzigen, die hin und wieder weißen Zucker essen können. Pittas können ebenfalls leichter Ahorn- und Johannisbrotsirup verdauen, es sei denn, dass Sie sie in großen Mengen zu sich nehmen (wozu unausgeglichene Pittas neigen).

Die Fette in Fleisch, Eiern, Schweinefleisch usw. wirken auf Pittas stark reizend. Gebratene und fettige Nahrungsmittel wirken verstimmend auf Pitta-Mägen, was Sodbrennen und sogar Geschwüre verursacht. Pittas haben ebenfalls große Schwierigkeiten, Fleisch- und Fischproteine zu verdauen. Diese Nahrungsmittel neigen dazu, den Körper aufzuheizen und Kreislaufprobleme zu verursachen. Die meisten Pittas, die regelmäßig Fleisch oder andere tierische Produkte essen, bilden einen Sack um den Magen, speichern übermäßige Lymphflüssigkeit und leiden unter koronarer Herzkrankheit. Ihre Haut, besonders um das Gesicht, den Hals und die obere Brust herum, kann gerötet sein. Pittas blühen mit einer rein vegetarischen Ernährung auf, werden aber krank, wenn sie sich nicht so ernähren. Ihr Verdauungssystem ist nicht mit den spezifischen Enzymsystemen ausgestattet, die für die erfolgreiche Verarbeitung von Fleisch oder anderen konzentrierten proteinreichen Lebensmitteln, wie Käse, benötigt werden. Kohlenhydrate wie Gemüse, Körner, Hülsenfrüchte, Obst und Salate sowie einige Nüsse und Samen sind für Pitta-Mägen außerordentlich sättigend.

Ein Steak kann einen ausgewogenen Pitta übellaunig und aggressiv machen; genauso wie Alkohol, Tabak und Kaffee. Diese Produkte sind zu sehr säurebildend für den bereits „von säuerlichem Geschmack dominierten" Pitta-Typ. Sowohl Minze-, als auch Fenchel- und Lakritz-Tees beruhigen Pitta, wohingegen normaler Tee Pitta reizt. Die Leber baut normalen Tee zu großen Mengen Harnsäure ab, die dazu neigt, Trägheit und eine Verdickung des Bluts zu verursachen. Letzten Endes kann dies zu Gicht oder anderen schmerzhaften Erkrankungen führen. Frisches, kaltes Wasser ist für diesen Körpertyp das beste Getränk.

Pittas gehen am besten erst gar nicht in indische oder mexikanische Restaurants. Chinesisches und japanisches Essen ist für sie besser geeignet, solange sie beim vegetarischen Nahrungsmittelangebot bleiben. Salzige Snacks wie Chips können ihre empfindliche Magenschleimhaut ebenfalls durcheinander bringen. Pittas können gut von frischen und unverarbeiteten Lebensmitteln leben (vorzugsweise organisch angebaute Lebensmittel). Pittas sind am ehesten in der Lage, Reste von Schädlingsbekämpfungsmitteln oder andere in Nahrungsmitteln enthaltene Verunreinigungen zu spüren. Diese schädlichen Stoffe können sogar

„Nahrungsmittel"-Allergien auslösen. In vielen Fällen sind es nicht die Nahrungsmittel, auf die der Pitta-Typ reagiert, sondern die chemischen Gifte und Zusätze, die sie enthalten. Anmerkung: Um sich auf Nahrungsmittelallergien zu testen, nehmen Sie Ihren Puls; dann legen Sie sich ein kleines Stück der Nahrung unter Ihre Zunge und nehmen Sie erneut Ihren Puls; wenn er höher ist als zuvor, kann es sein, dass Sie auf dieses Nahrungsmittel allergisch sind. *Ghee (Butterschmalz)* ist eins der Hauptnahrungsmittel, um gereizte Pittas zu beruhigen. Man kann es sowohl zum Kochen, als auch als Brotaufstrich verwenden. Es beruhigt Unausgewogenheiten, die durch übermäßige Ausscheidung von Galle und Magensäure entstehen.

Pittas sollten besonders darauf achten, keine unreifen und zu früh gepflückten Früchte zu essen, da diese in den Eingeweiden gären und dünnen Stuhl oder Durchfall verursachen können. Unreife Früchte enthalten viele toxische Antikörper, die die Immunsysteme der Pittas schnell aus den Eingeweiden filtern wollen.

Da die wärmenden Eigenschaften des Elements Feuer im Pitta-Typ dominieren, hat er in ausgewogenem Zustand eine natürliche Abneigung gegenüber „Feuer Nahrungsmitteln". Diese können wie folgt zusammengefasst werden:

Feuer Nahrungsmittel (die reduziert oder vermieden werden sollten)

- Säurehaltige Nahrungsmittel und Medikamente
- Scharfe Gewürze
- Fleisch und Fleischprodukte
- Die meisten Nüsse
- Fisch
- Salz und salzige Nahrungsmittel
- „Wärmendes" Getreide
- Saures/scharfes Obst und Gemüse
- Essig
- Fettige Nahrungsmittel
- Essiggurken
- Rotgefärbte Nahrungsmittel

Pitta Nahrungsmitteltabelle

Früchte

Favorisieren

- Äpfel
- Mangos
- Pflaumen, süß
- Kokosnuss
- Melonen
- Granatapfel
- Datteln, frisch
- Orangen, süß
- Backpflaumen, eingeweicht
- Ananas, süß
- Feigen, frisch
- Birnen
- Rosinen, eingeweicht
- Weintrauben, dunkel
- Wassermelone

Reduzieren

- Wasser-Aprikosen
- Wasser-Kiwi, süß
- Limetten
- Avocado
- Zitronen
- Quitte, süß
- Trockenobst, süß
- Erdbeeren, süß

Vermeiden

- Bananen
- Grapefruit
- Orangen, sauer
- Beeren
- Weintrauben, grün
- Pfirsiche
- Kirschen
- Papayas
- Ananas, sauer
- Dattelpflaumen
- Pflaume, sauer
- Rhabarber

Anmerkung: Pitta-Typen reagieren sehr empfindlich auf unreifen, saure und chemisch behandelte Früchte, die gärungsbedingten Durchfall und Blähungen verursachen können.

Gemüse

Favorisieren

- Artischocken
- Löwenzahngemüse
- Kartoffeln, weiß
- Spargel
- Endivien
- Kürbis, weiß
- Bitteres und süßes Gemüse
- Grüne Bohnen
- Rosenkohl
- Brokkoli
- Blattgemüse
- Winterkürbis (Eichel, Buttercup, Butternut)
- Kohl
- Kopfsalat
- Blumenkohl
- Erbsen
- Pilze
- Brunnenkresse
- Chicorée
- Okra
- Zucchini
- Pastinaken
- Gurke

Reduzieren

- Bambussprossen
- Kohlrabi
- Kürbis, orange
- Karotten, gekocht
- Porree, gekocht
- Spinat
- Sellerie
- Senfblätter
- Tomaten, in Salat
- Mais, frisch
- Petersilie
- Stielmus

Vermeiden

- Rote Bete
- Porree, roh
- Mangold
- Rote Bete Blätter
- Radieschen
- Tomaten, gekocht
- Karotten, roh
- Scharfe Chilischoten
- Tomatensauce, Ketchup
- Aubergine
- Zwiebeln, roh und gekocht
- Meerrettich

Körner

Favorisieren

- Gerste
- Hafer, gekocht
- Basmatireis, weiß
- Nudeln
- Weizen
- Weizenkeime
- Chia-Samen (Superkorn)

Reduzieren

- Gerstenmehl
- Couscous, alle Arten
- Weizenkleie
- Weizengrütze
- Ungebleichtes weißes Mehl
- Vollkornmehl
- Nudeln, Vollkorn

Vermeiden

- Amarant
- Hirse
- Nudeln im Übermaß
- Inkakorn
- Hafer, trocken
- Roggen
- Brauner Reis
- Buchweizen
- Mais
- Reis im Übermaß

Hülsenfrüchte, Bohnen, Erbsen

Favorisieren

- Adzukibohnen
- Limabohnen
- Schälerbsen, alle Arten
- Schwarze Bohnen
- Mungobohnen, gespalten oder ganz
- Urad Dhal
- Schwarzaugenbohnen
- Kichererbsen
- Navy Bohnen
- Pintobohnen

Anmerkung: Essen Sie sie nicht öfter als ein- bis zweimal pro Woche und vermeiden Sie braune und rosa Linsen, genauso wie Sojabohnen, Sojamilch und Tofu. Sojamilch und gewerblich hergestellter Tofu enthält mindestens zwei hochgiftige Enzymhemmstoffe. Sie können das Risiko für Krebs und andere Krankheiten erhöhen. (Weitere Informationen in Eine Anmerkungen zur Verdaulichkeit von Hülsenfrüchten. Japanischer Tofu wird durch einen mehrere Jahre anhaltenden Prozess richtig in Gärung gebracht, der diese Gifte harmlos macht.)

Molkereiprodukte

Favorisieren

- Butter, ungesalzen
- Hüttenkäse
- Ghee
- Milch, Vorzugsmilch (von nicht mit Getreide gefütterten Kühen)

Reduzieren

- Lassi, süß (Joghurtgetränk)
- Frischkäse
- Joghurt, selbstgemacht

Achtung: Mit Ausnahme von Ghee und Butter verwenden Sie diese Nahrungsmittel sehr sparsam. Wenn sie Schleimbildung, Zungenbelag oder Nasen-/Nebenhöhlenverstopfung verursachen, hören Sie sofort auf sie zu essen und vermeiden Sie sie komplett. Milchprodukte können zu ernster lymphatischer Verstopfung und Verdickung der Blutgefäßwände führen. (Für mehr Details sehen Sie den Abschnitt Milch-Kontroverse in Band 2.)

Vermeiden

- Buttermilch
- Speiseeis
- Ziegenkäse
- Käse, hart
- Sauerrahm
- Gewerbliche Milchprodukte

Nüsse und Samen

Favorisieren

- Mandeln (8-10 Stck. pro Tag)
- Kürbiskerne, roh oder geröstet
- Wasserkastanie, gekocht
- Kokosnuss
- Mohnsaat
- Sonnenblumenkerne, roh oder geröstet

Reduzieren

- Walnüsse
- Pekannüsse

Vermeiden

Alle anderen Nüsse und Samen

Öle/Fette

Favorisieren

- Kokosnussöl
- Sonnenblumenöl
- Ungesalzene Butter
- Ghee

Reduzieren

- Avocadoöl
- Olivenöl
- Distelöl

Vermeiden

- Mandelöl
- Senföl

- Maisöl
- Pflanzenöl, gemischt
- Tierische Fette, ausgenommen Butter
- Rapsöl
- Aprikosenkernöl
- Sesamöl, dunkel, geröstet

Anmerkung: Alle raffinierten und heißgepressten Öle sind schädlich für Ihre Gesundheit!

Süßstoffe

Favorisieren

- Gerstenmalz
- Kandiszucker
- Weißer Zucker, in Maßen
- Dattelsirup
- Stevia
- Palmzucker
- Ahornsirup
- Xylitol

Anmerkung: Mit Ausnahme von Xylitol und Stevia kann regelmäßiger Verzehr von Süßstoffen oder der Verzehr in großen Mengen zu Blutzuckerproblemen und hohem Säuregehalt im Körper (und zu Candidose) führen.

Vermeiden

- Brauner, unraffinierter Zucker
- Honig (bis auf geringe Mengen,
- Melassesirup
- Jeden Zuckerersatz (künstlich)
- Rohrzucker
- Brauner Reissirup 1-2 Teelöffel pro Tag)

Kräuter. Gewürze. Würzen

Favorisieren

- Schwarzkümmel
- Koriander
- Pfefferminz
- Dillblätter
- Safran
- Kokosnussmilch/ -Sahne

- Cilantro (grüner Koriander)
- Curryblätter
- Rosenwasser
- Kokosnuss, geraspelt oder geröstet
- Fenchel
- Grüne Minze
- Minze
- Kurkuma
- Wintergrün

Reduzieren

- Mandelextrakt
- Gewürznelken
- Orangenschale
- Basilikum, frisch
- Dillsamen
- Petersilie
- Schwarze Senfkörner
- Ingwer
- Salz
- Schwarzer Pfeffer
- Zitronensaft
- Tamarinde
- Kümmel
- Vanille
- Kardamom
- Muskat
- Zimt
- Oliven, schwarz
- Muskatblüte

Vermeiden

- Piment
- Knoblauch
- Rosmarin
- Asant (ind. Hing)
- Gomasio
- Salbei
- Barbecue Sauce
- Meerrettich
- Salz, jodiert
- Anis
- Senf
- Sojasauce
- Asafoetida-Pulver
- Majoran
- Thymian
- Lorbeerblätter
- Mayonnaise
- Essiggurken
- Ketchup
- Zwiebeln, roh
- Essig
- Cayennepfeffer
- Oregano
- Gelbe Senfkörner
- Bockshornklee
- Paprika
- Konservierungsstoffe
- Lebensmittelzusatzstoffe, Chemikalien

Aufgussgetränke, Getränke, Tees

Alle sind in Ordnung, mit Ausnahme von:

- Alkohol
- Nelkentee
- Power Drinks
- Koffeinhaltige Getränke (Kaffee, Tee)
- Abgefüllte Säfte
- Kohlensäurehaltige Getränke
- Ginsengtee

- Milchshake in Flaschen/Kartons
- Protein-Getränke
- Ingwertee
- Preiselbeer-Saft
- Papaya-Saft
- Saure Fruchtsäfte
- Salbeitee
- Tomatensaft
- Kakaogetränke
- Grapefruitsaft

Kapha beruhigende Ernährung

Favorisieren: Warme Nahrungsmittel; leicht und trocken in der Konsistenz; ohne viel Wasser gekocht; nur kleine Mengen Butter, Öl und Zucker; Nahrungsmittel von scharfen, bitteren und adstringierenden Geschmäcken; Nahrungsmittel und Getränke, die eine natürlich stimulierende Wirkung haben.

Der Kapha-Typ saugt reichliche Mengen der Wasser- und Erdelemente auf. Das macht ihn von Natur aus stark, schwer und stabil. Die in den Luftenergien enthaltenen Eigenschaften sind jedoch in seinem Körper nicht gut vertreten. Dadurch entwickelt er naturgemäß ein Verlangen nach den Nahrungsmitteln, die ihm sowohl Antrieb und Bewegung als auch Lebendigkeit geben können, die er für den Erhalt physischen und geistigen Gleichgewichts benötigt. Das Kapha-Dosha hat genau die gegensätzlichen Eigenschaften des Vata-Doshas, was den Kapha-Typ dazu veranlasst größtenteils Vata-steigernde Speisen zu essen. Diese sind trockene, leichte und wärmende Nahrungsmittel. Honig, Bohnen und Gerste sind zum Beispiel Nahrungsmittel, die eine trocknende Wirkung haben. Daher sind sie in der Lage, dem Kapha-Körper überschüssige Flüssigkeiten zu entziehen. Kartoffeln erzeugen bei diesem Körpertyp einen vergleichbaren Vorteil.

Adstringierende Hülsenfrüchte sind für Kaphas ideale Nahrungsmittel, da sie ihn dabei unterstützen, den Darm von überschüssigem Schleim zu reinigen. In Kombination mit wärmeerzeugenden Gewürzen stimulieren sie die Verdauung des Kaphas und helfen beim Abbau träger Abfallstoffe. Es gibt viele vegetarische mexikanische und indische Gerichte, die für den Kapha-Typ günstig sind. Da sein Geruchssinn äußerst stark entwickelt ist, erfüllen ihn die exotischen Gerüche der Kräuter und Gewürze mit Zufriedenheit. Sein häufig träger und langsamer Metabolismus kann außerordentlich von einer zu Tränen treibenden scharfen Mahlzeit profitieren. Eine würzige und bittere Vorspeise, wie z. B. Römersalat mit Pfeffer, kann sein AGNI genauso entzünden, wie das Kauen eines frischen Stück Ingwers. Kaphas brauchen oder wollen sogar nicht viel Salatdressing, das sauer und ölig ist.

Kaphas sollten immer dafür sorgen, dass in jeder Mahlzeit ausreichend scharfe, bittere und adstringierende Geschmäcke vorkommen. Gewürze wie Kreuzkümmel, Bockshornklee und Kurkuma sind sowohl adstringierend als auch bitter. Mit reichlich Gewürzen zubereitetes Blattgemüse, inklusive Grünkohl und Spinat, ist ebenfalls hilfreich, um Kaphas zu beruhigen. Man sollte jedoch vorsichtig sein, zum Kochen nicht zu viel Wasser zu verwenden.

Während des Sommers ist der Kapha-Körper warm genug um Früchte, Salate und etwas rohes Gemüse zu essen. Im Winter können diese Nahrungsmittel sein Gleichgewicht jedoch außerordentlich stören. Zu dieser Jahreszeit benötigt sein Körper hauptsächlich gekochte Nahrungsmittel mit scharfen Gewürzen. Cayenne Pfeffer ist für ihn besonders vorteilhaft, da er übermäßigen Schleim auflöst. Chilipfeffer kann mitunter jedoch Stauungen in seinen Lungen verursachen. Andere Pfeffersorten verträgt er für gewöhnlich gut. Kühlende Nahrungsmittel, Milchprodukte wie z. B. Milchshakes, Speiseeis, Sahne und Butter, sowie zuckrige Naschereien, wie Kuchen und Plätzchen machen das System des Kaphas kalt. Das führt zu Schleimabsonderung und Schwerfälligkeit, Trägheit und Depression. Abgesehen von ihrer schwächenden Wirkung auf den Kapha-Typ, steigern diese Nahrungsmittel auch sein Körpergewicht. Im Gegensatz dazu hält der wärmende Einfluss von scharfen, bitteren und adstringierenden Nahrungsmitteln sein Gewicht in Schach.

Fette und Öle sind für den Kapha-Typ zu schwer und sollten daher nur sparsam verwendet werden. Kaphas sondern Fette nicht nur in ihre Außenhaut ab, was ihre Haut glatt und geschmeidig macht, sondern auch durch ihre innere Haut – die Magen-Darm-Schleimhaut. Anders gesagt, sie sind innen und außen fettig. Im Gegensatz zum Vata-Typ, der seiner Nahrung zur Verdauung Fette hinzufügen muss, liefert der Kapha-Typ seine eigenen Fette; dementsprechend ist die Notwendigkeit seinem Essen Fett hinzuzufügen, reduziert. Expeller-gepresstes Mais-, Sonnenblumen- oder Distelöl ist für ihn aufgrund seiner Heizeigenschaften jedoch bekömmlicher. (Bitte nur in kleinen Mengen verwenden.) Ghee ist ebenfalls akzeptabel, wenn es zum Kochen verwendet wird.

Frittierte Nahrungsmittel bauen das AGNI von Kaphas schnell ab, das bei ihnen von allen Körpertypen sowieso schon am niedrigsten ist. Salz oder salzige Nahrungsmittel bringen Kapha-Typen schnell aus der Balance, da sie dazu führen, dass der Kapha Wasser speichert. Viele Kaphas leiden aufgrund von zu hohem Salzkonsum unter angeschwollenen Füßen und Armen, besonders, wenn es sich um raffiniertes, verarbeitetes Salz handelt.

Da der ausgewogene Kapha-Typ hauptsächlich unter dem Einfluss der Elemente Erde und Wassers steht, hat er eine natürliche Abneigung gegen Erde/Wasser Nahrungsmittel, die nachstehend aufgeführt sind:

Erde/Wasser Nahrungsmittel

(die reduziert oder vermieden werden sollten)

- Salzig schmeckende Nahrungsmittel
- Kalte, milchige Nahrungsmittel
- Süße, saftige Früchte
- Fettige Nahrungsmittel
- Klebrige und kalte Nahrungsmittel
- Süßes, wässriges Gemüse
- Süßigkeiten oder süß schmeckende Nahrungsmittel

Kapha Nahrungsmitteltabelle

Früchte

Favorisieren

- Äpfel
- getrocknetes Obst
- Granatäpfel
- Aprikosen
- Feigen, getrocknet
- Quitten
- Beeren
- Pfirsiche
- Backpflaumen
- Preiselbeeren
- Birnen
- Rosinen
- Kirschen
- Dattelpflaumen

Reduzieren

- Weintrauben
- Limetten
- Erdbeeren
- Kiwi
- Mango
- Mandarine
- Zitronen
- Orangen
- Tamarinde

Vermeiden

- Avocado
- Grapefruit
- Rhabarber
- Bananen
- Papaya
- Wassermelone
- Kokosnuss
- Ananas
- Melonen
- Feigen, frisch
- Pflaumen

Gemüse

Favorisieren

- Spargel
- Brokkoli
- Karotten
- Rote Bete
- Rosenkohl
- Blumenkohl
- Paprikas
- Kohl/Kraut
- Sellerie
- Kopfsalat
- Grüne Bohnen
- Aubergine
- Knoblauch
- Jerusalemartischocke
- Grünes Blattgemüse
- Zwiebeln
- Porree
- Petersilie
- Spinat
- Erbsen
- Rüben
- Pilze
- Kartoffeln, weiß
- Stielmus
- Senfblätter
- Radieschen
- Brunnenkresse
- Okra
- Mais, frisch
- Endivie

Reduzieren

- Artischocke
- Kochbanane
- Zucchini
- Pastinake
- Sommerkürbis

Vermeiden

- Salatgurke
- Süßkartoffeln
- Winterkürbis
- Kürbis, alle Arten (Eichelkürbis, Buttercup, Butternut)
- Tomaten

Getreide

Favorisieren

- Gerste
- Mais
- Roggen
- Buchweizen
- Hirse

Reduzieren

- Amarant
- Maismehl
- Pasta, Roggen
- Basmatireis, weiß (kleine Mengen)
- Hirsemüsli
- Inkakorn
- Hafer, trocken
- Roggenmüsli
- Gerstenmüsli
- Haferkleie
- Roggenflocken
- Kuskus
- Chiasamen (Superkorn)

Vermeiden

- Brauner Reis
- Gedämpftes Getreide
- Weizen
- Hafer, gekocht
- Reismehl
- Vollkornmehl

Hülsenfrüchte, Bohnen, Erbsen

Favorisieren

- Adzukibohnen
- Rosa Linsen
- Pintobohnen
- Schwarze Bohnen
- Limabohnen
- Schälerbsen
- Kichererbsen
- Navy Bohnen

Reduzieren

- Schwarzaugenbohnen
- Urad Dhal
- Mungobohnen
- Weiße Bohnen

Vermeiden

- Kidneybohnen
- Sojabohnen
- Linsen, braun
- Tofu

Molkereiprodukte

Favorisieren

Vorsicht: *Mit Ausnahme kleiner Mengen Ghee und Butter, verwenden Sie Molkereiprodukte nur sehr sparsam. Wenn sie Schleimbildung, Zungenbelag oder Nasen-/Nasennebenhöhlenverstopfung verursachen, hören Sie unverzüglich auf sie zu essen und vermeiden Sie sie komplett. Milchprodukte können zu schwerem Lymphstau und zur Verdickung der Blutgefäßwände führen. (Mehr Details im Abschnitt: Die Milch-Kontroverse in Band 2.)*

Reduzieren

- Ghee
- Butter
- Speiseeis
- Ziegenkäse, ungesalzen
- Buttermilch
- Sauerrahm
- Ziegenmilch
- Käse
- Joghurt
- Lassi, gewürzt und mit Honig
- Kuhmilch
- Molkereiprodukte

Nüsse und Samen

Reduzieren

- Kokosnuss
- Kürbiskerne, geröstet
- Mohnsamen
- Sonnenblumenkerne, geröstet
- Sesamsamen

Vermeiden

- Alle Nüsse

Öle/Fette

Reduzieren

- Mandelöl
- Saflor
- Sonnenblumenöl
- Mais
- Ghee
- Ungesalzene Butter
- Senf

Anmerkung: Diese Öle/Fette sind in kleinen Mengen OK.

Vermeiden

- Aprikosenkernöl
- Kokosnussöl
- Sesamöl
- Avocadoöl
- Olivenöl
- Sojaöl

Süßstoffe

Favorisieren

- Honig, roh und unerhitzt (aber nicht mehr als ein Esslöffel pro Tag) und Stevia.

Reduzieren

- Ahornsirup
- Dattelsirup
- Brauner Reissirup
- Gerstenmalz

Vermeiden

- Brauner Rohrzucker
- Honig, gekocht
- Zuckerrohrsaft
- Fruchtzucker
- Melassesirup
- Jeder Zuckerersatz
- Traubenzucker
- Palmzucker
- Weißer Zucker

Kräuter, Gewürze, Würzen

Favorisieren

Sind alle gut, mit Ausnahme von Mangopulver, Miso, Oliven, Salz, Tamari, Essig.

Aufgussgetränke, Getränke, Tees

Favorisieren

- Aloe Vera Saft
- Johannisbrotgetränke
- Birnensaft
- Apfelsaft
- Karottensaft
- Ananassaft
- Aprikosensaft
- Kirschsaft
- Granatapfelsaft
- Gemischte Gemüsesäfte
- Pflaumensaft
- Beerensaft

Anmerkung: Alle Fruchtsäfte sollten frischgepresst und mit Wasser verdünnt sein. Außerdem sollten sie auf leeren Magen getrunken werden. Bitte nur in Maßen konsumieren, da zu viel Fruchtzucker das Kapha-Dosha durcheinander bringen kann.

Reduzieren

- Mandelgetränk
- Traubensaft
- Gemüsebrühe gesalzen
- Mangosaft
- Lassi
- Mandelmilch
- Koffeinhaltige Getränke

Vermeiden

- Alkohol
- Kalte Getränke
- Orangensaft
- Bananenshake
- Grapefruitsaft
- Papayasaft
- Kohlensäurehaltige Getränke
- Limonade
- Saure Getränke
- Kakaogetränke
- Tomatensaft
- Kokosnussmilch
- Milchshake
- Sportgetränke
- Lakritztee

Wichtig für alle Körpertypen

In den zuvor genannten Nahrungsmitteltabellen habe ich Rindfleisch, Schweinefleisch, Geflügel, Fisch, Eier und ähnliche Nahrungsmittel weggelassen, da sie bei allen drei Körpertypen große Unausgewogenheiten verursachen können. (Weiterführende Informationen hierzu finden Sie später in diesem Kapitel im Abschnitt über Vegetarismus.) Wenn sie erhitzt werden, gerinnen ihre Proteine, was sie noch schädlicher für den Körper macht. Alle Lebensmittel aus Tierkadavern sind ihrer Lebenskraft beraubt. Der Körper ist nicht in der Lage, sie wiederzubeleben. Er muss zusätzliche Energien mobilisieren, um sich von diesen Nahrungsmitteln zu befreien. Diese stark stimulierende Wirkung, die sich immer durch eine Immunreaktion einstellt, kann Ihnen einen falschen Eindruck der Stärkung vermitteln. Langfristig wirkt sich dieser Effekt jedoch verschlechternd auf physischer, geistiger und emotionaler Ebene aus. Ayurveda sagt, dass diese Nahrungsmittel die Ojas im Körper reduzieren, die das chemische Äquivalent der Glückseligkeit sind. Glückseligkeit ergibt sich, wenn Körper und Geist hochfrequent schwingen.

Die folgenden Nahrungsmittel haben ähnlich negative Auswirkungen: Schwere, frittierte und fettige Nahrungsmittel, Hartkäse, übrig gebliebene und verarbeitete Lebensmittel, raffinierte und gentechnisch veränderte Nahrungsmittel, genauso wie überaus sauer und salzig schmeckende Nahrungsmittel. Außerdem hindert Fehlernährung den Körper daran, Ojas zu erzeugen und führt zu gastrointestinalen Störungen.

Ghee – Sein Nutzen und seine Herstellung

Ghee ist Butterschmalz. Obwohl völlig aus Butter hergestellt, unterscheiden sich seine Eigenschaften, gemäß Ayurveda, erheblich von denen der Butter. Einer der deutlichsten Unterschiede ist, dass alle Milcheiweiße daraus entfernt wurden. Ghee ist reines Fett. Es beinhaltet nicht die Fremdstoffe, die man in Butter finden kann. Im Gegensatz zu Butter enthält Ghee keine Bakterien und wird nicht ranzig, sogar nachdem man es mehrere Monate außerhalb des Kühlschranks aufbewahrt hat.

Ghee wird häufig als Teil der Ernährung empfohlen. Ghee ist für die körperliche Verfassung der Pittas besonders hilfreich; es unterstützt den Körper, Nahrung besser zu verdauen und aufzunehmen, und es verbessert den Geschmack des Essens, obwohl das nicht jedermann so sieht. Sein Nutzen liegt darin, dass es AGNI stimuliert, ohne das Pitta-Dosha aus dem

Gleichgewicht zu bringen. Auch Vatas und Kaphas profitieren von Ghee. Wenn es bei Ihnen keinen indischen Naturkostladen gibt, der Ghee verkauft, werden Sie es selbst herstellen müssen. Benutzen Sie hierfür das folgende Rezept:

Wie man Ghee herstellt

1. Geben Sie eine beliebige Menge ungesalzener Butter in ein tiefes Porzellangefäß, ein Hartglasgefäß oder in eine Edelstahlpfanne und erhitzen Sie sie bei mittlerer Hitze (Passen Sie auf, dass die Butter während des Schmelzens nicht anbrennt). Warten Sie, bis die ganze Butter komplett geschmolzen ist und reduzieren Sie dann die Hitze auf niedrige Temperatur.
2. Während der nächsten 30 bis 40 Minuten wird das Wasser in der Butter verkochen (Etwa 20 Prozent der Butter besteht aus Wasser). Auf der Oberfläche der Flüssigkeit und auf dem Boden der Pfanne werden sich Milchfeststoffe bilden.
3. Achten Sie darauf die Flüssigkeit vom Herd zu nehmen, sobald die Milchfestkörper auf dem Boden der Pfanne goldbraun werden. Andernfalls kann das Ghee verbrennen. An dieser Stelle kann Ihnen vielleicht auffallen, dass das Ghee nach Popcorn riecht und dass winzige Luftblasen im Ghee vom Pfannenboden aufsteigen.
4. Passieren Sie das noch heiße oder warme Ghee durch einen Baumwollstoff in einen Edelstahl- oder schweren Glasbehälter. Zu diesem Zeitpunkt ist das Ghee sehr heiß, also sollten Sie immer vorsichtig sein. Andererseits können Sie das Ghee auch etwas abkühlen lassen und es dann durch ein Baumwoll- oder Taschentuch direkt in saubere Gläser oder Schüsseln passieren.
5. Ghee kann mehrere Wochen bei Raumtemperatur gelagert werden und es hält sich auf unbestimmte Zeit, wenn es im Kühlschrank aufbewahrt wird. Geben Sie während des Kochens (pro Person) einen Teelöffel Ghee ins Essen oder fügen Sie es nach dem Kochen dem Essen bei. Ghee kann man genauso wie Speiseöl oder anstelle von Butter verwenden. Man kann es auch als Verdauungshilfe über das Essen träufeln.

Anmerkung: Beim Umgang mit heißen Flüssigkeiten sollte man immer Vorsicht walten lassen. Ghee sollte während des Heizvorgangs niemals unbeaufsichtigt gelassen werden.

Wenn es kein Ghee gibt, sind Kokosnussöl, Olivenöl und Butter andere gute Alternativen (Überprüfen Sie anhand der Körpertyp-Liste, was für Sie am besten geeignet ist).

Eine Zusammenfassung allgemeiner Grundsätze bezüglich Ernährung

- Ein halber Teelöffel geriebener Ingwer mit einer Prise Salz ist ein ausgezeichneter Appetitanreger und entzündet AGNI, das Verdauungsfeuer. Wenn man vor dem Essen Gesicht, Hals und Hände mit kühlem Wasser bespritzt, wirkt das ebenfalls stimulierend auf AGNI.
- Essen Sie in fester Umgebung und ruhiger Atmosphäre und mit reinem Geist. Ihre Gesellschaft und Umgebung sollte angenehm sein. Arbeiten Sie nicht, hören Sie keine Musik, lesen Sie nicht und schauen Sie kein Fernsehen während des Essens.
- Setzen Sie sich zum Essen immer hin. Essen Sie jeden Tag ungefähr zur gleichen Zeit.
- Essen Sie weder zu schnell, noch zu langsam (ungefähr 20 Minuten) und ohne Unterbrechung.
- Essen Sie während Ihrer Hauptmahlzeit gemäß Ihrer Magenkapazität; das ist ungefähr so viel, wie in Ihre hohlen Hände passt. Idealerweise sollte die Mahlzeit zu einem Drittel aus flüssigen Nahrungsmitteln mit suppiger Konsistenz bestehen. Hören Sie auf zu essen, wenn Sie merken, dass sich in ihrem Magen ein kleiner Rülpser bildet.
- Vermeiden Sie es erneut etwas zu essen, bevor Sie die vorherige Mahlzeit verdaut haben, außer wenn es sich dabei um ein Stück Obst handelt. Warten Sie zwischen den Mahlzeiten für etwa 3 bis 6 Stunden, je nachdem, was Sie gegessen haben.
- Wenn Sie beim Essen etwas trinken wollen, sollten Sie heißes oder warmes Wasser nippen. Sie sollten ebenfalls darauf verzichten unmittelbar vor dem Essen und während der ersten beiden Stunden nach der Mahlzeit große Mengen Flüssigkeit zu sich zu nehmen.
- Das Trinken übermäßiger Mengen Wasser (3 bis 4 Liter pro Tag) kann Fettleibigkeit, Nierenstörungen und Mineral-/Vitaminmangel verursachen. Zu wenig zu trinken kann Dehydrierung verursachen. Um den Mindestbedarf an Wasser zu decken, trinken Sie täglich 6 bis 8 Gläser Wasser (bei Raumtemperatur oder warm). Es kann sein, dass Sie die Menge während heißem, trockenem Wetters, wenn Sie trainieren oder während anstrengender Zeiten in Ihrem Leben erhöhen müssen. Wenn

Ihr Urin dunkelgelb gefärbt ist, trinken Sie mehr Wasser; wenn er farblos ist, trinken Sie weniger.

- Kalte Nahrungsmittel, wie Speiseeis und eisgekühlte Getränke, können Ihre Widerstandskraft gegenüber Krankheiten senken, AGNI schwächen und Schleimstau verursachen.
- Die Ernährung sollte ausgewogen sein, unter Berücksichtigung aller sechs Geschmäcker – süß, sauer, salzig, scharf (Gewürze), bitter und adstringierend – in mindestens einer Mahlzeit täglich. Überprüfen Sie jedoch den vorherigen Abschnitt über die geschmacklichen Anforderungen und physiologischen Bedürfnisse oder Unausgewogenheiten Ihres individuellen Körpertyps.
- Sie sollten Honig weder aufwärmen noch mit ihm kochen; Hitze zerstört ihn und macht ihn toxisch.
- Essen Sie niemals vor dem Zubettgehen. Um Schlafstörungen zu vermeiden, sollten zwischen dem Essen und dem Zubettgehen immer mindestens drei Stunden liegen. Wenn Sie um 22.00 Uhr schlafen gehen, essen Sie nicht später als 18.00 Uhr.
- Kauen Sie gründlich – der Verdauungsprozess beginnt im Mund.
- Ayurveda spricht sich nicht dafür aus, zu viel rohes Essen, wie rohes Gemüse, ungekochte Haferflocken, ungekochtes Getreide usw. zu sich zu nehmen. Obst stellt eine Ausnahme dar, da es bereits durch die Sonne „gekocht" oder gereift ist. (Siehe ebenfalls den Abschnitt *Rohe kontra gekochte Lebensmittel* in Band 2.) Der Pitta-Typ kann als einziger größere Mengen roher Nahrungsmittel verdauen.
- Am besten isst man nicht, wenn der Geist von starken Emotionen, wie Ärger, Sorgen und Trauer dominiert wird. Warten Sie, bis Sie sich ein wenig beruhigt haben, da das Verdauungssystem unter Stress nicht arbeitet.
- Wenn man nach den Mahlzeiten schläft, verursacht dies Trägheit, und sowohl Kapha als auch das Körpergewicht steigt an. Es ist allerdings von Vorteil, sich nach dem Essen für ca.10 Minuten auszuruhen und nach Möglichkeit einen 10 bis 15-minütigen Spaziergang zu machen.
- Essen sollte immer köstlich, angenehm für die Sinne und von einem glücklichen Koch zubereitet sein.

Menüfolge – Das ideale Mittagessen-Rezept

1. Vor dem Essen sollten Sie sicher gehen, dass Ihr Magen leer ist und dass Sie wirklich Hunger haben. Wenn Sie glauben Ihr Verdauungsfeuer,

AGNI, entzünden zu müssen, essen Sie vor der eigentlichen Mahlzeit 1/4 bis zu 1/2 Teelöffel geriebenen Ingwer mit einer Prise Salz. Besprühen oder berieseln Sie vor Ihrer Mahlzeit Gesicht, Hals und Hände mit ein wenig kaltem Wasser, das steigert ebenfalls AGNI.

2. Flüssige Nahrungsmittel, wie Suppe, sollten zu Beginn der Mahlzeit gegessen werden, sofern Ihre Mahlzeit keinen frischen, rohen Salat enthält. In diesem Fall essen Sie den Salat zuerst, gefolgt von der Suppe. Rohe Nahrungsmittel können nur zu Beginn einer Mahlzeit verdaut werden und nicht mehr, nachdem Sie gekochte Nahrungsmittel gegessen haben.
3. Normalerweise verarbeitet und entfernt der Magen Flüssigkeiten, bevor er versucht, die eher festen und konzentrierteren Lebensmittel zu verdauen. Daher behindert das Trinken größerer Mengen Flüssigkeit zu den Mahlzeiten die Verdauung in großem Ausmaß. Die konzentrierten Verdauungssäfte werden verdünnt, was sie weniger effektiv macht.
4. Es ist gut sich vor Augen zu halten, dass der Magen nicht wie eine Waschmaschine funktioniert. Er lagert vielmehr die aufgenommenen Lebensmittel in Schichten übereinander. Um Verdauungsprobleme und Blähungen zu vermeiden, empfehle ich die folgende Speisenreihenfolge. Die aufgelisteten Nahrungsmittel sind nur Beispiele. Am besten suchen Sie sich Lebensmittel von Ihrer individuellen Nahrungsmitteltabelle aus:

Station A

Ein Salat, bestehend aus rohen Lebensmitteln, wie z. B. Kopfsalat, Endiviensalat, Avocado, Gurke, Karotte, Tomate, Sellerie, Paprika, Yamswurzel, Rosenkohl, Koriander, Basilikum, Minze, Petersilie, jungen weißen Radieschen, gerösteten oder rohen Kürbiskernen und Sonnenblumenkernen. Idealerweise sollte ein Salat nicht mehr als 4 bis 5 Hauptzutaten enthalten. Als Dressings empfehle ich: Zitronensaft oder Balsamico-Essig mit Sonnenblumen-, Sesam- oder Olivenöl für Vata-Typen; Mandel- oder Reismilch mit Sonnenblumen- oder Olivenöl und eine sehr kleine Menge Zitronensaft für Pitta-Typen; ein wenig Sonnenblumenöl mit Kräutern und Gewürzen und einer sehr kleinen Menge Zitronensaft für Kapha-Typen. Für Vatas und Kaphas ist es vorteilhafter, wenn sie nur eine kleine Portion Salat essen, wohingegen Pittas größere Mengen essen können.

Anmerkung: *Fügen Sie dem Salat keine gekochten Lebensmittel hinzu, wie Bohnen oder Hühnchen, selbst wenn diese kalt sind. Nüsse fügt man auf Wunsch besser in Station B oder C hinzu.*

Station B

Gekochtes Gemüse wie Spargel, Kohl, Brokkoli, Karotten, Blumenkohl, Okra, Sommer- oder Winterkürbis, Mangold, grüne Bohnen, Erbsen, Zuckererbsen, Pilze oder anderes gesundes Frischgemüse. Um das Gemüse bekömmlicher und schmackhafter zu machen, fügen Sie Gewürze und Kräuter wie Kurkuma, Koriander, Kreuzkümmel, Kardamom, Fenchel, Basilikum, Oregano und Thymian hinzu. (Sehen Sie in Ihrer Nahrungsmitteltabelle nach, welche für Sie am besten sind). Fügen Sie etwa 1 bis 2 Teelöffel Fett, wie Kokosnussöl, Olivenöl, Butter oder ein anderes Öl hinzu, das mit Ihrem Körpertyp vereinbar ist. Wenn Sie dem Gemüse etwas unraffiniertes Salz und vielleicht etwas Gemüsebrühe, Kokosmilch oder andere natürliche Gewürze hinzufügen, wird das den Geschmack des Gemüses weiter verstärken.

Die vielleicht einfachste, effizienteste und gesündeste Kochmethode umfasst den Einsatz von Edelstahl Kochgeschirr für wasserloses Kochen. (Weitere Details in Kapitel 7, Abschnitt 9.)

Anmerkung: Gemüse sollte bis zum exakten Garpunkt gekocht werden, nicht zu viel und nicht zu wenig. Beides, sowohl zu stark gegartes als auch halbgegartes Gemüse kann zu Toxinen, Blähungen und Trägheit führen.

Station C

Getreideprodukte, wie Basmati-Reis, Weizengrütze, Hafer, Gerste, Buchweizen, Kasha (ein Buchweizenbrei), Hirse, Vollkorncousous, Inkakorn, Amarant, Chia, Vollkornnudeln oder anderes Getreide. Zur richtigen Verdauung von Getreideprodukten benötigt man Fett (Öl, Butter oder Ghee). Sie können sie mit Gewürzen, Kräutern und Salz und/oder Gemüsebrühe ergänzen. Sie können Nahrungsmittel aus den Stationen B und C zusammen in einer Pfanne kochen.

Station D

Bohnen, inklusive Mungobohnen (Dhal), Linsen, Kichererbsen, Kidneybohnen, frische Limabohnen und andere. Geben Sie Fett oder Öl, Gewürze, Kräuter, Salz und/oder andere Gewürze hinzu. Essen Sie Station D Nahrungsmittel nicht öfter als ein- bis zweimal pro Woche.

Wichtig für Nicht-Vegetarier: Die Stationen C und D sollten weggelassen werden, wenn tierisches Eiweiß Bestandteil Ihrer Mahlzeit ist. Tierisches Eiweiß und stärkehaltige Nahrungsmittel, wie Fleisch und Kartoffeln oder Fisch und Reis, können nicht richtig verdaut werden, wenn sie zusammen in einer Mahlzeit gegessen werden. Um z. B. Fleisch zu verdauen muss man Säure absondern, wohingegen man zur Verdauung von Kartoffeln alkalische Sekrete benötigt. Wenn diese Nahrungsmittel in der gleichen Mahlzeit verzehrt werden, neutralisieren sich die beiden Sekrete gegenseitig und das Essen bleibt größtenteils unverdaut. Saure Refluxerkrankung und Fäulnis können entstehen. Sie sollten nur eine kleine Menge Nahrungsmittel der Stationen A und D essen, wohingegen die Menge der Nahrungsmittel der Stationen B und C reichhaltiger sein sollten. Auf Wunsch können Sie die Nahrungsmittel der Stationen B, C und D zusammen essen. Die Menge des Mittagessens sollte nicht mehr als zwei Hände voll sein.

Das Mittagessen muss nicht aus allen vier Stationen bestehen. Tatsächlich ist es einfacher für das Verdauungssystem, nur 3 bis 5 Hauptnahrungsmittel in einer Mahlzeit zu verdauen, wie z. B. roher Salat, Gemüse und Reis.

Sie sollten ebenfalls nach Möglichkeit keine zwei konzentrierten Lebensmittel in einer Mahlzeit essen, wie z. B. Reis mit Kartoffeln, Reis mit Brot, Bohnen mit Käse, Nudeln mit Käse, Huhn mit Brot oder mit einem anderen stärkehaltigen Nahrungsmittel. Bohnen mit Reis oder Gerste mit Mandeln sind jedoch eine verträgliche Kombination. Das Mittagessen sollte immer eine größere Menge gekochtes Gemüse enthalten, damit Sie die Darmtätigkeit angemessen unterstützen.

Eine Anmerkung zur Verdaulichkeit von Hülsenfrüchten, Getreide und Samen

Aufgrund großer Mengen von Enzymhemmstoffen und antinutritionalen Verbindungen – Antiwachstumsfaktoren – in Hülsenfrüchten, Getreide und Samen, gibt es eine Maximalgrenze, wie viel davon Menschen und Tiere essen können, ohne unter mit Gas in Verbindung stehenden Verdauungsproblemen zu leiden. Die normale Kochzeit von Bohnen (eine halbe Stunde bis zu mehreren Stunden) zerstört diese toxischen Verbindungen nicht völlig. Wenn man Hülsenfrüchte, Getreide und Samen über Nacht oder mindestens für mehrere Stunden in Wasser einweicht, idealerweise mit Natron, fördert das, gemäß indischer Forschung, ungemein die Verdaulichkeit. Die gasbildenden Substanzen in Bohnen sind hauptsächlich die schwer verdaulichen Kohlenhydrate *Raffinose, Stachyose und Verbascose.* Diese erzeugen gastrointestinales Substrat, das Blähungen erzeugt. Viele der Enzymhemmer in den Hülsenfrüchten, die die Pflanzen gegen

Insektenangriffe oder Pilzbefall schützen, können nicht von der Hitze, die während des Kochens erzeugt wird, zerstört werden. Die Inhibitoren, die das Protein Alpha-Amylase hemmen, können beispielsweise 1 Prozent von Weizenmehl ausmachen und, aufgrund ihrer Hitzebeständigkeit, den Prozess des Brotbackens überstehen. Demzufolge kann man sie normalerweise in großen Mengen im Innern von Broten finden. Aus diesem Grund leiden Menschen unter Blähungen, die größtenteils das Brotinnere essen, anstatt die äußere Kruste.

Bei Sojabohnen ist das Problem sogar noch deutlicher als bei anderen Hülsenfrüchten oder Körnern. Bei der Produktion von Sojaprodukten muss das Verhältnis zwischen der Menge der erforderlichen Hitze, um die Enzymhemmstoffe zu zerstören, und der Bewahrung einiger Nährwerte der Sojabohne ausgewogen sein. Dieses Gleichgewicht ist unmöglich zu erreichen. Die meisten handelsüblichen Sojaprodukte enthalten 5 bis 20 Prozent der ursprünglich in den rohen Sojabohnen enthaltenen Enzymhemmstoff-Aktivität (für Trypsin), aus denen sie hergestellt sind. Außerdem werden die meisten ihrer Nährstoffe zerstört. Kürzlich wurden die Eltern von Zwillingen wegen fahrlässiger Tötung ihrer Babys inhaftiert. Sie fütterten den Zwillingen Sojamilch, die sie zu Tode hungern ließ. Sojaprodukte wirken toxisch auf den Körper (es sei denn, dass sie über Jahre richtig fermentiert wurden) und sollten, wenn überhaupt, nicht regelmäßig konsumiert werden. Gleichermaßen kann der Verzehr anderer Hülsenfrüchte, öfter als 1 bis 2 mal pro Woche, Immunfunktionen beeinträchtigen und Störungen des Gastrointestinaltrakts verursachen.

Wenn man gelbe Mungbohnen (Dhal) über Nacht oder mindestens für 30 bis 60 Minuten vor dem 15-minütigen Kochen einweicht, enthalten sie nur kleinste Mengen dieser Verbindungen und sind relativ leicht zu verdauen. Die Faustregel lautet jedoch wieder, sie nicht öfter als ein- bis zweimal pro Woche zu essen.

Idealer Tagesablauf – Dinacharya

Die folgende Übersicht fasst einen idealen Tagesablauf zusammen, der jedem Menschen dabei helfen kann, seine Gesundheit wiederherzustellen oder Krankheiten von der Entstehung abzuhalten. Viele Menschen stellen fest, dass sie sich an einige, aber nicht an alle Punkte halten können. Das ist in Ordnung. Beginnen Sie zunächst mit den Punkten, die für Sie am leichtesten zu sein scheinen. Während sie ein natürlicher Bestandteil Ihres Lebens werden, kann es sein, dass Sie immer mehr dieser Punkte in Ihren Tagesablauf integrieren können. Die wichtigsten Punkte sind fett gedruckt.

Morgen:

- **Stehen Sie früh am Morgen auf (vor Sonnenaufgang).**
- **Zähne putzen, Zungenbelag entfernen und Zunge reinigen.**
- **Ein Glas warmes Wasser trinken.**
- **Noch ein Glas Wasser mit Zitrone und Honig trinken.**
- **Darm und Blase entleeren.**
- Trockenbürsten des Körpers.
- Wenden Sie eine Ölmassage auf den Kopf, den Körper und die Fußsohlen an.
- Während Sie sich massieren, lassen Sie 1-2 Esslöffel kaltgepresstes Sonnenblumen- oder Sesamöl in Ihrem Mund für 3-4 Minuten umherspülen und spucken Sie es dann in die Toilette.
- **Warme/-s Dusche oder Bad, idealerweise gefolgt von einer kurzen, kalten Dusche.**
- Yoga Asanas (Körperübungen) und Pranayama (Atemübungen). Wenn Sie anstrengende Übungen durchführen möchten, die Sie zum Schwitzen bringen, führen Sie diese nach der Entleerung des Darms und der Blase, und vor dem Trockenbürsten oder der Ölmassage durch.
- Meditation.
- **Leichtes Frühstück vor 8:00 Uhr (optional für Kapha-Typen).**
- Arbeiten oder Lernen.

Nachmittag:

- **Mittagessen zwischen 12:00 und 13:00 Uhr: gehaltvolle Mahlzeit je nach Körpertyp und Jahreszeit.**
- Kurzes Ausruhen nach der Mahlzeit, idealerweise gefolgt von einem 10 bis 15 minütigen Spaziergang.
- Arbeiten oder Lernen.
- Yoga Asanas oder Pranayama (optional).
- Meditation (optional).

Abend:

- **Abendessen: Leichte Mahlzeit je nach K 18:00 und 19:00 Uhr.**
- Kurzer Spaziergang für 10 bis 15 Minuten.
- Angenehme, entspannende Tätigkeit, wie zum
- **Früh zu Bett gehen (vor 22:00 Uhr).**

Anmerkung: Man sollte täglich trainieren, abseits der Mahlzeiten (bis zur 1/2 Stunde vor oder 2 bis 3 Stunden nach den Mahlzeiten) und je nach Körpertyp. Die beste Zeit für Training ist am Morgen während der Kapha Phase oder während des Spätnachmittags.

Vegetarische Ernährung – Eine Lösung für viele Gesundheitsprobleme

Vegetarier leben länger und gesünder

Man muss kein Vegetarier sein, um von den Vorteilen einer ayurvedischen Ernährung und eines ayurvedischen Lebensstils zu profitieren. Jedoch wird eine ausgewogene vegetarische Ernährung häufig für erforderlich gehalten, besonders, wenn der Körper unter einer Erkrankung leidet. Vegetarier haben schon immer geglaubt, dass eine rein vegetarische Ernährungsweise die Gesundheit und Lebensqualität verbessern kann. In jüngster Zeit besagen medizinische Forschungsergebnisse, dass eine richtig ausgewogene, vegetarische Ernährung tatsächlich die gesündeste Ernährungsweise sein kann. Das wurde von mehr als 11 000 Freiwilligen bestätigt, die an der Oxford Vegetarian Study teilnahmen. 15 Jahre lang analysierten Forscher die Effekte, die vegetarische Ernährungsweise auf Lebensdauer, Herzerkrankung, Krebs und verschiedene andere Krankheiten hatte.

Die Ergebnisse der Studie verblüfften die vegetarische Gemeinschaft gleichermaßen wie die fleischproduzierende Industrie: „Fleischesser tragen ein doppelt so hohes Risiko an Herzkrankheiten zu sterben, ein um 60 Prozent höheres Risiko an Krebs zu sterben und ein um 30 Prozent höheres Risiko an einer anderen Ursache zu sterben." Außerdem ist die Prävalenz von Fettleibigkeit, die ein Hauptrisikofaktor für viele Krankheiten ist, inklusive Gallenblasenerkrankung, Bluthochdruck und Altersdiabetes, bei Vegetariern geringer. Gemäß eines Forschungsberichts der Johns iversity mit über 20 verschiedenen veröffentlichten Studien onalen Erhebungen zum Thema Gewicht und Ernährungsverhal- erden Amerikaner aller Altersgruppen, Geschlechter und Rassen er dicker. Wenn dieser Trend anhält, werden vor dem Jahr 2015 75 rozent der erwachsenen Amerikaner übergewichtig sein. Mittlerweile ist es fast normal, übergewichtig oder fettleibig zu sein. Bereits mehr als 80 Prozent aller afroamerikanischen Frauen über 40 Jahren sind übergewichtig, wovon 50 Prozent in die Kategorie fettleibig fallen. Das setzt sie einem hohen Risiko für Herzerkrankungen, Diabetes und verschiedene Krebserkrankungen aus. Eine ausgewogene vegetarische Ernährungsweise kann die Antwort auf die gegenwärtige Fettleibigkeits-Pandemie in den Vereinigten Staaten und vielen anderen Ländern der Erde sein.

Menschen, die wenig Fleisch essen, haben auch weniger Probleme mit Cholesterin. Das American National Institute of Health entdeckte in einer Studie mit 50 000 Vegetariern, dass die Vegetarier länger leben und auch eindrucksvoll weniger Herzerkrankungen und niedrigere Krebsraten aufweisen, als fleischessende Amerikaner.

Was wir essen ist sehr wichtig für unsere Gesundheit. Gemäß der American Cancer Society könnten bis zu 35 Prozent der jährlich 900 000 neuen Krebsfälle in den Vereinigten Staaten durch die Befolgung richtiger Ernährungsempfehlungen verhindert werden. Der Forscher Rollo Russell schreibt in seinen Notes on the Causation of Cancer: „Ich habe entdeckt, dass von fünfundzwanzig Nationen, die größtenteils Fleisch essen, neunzehn hohe Krebsraten aufwiesen. Nur eine Nation wies eine niedrige Rate auf. Und von fünfunddreißig Nationen, die wenig oder kein Fleisch essen, wies keine eine hohe Rate auf."

Könnten sich die modernen Gesellschaften dem eisernen Griff des Krebses entziehen, wenn sie sich auf eine ausgewogene vegetarische Ernährungsweise umstellen würden? Die Antwort ist „ja", in Übereinstimmung mit zwei bedeutenden Berichten durch den World Cancer Research Fund und das Committee on the Medical Aspects of Food and Nutrition Policy im Vereinigten Königreich. Die Berichte kommen zu dem Ergebnis, dass eine Ernährung, reich an pflanzlichen Lebensmitteln, und die Erhaltung eines gesunden Körpergewichts, jährlich weltweit vier Millionen Krebsfälle verhindern könnten. Beide Berichte betonen die Notwendigkeit sowohl die tägliche Aufnahme von pflanzlichen Ballaststoffen, Früchten als auch von Gemüse zu erhöhen. Gleichzeitig ist es erforderlich den Konsum von rotem Fleisch, sowie von Fleischwaren auf weniger als 80 bis 90 g pro Tag zu reduzieren.

Wenn Sie momentan regelmäßig Fleisch essen und auf eine vegetarische Ernährung umstellen möchten, verzichten Sie nicht gleich auf alles

Fleisch, sofern Sie nicht unter einer größeren kardiovaskulären Erkrankung leiden! Das Verdauungssystem kann sich nicht von einem Tag auf den anderen auf eine wesentlich abweichende Ernährungsweise umstellen. Beginnen sie damit, die Anzahl der Mahlzeiten die Fleisch, wie Rindfleisch, Schweinefleisch, Kalbfleisch und Lamm enthalten, zu reduzieren und ersetzen Sie diese währenddessen durch Geflügel und Fisch. Mit der Zeit werden Sie feststellen, dass Sie auch in der Lage sind weniger Geflügel und Fisch zu konsumieren, ohne die Physiologie aufgrund einer zu schnellen Anpassung zu belasten.

Anmerkung: Obwohl der Harnsäuregehalt von Fisch, Truthahn und Huhn geringer ist als von rotem Fleisch, und daher nicht ganz so anstrengend für die Nieren und das Körpergewebe, ist der Verletzungsgrad, der den Blutgefäßen und dem Darm durch den Verzehr dieser koagulierten Proteine zugefügt wird, nicht geringer, als beim Konsum von rotem Fleisch. (Mehr Details zu diesem Thema folgen.)

Der Tod im Fleisch

Die Forschung hat gezeigt, dass *alle* Fleischesser Würmer und ein hohes Vorkommen an Parasiten in ihren Eingeweiden haben. Das ist im Hinblick auf die Tatsache, dass totes Fleisch (Kadaver) ein Lieblingsziel für Mikroorganismen aller Arten ist, kaum überraschend. Eine im Jahre 1996 durch das United States Department of Agriculture (USDA) durchgeführte Studie zeigte, dass fast 80 Prozent des Rinderhackfleischs mit krankheitsverursachenden Mikroben verseucht ist. Die primäre Quelle dieses Ungeziefers sind Fäkalien. Eine von der University of Arizona durchgeführte Studie fand heraus, dass es in der durchschnittlichen Küchenspüle mehr Fäkalbakterien gibt, als in der durchschnittlichen Toilettenschüssel. Das würde den Verzehr Ihres Essens auf der Klobrille sicherer machen, als in der Küche zu essen. Die Quelle dieser häuslichen biologischen Gefahrensubstanzen ist das Fleisch, das Sie im normalen Lebensmittelgeschäft kaufen.

Die im Fleisch festgestellten Keime und Parasiten schwächen das Immunsystem und sind die Ursache vieler Erkrankungen. Tatsächlich ist heutzutage der größte Teil der Lebensmittelvergiftungen mit dem Konsum von Fleisch verbunden. Während eines massenhaften Krankheitsausbruchs in der Nähe von Glasgow starben 16 von weit über 200 infizierten Menschen an den Folgen, mit Kolibakterien kontaminiertes Fleisch gegessen zu haben. In Schottland und vielen anderen Teilen der Welt wird häufig von

Krankheitsausbrüchen berichtet. Mehr als eine halbe Million Amerikaner, die meisten von ihnen Kinder, erkrankten durch mutierende Fäkalbakterien (E. coli). Diese Keime sind in den Vereinigten Staaten die Hauptursache für Nierenversagen bei Kindern. Diese Tatsache allein sollte für jeden verantwortungsbewussten Elternteil Anlass sein, seine Kinder vor dem Verzehr von Fleisch zu bewahren.

Nicht alle Parasiten wirken jedoch so schnell wie E. coli. Die meisten von ihnen verfügen über Langzeiteffekte, die sich nur nach mehreren Jahren Fleischkonsums bemerkbar machen. Die Regierung und die Nahrungsmittelindustrie versuchen vom eskalierenden Problem der Fleischverunreinigung abzulenken, indem sie dem Verbraucher erzählen, dass es seine eigene Schuld sei, dass diese Vorfälle auftreten. Es ist sehr offensichtlich, dass sie gewaltige Gerichtsverfahren und Beschimpfungen der Fleischindustrie vermeiden wollen. Sie beharren darauf, dass es nur zu gefährlichen bakteriellen Krankheitsausbrüchen kommt, weil der Verbraucher das Fleisch nicht lange genug kocht. Daher gilt es als Verbrechen einen nicht völlig durchgebratenen Hamburger zu servieren. Selbst wenn Sie dieses „Verbrechen" nicht begangen haben, wird jede Infektion mangelnder Hygiene bei der Zubereitung Ihres Essens zugeschrieben (z. B. sich nicht nach jeder Berührung eines rohen Huhns die Hände zu waschen oder das Huhn auf die Arbeitsfläche der Küche zu legen oder es andere Nahrungsmittel berühren zu lassen). Sie behaupten, dass das Fleisch selber völlig sicher sei und den von der Regierung auferlegten Standard-Sicherheitsanforderungen entspricht. Natürlich gilt dies nur, solange Sie Ihre Hände und Ihre Küchenarbeitsfläche desinfizieren. Es gibt keinen triftigen Grund, den jährlich 76 Millionen Fällen von Krankheiten, die durch Fleisch übertragen wurden, solch eine „Lösung" vorzuschlagen. Der einzige Grund liegt in der Wahrung der Interessen von Regierung und Fleischindustrie. Wenn z. B. bei aus China importierter Ware Kontaminierung festgestellt wird, wird das Produkt sofort aus den Regalen der Lebensmittelläden entfernt, selbst wenn niemand wirklich zu Schaden gekommen ist oder getötet wurde. Und trotzdem darf Fleisch weiterhin in allen Lebensmittelgeschäften verkauft werden, obwohl Forschungsergebnisse bewiesen haben, dass Fleischkonsum jährlich Millionen von Menschen schädigt und tötet.

Die neuen mutierten Bazillen, die man in heutigem Fleisch gefunden hat, sind äußerst tödlich. Um an *Salmonellenvergiftung* zu erkranken, müssen Sie mindestens eine Million dieser Keime verzehren. Aber um sich mit einem der neuen mutierten Bazillen zu infizieren, müssen Sie nur lächerliche fünf davon aufnehmen. Anders ausgedrückt, ein winziger Partikel eines ungebratenen Hamburgers, der von einem Küchenutensil auf Ihren Teller gelangt, ist ausreichend, um Sie zu töten. Wissenschaftler haben bisher mehr als ein Dutzend durch Lebensmittel übertragene Krankheitserreger mit solch tödlichen Auswirkungen identifiziert. Das Center for Disease Control räumt ein, dass wir nicht einmal die Bazillen hinter den häufigsten mit Lebensmitteln in Verbindung stehenden Krankheiten und Todesfällen kennen.

Ein Großteil des Keimbefalls von Fleisch wird dadurch verursacht, dass Nutztieren für sie unnatürliches Futter gefüttert wird. Man füttert Rindern Getreide, das sie nicht verdauen können, welches sie jedoch sehr schnell dick macht. In Viehfutter ist auch Hühnerkot enthalten. Tausende Tonnen Hühnerabfälle (Fäkalien, Federn und alles) werden von den Fußböden der Hühnerställe abgekratzt und als Viehfutter recycelt. Die Viehwirtschaft betrachtet dies als „gutes Eiweiß". Andere Bestandteile von Viehfutter sind Teile von Tieren, die vom Boden aufgelesen werden, wie verstorbene Hühner, Schweine und Pferde. Nach Worten der Industrie ist die Verfütterung von gesundem Futter zu kostspielig und somit überflüssig. Wen interessiert es wirklich woraus das Fleisch besteht, solange es wie Fleisch aussieht?

Die Kombination aus Getreide, Spezialfutter und großen Dosen von Wachstumshormonen verkürzt die Mastdauer eines Rindes für den Markt, von einem normalen Zeitraum von 4 bis 5 Jahren auf bloß 16 Monate. Natürlich werden die Kühe durch die unnatürliche Ernährung krank. Ebenso wie ihre menschlichen Konsumenten leiden sie unter Sodbrennen, Lebererkrankungen, Geschwüren, Durchfall, Lungenentzündung und anderen Infektionen. Um das Vieh bis zum Schlachttermin im „reifen Alter" von 16 Monaten am Leben zu erhalten, müssen die Kühe mit enormen Dosen Antibiotika gefüttert werden. In der Zwischenzeit finden die Mikroben, die auf den massiven biochemischen Angriff von Antibiotika ansprechen, Wege, gegen diese Medikamente immun zu werden, indem sie zu widerstandsfähigen neuen Erregerstämmen mutieren.

Jene unglücklichen Kühe, die nicht vorzeitig aufgrund der Gifte tot umfallen, die ihnen während ihrer kurzen irdischen Existenz gefüttert werden, machen die Erfahrung eines würdelosen und grauenhaften Lebensendes im Schlachthof. Von dort aus landet das erkrankte, keimverseuchte Fleisch in Ihrem Lebensmittelgeschäft und etwas später auf Ihrem Teller, wenn Sie sich trauen.

Ist Fleisch für Menschen natürlich?

Man hat Vegetarier lange davor gewarnt, dass sie keine ausreichenden Mengen der wesentlichen Proteine bekommen, die Menschen täglich essen müssen. Es ist weithin bekannt, dass die acht Aminosäuren, die die Bausteine dieser Proteine sind, in einer einfachen Mahlzeit aus Reis und Bohnen oder in einer Portion des Superkorns „Chia" anzutreffen sind. Chia kann man über Internetseiten wie www.chiaforhealth.com beziehen. In Reis sind die Aminosäuren enthalten, die in Bohnen fehlen, und Bohnen enthalten die Aminosäuren, die in Reis fehlen. Chia enthält alle 16 Aminosäuren und hat somit mehr, als in Fleisch enthalten ist. Obwohl es mehr fleischlose Nahrungsmittel als Fleischsorten gibt, die diese Proteine enthalten, wird Fleisch immer noch als bessere Proteinquelle betrachtet. Die Tatsache, dass der Verzehr von zu viel Protein mit vielen schwerwiegenden Gesundheitsproblemen verbunden ist, als der Verzehr von *zu wenig* Protein, ist nur selten, wenn überhaupt, Bestandteil der Protein-Diskussion.

Typische Störungen durch übermäßigen Konsum von Protein sind Osteoporose, Herzerkrankungen, rheumatische Arthritis und Krebs. Im Vergleich dazu leiden Menschen, die nie tierische Proteine gegessen haben, wie sie in Fleisch, Geflügel, Fisch, Eiern und Milchprodukten enthalten sind, sehr selten unter dieser Art Krankheiten. Sie leiden auch nicht unter Proteinmangel, natürlich vorausgesetzt, dass sie entsprechende Mengen Obst, Gemüse, Körner, Hülsenfrüchte und ein paar Nüsse und Samen essen. Es gibt keine wissenschaftlichen Beweise dafür, dass Menschen wie ich und Milliarden andere, die niemals tierisches Protein essen, unter Proteinmangel leiden. Im Gegensatz dazu konsumieren unsere modernen Gesellschaften mindestens 50 Prozent mehr Protein, als sie wirklich benötigen. Wir können überhaupt nicht unter Proteinmangel leiden, unabhängig davon, ob es sich auf essentielle oder semi-essentielle Aminosäuren bezieht. Wir können aber sehr wohl an einem Überkonsum der Proteine leiden. Indem wir die Bindegewebe unseres Körpers mit überschüssigem Protein auffüllen, verwandeln wir den Körper in ein überlaufendes Becken schädlicher Säuren und Abfallprodukte. Dadurch legen wir den Nährboden für Krankheiten, inklusive Arterienverkalkung, und Bakterien- oder Vireninfektionen. Daher ist die Betrachtung von Fleisch als für den Menschen natürliche Nahrung mehr als weit hergeholt, besonders wo es bekanntermaßen für den Tod von so vielen Menschen verantwortlich ist.

Die Wurzel des Problems ist die Unfähigkeit des Menschen, Fleischprotein richtig zu Aminosäuren abzubauen. Stücke von unverdautem Fleisch gelangen in den Darm-Trakt und mit ihnen Parasiten. Die meisten dieser Parasiten, auch als Darmegel bekannt, können weder durch die Hitze beim

Kochen, noch durch menschliche Magensäure zerstört werden. Andererseits töten fleischfressende Tiere diese Parasiten augenblicklich, während das Fleisch durch ihren Magen läuft. Das kommt daher, weil ihre Mägen zwanzigmal mehr Salzsäure produzieren als unsere Mägen. Diese enorme Menge Säure hilft dem Tier, die Fleischproteine in ihre wesentlichen Bestandteile zu zerlegen. Wenn ein gesunder junger Mann ein Stück Fleisch isst, ist er vielleicht in der Lage 25 Prozent davon zu verdauen. Verglichen dazu können fleischfressende Tiere fast alles verdauen, einschließlich Knochen und faseriges Gewebe. Parasiten und andere Bazillen können diesen Säure-„Angriff" nicht überleben.

Bei fleischfressenden Tieren findet die digestive Hauptarbeit im Magen und nicht im Dünndarm statt. Fleisch verweilt nur für kurze Zeit in ihrem relativ kurzen Darmtrakt. Unser Dünndarm, der ungefähr 5 bis 6 Meter (16 bis 20 Fuß) lang ist, verarbeitet die meisten natürlichen Lebensmittel innerhalb mehrerer Stunden. Fleisch kann jedoch für sogar 20 bis 48 Stunden im Dünndarm bleiben, wovon bis dahin viel verfault oder zersetzt wird. Durch den Fäulnisprozess werden die Fleischgifte Cadaverin, Putrescin, Amine und andere hoch toxische Substanzen erzeugt. Diese Gifte beginnen im Körper wie Pathogene (krankheitsauslösende Faktoren) zu handeln. Viele von ihnen gelangen ins lymphatische System, wo sie Lymphstau sowie Flüssigkeits- und Fettaufbau verursachen. Dies geschieht zuerst im Mittelteil des Körpers und schließlich im ganzen Körper. Da sich die Reste von unverdautem Fleisch in den Dickdarmwänden von Menschen ansammeln und für 20 bis 30 Jahre oder länger eingelagert werden können, ist es nicht überraschend, dass Darmkrebs unter Fleischessern hoch verbreitet ist. Bei fleischfressenden Tieren und Vegetariern kommt Darmkrebs fast gar nicht vor. In den meisten Fällen ist Darmkrebs nur ein anderer Name für konstante Vergiftung durch verfaulendes Fleisch. Während des Verdauungsprozesses erzeugt Fleisch bekanntermaßen Steroidmetaboliten, die kanzerogene (krebserzeugende) Eigenschaften haben. Anders gesagt, selbst wenn Sie in der Lage wären Fleisch richtig zu verdauen oder wenn sie „gesundes" Fleisch aus Freilandhaltung oder nicht korngefüttertes Rind äßen, würden Sie dennoch Ihr Darmkrebsrisiko erhöhen.

Die Nieren, die dem Blut Abfallstoffe entziehen, leiden ebenfalls unter der Überladung mit Fleischgiften, die größtenteils aus stickstoffhaltigen Abfallprodukten bestehen. Selbst Nieren von Menschen, die mäßig Fleisch essen, müssen dreimal mehr arbeiten, als die Nieren von Vegetariern. Junge Menschen können möglicherweise noch mit dieser Art von Stress fertig werden, aber je älter sie werden, umso stärker nimmt das Risiko von Nierenschäden zu.

Nach langjährigem regelmäßigem Fleischkonsum kann der Körper der

Flut von Giftstoffen plötzlich nicht mehr standhalten, die von unverdautem Fleisch ausgeht. Eine in Deutschland durchgeführte Forschungsstudie zeigte, dass Menschen mittleren Alters, die am Abend zuvor Fleisch gegessen haben, am nächsten Morgen anfälliger für einen Herzanfall waren, als diejenigen, die kein Fleisch gegessen hatten. Wenn zu viele Proteine ins Blut eindringen, können sie das Blut verdicken und die Sauerstoffzufuhr des Herzens und der anderen lebenswichtigen Organe, wie des Gehirns, abschneiden.

Tierische Zellen sterben im Gegensatz zu Pflanzenzellen, die eine starre Zellwand und ein einfaches Kreislaufsystem haben, sehr schnell, sobald sie von ihrer Blutversorgung abgeschnitten sind. Wenn das Tier stirbt, beginnen seine Zellproteine zu verdicken und zu verhärten (gerinnen), und zerstörerische Enzyme beginnen sofort mit dem Abbau der Zellen. Dies führt wiederum zur Bildung einer degenerativen Substanz genannt *Ptomain,* die eine bekannte Ursache für viele Krankheiten ist. In jedem toten Tierfleisch sowie in Huhn und Fisch kommt es zur Zellzerstörung. Alle Fleischprodukte sind bereits mit dem zersetzten und verfaulenden Protein vergiftet worden. Ein totes Tier, ein toter Vogel oder ein toter Fisch sind nicht länger „frisch". Egal, was Sie damit machen, Sie können es nicht wieder lebendig machen oder es in Lebendfutter für Ihren Körper verwandeln. Fäulnis und Bakterienwachstum fangen sofort nach dem Tod an und sind sehr weit fortgeschritten, wenn das Fleisch erst einmal mehrere Tage oder Wochen alt ist. Und genau dies ist der Fall, wenn das Fleisch zum Verkauf in den meisten Lebensmittelgeschäften oder Fleischmärkten angeboten wird.

Ob es E. coli Bakterien, andere Bakterien oder Enzyme sind, die auf die toten aufgenommenen Proteine einwirken, sie schicken das Immunsystem des Körpers gewissermaßen auf eine „Kriegsmission", und daraus resultiert der stimulierende Effekt von Fleisch. Je nach körperlicher Verfassung und Belastbarkeit des Immunsystems kann der Körper schließlich vom Zustrom bösartiger Gifte und destruktiver Keime übermannt werden und „Krankheit" signalisieren. Die Menschen mit dem schwächsten Immunsystem leiden für gewöhnlich als erste unter Fleischvergiftung.

Ja, Essen kann sich tatsächlich in tödliches Gift verwandeln und jemanden töten! Die Gifte, die aus Fäulnis (Zersetzung) von Fleisch oder Fisch im Körper entstehen, sind einige der stärksten Gifte der Natur. Viele der Hunderttausenden zerbrechlichen, älteren Menschen, die heute in Krankenhäusern liegen, werden unnötigerweise einfach sterben, weil man ihnen Fleisch oder Fisch zu essen gibt. Nach einer Operation, einem Herzanfall oder während der Behandlung einer chronischen Krankheit kann das Verdauungssystem diese Lebensmittel unmöglich verarbeiten. Häufig verstopft, erliegen diese Patienten nicht ihrer Krankheit; eher sterben sie daran, dass verfaulendes Fleisch in ihrem Magen-Darm-Trakt sitzt und Cadaverin, Putrescin, Amine und Parasiten in ihr Verdauungssystem freisetzt.

Die komplette Anatomie des Menschen (Kiefer, Zähne, Verdauungssystem, Hände und Füße), die nicht verschieden von der eines Gorillas oder Orang-Utans ist, weist darauf hin, dass er sich über Millionen von Jahren entwickelt haben muss, um von Früchten, Körnern, Gemüse, Nüssen und Samen zu leben. Vor der letzten plötzlichen Polverschiebung und Eiszeit bewohnten keine Menschen die kalten Gebiete der Welt. Sie alle lebten an den warmen, tropischen Orten, wo pflanzliche Nahrungsmittel reichlich vorhanden und leicht zu erreichen waren. Aber plötzlich, und ohne jede Vorwarnung, kam es in den früher tropischen Gebieten Sibiriens und der Arktis zu einem massiven Temperatursturz. Tiere erfroren innerhalb eines Moments, während sie noch tropische Früchte kauten. Solche Tiere wurden kürzlich, tausende Jahre später, völlig intakt noch mit der Frucht in ihrem Mund gefunden. Die enorme Kälte kam so schnell, dass sie nicht einmal die Chance hatten, die Frucht zu schlucken, die sie gerade aßen. Die Menschen und Tiere, die zufällig in anderen tropischen Gebieten der Erde lebten, hatten es mit einem milderen Klimawechsel zu tun und überlebten so den plötzlichen Beginn der Eiszeit. Jedoch mussten sie lernen, mit den Jahreszeiten zu leben, wie wir sie heute kennen. Während der kalten Jahreszeiten hatten sie keine andere Wahl, als Tiere zu töten, um sich zu ernähren. Jagen und Fleisch zu essen wurde zur Notwendigkeit. Und doch hat das nichts mit dem ursprünglichen Bauplan des menschlichen Körpers zu tun. Außerdem ist Fleischessen nicht irgendwie in bestimmte Blutgruppen programmiert, wie uns das die Befürworter der Blutgruppendiät glauben lassen wollen.

Nicht fleischfressende Tiere, einschließlich des menschlichen Tieres, verfügen über lange Därme, die für langsame Verdauung von nährstoffreichem Gemüse und Obst konzipiert sind. Unsere Zahnstruktur ist nur zum Abbeißen von Früchten und Gemüse mit den Schneidezähnen (bedenken Sie, wie nützlich sie sind, wenn Sie einen Apfel essen) und zum Reiben/Kauen von Nüssen, Körnern und Samen mit Hilfe der Backenzähne dienlich. Unsere kurzen, stumpfen Eckzähne sind nicht wirklich dazu geeignet um Fleisch aufzuschlitzen oder zu reißen. In unserer Anatomie gibt es absolut nichts, was mit den scharfen Klauen eines Tigers oder eines Adlers vergleichbar wäre. Die menschliche Hand ist mit ihrem opponierbaren Daumen besser darauf angepasst, Früchte und Gemüse zu ernten, als Beute zu töten. Wenn es in unserer Natur liegen würde Fleisch zu essen, wären wir auch mit denselben oder ähnlichen Jagdfähigkeiten wie fleischfressende Tiere ausgestattet worden.

Irreführende Theorien

Leider stützen Schulmedizin und Ernährungswissenschaften ihre Theorien nicht so sehr auf die Grundprozesse des Körpers, sondern eher auf den Inhalt der Nahrung. Das kann, gelinde gesagt, sehr irreführend sein. Man sagt uns zum Beispiel, dass wir Milch trinken sollen, wenn wir an Kalziummangel leiden, da sie viel Kalzium enthält. Man sagt uns jedoch nicht, dass wir, um Milchkalzium verdauen und umwandeln zu können, zuerst den in Milch enthaltenen Phosphor beseitigen müssen. Um den Phosphor bearbeiten und entfernen zu können, benötigen wir aber Kalzium. Da in Milch mehr Phosphor als Kalzium enthalten ist, müssen die Knochen, Zähne und Muskeln zusätzliches Kalzium liefern. Diese Tatsache allein sorgt dafür, dass Milch ein äußerst kalziumentleerendes Nahrungsmittel ist. Der Verlust von Kalzium kann Osteoporose und Krankheiten wie Morbus Crohn und Reizdarmsyndrom, Diabetes, Herzerkrankung, Atembeschwerden und Krebs verursachen.

Der zuvor genannte Grundsatz kann auf fast alles andere angewendet werden, von dem wir ausgehen, dass es gut für uns ist. Wenn man Menschen mit Vitaminmangel Vitamine verabreicht, kann das dazu führen, dass ihre Körper weitere Mangelerscheinungen erdulden müssen. (Mehr Details zu diesem Thema folgen in Band 2). Bei fehlenden Omega-3-Fetten bekommt man sie nicht unbedingt wieder, indem man diese Fette in Form von Fischöl, Fisch oder Leinsamen zu sich nimmt. Menschen, deren Verdauungsfunktionen sich verschlechtert haben, nutzen bestimmte Nahrungsmittel oder Nährstoffe plötzlich nicht einfach besser, nur weil sie beginnen, mehr von ihnen zu essen.

Nur weil Fisch positive Bestandteile in sich hat, bedeutet das nicht, dass der Körper sie wirklich absorbieren und von ihnen Gebrauch machen kann. (Man muss natürlich das Quecksilber oder die anderen Metalle ignorieren, die sie aus dem Meer, den Seen und den Flüssen absorbieren, oder die Antibiotika, Farbstoffe und anderen Nahrungsmittelzusätze, die den Fischen in Fischzuchten gefüttert werden). Fisch muss nährstoffreich sein, sonst gäbe es überhaupt keine Wale, Delfine und Bären oder anderes Leben auf diesem Planeten. Das bedeutet aber nicht, dass alles Nahrhafte der Natur auch auf unserem Essteller landen sollte.

Wie ich bereits zuvor erklärt habe, wird die Sauerstoffversorgung der Zellen abgeschnitten, wenn ein Fisch oder ein Tier erst einmal getötet wurde. Dadurch beginnt, unter Zuhilfenahme von intrazellulären Enzymen, sofort der Zellzerstörungsprozess. Wenn Sie den Fisch oder das Huhn nicht sofort nach seinem Tod essen, und zwar roh, wird der größte Teil dessen, was Sie essen, degeneriertes und verfaulendes Protein sein. Wenn es nicht mit krebserregenden Farbstoffen behandelt wird, färbt sich ein Stück Fleisch binnen Stunden grünlich/grau. Durch die Hitze beim Backen, Rösten oder Braten von Fleisch, Fisch, Eiern und Geflügel verschlimmert sich die Sache weiter. Denn beim Erhitzungsprozess wird genug Wärme erzeugt, um die restlichen Enzyme, die eventuell noch intakt sein könnten, gerinnen zu lassen. Denken Sie an ein rohes Ei, das gekocht oder gebraten wurde. Das flüssige Ei wird schnell hart und steif. Die Proteinmoleküle verlieren ihre dreidimensionale Struktur und werden zerstört, weil sie der Hitze ausgesetzt werden.

Der Körper kann geronnenes Protein nicht für den Zellaufbau verwerten. Der Körper behandelt es eher wie ein Pathogen oder einen krankheitserregenden Wirkstoff. Dadurch können diese jetzt toxischen Nahrungsmittel allenfalls das Immunsystem im Dünndarm stimulieren und zunächst eine starke Ausscheidungsreaktion im Dickdarm verursachen. Durch die Immunreaktion fühlen Sie sich stark und vielleicht glauben Sie, dass Ihnen der Verzehr des tierischen Lebensmittels Kraft verliehen hat, aber weit gefehlt. Irreführend, wie jede Immunreaktion sein kann, wird der Körper in Wahrheit schwächer. Immer mehr Leber-Gallen-Gänge werden durch Steine verstopft und das kardiovaskuläre System wird zunehmend überfüllt, da immer mehr Proteine in den Blutgefäßwänden abgelegt werden (Siehe auch Band 2, *Die Geheimnisse der Herzerkrankung.*) Dies sind die häufigsten Ursachen chronischer Krankheit.

Fleisch zu essen stimuliert ebenfalls die Wachstumshormone und männlichen Hormone des Körpers, was dazu führen kann, dass die Gewebe überwuchert werden. Heutzutage sind viele junge Männer kräftig gebaut, sehr groß und haben pralle Muskeln, etwas, was Sie in den meisten Gebieten Asiens, Südamerikas und Afrikas selten finden, da dort Fleisch knapp und pflanzliche Nahrungsmittel reichlich vorhanden sind. Ein übergroßer, massiger Körper ist ein großer Nachteil, da er im späteren Leben anfällig für Diabetes, Herzkrankheit und andere physische sowie psychische Probleme machen kann. Außerdem verbrauchen große Muskeln viel Energie, was dazu führen kann, dass die Lebenserwartung erheblich verkürzt wird.

Genauso wie die stärksten Tiere der Welt, z. B. Elefant, Wasserbüffel, Giraffe, Pferd, Kuh, Gorilla und Orang-Utan, müssen Menschen kein Protein essen, um es zu erzeugen und den Körperzellen zugänglich zu machen. Ein gesundes neugeborenes Baby verdreifacht seine Größe und die Anzahl der proteinbepackten Zellen innerhalb der ersten 16 Lebensmonate, ohne jemals Proteinnahrung zu essen. Vielleicht möchten Sie einwenden: „Aber ist die Muttermilch nicht mit Protein angereichert?" Bei weitem nicht! Menschliche Muttermilch enthält nur Spuren von Protein, nämlich 1,1 bis 1,6 Gramm pro 100 Gramm Milch. Die meisten gesunden

Kinder der Welt erhalten während ihres ersten Lebensjahres nur Muttermilch. Muttermilch, die, sagen wir mal, 1,4-Prozent Protein enthält, kann bei weitem nicht genug sein, um im ersten Lebensjahr des Babys für eine 15-pfündige Gewichtszunahme verantwortlich zu sein.

Menschen und die meisten anderen nicht fleischfressenden Tiere sind aufgrund ihres Aufbaus nicht davon abhängig Proteinnahrung zu essen, um Muskeln, Zellen und Organe aufzubauen oder beizubehalten. Eigentlich bekommen wir die wichtigsten Nährstoffe aus unserer Atemluft, direkt vom ersten Atemzug an, den wir machen. Jeder weiß, dass wir zum Leben Sauerstoffmoleküle aus der Luft brauchen, aber nur sehr wenige von uns wissen, dass wir auch Stickstoff-, Kohlenstoff- und Wasserstoffmoleküle brauchen und in Anspruch nehmen, mit denen die Luft gesättigt ist. Diese vier Moleküle sind die Bestandteile, aus denen jedwede Aminosäure unseres Körpers und alles andere auf dem Planeten zusammengesetzt werden. Unsere DNA und die Leber sind durchaus in der Lage, diese Moleküle in Aminosäuren und komplette Proteine zu synthetisieren. Das Gehirn erzeugt jeden Tag Milliarden Neuropeptide (Peptide bestehen aus Aminosäuren). Die Billionen Enzyme, die der Körper herstellt, werden ebenfalls aus Proteinen gemacht. Auf ähnliche Weise werden die meisten Hormone des Körpers aus purem Protein hergestellt.

Proteinmangel tritt nur bei Menschen auf, deren Leber, Atem- und Immunfunktionen ernstlich beeinträchtigt sind oder die zu viel Protein essen. Das liegt daran, dass zu viele Proteine, die sich in den Basalmembranen der Blutkapillaren ansammeln, die Versorgung der Zellen mit Proteinen hemmen. Ich persönlich habe während meiner 35-jährigen Volljährigkeit keine proteinreichen Nahrungsmittel wie z. B. Fisch, Fleisch, Huhn, Käse, Milch oder Eier gegessen. Und während all dieser Jahre (zum Zeitpunkt des Schreibens bin ich 54 Jahre alt) ist mein Körper kaum gealtert. Andererseits habe ich Tausende Menschen gesehen, die aufgrund von zu viel Protein vorzeitig gealtert sind oder an schwächenden Krankheiten litten. Zu keinem anderen Zeitpunkt in der Menschheitsgeschichte hat die Menschheit so viel Fleisch und andere proteinreiche Nahrungsmittel konsumiert wie heute.

Der Pitta Körpertyp ist besonders empfindlich, von proteinhaltigen Nahrungsmitteln, wie Fleisch, Fisch und Käse vergiftet zu werden. Sie können diese Nahrungsmittel nur sehr schwer verdauen. Der Körper will von Natur aus nichts verdauen, was er nicht benötigt und was er nicht verwerten kann. Ich empfehle Ihnen daher vorsichtig zu sein, bevor Sie von irgendjemandem einen Ratschlag annehmen, der allgemeine Ernährungsrichtlinien verteilt, ohne den individuellen Körpertyp einer Person und dessen körperliche Verfassung zu berücksichtigen.

Es ist ebenfalls hervorzuheben, dass fleischfressende Tiere eine unbegrenzte Kapazität haben, gesättigte Fette und *Cholesterin* zu verarbeiten. Hunde, zum Beispiel, denen man über zwei Jahre lang täglich Butterfett unter ihr Fleisch mischte, zeigten keinerlei Anzeichen einer Schädigung ihren Arterien oder Änderungen ihres Serumcholesterinspiegels. Im Gegensatz dazu entwickelten rein vegetarisch ernährte Kaninchen schnell Arterienverkalkung, wenn man sie mit Fleisch oder nur 2 Gramm Cholesterin gefüttert hat. Menschen können ebenfalls nur eingeschränkt Fleischproteine und Fleischfette verdauen und verarbeiten. Wenn Sie ein hungriges Kind in einen Käfig mit einem Stück Fleisch auf der einen Seite und einem Apfel auf der anderen Seite setzen würden, was glauben Sie, was von beidem das Kind essen würde? Richtig, es würde den Apfel wählen! Wenn Sie ein Löwenjunges in denselben Käfig setzen, werden sie sehen, dass das Junge geradewegs zum Fleisch gehen würde. Wenn wir nur unseren Urinstinkten und nicht den Werbeslogans der Lebensmittelindustrie zuhören würden, würden wir feststellen, dass Fleisch nie für Menschen gedacht war.

Fleisch – Hauptursache für Krankheit und Alterung

Populationen, die regelmäßig Fleisch essen, haben die kürzeste Lebenserwartung und den höchsten Krankheitsbefall mit degenerativen Krankheiten. Anhand veröffentlichter Gutachten nationaler Gesundheitsstatistiken der ganzen Welt, wird einer von zwei Menschen in den Industrienationen an Herzerkrankungen oder einer anverwandten Blutgefäßkrankheit sterben. Anders ausgedrückt: Herzerkrankungen sind die mörderischsten Krankheiten der Welt, dicht gefolgt von Krebs. Schon im Juni 1961 berichtete die American Medical Association, dass eine vegetarische Ernährung 90 Prozent unserer thromboembolischen Krankheiten[15] und 97 Prozent unserer arteriellen Verschlusskrankheiten verhindern könnte. Das bedeutet, dass wir imstande wären Herzkrankheiten fast vollkommen auszurotten, indem wir eine vegetarische Ernährung annehmen. Im Vergleich zur fleischessenden Ernährung scheint Rauchen nur ein geringer Risikofaktor für die Herzerkrankungen zu sein! Es ist beunruhigend, dass solch wichtige Forschungsarbeiten so lange in Vergessenheit geraten sind und heute grundsätzlich ignoriert werden.

[15] Ein Zustand, in dem ein Blutgefäß durch einen Embolus versperrt wird, der vom Ort der Bildung in den Blutkreislauf getragen wird.

Herzerkrankungen sind in Gesellschaften mit geringem Fleischkonsum und größtenteils traditioneller Ernährungsweise gänzlich unbekannt. Ein Ärzte- und Forschungsteam aus Harvard untersuchte 400 Menschen in einem entfernten Bergdorf in Ecuador. Die Forscher waren überrascht herauszufinden, dass, abgesehen von zwei Männern, keiner der Menschen über 75 Jahre, inklusive aller Hundertjährigen und eines 121-jährigen Mannes, irgendwelche Anzeichen von Herzerkrankungen zeigten. Ausschließlich alle Dorfbewohner waren Vegetarier. Untersuchungen ähnlicher Altersgruppen in den Vereinigten Staaten zeigen typischerweise eine 95-prozentige Häufung von Herzerkrankungen.

Krebs, die zweitgeläufigste mörderische Krankheit, die mittlerweile eng mit den Herzerkrankungen rivalisiert, kann ebenfalls weitgehend durch Fleischverzehr verursacht werden. Moderne Krebsforschung will entdeckt haben, dass bestimmte Proteinzusammensetzungen für bestimmte Krebsarten verantwortlich sind. Das an sich könnte bereits eine sehr wichtige Entdeckung sein, aber es ist noch wichtiger herauszufinden, woher diese Proteine stammen. Verfaulendes Fleisch ist eine Antwort und sich zersetzende Proteine toter menschlicher Zellen ist eine andere. Fleischkonsum hemmt oder hindert die vollständige Beseitigung toter Zellen im Körper, indem er das Lymphsystem verstopft (das die toten Zellen beseitigt). Außerdem verbraucht er die Energie-, Enzym-, Mineral- und Vitaminressourcen des Körpers (die benötigt werden, um tote Zellen abzubauen und sicher zu beseitigen). Sowohl unverdaute Fleischproteine als auch sich zersetzende Zellproteine können daher menschliche Zellen beschädigen und das genetische Programm beeinträchtigen.

Ein anderer Grund, warum Fleischesser häufiger Krebs haben als Vegetarier, kann die Tatsache sein, dass sie große Mengen Natriumnitrate aufnehmen. Diese Natriumnitrate sind krebserregende Konservierungsmittel, die verwendet werden, um Fleisch frisch aussehen zu lassen. Aber Fleisch ist nicht mehr frisch, nachdem das Tier gestorben ist. Wie bereits erwähnt, bekommt unbehandeltes Fleisch bereits nach wenigen Stunden eine ekelerregende gräulich-grüne Farbe. Da niemand das Fleisch in diesem Zustand kaufen würde, verwendet die Fleischindustrie diese toxischen Nitrate, um es rot und schmackhaft aussehen zu lassen. In Wahrheit ist es aber bereits verfault und hoch toxisch.

Die schwerwiegendste Mitteilung der Krebsforschung ist jedoch, dass sekundäre *Amine*, die in Bier, Wein, Tee und Tabak zum Einsatz kommen, mit chemischen Konservierungsstoffen im Fleisch reagieren, um *Nitrosamine* zu bilden. Die American Food and Drug Administration (FDA) hat *Nitrosamine* als „eine der gefährlichsten und vielseitigsten Gruppierungen von *Karzinogenen*" bezeichnet. Anders gesagt, wenn Sie Raucher sind oder wenn Sie Bier, Wein oder Tee trinken *und* Fleisch essen, erzeugen Sie eines der tödlichsten Toxine, das man finden kann. Wie sich herausstellt, trinken die meisten Fleischesser auch Wein oder Bier, und viele von ihnen rauchen auch. Als man diese Stoffe im Rahmen von Tierversuchen an die Versuchstiere verfüttert hat, erzeugten die *Nitrosamine bei hundert Prozent der Tiere* bösartige Geschwülste. Der Krebs tauchte überall auf, inklusive der Lungen, der Bauchspeicheldrüse, des Magens, der Nebennierendrüsen, der Eingeweide und des Gehirns.

Das Immunsystem eines Fleischessers muss auch viele andere krebserzeugende Wirkstoffe bekämpfen. Nutztiere werden regelmäßig mit Hormonspritzen behandelt, um das Wachstum zu stimulieren. Ihnen werden Appetitanreger gefüttert, um sie zu „zwingen" ununterbrochen zu essen und es werden ihnen Antibiotika, Beruhigungsmittel und chemische Viehfuttermischungen gegeben. Mehr als 2 500 Medikamente werden alltäglich an Tiere verabreicht, um sie dick zu machen und sie am Leben zu erhalten. Die meisten dieser schädlichen Chemikalien sind zum Zeitpunkt ihres Todes noch in den Tieren. Viele andere Medikamente werden den toten Tieren noch nach deren Schlachtung hinzugefügt. Diese Medikamente sind noch im Fleisch, wenn es gegessen wird. Aber das Gesetz verlangt keine Auflistung der hinzugefügten Medikamentencocktails. Folglich können Sie nicht wissen, von welchen Arzneimittelwechselwirkungen und allergischen Reaktionen Sie Opfer werden könnten, wenn Sie in Ihrem Lieblingsrestaurant ein saftiges Steak essen. Es ist schwer vorstellbar, wie viele Menschen heutzutage aus keinem ersichtlichen Grund erkranken, weil sie mit diesen giftigen Medikamenten unter Drogen gesetzt werden, die in dem Fleisch enthalten sind, das sie essen. Unglücklicherweise werden ihnen von ihren Ärzten höchstwahrscheinlich sogar noch mehr Medikamente verabreicht, um diejenigen zu bekämpfen, die sie bereits unwissentlich aufgenommen haben.

Eine der Chemikalien, mit der das Tierfutter in den Vereinigten Staaten ergänzt wird, ist das Wachstumshormon *Diethylstilbestrol* (DES). Die FDA schätzt, dass Fleischproduzenten in den Vereinigten Staaten durch die Verwendung dieser Chemikalie jährlich 500 Millionen Dollar verdienen. DES ist stark krebserregend und wurde in zweiunddreißig Ländern als äußerst gesundheitsgefährdend verboten. Gemäß eines anderen Berichts der FDA sparen allein die Antibiotika *Penicillin und Tetracyclin* der Fleischindustrie jährlich 1,9 Milliarden Dollar. Dabei können diese Medikamente im Körper des Konsumenten todbringende antibiotikaresistente Organismen züchten.

Es wird immer behauptet, dass Nahrungsmittel, die tierisches Protein enthalten, als vorbeugende Maßnahme gegen Diabetes und für

Patienten mit Typ-2-Diabetes am sichersten sind. Nichts könnte weiter von der Wahrheit entfernt sein. Die meisten Menschen glauben, dass hoher Blutzucker durch den Konsum von zu viel Zucker oder raffinierten Kohlenhydraten entsteht. Das ist richtig. Erst kürzlich wurde nachgewiesen, dass Frauen, die einmal täglich eine normale Limonade wie Cola oder Pepsi trinken, mit 83-prozentiger Wahrscheinlichkeit Diabetes entwickeln. (Eine Dose Limonade enthält ungefähr 12 Teelöffel Zucker oder eine gleichwertige Menge hochgradigen Fructose-Mais-Sirup, was ungefähr 200 Kalorien ausmacht.) Zucker verblasst jedoch als Diabetesursache im Vergleich zu Fleisch.

Wenn Sie konzentrierte proteinhaltige Nahrungsmittel, wie Fleisch oder Fisch essen, benötigt Ihr Körper viel Insulin, um aus den Aminosäuren, die der Körper von diesen Nahrungsmitteln bezieht, Proteine zu synthetisieren. Untersuchungen haben ergeben, dass die Stimulierung der Proteinsynthese klassisch auf der Wirkung des Insulins beruht. Der Verlust des stimulierenden Effekts von Insulin auf die Proteinsynthese würde das Wachstum reduzieren und zu Gewichtsabnahme führen. Diese beiden Zustände sind Kennzeichen dieses Verlusts. Um sicher zu gehen, dass die Aminosäuren, die der proteinhaltigen Mahlzeit entstammen, in Proteine synthetisiert werden, muss die Bauchspeicheldrüse Insulin ausschütten. Anders gesagt, je mehr Protein Sie essen, desto mehr Insulin muss Ihr Körper ausschütten. Dadurch wird die Wahrscheinlichkeit für Insulinresistenz und Typ-2-Diabetes erhöht.

Demzufolge führt der Verzehr eines normal großen Steaks dazu, dass Ihre Bauchspeicheldrüse mehr Insulin ausschüttet, als sie produzieren müsste, wenn Sie die 12fache Menge Zucker, die in einer Dose Limonade enthalten ist, zu sich nehmen würden. Darüber hinaus können Sie mit einer weiteren Steigerung der Insulinresistenz rechnen, wenn Sie in einer Mahlzeit Kartoffeln und einen süßen Nachtisch essen und dazu eine Limonade trinken, wie es die meisten Amerikaner tun. Zurzeit ist Diabetes die sich am schnellsten ausbreitende Epidemie in Amerika, und das ist durchaus verständlich. (Mehr über Diabetes in Band 2.)

Die Wirkung des Insulins auf den Proteinmetabolismus ist kompliziert, und es bringt Änderungen sowohl in der Synthese als auch im Abbau des Proteins mit sich. Wenn die Proteinzufuhr übermäßig ist, hilft eine vermehrte Insulinausschüttung beim Abbau des Proteins. Die Proteinsynthese und die Kontrolle des Kohlenhydrat- und Fettmetabolismus wurden jetzt auf unerwartete Weisen miteinander verknüpft. Und viele gemeinsame Signalsysteme, die z. B. vom Insulin genutzt werden, um den Glukosemetabolismus zu kontrollieren, sind nachweislich an der Kontrolle der Proteinsynthese ebenso beteiligt. Unter dem Strich lässt sich sagen, dass die übermäßige Zufuhr von Proteinen eine direkte Ursache für Insulinresistenz ist und zum Ausbruch von Typ-2-Diabetes führen kann.

Andere sehr schädliche Effekte, die infolge des Verzehrs von Fleisch auftreten können, werden indirekt durch die tragischen Bedingungen erzeugt, denen Nutztiere während ihres kurzen Lebens ausgesetzt sind. Die meisten Tiere erblicken nie das Licht der Welt. Sie verbringen ihr komplettes Leben in einem eingeengten und grausamen Umfeld, nur um einen brutalen Tod zu sterben. Hochhaushühnerfarmen züchten Tiere, die niemals an der frischen Luft waren oder denen erlaubt wurde, auch nur einen Schritt zu machen. Das stört nicht nur außerordentlich ihre Körperchemie, sondern ist auch Ursache von Missbildungen und bösartigem Tumorwachstum. Diese kranken Tiere werden geschlachtet und an ahnungslose Kunden verkauft. In den Vereinigten Staaten ist es erlaubt, Hühner, die an *Aerosacculitis* erkrankt sind (eine lungenentzündungsartige Krankheit, bei der sich eitriger Schleim in den Lungen ansammelt), zu verkaufen. Andere Beispiele häufiger Krankheiten sind Augenkrebs und Leberabszesse bei Kühen. Jeden Tag werden in Fleischverpackungsbetrieben Tierkörper gefunden, die mit Nagetierkot, Küchenschaben und Rost verunreinigt sind, aber Fleischinspektoren sind sehr nachlässig darin, Verordnungen zu erzwingen, da dies im Grunde genommen die komplette Industrie stilllegen würde.

Die moderne Forschung über Krankheiten wie Krebs und Diabetes, ist größtenteils darauf gerichtet, wie man die *Auswirkungen* eines unausgewogenen Lebensstils und ungesunder Essgewohnheiten bekämpft. Es werden Milliarden Dollar ausgegeben, um alles über die Symptome dieser Krankheiten herauszufinden. Dabei schenkt man jedoch den grundlegenden Ursachen kaum oder gar keine Aufmerksamkeit. Im Vergleich dazu, leiden die Menschen, die sich für eine vegetarische Lebensweise entschieden haben, bedeutend seltener unter diesen Krankheiten, besonders unter Krebs, Diabetes und Herzerkrankungen. Vegetarier erheben keinen Anspruch die Mechanismen oder Behandlungen für diese Krankheiten zu kennen, dennoch haben sie nennenswerte Erfolge erlangt, diese Krankheiten zu besiegen oder zu verhindern, nur indem sie Fleisch aus ihrer Ernährung verbannt haben.

Vorteile einer vegetarischen Ernährung

Eine umfangreiche in Kalifornien durchgeführte Studie offenbarte, dass die Krebsraten unter Mormonen, die bekanntermaßen sehr wenig Fleisch essen, um 50 Prozent niedriger waren als die der normalen Bevölkerung. Die Forscher einer noch umfassenderen und sorgfältig kontrollierten Studie verglichen 50. 000 Vegetarier der Glaubensgruppe S*eventh Day Adventists* mit derselben Anzahl von Nichtvegetariern desselben Alters und Geschlechts. Diese Studie, bekannt als die *Oxford Vegetarian Study,* zeigte ähnliche Ergebnisse. Die Mitglieder der vegetarischen Gruppe wiesen einen erstaunlich geringen Prozentsatz von Krebserkrankungen aller Art auf, ihre Lebenserwartung war deutlich höher und sie litten erheblich weniger unter kardiovaskulären Krankheiten als die Mitglieder der Kontrollgruppe.

Insgesamt fiel die Lebenserwartung der Bevölkerung der Vereinigten Staaten im internationalen Ranking von Position 19 im Jahr 1999, auf Position 42 im Jahr 2007. Man kann die starke Zunahme von Fettleibigkeit und anverwandten Gefäßerkrankungen für diese Tendenz verantwortlich machen. Und diese beiden chronischen Erkrankungen werden größtenteils durch den Konsum von Tierprotein verursacht.

Aus historischer Sicht führte der „erzwungene" Vegetarismus der Dänen, durch die Alliierten-Blockade von Dänemark im Ersten Weltkrieg, zu einer 17-prozentigen Senkung der Sterblichkeitsrate im ersten Jahr der Fleischrationierung. Norwegen durchlebte aus der Fleischrationierung während der Jahre des Zweiten Weltkriegs (1940-1945) ebenfalls positive Nebenwirkungen. Während der Fleischknappheit kam es zu einer unmittelbaren Abnahme der nationalen Sterblichkeit durch Kreislauferkrankungen. Die Sterblichkeitsraten kehrten jedoch auf Vorkriegsniveaus zurück, als die Bevölkerung ihren Fleischkonsum vollständig wiederaufgenommen hatte.

Eine belgische Universität untersuchte bei Vegetariern genauestens die Genesungsdauer, -stärke und -grade von körperlicher Erschöpfung. Die Studien zeigten, dass Vegetarier in allen drei Kategorien äußerst überragende Punktzahlen aufwiesen. Eine Studie der *Yale University* bewies, dass Vegetarier nahezu zweimal so viel Ausdauer als Fleischesser haben. Andere Ergebnisse bestätigten, dass Vegetarier während Dauertests imstande waren, zwei- bis dreimal länger durchzuhalten, als Fleischesser, bevor sie einen Punkt vollkommener Erschöpfung erreichten. Sie brauchten, verglichen mit ihren Fleisch essenden Kollegen, auch nur ein Fünftel der Zeit, um sich von der Erschöpfung nach jedem Test zu erholen.

Die übliche Vorstellung, dass Sie das Essen von Fleisch stark macht, ist grundlos und irreführend. Die superstarken Tiere Elefant, Gorilla, Nashorn und Pferd erhalten ihre große physische Kraft und Ausdauer durch den Verzehr von Pflanzen. Auf Grundlage der vorliegenden Beweise gibt es nichts, was darauf hinweist, dass Fleisch für unsere Gesundheit förderlich ist. Die Tatsache, dass Bevölkerungsgruppen wie die Eskimos (Inuits) auf Basis einer fleischlichen Ernährungsweise überleben können, ohne an

Herzerkrankungen zu leiden, ist bekannt. Jedoch liegt die durchschnittliche Lebensdauer des Eskimos noch immer nicht über 40 Jahren. Dr. V. E. Levine und Professor C. W. Bauer von der *Creighton University,* Nebraska, machten eine wichtige Beobachtung hinsichtlich der rasanten Verkürzung der durchschnittlichen Lebensdauer. Am 26. Oktober 1934 berichtete Professor C. W. Bauer: „Aufgrund der Anfälligkeit für Tuberkulose und andere Krankheiten beträgt die durchschnittliche Lebensdauer der Eskimos Alaskas nur 20 Jahre, und ihre Rasse ist zum Aussterben innerhalb einiger Generationen verdammt, wenn ihnen die moderne medizinische Wissenschaft nicht zur Hilfe kommt." Die Masai-Stämme Ostafrikas leben größtenteils von Kuhblut, -milch und -fleisch. Ihre durchschnittliche Lebensdauer beträgt 60 Jahre. Ein typischer 45-jähriger Mann sieht ungefähr 20 bis 30 Jahre älter aus. Während meiner vielen Besuche in Masai-Dörfern in Ostafrika zwischen 1983 und 2006 bemerkte ich, dass die Masai-Stämme, die sich angepasst hatten und frisches Gemüse anbauten und in ihre Ernährungsweise einbezogen, viel gesünder aussahen und nicht so schnell alterten.

Ein anderer wesentlicher Vorteil vegetarischer Ernährung ist, dass Vegetarier, statistisch gesehen, dünner und gesünder sind. Im Durchschnitt wiegen Vegetarier ungefähr 20 Pfund weniger als ihre fleischessenden Gegenstücke. Gemäß dem U.S. Worldwatch Institute sind weltweit 1,1 Milliarden Menschen untergewichtig und weitere 1,1 Milliarden übergewichtig. In den Vereinigten Staaten sind 23 Prozent der Erwachsenen fettleibig und 60 Prozent sind übergewichtig. Aber Fettleibigkeit sucht ärmere Länder auch heim, von Brasilien bis China. Die traditionell „mageren" und größtenteils vegetarischen Bevölkerungen der Welt folgen bezeichnenderweise schnell dem Beispiel der normalerweise nichtvegetarischen Bevölkerungen. Das Essen von Fleisch wird immer gleichbedeutender mit einem höheren Lebensstandard. Indien zum Beispiel, das seit Tausenden von Jahren traditionell vegetarisch war, nimmt zunehmend karnivore Essgewohnheiten an, sehr zum Vorteil der Herzspezialisten und Onkologen dieses Landes. (Ayurveda, die traditionelle Medizin Indiens, war größtenteils dafür verantwortlich, dass die indische Bevölkerung Vegetarier blieb).

Forschungsarbeiten der Harvard Universität haben gezeigt, dass eine vegetarische Ernährung ebenfalls Erkältungen und Allergien reduziert. Besonders Kinder profitieren außerordentlich vom Fleischverzicht. Studien zeigen, dass vegetarische Kinder bessere Zähne haben und weniger Kinderkrankheiten erleiden als nichtvegetarische Kinder. Sie sind auch weniger anfällig für Fettleibigkeit, hohes Cholesterin, Diabetes und Herzerkrankungen.

Denkanstoß

Laut Jean Mayer, Ernährungswissenschaftler der Harvard University, hätten wir genug Essen für alle Entwicklungsländer, wenn wir nur halb so viel Fleisch äßen. Wenn man die Fleischproduktion nur um 10 Prozent reduzieren würde, hätte man genug Getreide und andere natürliche Nahrungsmittel zur Verfügung, um 60 Millionen Menschen zu ernähren! Albert Einstein hatte folgendes über den Vegetarismus zu sagen: „Nichts wird die Chance auf ein Überleben auf der Erde so steigern, wie der Schritt zur vegetarischen Ernährung." Er sagte voraus, dass die Produktion und der Verzehr solch großer Mengen Fleisch uns und unsere Umgebung sprichwörtlich töten würde. Leo Tolstoi stellte fest: „...Vegetarismus ist die erste und natürlichste Folge der Aufklärung".

Die Fleischproduktion der Welt nahm in der zweiten Hälfte des 20. Jahrhunderts um ein Fünffaches zu. In Anbetracht der gegenwärtigen Tendenz wird die Zunahme der Fleischproduktion vor 2050 einen Punkt erreicht haben, dass wir zusätzlich 4 Milliarden Menschen mit den pflanzlichen Nahrungsmitteln ernähren könnten, die jetzt für die Viehzucht verwendet werden. Nur 10 Prozent der Proteine und Kalorien, die wir für unsere Futtermittel verwenden, werden im Fleisch wiederverwertet, das wir essen. In den USA werden aus den 20 Millionen Tonnen des für den menschlichen Verzehr geeigneten und nahrhaften Proteins, das jährlich in der Viehzucht verfüttert wird (neben den Abfallprodukten und Medikamenten), nur ungefähr 2 Millionen Tonnen Fleischprotein gewonnen. Und von dieser Menge können nur weniger als 27 Prozent vom menschlichen Körper verwertet werden. Wenn Sie sich um das Überleben der Welt Sorgen machen, sollten Sie sich die folgenden Statistiken anschauen:

- Ein Morgen (ca. 4047 m2) Korn erzeugt 5-mal mehr Protein als ein Morgen Weideland. Ein Morgen Bohnen oder Erbsen erzeugt 10-mal mehr Protein und einen Morgen Spinat 28-mal mehr Protein. Fast jeder Grund und Boden kann verwendet werden, um die ein oder andere Nutzpflanze anzubauen.
- Eine Portion Fleisch enthält nur 20 Gramm Protein, wohingegen eine normale 100 Gramm-Portion Bohnen 35 Gramm Protein abwirft. Fleisch kostet jedoch ungefähr 20-mal mehr als die Bohnen. Vegetarier zu sein, rettet nicht nur Leben, sondern spart auch Geld.
- Die durch die Fleischproduktion gelieferte Nahrungsenergie verbraucht 10-mal mehr fossile Brennstoffe, als die durch die Pflanzenproduktion gelieferte Nahrungsmittelenergie. In Anbetracht der gegenwärtigen Knappheit an fossilen Brennstoffen auf dem Planeten, kann die Fleischproduktion bald unbezahlbar werden.

- Der jetzige Viehbestand der Welt erzeugt mindestens 10 Prozent aller Treibhausgase. Anders gesagt, die Emissionen aus der Tierhaltung sind zu einer bedeutenden Quelle für atmosphärisches Methan geworden. Seit dem Jahr 1990 machen die von Haustieren erzeugten anthropogenen Methanemissionen jährlich etwa 15 Prozent aus, und die Zahl steigt seitdem stetig.
- 85 Prozent des Mutterbodens, der in den USA jedes Jahr verloren geht, steht in direktem Zusammenhang mit dem Wachstum des Viehbestands. Dadurch werden jährlich 4 Millionen Morgen Anbaufläche zerstört. Gleichzeitig mussten wertvolle Regenwälder weichen, um die Nachfrage nach mehr Fleisch auf der Welt zu befriedigen.
- Um ein Pfund Weizen anzubauen, benötigt man nur 30 Liter Wasser, wohingegen man für die Produktion von einem Pfund Fleisch schwindelerregende 25 000 Liter Wasser benötigt. Um ein Pfund Huhn zu erzeugen, sind 900 Liter Wasser erforderlich. Große Hühnerschlachthäuser verbrauchen täglich tatsächlich bis zu 379 Millionen Liter Wasser. Das ist ausreichend, um eine Stadt mit 25 000 Menschen zu versorgen!
- Nach einer Studie, die am 9. April 2007 in den Chemical & Engineering News, Vol. 85, No. 15, veröffentlicht wurde, kann 3-nitro-4-hydroxy-phenylarsonic acid oder Roxarsone, ein auf Arsen basierender Zusatzstoff, der sehr häufig in Hühnerfutter verwendet wird, für Menschen ein Gesundheitsrisiko darstellen. Roxarsone wird verwendet, um das Wachstum zu fördern, Parasiten zu töten und die Farbe des Hühnerfleischs zu verbessern. Unter bestimmten Umständen verwandelt sich diese Mischung in toxischere Formen von anorganischem Arsen. Diese Form von Arsen steht in Verbindung mit Blasen-, Lungen-, Haut-, Nieren- und Darmkrebs. Bereits eine geringe Aufnahme kann zu zeitweiliger Lähmung und Diabetes führen. Natürlich ist Arsen auch ein tödliches Gift. Mehr als 70 Prozent der in den Vereinigten Staaten jährlich produzierten 9 Milliarden Masthühner werden mit Roxarsone gefüttert.

Der Produktionsprozess von Fleisch ist so verschwenderisch und kostspielig, dass die Fleischindustrie, um zu überleben, jährlich hunderte Millionen Dollar Steuersubventionen benötigt. Sie zahlen nie nur für das Fleisch, das Sie essen; die Subventionen kommen ebenso aus Ihrer Tasche. 1977 gaben die Regierungen Westeuropas fast eine halbe Milliarde Dollar für den Erwerb der Überproduktion von Fleischbauern aus. Anschließend investierten sie weitere Millionen, um das Fleisch zu lagern. Dies war in den Vereinigten Staaten nicht anders; und es wird jedes Jahr schlimmer. All dies ist wertvoller Geldverlust, wodurch jede nationale Gesamtwirtschaft schwer belastet wird. Daher macht Fleischkonsum die wohlhabenden Nationen geradewegs arm. Alle zukünftigen Kriege werden sich um Energie, Nahrung und Wasser drehen, die alle drei durch die Fleischproduktion schwer verschwendet werden. Der weltweite zunehmende Fleischkonsum steuert die Welt immer näher an den Rand eines internationalen Konflikts.

Aber Fisch ist sehr gut für Sie, oder?

Nicht so ganz. Mal abgesehen von den zuvor genannten Gründen, tote und geronnene Proteinnahrung zu vermeiden, haben Tests sowohl bei wildem als auch bei gezüchtetem Fisch offenbart, dass der Gehalt an toxischen Chemikalien und Metallen gefährlich für das Leben schwangerer Frauen ist und die Entwicklung von Föten und kleinen Kindern gefährdet. Bedeutet das, dass Erwachsene Fisch essen können? Wissenschaftler sind mittlerweile der Meinung, dass zum Beispiel Lachs – lange als einer der sichersten Fische erachtet – nur einmal pro Monat gegessen werden sollte. Wir sind fast rund um die Uhr vielen anderen Verschmutzungen der Innen- und Außenluft ausgesetzt, ganz zu schweigen von den Chemikalien, die heutzutage in den meisten Nahrungsmitteln enthalten sind. Unser Immunsystem kann sich nicht einfach solch hohe Konzentrationen von Toxinen leisten, wie sie in Fisch gefunden wurden, ohne toxämische Zustände zu entwickeln.

Besonders Tests an gezüchtetem Lachs deckten hohe Toxinniveaus auf, die mit Krebs und Geburtsdefekten in Verbindung stehen. Diese Ergebnisse lösten kürzlich ein „panikmachendes" Spektakel aus, als andere Experten darauf beharrten, dass Lachs regelmäßig bedenkenlos verzehrt werden könne und wichtig für eine gesunde Ernährung sei. Eine in der Zeitschrift *Environmental Science & Technology* veröffentlichte Studie entdeckte in gezüchtetem Lachs viel höhere Konzentrationen einiger Chemikalien als in Wildlachs. Die Studie, die bis heute als die gründlichste Analyse von gezüchtetem und wildem Lachs betrachtet wird, fand heraus, dass der Verzehr von mehr als einer Portion gezüchtetem Lachs pro Monat in den meisten Fällen ein unannehmbares Krebsrisiko darstellen könnte. Diese Standards zur Bestimmung von sicherem Fischkonsum entsprechen der *United States Environmental Protection Agency* (EPA). Wie man herausfand, enthielten gezüchtete Lachse bis zu 10-mal mehr PCB und Dioxin als wilder Lachs. Gezüchtete Lachse werden häufig mit

Antibiotika gefüttert. Das wiederum führt zum Wachstum von gegen Antibiotika resistenten Bakterien. Außerdem werden dem Lachsfutter häufig Chemikalien beigemischt, um das Fleisch rosa zu färben, damit sie ihren wilden Vettern ähneln. Ansonsten hätten sie eine unappetitliche graubraune Farbe.

Die Verkaufszahlen sind auf bis zu 15 Prozent pro Jahr gestiegen, weil mehr Menschen fettigen Fisch essen, um Herzanfällen vorzubeugen, oder weil man ihnen dies weisgemacht hat. Aber als Proben aus der ganzen Welt – einige aus Warenhäusern in London und Edinburgh – analysiert wurden, entdeckte man, dass die Werte von 14 Toxinen mit „organischen Chlorverbindungen", von denen die gefährlichsten PCB, *Dioxin, Dieldrin und Toxaphen* sind, in europäischem und nordamerikanischem Zuchtlachs bedeutend höher waren als bei Wildlachs. Laut amerikanischen und kanadischen Wissenschaftlern machte man Fischmehl als Quelle der meisten dieser Gifte ausfindig. Die Ergebnisse dieser Untersuchung wurden in der Zeitschrift Science veröffentlicht. Aus neuen Forschungsergebnissen geht hervor, dass Toxine Brustkrebs verursachen.

Gifte in Fischen können nicht nur Krebs verursachen, sie können auch Diabetes verursachen. Koreanische Forscher haben kürzlich Beweise dafür gefunden, dass Menschen, die Fisch konsumieren, der große Mengen persistente organische Pestizide (sogenannte POPs) enthält, für die Entwicklung einer Insulinresistenz (eine Vorstufe von Diabetes) anfälliger sind. POPs sind synthetische Chemikalien, die sich im Fettgewebe von Tieren ansammeln.

Obwohl auf Fischfarmen gezüchtete Welse, Forellen, Schellfische, Lachse, Flundern und andere Fische für den Verzehr wegen der toxischen Zusätze im Fischmehl nicht geeignet sind, sind Tiefseefische aufgrund ihres übermäßig hohen Quecksilbergehalts noch schädlicher als gezüchtete Fische.

Wäre es angemessen und klug Fisch als gesunde Nahrung zu bezeichnen, wenn er bekanntermaßen chronische oder tödliche Krankheiten verursacht, selbst wenn der Verzehr von Fisch erwiesenermaßen Herzinfarkte verhindern würde (wofür es keinen Beweis gibt)?

Etwas zu essen, das den einen rettet, aber den anderen tötet, ist ungefähr so, als ob man mit seinem Leben spielt. Sie können nie wirklich wissen, ob Sie gewinnen oder verlieren. Wie immer entscheiden Sie, der Verbraucher. Wenn Sie ganz sicher gehen wollen, schlage ich vor, dass Sie den kinesiologischen Muskeltest durchführen, um zu bestimmen, ob Fisch Ihrer Gesundheit und Ihrem Wohlbefinden förderlich ist oder nicht. Vegetarische Nahrungsmittel, wie Nüsse, Samen, Chia, Avocado, Bohnen, Gemüse haben größere gesundheitsfördernde Wirkungen als Fisch, der nach wie vor Kadavernahrung ist. Kadaver, besonders wenn ihre Proteine durch Hitze zerstört (geronnen) werden, bieten nicht viel, um den Körper zu nähren.

Quecksilber gelangt in erster Linie durch Hausmüllverbrennungsanlagen, Bergwerke und Kraftwerke ins Wasser. Algen absorbieren normalerweise das Quecksilber und winziges Zooplankton (Tiere) frisst die Algen. Kleine Fische wiederum fressen das Zooplankton und von dort aus steigt das Quecksilber durch die aquatische Nahrungsmittelkette mit den großen Tiefseefischen an die Spitze der Kette. Diese Fische übertragen die höchste Quecksilberkonzentration. Sogar weit von den Ozeanen entfernte Wasserstraßen, wie der Elkhorn River in Nebraska oder der Colorado River im Westen der Vereinigten Staaten, enthalten bekanntermaßen quecksilberverseuchte Fische.

Die Environmental Working Group (EWG) gab die folgende Liste hoch quecksilberhaltiger Fische heraus:

1. Schwertfisch
2. Thunfisch
3. Königsmakrele
4. Heilbutt
5. Seebarsch
6. Torpedobarsch
7. Hecht
8. Amerikanischer Zander
9. Großmaulbarsch
10. Weißer Umber
11. Marlin
12. Hai
13. Golfküsten Auster

Es gibt weitere Umweltbelange, die mit Fischzucht in Verbindung stehen. Beispielsweise werden momentan mehr als 85 sogenannte „open net cage" Fischfarmen in den Küstengewässern British Columbias betrieben. Die Abfallprodukte dieser Fischfarmen entsprechen in etwa der Menge ungeklärter Abwässer, die eine Stadt mit 500 000 Einwohnern produziert. Dieser äußerst verschwenderische Umgang mit wertvollen Wasserressourcen, nur um wenig bis gar keine gesundheitlichen Vorteile zu erlangen, ist ein weiteres Beispiel dafür, wie Fehlinformationen und Interessengruppen die Ess- und Lebensgewohnheiten der heutigen Massen kontrollieren.

Eine Anmerkung zur Blutgruppendiät

Eat Right for Your Type von Peter J. D'Adamo ist weithin als Blutgruppendiät bekannt. Da ich ständig gebeten werde, mich zu diesem Ernährungssystem zu äußern, habe ich mich entschlossen, meine Anmerkungen hier hinzuzufügen.

Ich stimme mit vielen Erkenntnissen und Sichtweisen von D'Adamo überein, habe aber bei anderen größere Bedenken. Das Buch empfiehlt Ihnen, Ihre Blutgruppe zu nutzen, um die Nahrungsmittel zu bestimmen, die Sie essen sollten. Entsprechend der Theorie reduzieren Sie die Gefahr von Krebs, Herzerkrankungen, Diabetes, Infektionen und Leberkrankheiten, wenn Sie die Nahrungsmittel essen, die mit Ihrer Blutgruppe „übereinstimmen". Menschen mit Blutgruppe A hatten angeblich Bauern als Vorfahren. Wenn Sie diese Blutgruppe haben, sollten Sie sich vegetarisch ernähren und Fleisch und Molkereiprodukte vermeiden. Menschen mit der Blutgruppe B hatten laut Autor Nomaden als Vorfahren; deshalb sollten sie rotes Fleisch und Fisch essen. Menschen mit der Blutgruppe 0 hatten Jäger und Sammler als Vorfahren; das bedeutet, dass sie viel Tierprotein und wenig Kohlenhydrate essen sollten. Und zu guter Letzt hatten Menschen mit Blutgruppe AB gemischte Vorfahren und sollten daher die Ernährungsweisen der Blutgruppen A und B kombinieren. Heißt das etwa, dass alle Nomaden die Blutgruppe 0 hatten und alle Bauern die Blutgruppe A? Was ist dann mit den Menschen, die weder Ackerbau betrieben noch von Ort zu Ort zogen?

Leider werden diese Theorien nicht durch wissenschaftliche Literatur, traditionelles Wissen und Aufzeichnungen der ältesten Medizinsysteme der Welt, wie chinesische Medizin und Ayurveda, belegt. Die Entdeckungen von D'Adamo wurden auch sonst nirgendwo bestätigt. Zwischen Menschen, die für hunderttausende von Jahren in den Anden, den tropischen Regenwäldern oder der Prärie Afrikas gelebt haben, gibt es kaum oder keine Unterschiede. Die Kultur des indischen Subkontinents, genauso wie der größte Teil der anderen Kulturen auf der Welt, gedieh und blühte Jahrtausende lang mithilfe einer rein vegetarischen Ernährungsweise. Und wo fängt Herkunft überhaupt an? Vor zweitausend Jahren, vor 100 Jahrhunderten oder vor 60 Millionen Jahren? Wie weit müssen wir in der Blutlinie unserer Vorfahren zurückgehen, um unseren Ernährungsbedarf zu bestimmen? Als die letzte Eiszeit begann, mussten viele Vegetarier, die in vormals tropischen Ländern lebten, plötzlich Tiere essen, um zu überleben. Einige nahmen aufgrund des gemäßigteren Klimas gemischte Kost zu sich. Andere, die in den ganzjährig tropischen Gebieten der Erde lebten, setzten die vegetarische Ernährung bis vor Kurzem fort. Aufgrund dieser Tatsachen ist die empfohlene Theorie nicht sehr beweiskräftig.

Als ich mich mit fünf Jahren auf eine proteinreiche Ernährung (dem Blutgruppen-0-Diätplan ähnlich) umstellte, fühlte ich mich für ungefähr 18 Monate großartig. Mir ging es wie vielen, die auf die populäre Atkins Diät umsteigen. Dann entwickelten sich unter anderem Steine in meiner Leber, eine gefährliche Arrhythmie und jugendliche rheumatische Arthritis. Ich hatte keine Ahnung, dass diese Beschwerden aufgrund einer Proteinvergiftung auftraten. Zehn Jahre später stieg ich auf eine ausgewogene vegane Ernährung um und die meisten meiner Krankheiten verschwanden innerhalb einiger Wochen. Jedoch musste ich immer noch mit den vielen Steinen leben, die sich infolge dessen, was heute als 0-Blutgruppendiät bezeichnet wird, in meiner Leber und Gallenblase gebildet haben. Vierzig Gallenblasenattacken später führte ich eine Reihe Leber- und Gallenblasenreinigungen durch, die diese lebenswichtigen Organe reinigten. Schließlich war ich krankheits- und beschwerdefrei.

Sie werden die Auswirkungen einer proteinreichen Ernährung nicht bemerken, bis die Blutgefäßwände mit dem überschüssigen Protein gänzlich verdickt sind. Der Verzehr von großen Mengen Tierprotein löst eine starke Immunreaktion aus, um die fremde DNA und das tote, geronnene und beschädigte Protein von Fleisch, Fisch, Eiern, Geflügel und Milchprodukten zu beseitigen. Diese Immunreaktion beinhaltet eine gewaltige Freisetzung von Energie, bei der Verunreinigungen gereinigt, Hautfunktionen verbessert und Sie sich mehr geerdet fühlen werden. Sobald das Immunsystem jedoch von der konstanten Überaktivität erschöpft war, was in meinem Fall nur 18 Monate dauerte, richtete sich die Situation gegen mich und der Körper verstopfte zunehmend.

Die Blutgruppendiät-Theorie ist daher sehr fragwürdig, da sie den grundlegenden Bedarf der Körpertypen durch die drei Kräfte/Körperstimmungen der Natur (Vata, Pitta und Kapha) nicht anerkennt. Diese drei Kräfte kontrollieren die Körperlichkeit der Materie und den Körper von Mensch und Tier. Nur ein Bruchteil der Energieanforderungen des Körpers wird durch Nahrung erfüllt, und es gibt weitaus mehr Einflüsse auf den Körper als die Blutgruppen. Das 6.000 Jahre alte medizinische System von Ayurveda trägt an diesen Einflüssen den meisten Anteil. Der konstitutionelle Körpertyp ist nicht so leicht zu bestimmen, wie die Blutgruppe. Die Theorie der Blutgruppen-Nahrungsmittel beruht in Wahrheit auf Spekulation, nicht auf Wissenschaft oder den altbewährten traditionellen Kenntnissen, wie sie in der chinesischen Medizin, griechischen Medizin, altägyptischen Medizin und im Ayurveda zu finden sind.

Wenn konzentrierte Proteinnahrungsmittel ein notwendiger Bestandteil der menschlichen Ernährung wären, wie es die Blutgruppendiät zum Beispiel für den O-Typ befürwortet, warum entspricht die Natur diesem Bedürfnis nicht, wenn sie Muttermilch in der Brust einer Mutter bildet? Die Muttermilch enthält bloß eine Spur von Protein (1,1 bis 1,6 Prozent). Und diese geringe Menge wird einem Baby zum Zeitpunkt seines größten Wachstumsschubs zur Verfügung gestellt. Würden O-Typ-Babys dann nicht normalerweise sterben, wenn sie etwa 18 Monate lang von so wenig Protein leben müssten? Schließlich bekommen die meisten Babys normalerweise nur Muttermilch. Im Gegenteil, die Babys entwickeln perfekte Organe und Systeme und sind absolut zufrieden. Wenn Ihnen das beste Essen der Natur in der Zeit, in der Sie am schnellsten in Ihrem Leben wachsen, nicht so viel Protein gibt, warum sollten Sie dann konzentrierte Proteine wie Fleisch essen müssen, wenn Sie älter sind und nicht mehr wachsen?

Wenn Sie die Blutgruppendiät machen und auch weiterhin beibehalten wollen, empfehle ich Ihnen darauf zu achten, wie sich Ihr Körper fühlt. Wenn Sie ein dumpfes Gefühl in Ihrer Gallenblase oder Schmerzen in Ihren Gelenken, Muskeln oder Ihrem Kopf spüren, oder wenn Sie Probleme mit Schleim oder den Nebenhöhlen, eine belegte Zunge oder andere Anzeichen von Verstopfung haben, sollten Sie Ihr Ernährungskonzept noch einmal überdenken.

„Es wird die Zeit kommen, da das Verbrechen am Tier genauso geahndet wird, wie das Verbrechen am Menschen."

~ Leonardo da Vinci

Kapitel 7

Über 100 Geheimnisse, um die Heilkraft der Natur im Innern zu entzünden

„Dieweil nun die Krankheit aus der Natur, nit vom Arzt und die Arznei aus der Natur, auch nit vom Arzt kommt, so muß der Arzt der sein, der aus denen beiden lernen muß."

~ Paracelsus

Die Leber- und Gallenblasenreinigung

Die Leber und die Gallenblase von Gallensteinen zu reinigen ist einer der wichtigsten und stärksten Ansätze, mit dem Sie Ihre Gesundheit verbessern können. Die Leberreinigung benötigt sechs Tage der Vorbereitung, gefolgt von 16 bis 20 Stunden eigentlicher Reinigung. Um Gallensteine zu entfernen, benötigen Sie die folgenden Gegenstände:

Apfelsaft	sechs 1 Liter Behälter
Epsomsalze* (oder Magnesiumcitrat)	vier Esslöffel in drei 0,25 Liter Gläsern Wasser aufgelöst**
Natives Olivenöl Extra, kaltgepresst	ein halbes Glas (0,12 Liter)
Entweder frische Grapefruit, (am besten pink) oder frische Zitrone und Orange kombiniert ***	genug, um ein Glas voll Saft auszupressen
Zwei 0,5 Liter Becher, einen mit Deckel	

Anmerkung:

* Suchen Sie nach Epsom Salzen (Magnesium-Sulfat), gewöhnlich findet man sie bei den Abführmitteln oder in Drogerien. In deutschsprachigen Ländern ist es als „Bittersalz" bekannt. In den Vereinigten Staaten können Sie es in Drogerien oder Biolebensmittelläden bekommen. Einige Verpackungsetiketten beschreiben es als natürliches Abführmittel. Wenn Sie es nicht bekommen können, verwenden Sie Magnesiumcitrat.

** Ich habe „Glas" statt „Tasse" als Maßeinheit gewählt, um Verwirrungen über die Bedeutung von „Tasse" auf den verschiedenen Kontinenten zu vermeiden.

*** Wenn Sie Grapefruitsaft nicht vertragen oder wenn Sie sich davor ekeln, können Sie stattdessen die gleiche Menge frisch gepressten Zitronen- und Orangensaft verwenden. Alle haben die gleiche Wirksamkeit.

Vorbereitung

» **Trinken Sie sechs Tage lang je 1 Liter (wenn Sie sich wohl fühlen, können Sie auch mehr trinken) fertigen oder frisch zubereiteten Apfelsaft (oder beachten Sie die anderen nachfolgend beschriebenen Optionen) pro Tag:** Die Apfelsäure im Apfelsaft weicht die Gallensteine auf und erleichtert ihren Weg durch die Gallenkanäle. Der Apfelsaft hat eine stark reinigende Wirkung. Einige empfindliche Menschen können sich aufgebläht fühlen und während der ersten paar Tage Durchfall haben. Ein großer Teil des Durchfalls ist genau genommen abgestandene Galle, die durch Leber und Gallenblase freigesetzt wurde (gekennzeichnet durch eine gelbbräunliche Farbe). Die gärende Wirkung des Safts hilft, die Gallenkanäle zu weiten. Wenn es für Sie etwas unangenehm wird, können Sie den Apfelsaft mit einer beliebigen Menge Wasser verdünnen. Sie können aber auch eine der anderen Optionen wählen, die ich später beschreiben werde. Trinken Sie den Apfelsaft langsam über den Tag verteilt und immer zwischen den Mahlzeiten (vermeiden Sie es, den Saft während, kurz vor und in den ersten beiden Stunden nach den Mahlzeiten sowie am Abend zu trinken). Den Apfelsaft trinken Sie bitte zusätzlich zu Ihrer normalen Menge Wasser von sechs bis acht Gläsern. Hinweis: Verwenden Sie vorzugsweise organischen Apfelsaft, obwohl zum Zweck der Reinigung jede Apfelsaftmarke, jedes Apfelkonzentrat oder jeder Apfelcidre genauso gut wirkt. Es kann sinnvoll sein, den Mund mit Backnatron auszuspülen und/oder die Zähne mehrmals pro Tag zu putzen, damit die Säure nicht die Zähne schädigen kann. (Für den Fall, dass Sie unter einer Apfelsaftintoleranz leiden oder allergisch auf Apfelsaft sind, beachten Sie die anderen Optionen, die in *Schwierigkeiten mit der Reinigung* am Ende dieses Kapitels erläutert werden).

» **Ernährungsempfehlungen:** Vermeiden Sie während der kompletten Vorbereitungs- und Reinigungswoche kalte oder gekühlte Nahrungsmittel oder Getränke; sie kühlen die Leber und reduzieren dadurch die Wirksamkeit der Reinigung. Alle Nahrungsmittel oder Getränke sollten warm sein oder mindestens Raumtemperatur haben. Um die Leber dabei zu unterstützen, sich auf den Hauptteil der Reinigung vorzubereiten, versuchen Sie Nahrungsmittel tierischer Herkunft, Milchprodukte und gebratene Nahrungsmittel zu vermeiden. Essen Sie ansonsten normale Mahlzeiten, aber vermeiden Sie es sich zu überessen.

» **Die besten Zeitpunkte für die Reinigung:** Der Haupt- und Schlussteil der Leberreinigung wird am besten im Laufe eines Wochenendes durchgeführt, wenn Sie nicht unter Druck stehen und genug Zeit haben sich auszuruhen. Obwohl die Leberreinigung zu jedem Zeitpunkt des Monats wirkt, sollte sie zeitlich möglichst auf einen Tag zwischen Voll- und Neumond fallen. Versuchen Sie die eigentliche Reinigung nicht am Vollmondtag durchzuführen (der Körper neigt dazu, an diesem Tag mehr Flüssigkeiten in Gehirn und Gewebe zu speichern, als an anderen Tagen). Der Neumondtag ist zur Reinigung und Heilung[16] am günstigsten.

» **Wenn Sie Medikamente nehmen:** Vermeiden Sie während der Leberreinigungskur jegliche Medikamente, Vitamine oder Ergänzungsmittel, die nicht absolut notwendig sind. Es ist wichtig, die Leber nicht mit zusätzlicher Arbeit zu belasten, die ihre Reinigungsbemühungen stören könnte.

» **Stellen Sie sicher, dass Sie vor und nach der Leberreinigung Ihr Colon säubern:** Ein regelmäßiger Stuhlgang ist nicht notwendigerweise ein Anzeichen dafür, dass Ihr Darm frei ist. Wenn Sie

16 Für eine ausführliche Erklärung über die Mondeinflüsse auf den Körper, siehe Kapitel 5.

entweder einige Tage vor, oder idealerweise am sechsten Tag der Vorbereitung Ihr Colon reinigen, ist das ungemein hilfreich um evtl. Beschwerden oder den Brechreiz zu vermeiden oder zu minimieren, der während der eigentlichen Leberreinigung entstehen kann. Dadurch wird eine Rückspülung der Ölmischung oder der Abfallprodukte vom Darm in den Magen vermieden. Zusätzlich wird der Körper bei der schnellen Beseitigung der Gallensteine unterstützt. Eine professionelle Darmspülung (Colonhydrotherapie) ist die schnellste und einfachste Methode, das Colon auf die Leberreinigung vorzubereiten. Das Colema-Board oder das home-kit colonic Irrigation sind die zwei am häufigsten vorzuziehenden Methoden (Details dazu im folgenden Abschnitt über die Darmreinigung).

» **Was Sie am sechsten Tag der Apfelsaftkur tun müssen:** Trinken Sie morgens den gesamten Liter Apfelsaft. Sie können damit bereits kurz nach dem Aufwachen beginnen. Wenn Sie am Morgen Hunger haben, essen Sie ein leichtes Frühstück wie heiße Frühstücksflocken – Haferflocken sind z. B. ideal. Vermeiden Sie Zucker oder andere Süßstoffe, Gewürze, Milch, Butter, Öle, Joghurt, Käse, Schinken, Eier, Nüsse, Gebäck, kalte Frühstücksflocken und ähnliches. Obst oder Obstsäfte sind in Ordnung. Mittags essen Sie einfach gekochtes oder gedämpftes Gemüse mit weißem Reis (vorzugsweise Basmati Reis) und würzen es mit etwas unraffiniertem Meer- oder Steinsalz. Noch einmal, essen Sie keine proteinhaltigen Nahrungsmittel, Butter oder Öl. Das kann dazu führen, dass Sie sich während der eigentlichen Reinigung krank fühlen. Essen oder trinken Sie nichts (außer Wasser) nach 13.30 Uhr, da Sie sonst Schwierigkeiten beim Ausscheiden der Steine haben könnten! Halten Sie sich genau an den Zeitplan auf den folgenden Seiten.

Die eigentliche Reinigung

Abends

18:00 Uhr: Geben Sie vier Esslöffel Bittersalz (Magnesium-Sulfat) in einen Behälter mit insgesamt 0,75 Liter (drei 0,25 Liter Gläser) gefiltertem Wasser. Das ergibt etwa vier 0,2 Liter Portionen. Trinken Sie jetzt Ihre erste Portion (3/4 Glas). Anschließend können Sie einige Schlückchen Wasser trinken, um den bitteren Geschmack in Ihrem Mund zu neutralisieren. Sie können der Mischung aber auch ein wenig Zitronensaft hinzufügen, um den Geschmack zu verbessern. Einige Menschen trinken sie durch einen langen Plastikstrohhalm, um die Geschmacksknospen auf der Zunge zu umgehen. Manche Menschen halten sich aber auch beim Trinken die Nase zu. Ebenso hilfreich ist es, wenn Sie sich anschließend die Zähne putzen oder den Mund mit Backnatron ausspülen. Eine der wichtigsten Aktionen des Bittersalzes stellt das Weiten (Dehnen) der Gallengänge dar, damit die Gallensteine leichter durchgehen können. Außerdem beseitigen die Salze die Abfallstoffe, die die Freisetzung der Steine versperren können. (Wenn Sie allergisch auf Bittersalze sind oder einfach nicht in der Lage sind sie runter zu bekommen, können Sie stattdessen zur zweitbesten Wahl – Magnesium-Citrat – in gleicher Dosierung greifen). Legen Sie sich die Zitrusfrüchte zurecht, die Sie später verwenden werden, so dass sie sich auf Raumtemperatur erwärmen können.

20:00 Uhr: Trinken Sie Ihre zweite Portion (3/4 Glas) Bittersalz.

21:30 Uhr: Wenn Sie bis jetzt noch keinen Stuhlgang hatten und innerhalb der letzten 24 Stunden keine Colonreinigung durchgeführt haben, benutzen Sie ein Wasserklistier. Das wird eine Reihe Stuhlgänge auslösen.

21:45 Uhr: Waschen Sie gründlich die Grapefruits (oder Zitronen und Orangen). Pressen Sie sie mit der Hand aus und entfernen Sie das Fruchtfleisch. Sie benötigen ein 3/4 Glas voll Saft. Gießen Sie den Saft und 1/2 Glas Olivenöl in den 0,5 Liter Becher. Verschließen Sie den Becher, so dass er dicht ist und schütteln Sie ihn kräftig ungefähr 20-mal, oder so lange, bis die Lösung wässrig wird. Am besten trinken Sie diese Mischung um 22:00 Uhr, doch wenn Sie glauben noch mehrere Male zur Toilette zu müssen, können Sie diesen Schritt um bis zu 10 Minuten hinauszögern.

22:00 Uhr: Stellen Sie sich neben Ihr Bett (nicht hinsetzen) und trinken Sie die Mischung nach Möglichkeit in einem Zug aus. Einige Menschen trinken sie lieber durch einen großen Plastikstrohhalm. Aber am besten scheint es wohl zu funktionieren, sie mit zugehaltenen Nasenlöchern zu trinken. Wenn notwendig, nehmen Sie zwischen den Schlückchen ein wenig Honig. Dadurch rutscht die Mixtur leichter nach unten. Die meisten Menschen können die Mixtur aber problemlos in einem Zug runterschlucken. Dafür sollten Sie nicht länger als 5 Minuten benötigen (nur bei älteren oder schwachen Menschen könnte es länger dauern).

Bitte legen Sie sich sofort hin!

Dies ist notwendig, damit sich die Gallensteine freisetzen können! Schalten Sie das Licht aus und legen Sie sich flach auf den Rücken mit einem oder zwei Kissen unter Ihrem Kopf. Ihr Kopf sollte höher liegen als Ihr Bauch. Wenn Ihnen das zu unbequem ist, legen Sie sich auf die rechte Seite, mit in Richtung Kopf angewinkelten Knien. Liegen Sie für mindestens 20 Minuten vollkommen still und versuchen Sie nicht zu sprechen! Richten Sie Ihre Aufmerksamkeit auf Ihre Leber. Einige Menschen finden es förderlich, einen Rizinusölumschlag über den Leberbereich zu legen.

Vielleicht fühlen Sie, wie sich die Steine wie Murmeln entlang der Gallengänge fortbewegen. Sie werden keine Krämpfe oder Schmerzen verspüren, da das Magnesium in den Bittersalzen dafür sorgt, dass die Klappen der Gallengänge weit geöffnet und entspannt sind. Und die Galle wiederum, die zusammen mit den Steinen abgesondert wird, sorgt dafür, dass die Gallengänge gut geschmiert sind. (Im Gegensatz zu einer Gallensteinattacke, bei der Magnesium und Galle nicht vorhanden sind.) Schlafen Sie, wenn Sie können. Wenn Sie irgendwann in der Nacht den Drang verspüren, einen Stuhlgang zu haben, dann tun Sie es. Schauen Sie nach, ob bereits kleine Gallensteine (erbsengrün oder hellbraun) in der Toilette schwimmen. Es kann passieren, dass Sie sich in der Nacht und/oder in den frühen Morgenstunden ekeln. Das passiert hauptsächlich aufgrund eines starken, plötzlichen Ausströmens von Gallensteinen und Toxinen aus der Leber und Gallenblase, die die Ölmixtur zurück in den Magen drücken. Der Brechreiz wird im Laufe des Morgens verschwinden.

Der folgende Morgen

6:00 Uhr – 6:30 Uhr: Trinken Sie nachdem Sie aufgewacht sind, aber nicht vor 6:00 Uhr, Ihr drittes 3/4 Glas Bittersalze (wenn Sie großen Durst haben, können Sie ein Glas warmes Wasser vor der Einnahme der Salze trinken). Ruhen Sie sich aus, lesen Sie oder meditieren Sie. Wenn Sie müde sind, können Sie zurück ins Bett gehen, obwohl der Körper am besten in einer aufrechten Position bleibt. Die meisten Menschen fühlen sich gut und machen lieber leichte Übungen wie Yoga.

8:00 Uhr – 8:30 Uhr: Trinken Sie Ihr viertes und letztes 3/4 Glas Bittersalz.

10:00 Uhr – 10:30 Uhr: Nun können Sie frisch gepressten Obstsaft trinken. Eine halbe Stunde später können Sie ein oder zwei Stücke frisches Obst essen. Und nach einer Stunde können Sie normales (aber leichtes) Essen zu sich nehmen. Am Abend oder am nächsten Morgen sollten Sie zurück auf Normalzustand sein und erste Anzeichen der Besserung spüren. Essen Sie in den folgenden zwei bis drei Tagen leichte Mahlzeiten. Denken Sie daran, dass sich Ihre Leber und Gallenblase einer großen „Operation" unterzogen haben, jedoch ohne schädliche Nebenwirkungen oder Kosten.

Anmerkung: Wenn Sie Durst haben, können Sie immer Wasser trinken (ausgenommen unmittelbar nachdem Sie die Bittersalze getrunken haben und in den ersten beiden Stunden nach dem Trinken der Ölmixtur).

Diese Ergebnisse dürfen Sie erwarten

Während der Morgen- und vielleicht Nachmittagstunden nach der Leberreinigung werden Sie mehrere wässrige Stuhlgänge haben. Diese bestehen am Anfang aus Gallensteinen, die mit Nahrungsresten vermischt sind. Später bestehen sie dann nur noch aus Steinen, die mit Wasser vermischt sind. Die meisten Gallensteine sind erbsengrün und schwimmen in der Toilette, weil sie aus Galle zusammengesetzt sind (Abbildung 16a). Die Steine haben verschiedene Grünschattierungen und können hell und glänzend wie Edelsteine sein. Nur Galle aus der Leber kann solch eine grüne Färbung verursachen.

Abbildung 16a: grün gefärbte Gallensteine

Gallensteine gibt es in vielen Größen, Farben und Formen. Die hellen Steine sind die jüngsten. Dunkelgrüne Steine sind am ältesten. Einige sind erbsengroß oder kleiner und andere haben einen Durchmesser von 2,5 cm. Mit einem Mal können Dutzende und manchmal sogar Hunderte von Steinen zum Vorschein kommen – in verschiedenen Größen und Farben (siehe Abbildung 16b).

Abbildung 16b: Verschiedene Arten Gallensteine

Halten Sie ebenfalls nach bräunlichen und weißen Steinen Ausschau. Einige der größeren bräunlichen oder weißen Steine können mit dem Stuhl auf den Grund sinken. Dabei handelt es sich um verkalkte Gallensteine, die von der Gallenblase freigesetzt wurden. Sie enthalten schwerere toxische Substanzen und nur geringe Mengen Cholesterin (Abbildung 16c). Dank der Wirkung des Apfelsafts sind alle grünen und gelblichen Steine weich wie Fensterkitt.

Es kann ebenfalls sein, dass eine Schicht weißer oder hellbrauner Spreu oder „Schaum" in der Toilette schwimmt. Der Schaum besteht aus Millionen winziger, weißer, scharfkantiger Cholesterinkristalle, die die kleinen Gallenkanäle leicht aufreißen können. Deshalb ist es wichtig, auch diese zu entfernen.

Versuchen Sie grob zu schätzen, wie viele Steine Sie ausgeschieden haben. Damit Sie Schleimbeutelentzündungen, Rückenschmerzen, Allergien oder andere Gesundheitsprobleme dauerhaft heilen und Krankheiten von der Entstehung abhalten, müssen Sie alle Steine entfernen. Das kann mindestens 8 bis 12 Spülungen dauern, die Sie in je dreiwöchigen oder monatlichen Intervallen durchführen können. (Bitte führen Sie die Reinigungen nicht häufiger durch!) In den dreiwöchigen Pausen zwischen den Reinigungen ist die sechstägige Vorbereitungszeit für die folgende Leberreinigung enthalten. Am besten sollten Sie jedoch die Vorbereitung erst beginnen, nachdem die drei Wochen vergangen sind. Wenn Sie nicht die Möglichkeit haben, eine Leberreinigung so häufig durchzuführen, können die Pausen zwischen den Reinigungen auch länger sein.

Das Wichtigste ist jedoch, dass Sie, sobald Sie mit der Reinigung der Leber begonnen haben, diese auch so lange fortsetzen sollten, bis bei zwei aufeinanderfolgenden Reinigungen keine Steine mehr ausgeschieden werden. Wenn Sie Ihre Leber über einen längeren Zeitraum nur halb reinigen (drei Monate oder länger), kann das größere Beschwerden verursachen, als sie gar nicht zu reinigen. Die komplette Leber wird bald nach der ersten Reinigung effizienter arbeiten. Manchmal können Sie innerhalb weniger Stunden eine plötzliche Besserung spüren. Schmerzen werden schwächer, Energie wird zunehmen und die Klarheit des Geistes wird sich beträchtlich verbessern.

Allerdings werden sich innerhalb von ein paar Tagen Steine vom hintersten Teil der Leber vorwärts zu den zwei Hauptgallengängen (Lebergallengängen) bewegen, wodurch einige oder alle vorherigen Beschwerden und Symptome zurückkehren können. Tatsächlich kann es vorkommen, dass Sie enttäuscht sind, da die Genesung nur von kurzer Dauer zu sein scheint. Jedoch deutet all dies bloß darauf hin, dass noch einige Steine übrig sind, die nun darauf warten, bei der nächsten Reinigungsrunde entfernt zu werden. Gleichwohl werden sich die Eigenreparatur- und Reinigungsreaktionen der Leber deutlich gesteigert haben, was die Effektivität dieses äußerst wichtigen Körperorgans steigert.

Abbildung 16c: Verkalkte und halbverkalkte Gallensteine (halbiert)

Solange sich noch einige kleine Steine von den vielen Tausend kleinen Gallengängen in Richtung der Hunderte größerer Gallengänge bewegen, können sie sich miteinander verbinden und größere Steine bilden. Dadurch können die überwunden geglaubten Symptome, wie Rückenschmerzen, Kopfschmerzen, Ohrenschmerzen, Verdauungsbeschwerden, Blähungen, Gereiztheit, Wut usw. zurückkehren, obwohl diese weniger schwerwiegend sein können, als sie es vorher waren.

Wenn zwei aufeinander folgende Reinigungen keine Steine mehr zutage befördern, was nach 6 bis 8 Reinigungen der Fall sein kann (in schweren Fällen kann es 10 bis 12 oder mehr Reinigungen dauern), kann Ihre Leber als „steinfrei" betrachtet werden. Allerdings empfiehlt es sich, die Leberreinigung alle sechs bis acht Monate zu wiederholen. Jede Reinigung wird die Leber weiter stärken und sich um alle Toxine oder neue Steine kümmern, die inzwischen angewachsen sein können.

Vorsicht: Führen Sie niemals eine Reinigung durch, wenn Sie an einer akuten Krankheit leiden, selbst wenn es nur eine einfache Erkältung ist. Wenn Sie jedoch chronisch krank sind, kann eine Leberreinigung das Beste sein, was Sie für sich selbst tun können. Versuchen Sie jedoch nicht Ihre Leber zu reinigen, wenn Sie verschreibungspflichtige Medikamente wie Antibiotika, Steroide, schmerzstillende Mittel, Statine oder andere suppressive Medikamente einnehmen. Die Leber kann nicht beides, diese Medikamente abbauen/freisetzen und zeitgleich ihre Wirksamkeit unterdrücken (wie es Medikamente tun). Am besten beginnt man mit der Leberreinigung frühestens 10 Tage nach Abbruch der Medikamenteneinnahme.

Wichtig! Bitte aufmerksam lesen:

Die Leberreinigung ist eine der kostbarsten und wirksamsten Methoden Ihre Gesundheit wiederherzustellen. Es gibt keinerlei Risiko, wenn Sie allen Anweisungen in diesem Buch folgen. Bitte nehmen Sie die folgenden wichtigen Hinweise sehr ernst. Es gibt viele Menschen, die eine Leberreinigung nach einem Rezept durchgeführt haben, das sie von Freunden oder durch das Internet bekommen haben und die unter unnötigen Komplikationen leiden mussten. Sie hatten keine umfassenden Kenntnisse über die Prozedur und deren Wirkweise und gingen davon aus, dass es ausreichend sei, die Steine aus Leber- und Gallenblase auszuscheiden.

Höchstwahrscheinlich bleiben einige Gallensteine auf dem Weg nach draußen im Colon stecken. Durch eine Darmspülung können sie schnell entfernt werden. Die Darmspülung sollte idealerweise am zweiten oder dritten Tag nach der Leberreinigung durchgeführt werden. Wenn die Gallensteine im Colon bleiben, können sie Reizungen, Infektionen, Kopfschmerzen, Unterleibsbeschwerden, Schilddrüsenprobleme usw. verursachen. Diese Steine können im Körper schließlich zu einer Blutvergiftungsquelle werden. Wenn es in Ihrer Umgebung keine Möglichkeit einer Colonhydrotherapie gibt, können Sie stattdessen ein Kaffeeklistier, gefolgt von einem Wasserklistier oder zwei oder drei aufeinanderfolgende Wasserklistiere machen. Dennoch gibt es keine Garantie dafür, dass alle restlichen Steine entfernt werden. Bei der Leberreinigung gibt es keinen Ersatz für die Darmspülung. Ein Einlauf mit einem Colema Board® kommt einer professionellen Darmspülung jedoch am nächsten. Wenn Sie jedoch mit weniger als einer Darmspülung oder einem Einlauf mit einem Colema Board zufrieden sind, mischen Sie einen gestrichenen Teelöffel Bittersalz in ein Glas warmes Wasser und trinken Sie es direkt an dem Morgen, an dem die von Ihnen gewählte Darmreinigung stattfinden soll (im Anschluss an die Leberreinigung).

Über die Wichtigkeit der Colon- und Nierenreinigung: Obwohl eine Leberspülung alleine wahrhaft erstaunliche Ergebnisse erzielen kann, sollte sie idealerweise *im Anschluss* an eine Colon- und Nierenreinigung durchgeführt werden. Eine Reinigung des Colons (siehe den Abschnitt über die *Vorbereitung*) gewährleistet, dass die ausgestoßenen Gallensteine leicht aus dem Dickdarm entfernt werden. Die Nierenreinigung sorgt dafür, dass Toxine, die während der Leberreinigung aus der Leber kommen, diese lebenswichtigen Ausscheidungsorgane nicht belasten. Wenn Sie jedoch nie Probleme mit den Nieren, Nierensteine oder eine Blaseninfektion hatten, können Sie in folgender Reihenfolge fortfahren: *Colonreinigung – Leberspülung – Colonreinigung*. Denken Sie jedoch daran Ihre Nieren zu einem späteren Zeitpunkt zu reinigen. Sie sollten Ihre Nieren nach allen drei bis vier Leberreinigungen, und nachdem Ihre Leber völlig gereinigt wurde, reinigen (Einzelheiten finden Sie in *Die Nierenreinigung* später in diesem Kapitel). Zusätzlich können Sie zwei bis drei Tage nach jeder Leberreinigung eine Tasse Nierentee trinken (siehe das „Nierenreinigungs"-Rezept). Befolgen Sie die gleichen Anweisungen wie für die Vorbereitung der eigentlichen Nierenreinigung. Die Nieren- und Leberreinigungen können kombiniert werden (sich überschneiden), aber achten Sie darauf den Nierentee nicht am Tag der eigentlichen Leberreinigung zu trinken.

Menschen mit einem stark verstopften Colon oder mit einer Verstopfungshistorie, sollten vor ihrer ersten Leberreinigung allerdings mindestens zwei oder drei Colonreinigungen durchführen. Um es noch einmal zu unterstreichen, es ist äußerst wichtig, dass Sie nach jeder beendeten Leberreinigung Ihr Colon innerhalb von drei Tagen reinigen. Wenn Sie Gallensteine aus Leber und Gallenblase entfernen, können einige Steine und andere toxische Rückstände im Colon zurückbleiben. Um mögliche Probleme mit Blutvergiftungen zu verhindern, die diese im Colon eingeschlossenen Steine verursachen können, ist es notwendig die Steine zu entfernen.

Ein Hinweis zum Wassertrinken während der Reinigung

Um es noch einmal zu wiederholen, Sie können jederzeit während der Leberreinigung Wasser trinken, außer direkt vor und nach der Einnahme von Bittersalzen (etwa 20 Minuten). Vermeiden Sie auch zwischen 21.30 Uhr und 2.00 Uhr Wasser zu trinken (wenn Sie zufällig aufwachen). Abgesehen davon können Sie Wasser trinken, wann immer Sie Durst haben.

Haben Sie Schwierigkeiten mit der Reinigung?

Unverträglichkeit von Apfelsaft

Wenn Sie aus irgendeinem Grund Apfelsaft (oder Äpfel) nicht vertragen können, können Sie sie durch die folgenden Kräuter ersetzen: Gold Coin Grass und Bupleurum. Die Kräuter sind Bestandteil einer Tinktur, die als *Gold Coin Grass* (GCG) verkauft wird.

Die Apfelsäure im Apfelsaft löst außergewöhnlich gut Teile der stagnierenden Galle und macht die Steine weicher. (Nähere Informationen zur Apfelsäure im Folgende). Preiselbeersaft enthält ebenfalls *Apfelsäure* und kann statt Apfelsaft verwendet werden (siehe nachfolgend).

Die oben erwähnten Kräuter weichen ebenfalls Gallensteine wirksam auf und können deshalb als Vorbereitungsschritt für die Leberreinigung verwendet werden, obwohl es ein wenig länger dauern kann, als mit Apfel- oder Preiselbeersaft. Die richtige Dosierungsmenge der Tinktur beträgt einmal täglich 1 Esslöffel auf leeren Magen, ungefähr 30 Minuten vor dem Frühstück. Behalten Sie diese Kur für acht bis neun Tage vor dem Tag der Leberreinigung bei.

Unverträglichkeit von Bittersalzen

Wenn Sie allergisch auf Bittersalze reagieren oder diese nicht vertragen, können Sie stattdessen Magnesiumcitrat verwenden (obwohl es nicht ganz so wirksam wie Bittersalze ist). Magnesiumcitrat ist in den meisten Drogerien erhältlich.

Unverträglichkeit von Olivenöl

Wenn Sie auf Olivenöl allergisch reagieren oder es nicht vertragen, können Sie stattdessen reines Macadamiaöl, expeller-gepresstes oder kaltgepresstes Traubenkernöl, Sonnenblumenöl oder andere expeller-gepresste Öle verwenden. Verwenden Sie kein Canola, Sojabohnenöl oder ähnliche verarbeitete Öle. Bitte beachten Sie, dass natives Olivenöl Extra weiterhin das wirksamste Öl für die Leberreinigung zu sein scheint.

Sie leiden an einer Erkrankung der Gallenblase oder haben keine Gallenblase mehr

Wenn Sie an einer Erkrankung der Gallenblase leiden oder Ihnen die Gallenblase bereits entfernt wurde, müssen Sie zwei oder drei Wochen vor der Leberreinigung Preiselbeersaft oder Gold Coin Grass einnehmen (ungefähr einen Flaschenvorrat). Für Details beachten Sie bitte die vorherigen und folgenden Abschnitte.

Generell wird auch die Einnahme von Ergänzungsmittel zur Unterstützung der Galle empfohlen. Die meisten Ergänzungsmittel für die Galle enthalten Rindergalle. Ohne Gallenblase sind Sie nie wieder in der Lage, die richtige Menge Galle produzieren zu können, die Sie für die ordnungsgemäße Verdauung von Nahrung benötigen. Wenn Sie Durchfallsymptome entwickeln, verringern Sie die Dosierung oder brechen Sie die Einnahme ab. Beraten Sie sich mit Ihrem Heilpraktiker, welches Produkt für Sie am geeignetsten sein kann.

Wann Sie auf Apfelsaft verzichten sollten

Einige Menschen haben vielleicht Schwierigkeiten den Apfelsaft in den für die Leberreinigung erforderlichen Mengen zu trinken. Dazu gehören Menschen, die unter Diabetes, Hypoglykämie (Unterzuckerung), Pilzinfektion (Candida), Krebs und Magengeschwüren leiden.

In jedem dieser Fälle können Sie den Apfelsaft durch Apfelsäure in Pulverform ersetzen. Verzichten Sie lieber auf Apfelsäurekapseln, besonders wenn sie weitere Inhaltsstoffe enthalten. Die Apfelsäure sollte vor der Einnahme richtig aufgelöst sein. Die Vorbereitungszeit ist dieselbe wie bei der Apfelsaftkur, nur dass sie anstelle des Apfelsafts nun bis 1 Teelöffel Apfelsäure mit 1 Liter zimmertemperaturwarmen Wasser vermischen (oder mehr, wenn es Ihnen zu sauer ist). Trinken Sie diese Lösung in kleinen Mengen über den Tag verteilt. Lebensmitteltaugliches Apfelsäurepulver (nicht mit Magnesium oder anderen Zutaten gemischt) ist sehr billig und kann über das Internet oder in einigen Reformhäusern bezogen werden. Alle Weingüter verwenden Apfelsäure, um Wein herzustellen.

Preiselbeersaft enthält ebenfalls viel Apfelsäure und kann zur Vorbereitung benutzt werden (100 ml Saft vermischt mit 100 ml Wasser, viermal täglich über sechs Tage). Man kann ihn auch mit Apfelsaft kombinieren. Es ist von zusätzlichem Vorteil, wenn Sie zwei oder drei Wochen vor der Leberreinigung zusätzlich Preiselbeersaft verwenden.

Eine weitere Alternative stellt Gold Coin Grass dar. Gehen Sie nach den gleichen Anweisungen wie bei der Apfelsaftunverträglichkeit vor. Sie können bei einer Reinigung Apfelsäure oder Preiselbeersaft verwenden und Gold Coin Grass bei der nächsten. So können Sie feststellen, was für Sie am besten funktioniert.

Eine vierte Alternative stellt Apfelweinessig dar: Mischen Sie 1 bis 2 Esslöffel in ein Glas Wasser und trinken Sie sechs Tage lang vier Portionen täglich.

Kopfschmerzen oder Übelkeit in den ersten Tagen nach der Leberreinigung

Die meisten Fälle von Kopfschmerzen oder Brechreiz treten auf, wenn die Anweisungen nicht sorgfältig befolgt wurden. (Siehe vorherige Abschnitte). Doch in einigen seltenen Fällen werden Gallensteine auch nach Vollendung einer Leberreinigung ausgeschieden. Einige der durch diese Steine freigesetzten Toxine können ins Kreislaufsystem eindringen und

Beschwerden verursachen. In solch einem Fall kann es hilfreich sein, für sieben aufeinander folgende Tage (oder solange die Beschwerden anhalten) ca. 100 ml Apfelsaft zu trinken. Am besten trinken Sie den Apfelsaft mindestens 1/2 Stunde vor dem Frühstück. Außerdem kann eine wiederholte Colonreinigung notwendig sein, um die später erscheinenden Steine auszuscheiden. Außerdem hilft die in Kapitel 5 erwähnte Gewebereinigungsmethode (ionisiertes Wasser) die zirkulierenden Toxine zu entfernen. Um den Brechreiz schnell zu stoppen, können Sie ein kleines Stück frischen Ingwer in das ionisierte Wasser geben. Wenn Sie täglich zwei bis drei Tassen Kamillentee trinken, trägt das ebenfalls dazu bei, dass sich der Verdauungstrakt und das Nervensystem beruhigen. Kamille ist auch ein guter „Steinbrecher" verkalkter Steine.

Krankheitsgefühle während der Reinigung

Wenn Sie allen Anweisungen richtig gefolgt sind, sich aber während der eigentlichen Leberreinigung immer noch krank fühlen, ist das kein Grund zur Besorgnis. Obwohl nur selten, kann es dennoch vorkommen, dass manche Menschen während der Nacht Übelkeit entwickeln oder sich angeekelt fühlen. Das geschieht, wenn die Gallenblase Galle und Gallensteine mit solcher Kraft ausstößt, dass die Galle das Öl in den Magen zurück drückt. Wenn diese Galle-Öl-Mischung in den Magen zurückkehrt, kann es sein, dass Sie sich krank fühlen. In solch einem Fall können Sie die Ausscheidung von Steinen fühlen. Es ist kein starker Schmerz, sondern eher schwache Kontraktionen.

Während meiner 12 Leberreinigungen ist mir das nur einmal passiert. Und obwohl ich den größten Teil der Ölmixtur erbrochen habe, war diese Reinigung genauso erfolgreich wie alle anderen. Als ich mich erbrach, hatte das Öl bereits seine Arbeit getan; d. h. es sorgte für die Ausschüttung von Gallensteinen. Sollte das bei Ihnen auch passieren, denken Sie daran, dass es sich nur um eine unangenehme Nacht handelt. Die Genesung von einer herkömmlichen Gallenblasenoperation kann viele Wochen oder Monate in Anspruch nehmen. Operationen können zu starken Schmerzen führen, unter denen Sie in der Zukunft leiden müssen.

Sofortige Linderung: Es gibt jedoch ein gutes Heilmittel, durch das der Brechreiz innerhalb von Sekunden gestoppt werden kann. Nehmen Sie eine Salzsäuretablette (HCL) oder zwei Esslöffel Aloe Vera Saft. Das schließt den Schließmuskel der Speiseröhre, so dass die Ölmixtur sich nicht mehr nach oben in die Speiseröhre bewegen kann. Das verhindert, dass Sie sich krank fühlen.

Die Leberreinigung lieferte nicht die erwarteten Ergebnisse

In einigen, wenn auch sehr seltenen Fällen, erzeugt die Leberreinigung nicht die erwarteten Ergebnisse. Nachfolgend finden Sie die beiden Hauptgründe dafür und deren Lösung:

1. Wahrscheinlich haben schwere Verstopfungen in den Gallengängen Ihrer Leber, die aufgrund der äußerst kompakten Bauweise von Gallensteinen aufgetreten sind, den Apfelsaft davon abgehalten, die Steine während des ersten Reinigungsversuchs ausreichend aufzuweichen. Bei manchen Menschen kann es sogar zwei bis drei Leberreinigungen dauern, bis die Steine beginnen zum Vorschein zu kommen. Chancapiedra, auch als „Steinbrecher" bekannt, kann helfen Ihre Leber und Gallenblase für eine effizientere Freisetzung von Steinen vorzubereiten, besonders wenn es sich um verkalkte Steine in der Gallenblase handelt. Nehmen Sie mindestens für zwei bis drei Wochen vor der Reinigung täglich 20 Tropfen *Chancapiedra*-Extrakt in einem Glas Wasser ein. Eine enterale Zufuhr von Pfefferminzöl (in Kapselform) kann die verkalkten Steine ebenfalls erfolgreich auflösen oder schrumpfen lassen. Es ist jedoch schwer, es in reiner Form zu finden. Häufig ist das Pfefferminzöl mit anderen Zutaten vermischt, die seine Wirksamkeit reduzieren können. Wenn Sie zwei bis drei Tassen Kamillentee pro Tag trinken, können die verkalkten Steine ebenfalls aufgelöst werden. Eine andere nützliche Methode die Leber und Gallenblase während der Reinigung zu unterstützen und die Freisetzung von mehr Steinen zu fördern, besteht darin, ein Stück Flanell in erhitztem Apfelweinessig einzuweichen und dieses während der 20 bis 30 Minuten, in denen Sie still liegen, auf den Leber- und Gallenblasenbereich zu legen. Bei einigen Menschen wirkte es besser, wenn sie anstatt Apfelweinessig warmes Rizinusöl verwendeten. *Chinesischer Enzian* und *Bupleurum* sind hilfreich einen Teil der Verstopfung aufzulösen, wodurch sie Ihre Leber auf eine erfolgreiche Reinigung vorbereiten können. Diese Kräuter gibt es als Tinktur. Sie sind allgemein als chinesische Bitterstoffe bekannt. Die richtige Dosierung für diese Tinktur ist einmal täglich bis 1 Teelöffel auf leeren Magen, ungefähr 30 Minuten vor dem Frühstück. Diese Kur sollte ungefähr drei Wochen vor der Vorbereitungsphase mit Apfelsaft (oder vor Verwendung der anderen im vorherigen Abschnitt besprochenen Alternativen) durchgeführt werden. Unangenehme Reinigungsreaktionen verschwinden für gewöhnlich nach drei bis sechs Tagen; durch Befolgung der

Gewebereinigungsmethode (heißes, ionisiertes Wasser) und durch Reinigung des Colons (durch OxyFlushTM Kapseln, Oxy-Powder®, Colosan, ein Colema Board oder ein Klistier – siehe Kapitel 5) werden sie minimiert. Sie können auch täglich für eine Woche drei Esslöffel unverdünnten, ungesüßten Zitronensaft (ca.15 bis 30 Minuten vor dem Frühstück) trinken. Das stimuliert die Gallenblase und macht sie bereit für eine erfolgreichere Leberreinigung.

2. Eventuell haben Sie die Anweisungen nicht richtig befolgt. Wenn Sie irgendeinen Punkt des Heilverfahrens auslassen, oder die Dosierungen und Zeitabläufe der angegebenen Schritte verändern, kann es sein, dass das Verfahren nicht den angestrebten Erfolg zeigt. Bei vielen Menschen wirkt die Leberreinigung nicht, wenn nicht zuvor der Dickdarm gereinigt wurde. Die Speicherung von Abfallprodukten und Gasen reduziert die Ausscheidung ausreichender Mengen Galle und verhindert, dass sich die Ölmixtur ungehindert durch den Magen-Darm-Trakt bewegen kann. Bei Menschen, die unter starken Verstopfungen leiden, kann sich die Gallenblase während der Leberreinigung kaum öffnen. Der beste Zeitpunkt für eine Darmspülung oder eine alternative Colonreinigungsmethode ist der Tag der eigentlichen Leberreinigung.

Darmsanierung – Zur Prävention und Heilung

Die Gesundheit und die Lebenskraft Ihres Körpers hängen größtenteils von der mühelosen und kompletten Ausscheidung von Abfallprodukten aus dem Darmtrakt ab. Die meisten physischen Probleme werden durch eine Zunahme von Abfallstoffe verursacht und verschlimmert. Diese Abfallstoffe wachsen zunächst in den Eingeweiden und breiten sich dann in die anderen Teile des Körpers wie Leber, Nieren, Herz, Lungen, Gesicht und Haut aus.

Das angesammelte oder eingeschlossene Abfallmaterial im Dickdarm kann sich aus zusammengepressten Fäkalien, verhärtetem Schleim, totem Zellgewebe, Gallensteinen, die aus der Gallenblase freigesetzt wurden, toten und lebenden Bakterien, Parasiten, Würmern, Metallen und anderen schädlichen Substanzen zusammensetzen. Es untergräbt die wichtige Rolle des Colons, notwendige Mineralstoffe und bakteriell hergestellte Vitamine, einschließlich des äußerst wichtigen Vitamins B12, zu absorbieren. Teile der Abfallprodukte können in die Lymphen und Blutsysteme eindringen, wodurch Sie sich müde, träge oder krank fühlen können.

Beschwerden, die im Zusammenhang mit dem Colon stehen, sind Verstopfung, Durchfall, Blähungen, Kopfschmerzen, Schwindel, Brechreiz, Nebenhöhlenentzündung, Augen- und Ohrenerkrankungen, Rückenschmerzen, Mundgeruch, Körpergeruch, Ischialgie, Hautunreinheiten und -krankheiten, Bauchgase, Kraftlosigkeit, Störungen des Nervensystems usw. Ein sauberes Colon ist die Voraussetzung für eine ausgewogene Arbeitsweise des restlichen Körpers. Die Reinigung des Dickdarms sollte deshalb ein Teil jedes Heilverfahrens sein.

Halten Sie Ihre Eingeweide sauber

Ein schwacher, gereizter und verstopfter Dickdarm ist eine Brutstätte für zerstörerische Bakterien, die keinen anderen Zweck haben, als potenziell gefährliche Abfallstoffe abzubauen. Als unvermeidbare Nebenwirkung Ihrer wahrhaft lebensrettenden Aktivitäten erzeugen diese Mikroorganismen toxische Giftstoffe. Einige dieser erzeugten Toxine dringen ins Blut ein, das sie geradewegs zur Leber liefert. Die konstante Belastung der Leberzellen durch diese Toxine schwächt außerordentlich ihre Leistung, was Gallensteine verursacht und die Ausscheidung von Galle reduziert. Außerdem führt es zu weiteren Störungen der Verdauungsfunktionen. Irgendwann können die Toxine nicht mehr von der Leber aus dem Blut entfernt werden, wodurch sie sich in den Geweben von Organen und Systemen des Körpers ansammeln. Ins Lymphsystem eindringende Toxine verursachen letztendlich Lymphverstopfung, Flüssigkeitsspeicherung, Aufgedunsenheit und Gewichtszunahme.

Wenn Sie stark verarbeitete Nahrungsmittel essen, die der meisten ihrer Nährstoffe, natürlichen Ballaststoffe und Lebenskräfte beraubt wurden, hat Ihr Colon große Probleme die Nahrungsmittelmasse oder den Speisebrei fortzubewegen. Verarbeitete Nahrungsmittel neigen zu trockenem, hartem oder klebrigem Speisebrei zu führen, der nicht leicht durch den Darm transportiert werden kann. Die Muskeln, die das Colon umhüllen, können einen eher faserigen und unförmigen Speisebrei verdichten und vorwärts drücken. Sie haben jedoch Probleme mit faserlosem, zähflüssigem und klebrigem Speisebrei. Wenn sich Speisebrei zu lange im Colon befindet, wird er jeden Tag härter und trockener. Wenn das das Einzige wäre, was passiert – sich härtender Speisebrei – müssten Sie sich nur um die Verstopfung Sorgen machen, unter der Millionen Amerikaner leiden. Aber es gibt mehr. Nachdem der Speisebrei / die Fäkalien die Wände des Colons verputzen, passieren verschiedene Dinge, inklusive:

- Gärung, Fäulnis und Verhärtung, dadurch eine Brutstätte für Parasiten und Pathogene (Krankheit verursachende Stoffe), und ein Lagerplatz für toxische Chemikalien, die das Blut und die Lymphe verunreinigen können und langsam den Körper vergiften.
- Bildung einer Barriere, die das Colon daran hindert, mit Nährstoffen zu interagieren und diese aus dem Nahrungsmittelbrei zu absorbieren.
- Begrenzung der Bewegung der Colonwände, was es für das Colon schwierig macht sich rhythmisch zusammenzuziehen (Peristaltik), um den Speisebrei auf seinem Weg zu beschleunigen. Wie gut könnten Sie Ihre Arbeit erledigen, wenn Sie mit dickem Schlamm überzogen wären?

Im Folgenden finden Sie einige Symptome, die infolge einer Funktionsstörung des Colon auftreten:

- Kreuzschmerzen
- Flatulenz/Blähungen
- Nacken- und Schulterschmerzen
- Aufgedunsenheit
- Hautprobleme
- Morbus Crohn
- Gehirnnebel (Konzentrationsschwierigkeiten)
- Colitis ulcerosa
- Erschöpfung
- Trägheit
- Dickdarmentzündung und Reizdarmsyndrom (IBS)
- Divertikulitis / Divertikulose
- Erkältung und Grippe
- Pathologisch durchlässige Darmwand
- Kalte Hände und Füße
- Unterleibsschmerzen
- Verstopfung oder Durchfall
- Verdauungsprobleme

Der Dickdarm absorbiert Mineralstoffe und Wasser. Wenn die Membran des Dickdarms mit Ablagerungen belastet wird, ist sie nicht mehr in der Lage Mineralstoffe und bestimmte Vitamine ordnungsgemäß aufzunehmen und zu absorbieren. Demnach ist es egal, wie viele Ergänzungsmittel Sie zu sich nehmen. Ihr Körper wird beginnen unter Nährstoffmängeln zu leiden. Die meisten Krankheiten sind in Wirklichkeit Mangelstörungen. Sie entstehen, wenn bestimmte Teile des Körpers unter Unterernährung leiden; besonders von Mineralstoffen (beachten Sie auch den Abschnitt über ionische Minerale in diesem Kapitel). Die Hauptursache von Mangelernährung ist Darmverstopfung. Ich empfehle mehrere mögliche Methoden um eine Darmsanierung zu unterstützen, die da wären: *Darmspülung,*

Magnesiumoxid- und Klistierkuren. Ich habe Verständnis dafür, dass nicht jeder Zugang zu einem Therapeuten hat, der die Colon-Hydrotherapie durchführen kann. Aus diesem Grund habe ich einige andere Optionen mit einbezogen.

Darmspülung

Wir alle wissen, wie wichtig es ist unser Körperäußeres zu reinigen. Jedoch ist es nur wenigen Menschen bewusst, dass dasselbe auch für das Körperinnere gilt. Altägyptische Schriften zeigen, dass die Reinigung des Körperinneren mit Wasser als schnellste und wirksamste Methode betrachtet wurde, Fieber zu senken, Unterleibsschmerzen zu verringern und bei der Linderung jedweder Leiden und Beschwerden zu helfen. Die Menschen der Antike wussten, dass die meisten Krankheiten bloß Manifestationen eines einzelnen Leidens waren, des Leidens der Autointoxikation (Selbstvergiftung). Autointoxikation entsteht dadurch, dass jemand durch seine eigenen Abfallprodukte vergiftet wird. Die unvollständige Eliminierung des Abfallprodukts aus den Eingeweiden verwandelt den Körper in einen Toxinsumpf.

Obwohl Darmspülungen in jedem guten Krankenhaus bis in die 1920er Jahre ein medizinisches Standardverfahren waren, werden sie heute als unnötig, unwirksam oder sogar schädlich betrachtet; nicht, dass die Ärzte jemals eine für sich selbst oder ihre Patienten ausprobiert hätten. In Russland ist die Darmspülung für alle Patienten ein Standardverfahren, unabhängig davon, unter welcher Art Erkrankung die Patienten leiden. Die Colonreinigungs-Behandlung wird bei jedem Patienten kurz nach Betreten des Krankenhauses durchgeführt. Russische Ärzte glauben, dass ein toxischer, verstopfter Körper nicht richtig auf ihre Behandlungsprogramme reagiert. Einige israelische Krankenhäuser behandeln Patienten sogar so lange nicht, bis diese eine Colonreinigung hatten.

Die Darmspülung, auch Colon-Hydrotherapie oder Colonic genannt, ist vielleicht eine der wirksamsten Darmreinigungstherapien. Innerhalb kürzester Zeit kann ein Colonic große Mengen jahrelang angesammelter Abfallprodukte beseitigen. Während einer 40-50 minütigen Darmspülungssitzung werden insgesamt zwei bis sechs Liter destilliertes oder gereinigtes Wasser verwendet, um das Colon behutsam durchzuspülen. Durch sanfte Unterleibsmassage werden alte Ablagerungen schleimartiger, fäkaler Substanzen (Abfallprodukte die mit altem Schleim vermischt und gehärtet wurden) gelöst und anschließend durch das Wasser ausgespült.

Eine Colonic entfernt nicht nur schädliche, toxische Abfallprodukte, sondern sie spannt, hydratisiert und verjüngt die Colonmuskeln. Die wiederholte Aufnahme und Abgabe von Wasser verbessert die peristaltische Bewegung des Colons und reduzieren die Durchgangszeit der Fäkalien. Außerdem hilft die Darmspülung die natürliche Gestalt des Colons wiederherzustellen und stimuliert die Reflexpunkte, die das Colon mit allen Teilen des Körpers verbinden. Diese Form der Colonreinigung kann alte, verkrustete Schichten Abfallmaterials von den Colonwänden lösen, was eine verbesserte Wasseraufnahme und Hydratation des Colons und des ganzen Körpers zulässt. Jedoch benötigt man zwei bis drei Colonic-Sitzungen, damit diese letztgenannten Vorteile wirksam werden.

Darmspülungen können auch bei emotionalen Problemen helfen. Es ist kein Zufall, dass das Quercolon direkt durch den Solarplexus führt, der das emotionale Zentrum des Körpers ist. Die meisten unserer ungelösten oder „unverdauten" emotionalen Probleme werden im Solarplexus gespeichert und führen zu einer Straffung des Colonmuskels. Das kann den Stuhlgang verlangsamen und Verstopfungen verursachen. Colonics können helfen die physische Blockade zu beseitigen und die Spannung zu lösen, die überhaupt erst durch emotionale Verdrängung verursacht wurde. Colonics haben eine wahrhaft erleichternde Wirkung. Während eines Colonic können Sie von Zeit zu Zeit eine geringe Unpässlichkeit oder Kälte spüren. Das liegt daran, dass sich größere Mengen toxischer Abfallprodukte von den Darmwänden lösen und zum Enddarm bewegen. Jedoch macht das kurz darauf folgende Gefühl der Leichtigkeit, Sauberkeit und Geistesklarheit diese negativen Gefühle bald wett.

Darmspülungen sind ein sehr sicheres und hygienisches Verfahren das Colon zu reinigen. Gummischläuche befördern Wasser in das Colon und Abfallprodukte aus dem Colon. Man kann sehen, wie die freigesetzten Abfallstoffe durch einen Schlauch fließen, wobei sich Art und Menge der beseitigten Abfallprodukte zeigen. Obwohl einige Kritiker behaupten, dass dieses Heilverfahren Gefahren in sich birgt, habe ich in all den Jahren, in denen ich mit Colonics gearbeitet habe, nie eine Begründung für diese Behauptungen gesehen. Jedoch kann es sehr riskant sein, besonders in Anbetracht des heutigen hohen Aufkommens von Reizdarmsyndromen und Darmkrebsen, nicht gelegentlich eine Colonic durchzuführen.

Die Colonreinigung führt man am besten bei leerem Magen durch. Nach der Reinigung ist es vorteilhaft, wenn man ein bis zwei Gläser Wasser trinkt und ein Stück Obst isst oder wenn man 1/2 Stunde nach der Reinigung einen frisch gepressten Obstsaft trinkt. Die ersten ein oder zwei Mahlzeiten nach der Behandlung sollten leicht sein und keine Nahrungsmittel wie Fleisch, Eier, Käse, gebratenes Essen usw. enthalten.

Einige Menschen haben ihre Beunruhigung über den Verlust freundlicher, probiotischer Bakterien im Colon, infolge einer Colonic, ausgedrückt. Es ist tatsächlich viel leichter für freundliche Colonbakterien, sich in einer sauberen Umgebung neu zu bevölkern, als in einer mit verfaulten und gegorenen Abfallprodukten gefüllten. Sobald das Colon richtig gereinigt ist, braucht man weniger als 36 Stunden, um die normale Bakterienpopulation wieder herzustellen. Wenn Sie deshalb trotzdem noch Bedenken haben, können Sie bodengebundene Mikroben, wie Nature's Biotics (upwardquest.com) oder ähnliche Produkte verwenden. Sie können sicher sein, dass jedes dieser Produkte lebende, nicht tote, Bakterien enthält. Ich persönlich bin kein Befürworter von Probiotika, weil ich, trotz überzeugender Theorien, keine aussagekräftigen Vorteile erkennen konnte.

Nach einer Colonic wird der Stuhlgang innerhalb von ca. zwei Tagen wieder normal sein. Wenn es länger dauert, deutet es darauf hin, dass das Colon im Laufe von vielen Jahren übermäßig große Mengen Abfallprodukte angesammelt hat. Damit man all diese Abfallprodukte weich machen und ausspülen kann, muss man evtl. eine Reihe von Colonics und Leberreinigungen durchführen. Außerdem müssen sowohl Ernährung als auch Lebensweise ausgewogen sein.

Sobald das Colon durch die Colonics gründlich gereinigt ist, steigert das die Effektivität von ernährungsbedingten Verbesserungen, Training, Leber- und Nierenreinigungen und allen anderen Gesundheitsprogrammen. Da sich ungefähr 70 bis 80 Prozent des Immungewebes in den Eingeweiden befinden, kann es einen entscheidenden Unterschied in der Behandlung von Krebs, Herzerkrankungen, Arthritis, AIDS und anderen Krankheiten machen, wenn man das Colon von immunsuppressiven toxischen Abfallprodukten reinigt und Gallensteine aus Leber und Gallenblase entfernt.

Colema Board ®

Wenn es in Ihrer Umgebung keinen Therapeuten gibt, der Colonics durchführt, können Sie einen erheblichen Nutzen aus der Verwendung eines Colema Boards ® als zweitbeste Wahl ziehen (siehe Abbildung 17). Die Behandlung mit einem *Colema Board®* beruht auf demselben Grundsatz, wie die Colon-Hydrotherapie, obwohl sie nicht genauso wirksam und gründlich ist. Der Vorteil eines Colema Boards ® liegt darin, dass Sie Ihr Colon bequem zu Hause reinigen. Die Colema Colonreinigung ist eine Do-it-yourself Behandlung, die leicht zu erlernen und durchzuführen ist.

Eine andere, ganz ähnliche Methode ist das *„Home Colonic Irrigation Kit"*. Diese Behandlungsmethode ist vielleicht nicht ganz so leicht durchzuführen wie eine Colema Behandlung, aber sie kommt einer professionellen Darmspülung am nächsten. Die meisten Menschen finden aber, dass das *Colema Board®* benutzerfreundlicher ist und dem stimme ich im Wesentlichsten zu.

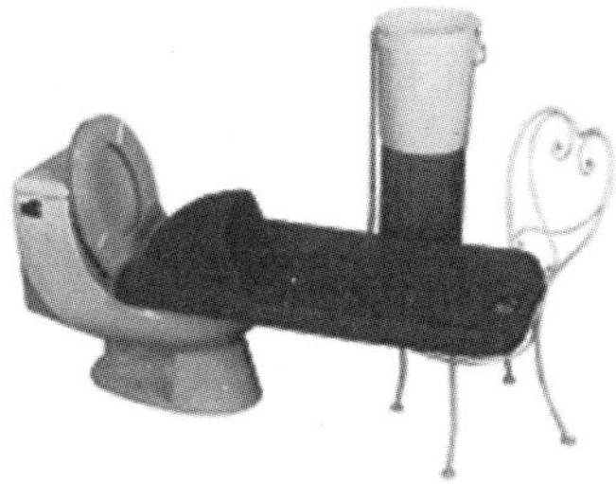

Abbildung 17: Colema Board

Colosan Behandlung

Colosan (das früher unter dem Namen ColoZone bekannt war) ist eine geheime Mischung verschiedener Magnesiumoxide, die schonend Sauerstoff in den Verdauungstrakt freisetzt, um diesen zu reinigen. Bitte beachten Sie, dass es noch andere Marken Magnesiumoxid mit ähnlicher Wirkung gibt, z. B. Oxy-Powder®, Homozon und Oxy-Cleanse® und Aerobic Mag 07. Einige sind leichter anzuwenden als andere, aber sie wirken alle auf ziemlich gleiche Art. Die bevorzugte Darreichungsform sind Kapseln.

In meiner Praxis habe ich die Erfahrung gemacht, dass Colosan (oder ähnliche) ein sehr nützliches Produkt ist, um folgenden Problemen entgegenzuwirken:

- Ansammlung unverdauter Substanzen in Eingeweiden und Colon
- Behinderte Aufnahme von Nährstoffen
- Der Anwesenheit von Krankheitserregern und Parasiten, die sich in den Fäulnisprodukten des Verdauungstrakts vermehren
- Entgiftung oder Heilkrise in Verbindung mit vielen Gesundheitskuren
- Sauerstoffmangel, um die Homöostase beizubehalten

Die wichtigsten Wirkungen von Colosan:

- Es setzt Sauerstoff in Eingeweide und Colon frei, um zu helfen, die Ausscheidung von Abfallprodukten zu beschleunigen.
- Es liefert die für die richtige Verdauung erforderliche Sauerstoffmenge und reinigt die Verdauungsmembrane, um eine verbesserte Aufnahme von Nährstoffen zu ermöglichen.
- Es beseitigt den unerwünschten Aufbau von Toxinen, was zum Aufbau einer sauberen und gesunden Umgebung führt, wo es keinen Raum oder „Nahrung" für krankheitsverursachende Mikroben gibt.

Wie wirkt Colosan?

Die verschiedenen Magnesiumoxyde, die in Colosan enthalten sind, binden Sauerstoff und Ozon an Magnesium. Diese basische Verbindung bedarf eines äußerst niedrigen pH-Werts, damit sie den Sauerstoff freisetzen kann. Deshalb trägt der Saft einer Zitrone oder Apfelweinessig zur Unterstützung der Chlorwasserstoffsäure (Magensäure) im Magen bei. Ein durchschnittlich großer Esslöffel (etwa 7 bis 10 g) reines Magnesiumoxid erzeugt ein Gesamtvolumen von 3,85 Kubikmetern Sauerstoff. Bei der Anwendung von Colosan würde ein Teelöffel etwa 7,5 Liter reaktionsfähigen Sauerstoff liefern. Dieser Sauerstoff wird für den Magen biologisch verfügbar gemacht, was den Sauerstoffumsatz um 40 Prozent effizienter macht als den der Lungen. Er hilft auch bei der Oxidierung von unverdauten Fäulnisprodukten, die bekanntermaßen die Gedärme und das Colon zusammenpressen. Der Durchschnittsmensch trägt 2,4 bis 5,4 Kilogramm Fäulnisprodukte in sich, die in seinen Eingeweiden verfaulen, Krankheitserreger züchten und ein angenehmes Heim für Parasiten, Keime, Bakterien und Viren schaffen.

Verdauung ist bekanntermaßen ein Oxydationsprozess. Indem man

Sauerstoff in die Eingeweide und das Colon einleitet, kann man die Nährstoffaufnahme sowie die Oxidierung von unverdautem Material unterstützen. Colosan verwandelt unverdautes Material leicht in C0 2 und Wasser. Aus diesem Grund ist Colosan reinigend. Es ist nicht ungewöhnlich, während der Verwendung von Colosan sehr flüssigen Stuhl zu haben; das ist ein Zeichen dafür, dass das Produkt wirkt. Wenn der Stuhlgang während der ersten beiden Behandlungen nicht flüssig ist, deutet das darauf hin, dass der größte Teil des Magnesiums sofort absorbiert wird. Dies wiederum weist auf Mineralstoffmangel hin. Nach einigen Behandlungen normalisiert sich die Situation wieder. Der Stuhlgang wird flüssig und tritt häufiger nach jeder Colosandosis auf. Viele Menschen verwenden Colosan ein- bis zweimal wöchentlich als Pflegeprodukt, um sauber zu bleiben und Gleichmäßigkeit aufrechtzuerhalten.

Das häufigste Gesundheitsproblem, bei dem sich Colosan als sehr nützlich erwiesen hat, ist, neben unregelmäßigem Stuhlgang, Candida (siehe auch Band 2). Colosan liefert den Eingeweiden und dem Colon eine aerobe Umgebung. Deshalb dient es den „freundlichen" Bakterien, die sich positiv und hemmend auf die toxinproduzierenden, unerwünschten Bakterien auswirken. Anders gesagt, dieses Produkt ist hilfreich beim Gedeih einer gesunden Darmflora.

Colosan kann man verwenden, um jeder Art Heilkrise oder Entgiftungsreaktion, die man während eines bestimmten Reinigungsprogramms haben könnte, vorzubeugen. Jeder Mensch, der sich mit Naturheilverfahren auskennt, ist in der Regel mit derartigen Ereignissen vertraut. Diese unerwünschten Erfahrungen entstammen dem Versuch den Körper zu reinigen, bevor die Ausscheidungsorgane gereinigt wurden. Das führt zur Stauung toxischer Abfallprodukte. Der Körper versucht häufig sich dieser Abfallprodukte durch die Haut zu entledigen. Die zurückgespülten Abfallprodukte können Brechreiz, Kopfschmerzen, Müdigkeit, Ohr- und Augenprobleme, schmerzende Gelenke oder Schmerzen in Hals und Schultern auslösen. Von diesem Einstrom von Toxizität können ebenfalls Leber und Nieren betroffen sein.

Indem Sie die Ausscheidungsorgane durch den Gebrauch von Colosan leeren, können Sie Entgiftungsreaktionen vermeiden, die durch Kräuterreinigungs- oder andere Kuren ausgelöst werden. Colosan ist in den Vereinigten Staaten bei „The Family News" und vielen Online-Reformhäusern erhältlich.

Anmerkung: *Die Produkte Oxy-Powder ®, Oxy-Cleanse ® oder ähnliche haben ungefähr die gleiche Wirkung wie Colosan und könnten stattdessen verwendet werden. Die Preise für jedes Produkt variieren.*

Die Salzwasserspülung

Wenn Sie den Darmtrakt nur einen Tag lang reinigen möchten, können Sie nach dem Aufstehen ein orales Salzwasserklistier nehmen. Um diese Reinigung durchzuführen, fügen Sie einem Liter (1000 ml) lauwarmen Wasser 2 gestrichene Teelöffel nicht-ionisiertes, unraffiniertes, unverarbeitetes Meersalz hinzu. Schütteln Sie die Mischung gut durch und trinken Sie den kompletten Liter. Sie gewöhnen sich an den Geschmack, während Sie sie trinken. **Wichtige Anmerkung:** Stellen Sie sicher, dass Sie nur nicht-ionisiertes, unverarbeitetes Meersalz verwenden; normales oder ionisiertes Meer- oder Tafelsalz führt zu Krankheitsgefühlen und schädlichen Nebenwirkungen.

Wenn es in Ihrem Reformhaus kein natürliches Meersalz gibt, können Sie es über das Internet bestellen. Genauso gut ist Mineral- oder Steinsalz, das eine grauweiße Farbe hat. Sie können diese Reinigung durchführen, wenn Sie etwas gegessen haben, das Sie wissentlich nicht vertragen und aufgrund dessen Sie sich verstopft fühlen. Führen Sie diese Prozedur jedoch nicht häufiger als einmal pro Woche durch. Ein weiterer Vorteil ist, dass diese Kur für gewöhnlich keinerlei Krämpfe oder Beschwerden verursacht. Jedoch funktioniert diese Reinigung nicht bei jedem. Menschen mit stark verstopften Colons werden evtl. kaum Linderung finden, und Menschen die sehr schnell Wasser speichern, können evtl. merken, dass ihre Hände und Füße anschwellen und Wasser aufnehmen.

Bittersalze

Eine weitere Darmreinigungsmethode umfasst den Gebrauch von Bittersalzen. Bittersalze reinigen nicht nur das Colon, sondern auch den Dünndarm. Das kann notwendig sein, wenn Sie bei der Nahrungsaufnahme große Schwierigkeiten haben, wenn Sie unter wiederholten Stauungen der Nieren/Blase oder unter starken Verstopfungen leiden. Eine Reinigung des Dünndarms ist aber genauso notwendig, wenn Sie nicht in der Lage sind, eine Darmspülung oder eine Colema durchzuführen. Mischen Sie eine Woche lang jeden Morgen einen Teelöffel Bittersalz (Magnesiumsulfat) in ein Glas warmes Wasser und trinken Sie es aus. Wichtig ist, dass Sie es zuallererst am Morgen zu sich nehmen. Dieser orale Einlauf spült Ihren kompletten Verdauungstrakt und das Colon gewöhnlich innerhalb einer Stunde von oben bis unten durch, was dazu führt, dass Sie mehrere

Male die Toilette aufsuchen müssen. Er beseitigt Schmutz und Ablagerungen von den Eingeweidewänden, gemeinsam mit Parasiten, die dort gelebt haben können. Sie können damit rechnen, dass Sie so lange wässrige Stuhlgänge haben werden, bis die Darmabfälle entsorgt sind. Der Stuhl nimmt eine normalere Gestalt und Konsistenz an, sobald der komplette Darm sauber ist.

Diese Behandlung können Sie zweimal jährlich durchführen. Zu Beginn jeder Behandlung oder immer dann, wenn die Eingeweide einige Ablagerungen von Abfallprodukten und Toxinen freisetzen, können Sie Blähungen, Aufgeblähtsein und sogar Krämpfe erwarten. Ihre Zunge kann weiß belegt und dicker als normal sein. Das deutet auf eine erhöhte Reinigung des Darms hin. Wenn Sie auf Bittersalze allergisch reagieren oder dieses Produkt momentan nicht vertragen, können Sie stattdessen Magnesiumcitrat, Colosan, Oxy-Powder ® oder ähnliche Reinigungsmethoden verwenden.

Einige Ärzte äußerten sich besorgt, dass Bittersalze schädlich für die Nieren seien und den Blutdruck beeinflussen können. In meiner 35-jährigen Praxis mit Bittersalzen habe ich solche Nebenwirkungen nie gesehen, sondern nur die Vorteile. Jedoch haben Bittersalze, im Gegensatz zu Magnesiumoxiden, abführende Eigenschaften. Das bedeutet, dass man sie nicht zu häufig verwenden sollte. Wenn Sie verordnete Medikamente einnehmen, sollten Sie besser eine andere Darmreinigungsmethode verwenden, obwohl es nur relativ wenig bekannte Reaktionen auf Medikamente gibt. Wenn Sie Magen- (Unterleibs-) Schmerzen, Übelkeit oder Erbrechen haben, verwenden Sie Magnesiumsulfat nur als Abführmittel, wenn es ärztlich verordnet wurde.

Rizinusöl

Rizinusöl wird traditionell verwendet, um Abfallprodukte ausgezeichnet aus den Eingeweiden zu entfernen. Es ist weniger irritierend als Bittersalze und hat keine Nebenwirkungen, mit Ausnahme der normalen Reinigungsreaktionen. Nehmen Sie morgens oder am Abend, bevor Sie schlafen gehen (je nachdem, was für Sie besser wirkt), einen bis drei Teelöffel Rizinusöl in 1/3 Glas warmen Wasser auf leeren Magen ein. Rizinusöl ist eine sehr nützliche Behandlungsmethode bei hartnäckigen Fällen von Verstopfung. Man kann es auch Kindern (in kleineren Dosierungen) verabreichen. Obwohl Rizinusöl Bittersalze oder Magnesiumcitrat während der Leberreinigung nicht ersetzen sollte, kann man Rizinusöl im Falle von zuvor genannten Allergien als Ersatz verwenden.

Vier große rektale Klistierbehandlungen

Bei Klistierbehandlungen werden Flüssigkeiten zum Zweck der Reinigung und Ernährung (siehe Abbildung 18) in das Rektum eingeführt. Da das Colon der Sitz von Vata ist, hat ein Klistier eine unmittelbare Wirkung auf alle Vata-Funktionen.

Es lindert Verstopfung, Distension (Aufblähung), chronisches Fieber, normale Erkältungen, Kopfschmerz, sexuelle Störungen, Nierensteine, Schmerzen in der Herzgegend, Erbrechen, Schmerzen im unteren Rücken, Versteifungen und Schmerzen in Hals und Schultern, Nervenstörungen, Übersäuerung und Müdigkeit. Bei Störungen wie Arthritis, Rheumatismus, Ischias und Gicht profitiert man ebenfalls außerordentlich von einem Einlauf.

Bitte beachten Sie: Ein Colonic oder eine Colema Behandlung wären eine noch bessere Wahl, um gestörte Vata-Funktionen auszugleichen. Bei Leberreinigungen sollte man lieber auf Colonics oder Colemas zurückgreifen. Falls diese nicht verfügbar sind, können Sie stattdessen zwei bis drei aufeinanderfolgende Wasserklistiere anwenden.

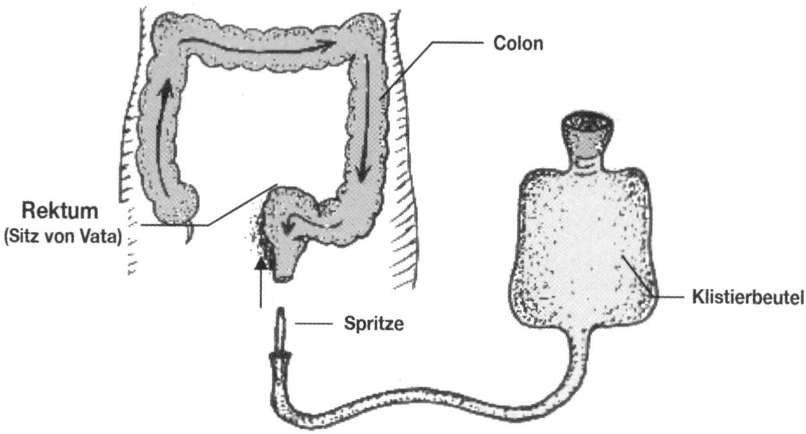

Abbildung 18: Einlaufbehandlungen

Da eine Störung des Vata Doshas für die Speicherung von Fäkalien, Urin, Galle und anderer Ausscheidungen verantwortlich ist, kann man es durch einen Einlauf beruhigen und die meisten Ausscheidungsfunktionen im Körper verbessern. Vata kontrolliert außer dem Colon noch die Lungenfunktionen und die Knochen. Alle chronischen Colonstörungen zeigen sich wahrscheinlich als Lungen- und Knochenstörungen. Obwohl sie weniger wirksam als eine Darmspülung sind, die das komplette Colon ausspült, können Einläufe schnelle Linderung zeigen, wenn das Rektum mit Fäkalien verstopft ist. Die ersten drei Arten von Klistieren können genutzt werden, um Vata wieder ins Gleichgewicht zu bringen. Das vierte Klistier kann die Verdauung und die Leberfunktionen verbessern.

1. Ölklistier: Bei zuvor genannten Problemen und chronischer Verstopfung verwenden Sie eine halbe Tasse warmes Sesam-Öl ein- oder zweimal wöchentlich. Führen Sie den Einlauf durch, indem Sie sich mit hoch gelegten Beinen auf den Rücken legen. Versuchen Sie das Öl so lange wie möglich in Ihren Eingeweiden zu halten, idealerweise für 30 Minuten oder länger. Sich auf die rechte Seite zu legen, kann äußerst hilfreich sein das Öl länger im Körper zu halten.

Anmerkung: Menschen mit Diabetes, Fettleibigkeit, Verdauungsstörungen, niedrigem AGNI und vergrößerter Milz sollten Ölklistiere vermeiden und sich für den zweiten Typ Klistier entscheiden.

2. Sud- oder Wasserklistier: Verwenden Sie bis zu einem halben Liter (500 ml) Lapacho-, Schwarzwurz- oder Chaparral-Tee, oder ein Liter gewöhnliches Wasser (bei Raumtemperatur). Diese Arten Einläufe sind bei akuter Verstopfung und bei den zuvor genannten Problemen empfehlenswert, sollten aber nicht öfter durchgeführt werden als ein- oder zweimal wöchentlich. Anmerkung: Wenn Sie unter Entkräftung, Hämorrhoiden, Entzündung des Afters oder Durchfall leiden oder wenn Sie schwanger sind, sollten Sie diese Behandlung nicht durchführen. Wenn Sie Diabetiker sind, fragen Sie Ihren Arzt. Die Wirkung wird gesteigert, wenn Sie nach einem Typ 2-Einlauf einen Typ 1-Einlauf durchführen. Bettlägerische Patienten die unter Verstopfung leiden, können Typ 1- und Typ 2-Einläufe abwechselnd durchführen.

3. Kaffeeklistier: Der Hauptzweck eines Kaffeeeinlaufs ist das Senken der Serum-(Blut-)Toxine. Der Kaffee stimuliert das viszerale Nervensystem, fördert die Peristaltik und den Transport der toxischen Galle vom Zwölffingerdarm aus dem Enddarm. Sie sollten diesen Einlauf durchführen, wenn Sie sich sehr träge und müde fühlen, besonders wenn Sie Schmerzen in Ihrem mittleren/oberen Rücken haben. All dies sind Anzeichen einer toxischen Leber. Die Wirkung tritt häufig unmittelbar auf. Geben Sie drei gehäufte Esslöffel gemahlenen Biokaffee (nicht Pulverkaffee) in 500 ml (zwei Gläser) kochendes Wasser.

Kochen Sie die Mischung drei Minuten auf und lassen Sie sie (auf niedriger Flamme) 15 Minuten lang köcheln. Filtern Sie sie durch einen Kaffeefilter oder einen Baumwollstoff. Vergewissern Sie sich, dass keine Kaffeesubstanz am Boden zurück bleibt. Lassen Sie sie auf Körpertemperatur abkühlen und führen Sie den Einlauf durch, indem Sie sich mit hochgelegten Beinen auf den Rücken legen. Halten Sie die Kaffeelösung idealerweise für 15 Minuten bei sich. Lassen Sie sie anschließend raus. Wenn Sie sich auf die rechte Seite legen, können Sie die Kaffeelösung vielleicht leichter einhalten. Sie können diesen Einlauf durchführen, wenn es Zeit und Umstände (wie sich krank fühlen) nicht zulassen, eine Leberreinigung durchzuführen. Wenn Sie ernstlich an Krebs, Leber- oder Herzkrankheiten erkrankt sind, können Sie diese Behandlung häufiger durchführen (alle zwei Tage).

4. Urinklistier: Wenn Sie unter hartnäckigen Hauterkrankungen wie Akne leiden, können eine Reihe von Urineinläufen Ihnen helfen, Ihre Hautgesundheit innerhalb von ein paar Wochen wiederherzustellen. Sammeln Sie Ihren Urin, beginnend am Morgen (nehmen Sie nur den Mittelstrahl), bis Sie ein Glas von ein bis zwei Litern voll haben. Verabreichen Sie die Klistiere am späten Nachmittag vor dem Essen. Sie können dem Urin eine kleine Menge heißes Wasser hinzufügen, um ihn aufzuwärmen. Sobald Sie die Tülle entfernen, können Sie sich auf den Rücken legen, Ihre Knie behutsam bis zum Kinn anziehen und sich, wenn möglich, für eine Minute in die Yogastellung „Schulterstand" (Kerze) begeben. Liegen Sie weitere fünf Minuten mit angewinkelten Knien auf dem Rücken. Anschließend legen Sie sich dann vorsichtig für ungefähr 10 Minuten auf die rechte Seite. Das wichtigste an diesem Einlauf ist, den Urin so lange wie möglich im Colon zu behalten. Wenn Sie jedoch starke Beschwerden spüren, geben Sie ihn frei. Wenn Sie dabei sind, den Urin und die Abfallstoffe freizusetzen, können Sie Ihren Bauch sanft im Uhrzeigersinn massieren (mit oder ohne Öl, idealerweise Sesam- oder Kokosnussöl). Bei schweren Erkrankungen wenden Sie den folgenden Plan für ungefähr fünf Wochen an:

1. Woche – ein Einlauf pro Tag, Spätnachmittag
2. Woche – ein Einlauf jeden zweiten Tag, Spätnachmittag
3. Woche – ein Einlauf jeden dritten Tag, Spätnachmittag
4. Woche – ein Einlauf jeden dritten Tag, Spätnachmittag
5. Woche – ein Einlauf jeden dritten Tag, Spätnachmittag

Da Urin die perfekte Mischung aus Vitaminen, Hormonen, Mineralien,

Antikörpern usw. enthält, erschöpfen so häufig durchgeführte Urinklistiere nicht die Nährstoffe des Colon. Tatsächlich können Urinklistiere die Gesundheit des Colon außerordentlich steigern und helfen, die Darmflora wiederherzustellen. Urinklistiere sind besonders für Candida-Patienten geeignet.

Anmerkung zur Auto-Urin-Therapie (AUT)

Die Auto-Urin-Therapie ist ein uraltes indisches und chinesisches Verfahren und erfreut sich weltweit immer größerer Beliebtheit, vor allem in Europa. Es hat Erfolge in der Behandlung einer Vielzahl von Störungen, inklusive Multipler Sklerose, Dickdarmentzündung, Hauttuberkulose, Gelenkrheumatismus, Krebs, Hepatitis, Bauchspeicheldrüseninsuffizienz, Schuppenflechte, Ekzeme, Diabetes und Herpes aufzuweisen. Für drei Millionen Chinesen stellt das Trinken ihres eigenen Urins eine anerkannte Gesundheitspraxis dar. Der ehemalige indische Premierminister Morarji Desai, der 99 Jahre alt wurde, war der namhafteste Befürworter dieser Therapie. In Deutschland hat die Gattin eines ehemaligen Bundespräsidenten im landesweiten Fernsehen öffentlich zugegeben, ihren eigenen Urin zu trinken.

AUT bedeutet, dass Sie Ihren eigenen Urin innerlich oder äußerlich anwenden, um Krankheiten zu behandeln oder zu verhindern. Die meisten Menschen gehen fälschlicherweise davon aus, dass Urin ein toxisches Abfallprodukt ist, das uns verletzen könnte, wenn wir es zu uns nehmen. Toxische oder andere schädliche Substanzen werden vom Körper durch Leber, Eingeweide, Lungen und Haut entfernt. Die Hauptaufgabe der Nieren besteht darin, das richtige Gleichgewicht von Flüssigkeiten im Körper aufrechtzuerhalten und sicherzustellen, dass das Blut immer eine ausgewogene Menge von Mineralstoffen, Salzen, Hormonen und Enzymen enthält. Urin ist nach der Ausscheidung normalerweise steril und hat eine antiseptische Wirkung. Viele Schiffbrüchige oder Menschen, die sich in der Wüste verlaufen haben, haben überlebt, indem sie ihren eigenen Urin getrunken haben. Urin enthält alles, was man zum Überleben braucht, inklusive Wasser, Mineralstoffe und Vitamine.

Dr. B.V. Khare, ein in Mumbai lebender allopathischer Arzt und Anhänger der AUT sagt: „Der jetzt in Amerika lebende italienische Chirurg Stanislau R. Burzynski hat Antineoplastonen aus menschlichem Urin separiert und konnte bemerkenswerte Ergebnisse in der Behandlung von Krebs aufzeigen. Eine andere Substanz, die in großen Mengen in Urin vorhanden ist, wird Dehydroepiandrosteron (DHEA) genannt. Es ist ein mit Testosteron verwandtes Hormon. In Versuchen konnte man nachweisen, dass dieses DHEA Antikrebs-, Antiadipositas- und Antialterungseigenschaften hat. Man stellte ebenfalls fest, dass Harnstoff, wenn er durch Aufnahme wiederverwertet wird, in lebenswichtige Aminosäuren umgewandelt wird." Alles in allem enthält Urin 15 bekannte Zutaten, die synergistisch wirken, um den Körper vor Krebs zu bewahren. Dazu zählen die Antikrebsmittel Interferon, die Interleukine 1 & 2, Harnstoff, Harnsäure, Methylglyoxal, DHEA (Dehydroepiandrosteron), H-11 Extrakt, Retin, Antineoplaston.

Am häufigsten wird bei der AUT der Morgenurin (Mittlerer Strahl) konsumiert, vollständig und ohne Verdünnung. Man kann auch damit gurgeln oder ihn zum Schutz des Zahnfleischs durch die Zähne spülen. Außerdem kann man Urin, wie zuvor beschrieben, dem Körper in Form von Einläufen verabreichen. Wenn man Urin auf Wunden und gebrochene Knochen anwendet, kann man Narbenbildung und Schwellungen vermeiden. Er zieht Toxine aus Entzündungsherden und erlaubt eine schnellere Heilung.

Wichtiger Hinweis für all jene, die Leber- und Gallenblasenreinigungen durchführen: *Wenn Sie aus irgendeinem Grund vor und nach einer Leberreinigung keine Darmspülung oder Colema Behandlung durchführen können, könnten zwei bis drei aufeinanderfolgende Wasserklistiere die nächstbeste Alternative sein. Bitte wenden Sie das nächste Wasserklistier nur an, nachdem Sie das vorherige ausgeschieden haben. Sie müssen sichergehen, dass das Wasser bis in das aufsteigende Colon reicht. Um das Wasser in diesen Bereich des Colon zu transportieren, können Sie Ihren Bauch unterstützend massieren. Enema Kits (Klistiersets) sind in den meisten Apotheken erhältlich.*

Die Nierenreinigung

Wenn Gallensteine in der Leber oder andere Ursachen zur Entwicklung von Steinen in den Nieren oder der Harnblase geführt haben, kann es sein, dass Sie Ihre Nieren ebenfalls reinigen müssen. Die Nieren sind sehr feine, blutfilternde Organe, die infolge schlechter Verdauung, Stress und eines unregelmäßigen Lebensstils leicht verstopfen können. Die Hauptursachen von Verstopfungen in den Nieren sind Nierensteine. Die meisten Nierensteine/Kristalle/Sand sind jedoch zu klein, um durch moderne diagnostische Instrumente wie Röntgenstrahlen erkannt zu werden.

Die folgenden Kräuter können hilfreich dabei sein, wenn sie täglich über einen Zeitraum von 20 bis 30 Tagen eingenommen werden, alle Arten von Nierensteinen (Harnsäuresteine, Oxalsäuresteine, Phosphatsteine und Aminosäuresteine) aufzulösen und zu beseitigen. Wenn Sie bereits mit Nierensteinen belastet sind und Ihre Nieren vollkommen reinigen wollen, müssen Sie dieses Reinigungsverfahren mehrere Male (in sechs bis achtwöchigen Intervallen) wiederholen.

Zutaten:

- Majoran (28 Gramm)
- Uva Ursi/Bärentraube (57 Gramm)
- Katzenkralle (28 Gramm)
- Hortensienwurzel (57 Gramm)
- Beinwellwurzel (28 Gramm)
- Roter Wasserhanf (57 Gramm)
- Fenchelsamen (57 Gramm)
- Eibischwurzel (57 Gramm)
- Wegwartenkraut (57 Gramm)
- Goldrutenkraut (57 Gramm)

Anweisungen:

Nehmen Sie von den ersten drei Kräutern jeweils 28 Gramm und von den restlichen Kräutern jeweils 57 Gramm und mischen Sie sie gründlich zusammen. Bewahren Sie sie in einem luftdichten Behälter auf. Weichen Sie vor dem Zubettgehen zwei bis drei gehäufte Esslöffel der Mischung in zwei Tassen Wasser auf, decken Sie die Tassen zu und lassen Sie den Sud über Nacht zugedeckt stehen. Bringen Sie am nächsten Morgen das Gebräu zum Kochen; lassen Sie es für ein paar Minuten köcheln und ziehen. Falls Sie vergessen haben sollten, den Tee am Abend vorzubereiten, bringen Sie ihn am Morgen zum kochen und lassen Sie ihn für 10 bis 15 Minuten stehen oder leicht köcheln, bevor Sie ihn filtern.

Trinken Sie den Tee schlückchenweise (mehre Schlückchen hintereinander) in sechs bis acht Portionen über den Tag verteilt. Dieser Tee muss nicht warm oder heiß zu sich genommen werden. Sie sollten ihn jedoch nicht kühl stellen. Geben Sie keinen Zucker oder Süßstoffe hinzu. Warten Sie nach dem Essen mindestens eine Stunde, bevor Sie die nächsten Schlückchen zu sich nehmen.

Wiederholen Sie diesen Vorgang für 20 bis 30 Tage. Wenn Sie Beschwerden oder Steifheit in der unteren Rückengegend verspüren, geschieht dies aufgrund von Salzkristallen der Nierensteine, die die Harnleiterröhren des Harnsystems durchlaufen. Starker Geruch und eine

Verdunkelung des Urins zu Beginn oder während der Reinigung deuten auf eine größere Menge Toxine hin, die von den Nieren freigesetzt wurde. Normalerweise werden diese Toxine allmählich freigesetzt und ändern nicht erheblich die Farbe oder Beschaffenheit des Urins. Wichtig: Unterstützen Sie während der Reinigung die Nieren, indem Sie zusätzliche Mengen Wasser trinken, mindestens sechs und maximal acht Gläser pro Tag.

Vermeiden Sie während der Reinigung tierische Produkte, Molkereiprodukte, Tee, Kaffee, Alkohol, kohlensäurehaltige Getränke, Schokolade und andere Nahrungsmittel oder Getränke, die Konservierungsmittel, künstliche Süßstoffe, Farbstoffe usw. enthalten. Während der Nierenreinigung können aggressive Substanzen wie Chemikalien nicht nur die Reinigung stören, sondern auch die Nieren beschädigen.

Zusätzlich zum Trinken des Nierentees können Sie je ein kleines Stückchen einer Biozitronenschale auf der linken Seite Ihres Mundes und ein kleines Stück Karotte auf der rechten Seite Ihres Mundes kauen (ca. 30 bis 40 Mal). Das stimuliert die Nierenfunktionen und löst die Freisetzung spezifischer Enzyme aus. Diese Enzyme helfen bei der Aufschlüsselung bestimmter säurehaltiger Ablagerungen in den Nieren. Achten Sie darauf, dass zwischen den Kau-„Zyklen" mindestens eine halbe Stunde liegt. Obwohl dies kein wesentlicher Bestandteil der Reinigung ist, kann es dennoch ihre Wirksamkeit erhöhen.

Schlückchenweise heißes ionisiertes Wasser trinken

Wenn Sie schlückchenweise heißes ionisiertes Wasser zu sich nehmen, reinigt das das komplette Körpergewebe. Es hilft die gesamte Toxizität zu reduzieren, die Kreislauffunktionen zu verbessern und für eine Ausgewogenheit der Gallenflüssigkeit zu sorgen. Wenn Sie Wasser für 15 bis 20 Minuten kochen, wird es dünner (seine Molekülgruppen werden von ca. 10 000 auf eine oder zwei Gruppen reduziert). Außerdem wird es mit negativen Sauerstoffionen (Hydroxid, OH-) geladen und gesättigt. Wenn Sie das Wasser im Laufe des Tages häufig schlückchenweise trinken, beginnt es das Körpergewebe systematisch zu reinigen. Es befreit das Gewebe von bestimmten positiv beladenen Ionen, die mit schädlichen Säuren und Toxinen in Verbindung stehen.

Die meisten Toxine und Abfallstoffe sind positiv geladen und neigen dadurch natürlich dazu, sich an den Körper zu binden, der insgesamt negativ geladen ist. Da die negativen Sauerstoffionen zusammen mit dem

Wasser in den Körper gelangen, werden sie vom positiv geladenen toxischen Material angezogen. Das neutralisiert die Abfallprodukte und Toxine und verwandelt sie in flüssige Materie, die der Körper leicht abbauen kann. Wenn Sie Ihr Körpergewebe auf diese Art reinigen, kann sich in den ersten Tagen oder Wochen der Reinigung ein weißer oder gelber Belag auf Ihrer Zunge bilden. Das ist ein Anzeichen dafür, dass der Körper eine Menge toxischer Abfallprodukte beseitigt. Wenn Sie übergewichtig sind, kann diese Reinigungsmethode Ihnen helfen, in kurzer Zeit eine Menge Körperabfallprodukte zu verlieren und zwar ohne die Nebenwirkungen, die normalerweise plötzlichen Gewichtsverlust begleiten.

Anweisungen:

Kochen Sie 15 bis 20 Minuten lang Wasser und gießen es anschließend in eine Thermosflasche. Edelstahl-Thermosflaschen sind gut. Die Thermosflasche hält das Wasser den ganzen Tag lang heiß und ionisiert. Trinken Sie den ganzen Tag über jede halbe Stunde ein oder zwei Schlückchen und trinken Sie sie es genauso heiß wie Tee. Sie können diese Methode jederzeit anwenden, wenn Sie sich nicht wohl fühlen, wenn Sie das Bedürfnis haben abzuschwellen, wenn Sie das Blut flüssig halten möchten oder wenn Sie sich einfach dynamischer und frei fühlen wollen. Einige Menschen trinken ionisiertes Wasser über einen bestimmten Zeitraum, wie drei bis vier Wochen; andere trinken es ständig.

Die Sauerstoffionen werden durch das Sprudeln beim Kochen des Wassers erzeugt. Es ist ungefähr der gleiche Effekt, wenn Wasser auf den Grund eines Wasserfalls fällt oder wenn Wellen gegen die Meeresküste branden. In der Thermosflasche wird das Wasser bis zu 12 Stunden oder so lange es heiß ist, ionisiert bleiben. Um eine Tagesration heißes, ionisiertes Wasser zu erhalten, müssen Sie ungefähr 0,6 bis 0,7 Liter Wasser kochen. Dieses speziell aufbereitete Wasser sollte kein Ersatz für normales Trinkwasser sein. Es hydratisiert nicht die Zellen wie normales Wasser; der Körper verwendet es nur zur Gewebereinigung.

Allergien beseitigen

In den Vereinigten Staaten sterben jährlich 100 bis 200 Menschen an Lebensmittelallergien. Weitere 30 000 Menschen müssen aufgrund von Lebensmittelallergien in die Notaufnahme. Außerdem leiden Millionen von Menschen unter Allergien oder Überempfindlichkeiten gegenüber Chemikalien, mit denen gewöhnliche Nahrungsmittel ergänzt sind, inklusive künstlicher Farbstoffe oder Konservierungsmittel. Wir sind täglich schädlichen Stoffen ausgesetzt. Verpackungsmaterialien von Lebensmitteln (Plastikflaschen oder Plastikverpackungen) enthalten viele Umweltschadstoffe, ganz zu schweigen von den Abgasen, Pestiziden, Farb- oder Teppichdämpfen und anderen Umweltchemikalien. Es wäre schädlich für den Körper, wenn er auf den massiven Angriff von Giften nicht reagieren würde, mit denen er sich befassen muss.

Wenn man in einer allzu sterilen Umgebung aufwächst, kann das Immunsystem in vielen Fällen zu Überreaktion neigen, wenn man mit harmlosen Substanzen in Kontakt gerät. Lebensmittelverarbeitung, genmanipulierte Nahrungsmittel oder der Zeitpunkt, wenn Kleinkinder das erste Mal feste Nahrung zu sich nehmen, können ebenfalls zur Steigerung von Allergien beitragen. Milch, Eier, Erdnüsse, Baumnüsse (Cashewnüsse), Fisch, Meeresfrüchte, Sojabohnen und Weizen (Gluten) zählen zu den gängigsten Lebensmitteln, die allergische Reaktionen auslösen. Diese Nahrungsmittel sind für ungefähr 90 Prozent aller allergischen Reaktionen in den Vereinigten Staaten verantwortlich. Jedoch ist es bei den oben genannten Beispielen (Baumnüsse und Weizen ausgenommen) für den Körper eigentlich normal zu versuchen, sich gegen diese potenziell schädlichen Nahrungsmittel zu verteidigen. Sie waren nie für den menschlichen Verzehr gedacht.

Die äußerst toxischen Enzymhemmstoffe in Sojabohnen verhindern zum Beispiel die Verdauung von Sojabohnenproteinen. Das macht es für den menschlichen Körper sehr schwer nicht zu reagieren.

Dasselbe gilt für Erdnüsse und sogar für andere Nüsse und Hülsenfrüchte, es sei denn, dass sie vor dem Verzehr über Nacht eingeweicht werden. Durch die Entwicklung von schnelleren Backprozessen bei Weizenprodukten, wie die Zufuhr von Hefe, die die Zerstörung schädlicher Antikörper verhindert oder das Beimischen zusätzlicher Mengen Gluten, wurden viele Menschen empfindlich auf Weizen.

Ein Lebensmitteltagebuch kann Ihnen helfen die Allergieauslöser zu identifizieren. Wenn Sie sich auf Nahrungsmittelallergien testen wollen, nehmen Sie zunächst Ihren Puls; dann legen Sie ein kleines Stück der zu testenden Nahrung unter Ihre Zunge und nehmen erneut Ihren Puls. Wenn sich die Anzahl der Pulsschläge erhöht hat, könnten Sie auf dieses spezielle Nahrungsmittel allergisch sein.

Obwohl die Leberreinigung hilft, die physische Hauptursache von Allergien im Körper zu beseitigen, kann es sein, dass Sie andere Möglichkeiten in Betracht ziehen müssen, um die Zellen des Immunsystems davon „zu überzeugen“, keine Antikörper gegen die Antigene zu erzeugen, die z. B. in Staub, Pollen, Entenfedern, Katzenhaaren oder in Nahrungsmitteln wie Milch, Weizen, Orangen, Tomaten usw. enthalten sind. In Wahrheit können allergische Reaktionen, die ihre eigentliche Ursache in einer verstopften Leber und einem gestörten Verdauungssystem hatten und nicht verschwunden sind, dafür verantwortlich sein, dass sich neue Gallensteine bilden. Die Bioresonanztherapie ist eine Möglichkeit sich mit allen verbliebenen Antikörperkomplexen im Blut zu befassen, die für allergische Reaktionen verantwortlich sind.

In Heilpraktikerkreisen weiß man, dass fast jeder Mensch, der unter chronischen Erkrankungen, Krankheiten oder dauerhaften Beschwerden leidet, eine oder mehrere Allergien hat. Eine Allergie entsteht, wenn der Körper wiederholt normalerweise harmlosen Substanzen oder Antigenen ausgesetzt wird, die das Immunsystem stimulieren, Antikörper zu bilden. Dort, wo diese Abwehrreaktion am deutlichsten auftritt, werden die Störungssymptome und Beschwerden intensiver zum Vorschein kommen. Wenn diese Abwehrreaktionen z. B. zufällig in der Nase, den Nebenhöhlen oder im Brustbereich auftreten, könnte es sein, dass Sie unter massivem Schleimstau und Atembeschwerden leiden. Gleichermaßen kann eine ähnliche Immunreaktion in den Eierstöcken Eierstockzysten verursachen; in der Prostata kann sie zu Prostatavergrößerung führen. In manchen Fällen kann die Reaktion einen anaphylaktischen Schock, Brechreiz, Hautausschläge, Atemprobleme, Durchfall und Tod auslösen. Es kann viele weitere allergisch bedingte Krankheiten geben, als gegenwärtig bekannt sind.

Forschung auf dem Gebiet der Radionik hat nachgewiesen, dass es vier wichtige Allergietypen gibt, die die meisten anderen möglichen Allergien beinhalten. Diese Allergietypen berücksichtigen die Reaktionen des Körpers auf Entenfedern, Milch, Weizen und Minze. Demzufolge kann es sein, dass Sie, wenn Sie zufällig allergisch auf Entenfedern reagieren, auch empfindlich auf mehrere andere Allergene reagieren, die der gleichen Gruppe wie die Entenfedern angehören. Dazu können beispielsweise bestimme Obst- oder Gemüsesorten, Staubpartikel, Metalle, Schadstoffe usw. zählen. Tatsächlich kann es Hunderte solcher Substanzen geben. Indem die Bioresonanztherapie solch allergische Reaktion Ihres Körpers annulliert, werden alle anderen Allergien, die zur Entenfederngruppe gehören, wahrscheinlich auch verschwinden. Das Gleiche gilt bei einer Weizenallergie. Wenn die Weizenallergie ausgeräumt wurde, wird das Immunsystem des Körpers nicht mehr auf Antigene reagieren, die in die Weizenkategorie fallen. Dasselbe Prinzip gilt für die Gruppen der Milch- und Minzallergien.

Die meisten Menschen mit gesundheitlichen Problemen sind mindestens gegen einen Stoff der vier Allergietypen allergisch. Fast jeder Mensch mit quecksilberhaltigen Amalgamfüllungen ist allergisch auf Milch und Milchprodukte, sowie auf die Stoffe, die zur Milchgruppe gehören. Untersuchungen haben gezeigt, dass alle AIDS-Patienten, die man auf die vier Allergietypen geprüft hat, auf jeden Typ allergisch reagieren. Krebs-Patienten reagieren auf mindestens drei Typen allergisch.

Bioresonanztherapeuten, die nicht nur den physischen Körper als Ganzes, sondern jedes Energiezentrum (Chakra) getrennt auf vorhandene Allergien testen, scheinen die besten Ergebnisse zu erzielen. Weitere Tests zeigen keine weiteren Allergien; natürlich vorausgesetzt, dass ein ausgewogener Ernährungs- und Lebensstil beibehalten oder ein fester Bestandteil des täglichen Lebens wird. Moderne, in Deutschland durchgeführte Forschung über den Nutzen der *Bioresonanztherapie* zur Behandlung von starken Allergieformen zeigte, dass von 200 Probanden 83 Prozent vollständig geheilt wurden und sich der Zustand von 11 Prozent deutlich gebessert hatte. Obwohl die Bioresonanztherapie sogar ohne eine vorherige Leberreinigung wirksam sein kann, sind die Vorteile nach einer durchgeführten Leberreinigung viel ausgeprägter. Der Erfolg dieser Behandlung wird davon bestimmt, dass man sich selbst den ehemaligen Antigenen wie Orangensaft, Pollen oder Gluten (in Weizen enthalten) aussetzt.

Meiner Erfahrung nach hat meine Methode der Sacred Santémony (für Details beachten Sie meine Internetseite) die stärksten und unmittelbarsten Effekte gegen häufige Allergien oder chemische Empfindlichkeiten gezeigt. Ich war imstande, bei einer Vielzahl von Patienten jahrzehntelange Glutenallergien und sogar chemische Allergien innerhalb von einer halben Stunde oder weniger zu beseitigen. In einigen Fällen war eine mehrmalige Sitzung notwendig, um die Ergebnisse zu erhärten. Außerdem hat die *Emotional Freedom Technique* (EFT), die im Internet zum Download bereit steht, Menschen geholfen Allergien zu bereinigen. Die meisten Allergien sind in Wahrheit emotionale Komponenten, die sie widerstandsfähig gegen Standardbehandlungen macht.

Metallische Zahnfüllungen ersetzen und toxische Metalle/Chemikalien aus dem Körper entfernen

Metallische Zahnfüllungen – Eine tickende Zeitbombe?

Metallische Dentalwaren stellen eine konstante Quelle von Vergiftungen und allergischen Reaktionen im Körper dar (besonders auf Milch und Milchprodukte). Das Metall korrodiert mit der Zeit, besonders im Mund, in dem es eine hohe Luft- und Feuchtigkeitskonzentration gibt. Unter anderem enthalten Amalgamfüllungen äußerst toxisches Quecksilber. Die Füllungen bestehen zu 50 Prozent aus Quecksilber! Die Dämpfe des Quecksilbers werden durch Atmung in die Lungen freigesetzt und dringen durch essen und trinken ins Verdauungssystem ein. Wenn sie ins Blut und die Lymphe eingehen, können sie beträchtlichen Schaden im Körper, inklusive des Nervensystems, verursachen. Vor Kurzem haben Forscher ein spezielles Video gedreht, das den konstanten Quecksilberdampf sichtbar machte, der den Mündern von Menschen mit Metallfüllungen in den Zähnen entweicht. Das ist nicht sehr schön, wenn Sie gerade küssen.

In Deutschland sind Quecksilberfüllungen seit Mitte der neunziger Jahre verboten. Aus demselben Grund haben die meisten nordeuropäischen Länder den Gebrauch von Amalgam eingeschränkt, und in Schweden, Spanien, Österreich, Dänemark und anderen Ländern ist dieses Produkt seit dem Jahr 2000 verboten. Die Zusammensetzungen von Amalgam sind so toxisch, dass Zahnärzte angewiesen wurden, Amalgam nicht mit bloßen Händen zu berühren. Außerdem müssen sie überschüssiges Amalgam in dicht geschlossenen Behältern lagern. Wenn es so gefährlich ist Amalgam zu berühren, ist es sicherlich auch gefährlich, es Jahr für Jahr 24 Stunden pro Tag im Mund zu haben, oder es mit einem Grippeimpfstoff ins Blut injiziert zu bekommen!

Die Weltgesundheitsorganisation (WHO) veröffentlichte einen Bericht aus dem hervorging, dass die Menge des aus Amalgamfüllungen absorbierten Quecksilbers bis zu zehnmal höher ist als die Menge, die man aus Ernährungs- und Umweltquellen absorbiert. Es ist erwähnenswert darauf hinzuweisen, dass Patienten mit Multipler Sklerose (MS) und Alzheimer bis zu zehnmal höhere Quecksilbermengen in ihren Gehirnen haben, als normal. Autopsiestudien zeigen, dass das Quecksilberniveau einiger Organe direkt proportional zur Anzahl der Amalgamfüllungen einer kranken Person ist.

Föten scheinen am verwundbarsten für Quecksilbervergiftungen zu sein. Ein Fötus sammelt sogar mehr Quecksilber an als die Mutter. Außerdem sind die Mengen direkt proportional zu den Amalgamfüllungen der Mutter. (Aus dem gleichen Grund sollten schwangere Frauen Thunfisch, Lachs und anderen quecksilberhaltigen Fisch vermeiden.)

Die allmähliche, kontinuierliche Freisetzung von Quecksilber und anderen toxischen Metallen in den Körper durch Metallfüllungen betrifft besonders Leber, Nieren, Lungen und Gehirn. Kadmium, das man verwendet um Zahnprothesen rosa zu färben, ist z. B. fünfmal so toxisch wie Blei. Man benötigt nicht viel von diesem Metall, um den Blutdruck auf krankhafte Stufen zu erhöhen. Aber, wie viele Menschen wissen, dass sie aufgrund der Zahnfüllungen in ihrem Mund ein Herzleiden entwickeln?

Thallium aus Quecksilber-Amalgamfüllungen verursacht Beinschmerzen und Querschnittslähmung. Es beeinflusst das Nervensystem, die Haut und das kardiovaskuläre System. Bei allen Rollstuhlpatienten, die man auf Metallvergiftung getestet hat, hat man Thallium gefunden. Es gibt viele Menschen, die nach mehreren Jahren im Rollstuhl vollkommen geheilt wurden, nachdem man ihnen alle Metallfüllungen aus ihrem Mund entfernt hat. Thallium ist in einer Dosis von 0,5 bis 1,0 Gramm tödlich.

Andere in Zahnfüllungen enthaltene Metalle sind für ihre krebserzeugenden (kanzerogenen) Effekte bekannt. Dazu gehört Nickel aus Goldkronen, Zahnspangen und Kronen für Kinder. Chrom ist ebenfalls äußerst krebserregend. Alle Metalle korrodieren (auch Gold, Silber und Platin) und der Körper absorbiert es. Frauen mit Brustkrebs haben große Mengen aufgelöster Metalle in ihren Brüsten angesammelt. Wenn man den Mund von allen Metallen befreit, werden die Metalle ebenfalls die Brüste verlassen und die von diesem Metall verursachten Zysten werden schrumpfen und von alleine verschwinden. Pilzinfektionen bessern sich häufig, nachdem Metallfüllungen entfernt wurden. Manche Menschen berichten sowohl von einem kompletten Rückgang von Prostataproblemen, als auch von Nasen- und Nebenhöhlenverstopfungen.

Porzellan kann ebenfalls toxisch sein. Es wird aus Aluminiumoxyd und anderen hinzugefügten Metallen hergestellt. Das Immunsystem des Körpers reagiert auf natürliche Weise auf die Anwesenheit toxischer Metalle im Körper und entwickelt schließlich allergische Reaktionen, die als Sinusleiden, Ohrenklingeln, Hals- und Drüsenschwellung, Aufgedunsenheit, vergrößerte Milz, arthritische Symptome, Kopfschmerzen und Migräne, Augenerkrankungen und ernstere Komplikationen wie Lähmung oder Herzanfälle auftreten können.

Composite-Füllungen

Obwohl Metall-Toxizität nicht der einzige Grund für diese Zustände sein kann, hilft das Ersetzen aller Metallfüllungen durch Composite-Füllungen

Ihrem Immunsystem sicher bei seinen Bemühungen, Ihren Körper gegen Krankheiten zu schützen. Eine Composite-Füllung ist in erster Linie nicht-metallisch. In Composite-Füllungen gibt es eine Vielfalt verwendeter Materialien. Es können allerdings auch einige Metalle enthalten sein. Gewöhnliche Composite-Füllungen sind bei großen Löchern nicht geeignet. Wenn sie bei großen Löchern benutzt werden, neigen sie dazu, nicht länger als fünf oder sechs Jahre zu halten. Indirekte Composite-Füllungen können wiederum bei großen Löchern eingesetzt werden. Man kann sie sogar an Stelle von Goldkronen verwenden. Sie sehen wie ein echter Zahn aus und halten so lange wie Gold. Wenn sie richtig ausgewählt werden, sind indirekte Composite vollkommen anallergisch und ungiftig. Sie sind relativ neu und können so teuer sein wie Goldfüllungen, aber sie können Ihnen auf lange Sicht viele Schwierigkeiten und Geld sparen. Da viele Zahnärzte nicht wissen, wie man sie richtig anpasst, kann es sein, dass Sie ein wenig nachforschen müssen, um einen Zahnarzt zu finden, der sich in quecksilberfreier Zahnmedizin auskennt und auch mit indirekten Composites arbeitet. Die Zahnfüllungen sollten vorsichtig und allmählich ersetzt werden, jeweils nur eine oder zwei (falls kleine) auf einmal. Am besten sollte man nur alle zwei Monate eine Behandlung durchführen lassen.

Einer Schwermetall-Toxizität vorbeugen

Wenn Sie Ihre Amalgamfüllungen ersetzen lassen wollen, vergewissern Sie sich, dass Ihr Zahnarzt für Schutz (durch eine spezielle Plastikvorrichtung) gegen das Einatmen und die Aufnahme von Amalgamstaub sorgt. Wenn nicht, kann es letztendlich zu starken Migräneattacken, Gedächtnisschwund, Schwächung des Sehvermögens usw. führen. Bevor Sie größere Füllungen entfernen lassen, müssen Sie vielleicht ein bis zwei Monate Selen (wenn möglich in ionischer Form) nehmen. Essen Sie ungefähr zehn Tage lang Vitamin-C-reiche Nahrungsmittel, wie das Superkorn Chia oder rot-gefärbtes Obst und Gemüse. Nehmen Sie bei jeder Hauptmahlzeit Korianderblätter und grünes Blattgemüse zu sich. Damit unterstützen Sie ihren Körper dabei, Quecksilber und andere metallische Ablagerungen zu beseitigen. Wenn Sie zwei Wochen lang täglich mehrere Tassen Pau d'Arco (Lapacho) Tee trinken oder dreimal täglich vier Kapseln Lapachoextrakt nehmen, helfen Sie Ihrem Körper außerordentlich beim Entgiften des Bluts, der Leber und der Nieren (Details über diesen leistungsstarken Balancierer der Immunstärke finden Sie später in diesem Kapitel).

Eine Nierenreinigung ist ebenfalls sehr vorteilhaft zur Verhinderung von Verletzungen durch freigesetzte Metalle. Der indianische Ojibwa Tee (siehe Band 2) ist zur Entfernung von Metallen ebenfalls ausgezeichnet geeignet. Er enthält große Mengen Vitamine.

Metallischer Ton – Und wie man schädliche Metalle, Chemikalien und Strahlung entfernt

Um schädliche Chemikalien, toxische Metalle, radioaktive Isotope (erzeugt durch Röntgenstrahlen und andere Quellen) sicher und unmittelbar aus dem Körper zu entfernen, können Sie mehrere Bäder mit metallischem Ton nehmen. Idealerweise verwenden Sie Clay Bath Kits (http://www.magneticclay.com oder http://www.magneticclaybaths.com, 800-257-3315) oder jeden anderen nicht belasteten Bentonitton. *Kalzium Bentonitton,* wie Pascalite-Ton (www.relfe.com), eignet sich besonders zur Beseitigung von Strahlen. Wenn Sie in der Badewanne liegen, wenden Sie etwas angefeuchteten Ton auf den ganzen Kopf an und machen eine Gesichtsmaske damit. Ein Pfund Ton pro Bad ist ausreichend. Bleiben Sie ungefähr eine halbe Stunde im Wasser liegen. Lassen Sie das Badewasser für ein paar Stunden oder über Nacht stehen und lassen Sie das Wasser dann ablaufen. Achten Sie jedoch darauf, dass der abgesetzte Ton in der Badewanne bleibt. Kontrollieren Sie den Ton auf schwarz-, silber- oder goldfarbige Ablagerungen (Metalle). Entfernen Sie den Ton.

Wenn Sie kein Vollbad nehmen können oder es unpraktisch finden, machen Sie stattdessen mehrere Fußbäder. Weichen Sie Ihre Füße abends für 20 bis 30 Minuten in Bentonitton ein, lassen Sie das Wasser über Nacht stehen und schauen Sie am Morgen des folgenden Tages nach den Ergebnissen. Es kann sein, dass Sie wie beim Vollbad goldene oder silberne Flecken oder etwas, das wie schwarzer Sand aussieht, finden. Anmerkung: Obwohl ein Teil des schwarzen Sands aus Metallen besteht, kann er teilweise aus Verunreinigungen im Ton bestehen.

Eine Anmerkung zur Zahnextraktion: Falls Ihnen ein Zahn gezogen werden muss, müssen Sie sich bewusst sein, dass Zahnextraktionen dauerhafte Krankheiten verursachen können, wenn die „Hohlräume" nicht richtig gereinigt werden. Wenn ein Zahn gezogen wird, kann totes Gewebe zurückbleiben und ansteckende Bakterien anziehen. Das kann schwere, anhaltende Erschöpfung verursachen. Die Reinigung solcher Hohlräume kann Ihr Wohlbefinden drastisch verbessern.

Eine Anmerkung zu Wurzelkanälen: Wurzelkanäle können im Körper zu Krankheitsquellen werden. Während einer Wurzelkanaloperation wird das Zentrum des Zahns inklusive des Zahnkerns aufgebohrt. Es bleibt lediglich ein abgestorbener Zahn übrig. Dieser abgestorbene Zahn kann von Bakterien angegriffen werden, die versuchen ihn aufzufressen (was ihre Aufgabe ist). Der Zahn kann sich infizieren, aber da er keinen Nerv mehr hat, gibt es auch keinen Schmerz. Sogar solch geringe Infektionen können das Immunsystem zunehmend schwächen und die wichtigsten Funktionen des Körpers untergraben. Das Ziehen eines Zahns mit Wurzelfüllung ist ein wenig kompliziert und zudem teurer, da der Zahn durch eine Art Brücke ersetzt werden muss. Aber die Alternative (es so zu lassen, wie es ist) kann Ihnen mehr schaden.

Heilen Sie Ihr Zahnfleisch und Ihre Zähne

Eine 1980 durch das U.S. Department of Health and Human Services durchgeführte Studie folgerte, dass Zahnärzte nur 5 Prozent ihrer Zeit dafür verwenden, um Zahnfleischerkrankungen (Zahnfleischentzündung und Parodontose) zu behandeln. Nichtsdestotrotz geht die Mehrheit aller gezogenen (oder ausgefallenen) Zähne aufgrund von Zahnfleischerkrankungen verloren! Dies hat sich seitdem nicht geändert. Es ist vielmehr schlimmer geworden. Eine von Dentalbehörden in North Carolina durchgeführte Studie stellte fest, dass Zahnfleischerkrankungen in Amerika „rasant ansteigen". Und sie weiten sich zu epidemischen Ausmaßen aus.

Sowohl Diagnose als auch planbare Lösungskonzepte bei Zahnfleischerkrankungen beruhen auf über 30-jähriger Studien- und Forschungszeit, sowie praktischer Erfahrung von Dr. Robert O. Nara. Dr. Nara ist der Gründer von *Oramedics International,* der weltweit einzigen Gruppe zur Prävention von Zahn- und Zahnfleischerkrankungen. Diese Gruppe hat es sich zur Aufgabe gemacht, Zahn- und Zahnfleischerkrankungen zu vermeiden, anstatt die Folgen des Krankheitsprozesses mit Nadeln, Messern, Medikamenten, Bohren, Ziehen und Zahnprothesen zu behandeln! Die Lösung von Dr. Nara ist einfach und wirksam, und sie macht Sinn.

Er sagt, dass amerikanische Vorfahren Salzwasser verwendet haben, um ihr Essen haltbar zu machen und Bakterien abzutöten. Derselbe keimentfernende Prozess von Salzwasser kann angewendet werden, um das Zahnfleisch frei von Infektion zu halten. Millionen Menschen wenden warme Salzwasserspülungen an, um Abszesse im Mund, Eiterfisteln usw. zu heilen. Anscheinend hilft das warme Salzwasser übermäßige, toxische Flüssigkeit aus dem Zahnfleischgewebe zu ziehen. Dadurch werden Schwellungen reduziert, Schmerz gelindert und schädliche Bakterien abgetötet. Das ermöglicht dem Zahnfleisch die Zähne ebenfalls zu heilen und gesund zu erhalten. Wenn man das Salzwasser in einer Munddusche anwendet, erreicht das warme Salzwasser alle Spalten des Zahnfleischrands und alle Zahntaschen, was wichtig für die komplette Umkehrung von Zahnfleischerkrankungen und Zahnzerfall ist. Dr. Nara sagt, dass das Bürsten und Reinigen der Zähne mit Zahnseide nicht ausreichend sei um Zahnfleischerkrankungen aufzuhalten und das sei der Grund dafür, warum so viele Menschen die den standardmäßigen Empfehlungen ihrer Zahnärzte folgten, immer noch unter Zahnfleischerkrankungen (Infektion) leiden.

Die meisten Menschen glauben, dass Zahnfleischerkrankungen durch Plaque verursacht werden. Forschungsstudien, die durch *Socransky in der Forsyth Dental School* in Boston und Loesche an der *University of Michigan* durchgeführt wurden, zeigten, dass die Plaquetheorie nicht stichhaltig ist. Die Anwesenheit von bis zu fünf verschiedenen Arten zerstörerischer Bakterien bei Zahnfleischerkrankungen zeigt, dass Plaque und Zahnstein in Wahrheit keine primären ursächlichen Faktoren sind, sondern deren Effekte. Gesundes Zahnfleisch zieht nur gute Bakterien wie grampositiv *fakulative Stäbchenbakterien* und *Kokken* an – prädominante *Actinomycetenarten* und *Streptokokken*. Krankes Zahnfleisch zieht gramnegativ *anaerobe Stäbchenbakterien* an – in erster Linie *Bakteroide* und *Fusobakterien*.

Wenn man den Mund ausspült oder mehrmals pro Tag mit Salzwasser bewässert, reicht das normalerweise aus, um Zahnfleischerkrankungen zu vermeiden und umzukehren. Bei fortgeschrittenen Zahnfleischerkrankungen empfiehlt Dr. Nara jedoch, dass Sie ebenfalls Sanguinaria, ein Kräuterextrakt, verwenden, das seit Jahrhunderten von eingeborenen Kulturen als Mundwasser verwendet wird.

Zahnfleischerkrankungen deuten auf große Mengen von Toxinen im Körper hin, besonders im Gastrointestinaltrakt, der im Mund beginnt und im After endet. Zusätzlich zu den zuvor genannten Spülungsverfahren ist es ebenfalls wichtig, sich mit den tieferen Ursachen zu beschäftigen. Diese Ursachen umfassen schlechte Ernährung, Dehydrierung, einen unregelmäßigen Lebensstil, eine verstopfte Leber, einen verstopften Darmtrakt und emotionalen Stress.

Das meinte Jim Humble, der Erfinder des *Miracle Mineral Supplement* (MMS), als er sich mit seinen eigenen Zahnfleischproblemen befasste: „Mein ganzes Leben hatte ich mit meinen Zähnen Schwierigkeiten. Die meisten meiner Zähne gingen verloren und ich musste Zahnprothesen tragen. Ich hatte ziemlich weiches Zahnfleisch und meine Zähne steckten lose im Zahnfleisch. Mein Zahnfleisch wurde häufig wund. Zu diesem Zeitpunkt fingen meine Zähne an weh zu tun und ich dachte, dass ich ein oder zwei würde ziehen lassen müssen. Dann entschloss ich mich schließlich dazu, meine Zähne mit MMS zu putzen ... und wieder einmal war ich erstaunt. Alle Infektionen und alles Wundsein verschwanden in Stunden. Innerhalb einer Woche war mein Zahnfleisch gehärtet."

Jim empfiehlt bei abszessiven Zähnen, infiziertem Zahnfleisch und Zahnfleischeiterungen das folgende Heilverfahren: „Geben Sie sechs Tropfen MMS in ein Glas, fügen Sie 1/2 Teelöffel Essig, Zitrone oder Limone hinzu, warten Sie drei Minuten und geben Sie 1/4 Glas Wasser hinzu. Verwenden Sie diese Lösung zum Zähneputzen. Mischen Sie jeden Morgen eine neue Lösung an. Behalten Sie diese Lösung nicht länger als 60 Sekunden im Mund. Erwarten Sie, dass das Immunsystem die Schmerzen eines abszessiven Zahns in ungefähr vier Stunden überwindet. Sie können davon ausgehen, dass die komplette Infektion sowie die komplette Zahnfleischeiterung innerhalb einer Woche verschwunden sein wird und dass alle losen Zähne innerhalb von zwei Wochen felsenfest sein werden. Innerhalb von drei Wochen wird Ihr Mund vollkommen gesund sein. Denken Sie daran, dass die MMS-Lösung die stärkste jemals entwickelte Gesundheitslösung ist und dass sie tatsächlich genau das bewirken wird, was hier beschrieben wurde." (Für weitere Informationen über MMS siehe *Einige der größten Heilgeheimnisse der Natur* in diesem Kapitel.)

Die Dentallösung von Soladey

Ich persönlich benutze eine Soladey Zahnbürste um meine Zähne zu reinigen. Soladey hat ein patentiertes Design, das erwiesenermaßen (wissenschaftlich und klinisch) Plaque wesentlich effektiver beseitigt als Ihre normale Zahnbürste. Und das ohne den Gebrauch von Zahnpasta oder Zahnseide. Die Besonderheit von Soladey ist ein Titanoxid (TiO2) Metallstab, der empfindlich auf Licht reagiert. Er erzeugt eine natürliche ionisch-chemische Reaktion, die Plaque von Ihrem Zahnschmelz trennt und Tabak, Kaffee und andere Flecken entfernt, indem es die natürliche Anziehungskraft von Ionen verwendet. Vielleicht haben Sie schon einmal von einem Raumionisator gehört. Solch ein Ionisator erzeugt ebenfalls Ionen. Die Partikel von Plaque sind positiv geladen (positive Ionen). Wenn der Titanstab in der Soladey-Zahnbürste mit Licht reagiert, werden negative Ionen erzeugt, die die positiven Ionen wie ein Magnet anziehen. Die

Plaque löst sich schlichtweg auf und fällt von Ihren Zähnen ab, wenn Sie den Mund ausspülen. Bei Anwendung dieser Prozedur werden auch andere Flecken aus Ihren Zähnen gesaugt.

Es wurden vier klinische Studien an vier verschiedenen zahnärztlichen Universitäten in Kanada und Japan durchgeführt. Alle kamen zu dem Schluss, dass die Testpersonen in der Soladey-Gruppe erheblich weniger Plaque auf den Zähnen hatten, als die Versuchspersonen in der Gruppe, die normale Zahnbürsten verwendeten. Ebenso konnten die Forschungen eine Verbesserung von Zahnfleischentzündungen nachweisen. Damit wirkt Soladey also zahnfleischschützend – genauso wie plaquereduzierend.

Die wissenschaftlichen Auftraggeber hinter Soladey haben dieses Produkt seit den 1970er Jahren entwickelt und seit ein paar Jahren wird Soladey nun in Japan verkauft. Das Unternehmen verkauft jedes Jahr zwei Millionen Zahnbürsten und fünf Millionen Ersatzköpfe. Klinische Studien über die Wirksamkeit der Soladey-Technologie zur Entfernung von Zahnplaque wurden an der Osaka Dental University, der Nippon Dental University, der Nihon University und der University of Saskatchewan in Kanada durchgeführt. Alle Einrichtungen bestätigen, dass Soladey bei der Eliminierung von Plaque und der Weißung des Zahnschmelzes wirksamer war als jede normale Borstenzahnbürste.

Wie man das Rauchen und andere Suchterkrankungen aufgibt

Sucht – Ein unbewusstes Signal, sich nicht unter Kontrolle zu haben

Wenn Sie abhängig von bestimmten Substanzen sind, kann die Ursache darin liegen oder von der Tatsache begleitet werden, dass Sie nicht in der Lage sind Ihre tiefsten Sehnsüchte zu erfüllen. Obwohl sich dessen nicht bewusst, kann es sein, dass Sie glauben einer übergeordneten Macht ausgeliefert zu sein, die Sie daran hindert Ihre Träume, egal ob groß oder klein, zu verwirklichen. Es kann sogar sein, dass Sie sich selber schaden, indem Sie hartnäckig daran glauben, alte Gewohnheiten wie Rauchen, Trinken von Alkohol oder das Essen süchtig machender Nahrungsmittel nicht aufgeben zu können.

Viele Raucher behaupten nicht mit dem Rauchen aufhören zu können, wenn sie ständig andere Menschen rauchen sehen. Andere haben Angst vor den vielleicht unerträglichen Entzugserscheinungen, die häufig bei plötzlichem Nikotinentzug auftreten. Ziemlich viele Menschen konnten mit dem Rauchen aufhören, aber als sie plötzlich enorm zunahmen, fingen sie wieder an zu rauchen.

Die meisten Raucher, die ihre Sucht aufgeben möchten, glauben, dass sie nicht genug Willenskraft besitzen, um diesen Schritt zu tun. Warum geben wir einer kleinen Zigarette solch große Macht, dass sie imstande ist über unsere Freiheit zu herrschen, bewusste Wahlen für unser Leben zu treffen? Das Rauchen ist, wie jede andere abhängig machende Angewohnheit, bloß ein Symptom einer zugrunde liegenden Leere oder eines Mangels. Was ist es, was wir wirklich in unserem Leben vermissen, dass wir fortwährend nach Ersatz verlangen? Diese Frage kann man im Zusammenhang mit der unglaublich großen Anzahl möglicher Antworten, von denen viele nur dem süchtigen selbst bekannt sein können, unmöglich beantworten. Aber das Bedürfnis zu rauchen kann insofern sehr nützlich werden, da es diesen inneren Mangel, was immer er auch sein mag, offenbaren kann.

Anstatt sich selber zu kritisieren oder zu verurteilen, da Sie Ihre Kraft in eine Angewohnheit investieren, die das Potenzial hat Sie krank zu machen oder zu töten, können Sie viel daraus lernen und ein Gefühl der Vollkommenheit erlangen. Da Sie vielleicht nicht in der Lage sind die Botschaften, die das Rauchen mit sich bringt, zu verstehen, neigen Sie dazu sich der Vorstellung zu fügen, dass es eine schwierige und frustrierende Aufgabe ist, mit der Angewohnheit aufzuhören. Dennoch kann Ihnen das Rauchen bewusst machen, dass Sie nicht mehr die völlige Kontrolle über Ihr Leben haben. Es kann Ihnen sogar einen Weg weisen, diese Kontrolle zurückzugewinnen.

Die Entschuldigung, „Ich kann nicht aufhören zu rauchen, weil ...", ist eine unbewusste Anerkennung dessen, dass ich auf eine Art ein Opfer bin und dass ich unter geringem Selbstwertgefühl leide. Es gibt einen Teil in mir, den ich als schwach und mangelhaft erachte. Ein Teil von mir ist nicht lebendig und gesund. Der Akt des Rauchens lässt mich auf eine Art zugeben, dass mein Wunsch nach einer Zigarette größer ist, als mein Wunsch gesund zu bleiben, oder anders gesagt, mich selbst zu lieben. Es ist sehr schwierig das Rauchen oder andere Süchte aufzugeben, solange ich diese ursächlichen Schwächen aufrechterhalte, die durch solche Aussagen wie „Ich kann es nicht aufgeben" oder „Ich werde ohne meine Zigaretten verrückt" zustande kommen.

Lernen Sie, Ihre Willensfreiheit wiederherzustellen

Lernen, wie man das Rauchen aufgibt, kann einer der wirksamsten Wege sein, alle zugrunde liegenden Unfähigkeiten und Abhängigkeiten Ihres Lebens auszuräumen. Indem Sie das gewohnheitsmäßige Verlangen zu rauchen unterdrücken oder bekämpfen, geben Sie ihm bloß mehr von Ihren eigenen Energien. Dies alles vergrößert nur die Sucht. Sehnsüchte wollen erfüllt werden, oder wenigstens sollten wir in der Lage sein zu entscheiden, ob wir sie erfüllen wollen oder nicht. Die Abhängigkeit zu rauchen, die einen Mangel innerer Fähigkeiten und Vollständigkeit widerspiegelt, kann für Sie sogar zu einer sehr wirksamen Methode werden, wiederaufzutanken und bewusst Kontrolle über Ihr Leben wiederzuerlangen. Sie werden sich fragen, was das bedeutet. Nicht das Rauchen ist das Problem, das Sie bekämpfen müssen. Das Rauchen nur als eine Sucht zu sehen, die schreckliche Folgen haben kann, ist ein deprimierender Gedanke. Und es zu bekämpfen, steigert auch nicht Ihr Selbstwertgefühl. Selbst wenn Sie es schaffen diese Angewohnheit aufzugeben, haben Sie Ihre innere Freiheit noch nicht wiedergewonnen und werden wahrscheinlich eine andere Sucht, wie Esssucht, Alkoholismus oder Sexsucht entwickeln. Anstatt Ihre Angst oder Ihr schlechtes Selbstbewusstsein zu bekriegen, müssen Sie nur Ihre innere Freiheit steigern, Ihre eigenen Lebensentscheidungen zu treffen.

Wenn Sie das Rauchen richtig verstehen und richtig damit umgehen, kann es eins der wichtigsten Dinge sein, das Ihnen jemals widerfahren ist. Das Rauchen kann Sie dazu bringen, eine völlig neue Denkweise anzunehmen, wodurch sich Ihr Schicksal neu gestaltet. Wenn Sie Raucher sind und diese Angewohnheit aufgeben möchten, müssen Sie zuerst verstehen, dass Ihre Sucht kein Zufallsfehler ist, den Sie während eines Ihrer schlechteren Momente im Leben gemacht haben. Sie haben diese Angewohnheit nicht entwickelt, um daran zu leiden, sondern, um davon zu lernen. Sie werden wahrscheinlich bis zu dem Tag abhängig bleiben (oder eine andere Sucht entwickeln), bis Sie die Fähigkeit erlangt haben, Ihre Wünsche wieder selber zu erfüllen. Bei der Raucherentwöhnung geht es nicht darum eine Sucht aufzugeben, nur um eine andere aufzunehmen; es geht um die Entdeckung Ihrer Willensfreiheit.

Die eigene Willenskraft zur Bekämpfung einer unerwünschten Angewohnheit zu verwenden, wird ihren Zweck verfehlen und wahrscheinlich fehlschlagen, da der Kampf gegen etwas voraussetzt, dass Sie angegriffen werden oder in Gefahr schweben. Mit dem heutigen Wissensstand über die starke Verbindung zwischen Geist/Körper, ist die Angst, die dem Kampf gegen eine Sucht zugrunde liegt genug, um die Zellen des Körpers nervös, besorgt und funktionsgestört zu erhalten. Die Zellen können so lange nicht den Frieden, die Ausgeglichenheit und die Energie finden, die sie benötigen, um glücklich zu sein, solange die Angst sich nicht unter Kontrolle zu haben, im Bewusstsein ihres Meisters vorherrscht. Die enzymbasierten Nachrichten, die Zellen an Gehirn und Herz senden, sind einfache Hilfeschreie. Der Wirt interpretiert diese Signale jedoch als Depression und Nervosität. Um die Beschwerden zumindest für ein paar Momente „zu überwältigen", fühlt sich der Wirt gezwungen, die nächste Zigarette zu rauchen oder sich nach einem weiteren Drink umzusehen. Jedes Mal, wenn die Beschwerden erneut auftreten, fühlt er oder sie sich abgeschlagen und geschwächt. Und so geht die Sucht weiter.

Bei wahrer Willenskraft geht es jedoch um das Erlernen, bewusste Wahlen zu treffen. Süchte kleben wie Leim an jedem, der sie überwinden möchte. Sie sind die „Gespenster des Gedächtnisses", die in unserem Unterbewusstsein leben und jedes Mal plötzlich auftauchen, wenn die suchterzeugende Substanz in Sichtweite ist oder sich vorgestellt wird. Der darauf folgende Drang wird nicht bewusst kontrolliert, daher das Gefühl „des Sterbens" für eine Zigarette, eine Tasse Kaffee oder einen Schokoriegel. Es ist jedoch wichtig zu begreifen, dass Sie immer eine Wahl haben. Das ist alles, was Sie zum Thema Suchtüberwindung lernen müssen. Sie können die Gespenster des Gedächtnisses nicht erfolgreich austreiben, indem Sie Ihre Zigaretten wegwerfen, Ihre rauchenden Freunde meiden oder in einer rauchfreien Umgebung leben. Die Gesellschaft hat das Rauchen so sehr verurteilt, dass sich viele Raucher bereits in ihrer persönlichen Freiheit sozial benachteiligt fühlen. Diese persönliche Freiheit müssen sie jedoch fühlen, um eigene Entscheidungen für ihr Leben treffen zu können. Falls Sie empfindlich sein sollten, denken Sie daran, dass Ihnen ein nörgelnder Ehepartner, ein Arzt und die auf Zigarettenpackungen gedruckten Warnhinweise über die Schädlichkeit des Rauchens Schuldgefühlen bereiten können. Wenn dieser komplette Druck von außen es schafft Sie dazu zu bewegen, das Rauchen aufzugeben, werden Sie sich weiterhin Ihrer Willensfreiheit beraubt fühlen und deshalb nach anderen, gesellschaftsfähigen Suchtformen suchen.

Rauchen, eine bewusste Entscheidung

Wir alle erinnern uns an unsere Kindheitstage. Die Eltern verboten uns vor dem Mittagessen Schokolade zu essen oder fernzusehen, wenn wir das wollten. Das Unterbewusstsein reagiert negativ, wenn es seiner

Fähigkeit beraubt wird Wahlen zu treffen, oder wenn es sich gezwungen fühlt, etwas gegen seinen Willen zu tun. Enttäuschungen ergeben sich aus der Unfähigkeit Wünsche zu erfüllen. Diese Enttäuschungen können sich ansammeln und zu einer inneren Leere führen, die ausgefüllt werden will. Das Rauchen ist die bloße unterbewusste Auflehnung gegen äußere Manipulationen unserer Freiheit zu wählen, was wir wollen. Diese Auflehnung scheint diesen unbehaglichen Raum im Innern zumindest für eine kurze Zeit auszufüllen. Dieser innere Mangel kann jedoch nur dann dauerhaft nachlassen, wenn wir die Freiheit wiedergewonnen haben, unsere eigenen Entscheidungen zu treffen. Sie müssen wissen, dass Sie die Freiheit haben zu rauchen, wann immer und so oft Sie wollen. Wenn Sie eine Zigarette und ein Streichholz zum Anzünden haben, werden Sie sicher einen Weg finden, die Zigarette auch zu rauchen.

Die unbewusste Verbindung von Rauchen mit allen anderen „Verboten" Ihrer Vergangenheit, wird durch die Akzeptanz Ihres Verlangens (zu rauchen) aufgehoben. Ich habe im Alter von 10 Jahren meine erste Zigarette geraucht. Ich fühlte mich wie ein Verbrecher, weil das Gesetz das Rauchen erst ab 16 Jahren erlaubte. Meine Eltern waren natürlich strikt gegen das Rauchen. Jahre, in denen ich mein Geheimnis vor meinen Eltern und meinen Lehrern verbergen musste, ließen mir keine andere Wahl als so lange zu rauchen, bis mir klar wurde, dass ich eine Wahl hatte. Als ich schließlich 16 Jahre alt war und rauchen durfte, verlor ich das Interesse und beschloss aufzuhören. Ich war in der Lage die Angewohnheit sofort und ohne jegliche Entzugserscheinungen aufzugeben.

Der erste und wichtigste Schritt, um das Rauchen aufzugeben, ist, sich das Rauchen zu erlauben. Die aus dem Rauchen entstandene Schuld wird Sie nur davon abhalten Befriedigung zu erlangen und Sie dazu bringen, noch eine Zigarette zu rauchen, die Ihnen endlich das geben kann, wonach Sie gesucht haben. Aber Sie suchen nicht wirklich nach der kurzfristigen Befriedigung, die Ihnen das Rauchen liefert. Sie suchen vielmehr nach der verlorenen Freiheit, Ihre eigenen Entscheidungen im Leben zu treffen. Indem Sie versuchen das Anzünden der Zigarette zu verhindern, berauben Sie sich auch dieser potenziellen Befriedigung. Der Widerstand gegen das Rauchen erzeugt starke psychosomatische Nebenwirkungen. Diese sind als Entzugserscheinungen bekannt. Symptome können Depression, Interessenlosigkeit, Schlaflosigkeit, Wut, Brechreiz, Heißhunger, Fettleibigkeit, Herz-Kreislauf-Erkrankungen, Konzentrationsschwäche und Zittern umfassen. Diese Symptome können allerdings nur dann auftreten, wenn Sie glauben Ihrer Freiheit zu rauchen beraubt worden zu sein.

Sich entschließen, weniger zu rauchen, aber…

Bekämpfen Sie nicht Ihr Verlangen zu rauchen. Im Gegensatz zum allgemeinen Glauben müssen Sie nicht das Verlangen zu rauchen aufgeben, um das Rauchen aufzugeben. Sie werden damit beginnen die Gewohnheit automatisch aufzugeben, sobald Sie beschließen, Ihrem Verlangen zu rauchen, egal in welcher Situation, nicht nachzukommen. Dies wird Ihrem unterbewussten, rebellischen Geist den Treibstoff entziehen und Sie stoppen, ein Opfer äußerer Kräfte, Situationen oder Menschen zu werden. Als Ihr eigener Herr können Sie selber entscheiden, ob Sie rauchen wollen oder nicht. Tragen Sie Ihre Zigaretten immer bei sich, so lange Sie glauben, dass Sie diese Wahl haben wollen. Vielleicht ist es sogar gut, Ihr Verlangen zu rauchen zu fördern, indem Sie Ihre Zigarettenschachtel direkt vor sich legen und von Zeit zu Zeit daran riechen. Beobachten Sie andere Menschen um sich herum, die sich eine Zigarette anzünden und den Rauch inhalieren. Stellen Sie sich vor, dass Sie ebenfalls tief inhalieren. Zählen Sie nicht die rauchfreien Tage und schauen Sie auch nicht in die Zukunft. Sie werden es weder sich selbst noch irgendjemand anderem beweisen müssen, dass Sie diese Sucht besiegen können. Genau genommen wollen Sie nicht die ganze Sucht besiegen. Sie wollen von ihr profitieren. Sie sind weder eine bessere Person, wenn Sie aufhören, noch sind Sie eine schlechtere Person, wenn Sie es nicht tun. Es steht Ihnen frei, heute mit dem Rauchen aufzuhören und morgen wieder zu beginnen. Sie werden diese Wahl immer haben und Sie werden immer nur einen Zug davon entfernt sein, Raucher zu sein, genauso wie der Rest von uns.

Die Wahl, den freien Willen zu verwenden und zu trainieren, muss ständig getroffen werden und sie muss viele Male am Tag von neuem wiederholt werden. Je länger der Zeitraum ist, in dem Sie die Entscheidung nicht zu rauchen aufrecht erhalten, desto schneller wird sich der Drang zu rauchen verringern und jeden Tag weniger intensiv werden. Jedes Mal, wenn das Verlangen zu rauchen wieder auftritt, was möglich ist, weil die Gespenster des Gedächtnisses Ihr Unterbewusstsein nicht einfach über Nacht verlassen, kann es sein, dass Sie wieder neue Entscheidungen treffen müssen. Diese Wahl wird jedoch von Mal zu Mal leichter, da Sie bei jeder vorherigen erfolgreichen Entscheidung Ihr Selbstbewusstsein und Ihre Selbstachtung gesteigert haben. In diesem Programm existieren keine Rückschläge; es existiert nur Ihre Wahlfreiheit. Auf die eine oder andere Art sind Sie verantwortlich.

Die bewusste Umschulung Ihres Geistes wird Ihrem kompletten Leben zugutekommen. Sie wird die Kraft, Ihre Willensfreiheit zu nutzen, wieder stärken und das „Opfer“ in Ihnen entfernen. Da Ihnen in Ihrem Leben so oft erzählt wurde, dass Sie *dies oder jenes nicht tun können,* haben Sie angefangen zu glauben, dass Ihre Sucht zu schwierig sei, um sie aufzugeben. Indem Sie Ihre Kraft, bewusste Entscheidungen zu treffen, zurückfordern, werden Sie in der Lage sein, das selbsterfüllende „Ich kann nicht" Muster in Ihrem Leben für immer zum Guten zu wenden. Das wird für jeden Bereich Ihres Lebens ein großer Gewinn sein.

Die Abhängigkeit beenden

Bevor Sie sich dazu entschließen mit dem Rauchen aufzuhören (oder jeder anderen Sucht), müssen Sie sich folgender Punkte bewusst sein:

- Machen Sie die Beendigung Ihrer Sucht zu einer Priorität in Ihrem Leben.
- Versuchen Sie nicht, zu viele Veränderungen zur gleichen Zeit in Ihrem Leben durchzuführen.
- Belohnen Sie sich nicht für die Beendigung der Angewohnheit; das Aufhören ist Belohnung genug.
- Es ist gut, nicht jedem von der Absicht zu erzählen, mit dem Rauchen aufzuhören, da das nur Ihre Wahlfreiheit zu rauchen untergräbt.
- Tragen Sie Ihre Zigaretten oder Ihren Tabak bei sich, so können Sie entscheiden zu rauchen, wann auch immer Sie wollen. Außerdem werden die Menschen um Sie herum glauben, dass Sie noch rauchen; auf diese Weise müssen Sie niemandem beweisen, dass Sie dazu fähig sind, mit der Gewohnheit aufzuhören.
- Versuchen Sie keine Orte zu vermeiden, an denen andere Leute rauchen (außer es ist medizinisch notwendig); Sie wollen in allen Situationen die Kontrolle behalten.
- Denken Sie daran, dass Sie immer dann rauchen können, wenn Sie wollen (außer im Flugzeug oder im Bus), selbst wenn Sie dafür nach draußen in die Kälte gehen müssen.
- Vermeiden Sie (anstatt Zigaretten) Ersatzsubstanzen wie Tee, Kaffee, Schokolade, Kaugummi, mehr Bewegung, Mineralwasser trinken, usw., da sie auf lange Sicht nicht Ihr Verlangen zu rauchen befriedigen würden.
- Beginnen Sie die Raucherentwöhnung zu einem bestimmten Zeitpunkt, der nicht mit einem emotionalen Umbruch oder einer stressigen Situation zusammenfällt. Am besten verbinden Sie das Startdatum des Programms mit einem positiven Ereignis in Ihrem Leben. Neumond ist einer der Tage, an dem man am besten anfängt aufzuhören.

- Denken Sie an alle Vorteile, die Sie durch das Aufhören erlangen, d. h. bessere Gesundheit, geringere Schleimausscheidung aus den Lungen, reineren Atem, Geldeinsparungen, usw.
- Nehmen Sie Ihr Verlangen zu rauchen zur Kenntnis, wenn es auftritt. Sagen Sie sich selbst: „Ich habe jetzt wirklich das Verlangen zu rauchen und ich fühle mich frei es zu tun, aber in diesem Moment entscheide ich mich dafür nicht zu rauchen." Wenn das Verlangen zu rauchen etwa eine Stunde später zurückkehrt, können Sie sich dazu entschließen, diesem Verlangen dieses Mal nachzukommen. Das wird Sie lehren, Ihr Verlangen zu rauchen bewusst zu akzeptieren, es aber nicht immer zu erfüllen. Indem Sie beschließen dem Verlangen zu rauchen nicht jedes Mal nachzugeben, trainieren Sie Ihren Geist, bewusste Entscheidungen zu treffen.
- Häufig ist das Verlangen zu rauchen mit Schlüsselreizen verbunden, wie z. B. dem Trinken einer Tasse Kaffee, dem Klingeln des Telefons, dem Warten auf einen Bus oder ein Taxi oder dem Einschalten des Fernsehers. Ihre Sucht ist ein Programm, das Sie in Ihrem Unterbewusstsein geschrieben und mit solchen Schlüsselreizen verbunden haben. Sobald die Schlüsselreize vorhanden sind, wird Ihr Verlangen zu rauchen ebenfalls plötzlich auftauchen. Wenn Sie das nächste Mal durch solch einen Schlüsselreiz das Verlangen verspüren zu rauchen, entscheiden Sie sich bewusst dafür ein paar Minuten zu warten, bis Sie Zeit oder Gelegenheit haben bewusst zu rauchen. Ein anderer Vorschlag wäre, irgendwo im Haus oder im Garten zu rauchen, wo Sie für gewöhnlich nicht rauchen. Dadurch werden die Bande zu Ihrem Unterbewusstsein getrennt und Ihre Entscheidung, ob Sie rauchen oder nicht, bewusster.
- Lassen Sie das Verlangen zu rauchen sehr stark werden, bevor Sie tatsächlich nach einer Zigarette greifen; anders gesagt, Sie werden immer noch frei entscheiden können, ob Sie rauchen oder nicht, aber warten Sie eine Zeit lang damit, bis Sie sich wirklich unwohl fühlen. Stellen Sie fest, wo genau in Ihrem Körper Sie sich angespannt, reizbar oder nervös fühlen. Es ist wichtig zu fühlen, wie stark Ihr Verlangen zu rauchen wird, bevor Sie sich eine Zigarette anzünden. Die meisten Raucher geben dem geringsten Drang zu rauchen nach und merken überhaupt nicht, wann sie sich eine Zigarette anzünden. Sie wollen das Muster durchbrechen, Dinge unbewusst zu machen.
- Um die Raucherentwöhnung (oder die jeder anderen Sucht) zu erleichtern, trinken Sie mindestens ein halbes Glas Wasser (Raumtemperatur), bevor Sie sich dafür entscheiden, eine Zigarette zu rauchen. Machen Sie das jedes Mal, wenn Sie den Drang zu rauchen verspüren. Physisch gesehen ist der Drang zu rauchen direkt mit Toxinen verbunden, die in

den Bindegeweben des Körpers abgelagert wurden und jetzt ins Blut eindringen, wo sie die Blutdicke erhöhen. Eine Verdickung des Bluts verursacht üblicherweise Reizungen, Nervosität, Angst und sogar Panik. Anstatt die Toxine zurück in die Bindegewebe zu drängen (weil sie sicher wieder auftauchen werden), wird das Trinken von einem Glas Wasser Ihr Blut verdünnen. Das ist hilfreich dabei, die Toxine aus dem Körper zu entfernen. Dadurch wird der Drang zu rauchen jedes Mal geringer und verschwindet schließlich ganz.

- Letztendlich ist Ihre Raucherabhängigkeit nicht etwas Schreckliches, das Sie loswerden müssen. Es ist eher eine Gelegenheit sich zu trainieren, der Meister seines Schicksals zu werden. In diesem Sinn kann Ihre Sucht zu einem der allerbesten Lehrer werden, den Sie jemals hatten.

Zusammenfassung der Raucherentwöhnungstechnik:

1. Immer, wenn Sie den Drang verspüren zu rauchen, wiederholen Sie zu sich selbst: „Ich will jetzt rauchen." Dadurch wird das Verlangen zu rauchen von Ihrem Unterbewusstsein in Ihr Bewusstsein gebracht und Ihnen genug Zeit gegeben, bewusst zu entscheiden, ob Sie rauchen wollen oder nicht. Wenn Sie ein halbes Glas Wasser trinken, wird Ihnen Ihr Verlangen ebenfalls ins Bewusstsein gebracht.
2. Dann sagen Sie zu sich selbst: „Ich habe die freie Wahl, jetzt zu rauchen." Wenn Sie sich nicht an Ihre innewohnende Wahlfreiheit erinnern, kann Ihr unterbewusster, abhängiger Geist glauben, dass Sie nicht mehr rauchen dürfen und beginnen zu rebellieren. Das kann Entzugserscheinungen verursachen.
3. Wenn Sie den verzweifelten Wunsch zu rauchen verspüren, erkennen Sie Ihren Wunsch an, indem Sie sagen: „Ich beschließe, wieder mit dem Rauchen zu beginnen." Bevor Sie jedoch nach einer Zigarette greifen, prüfen Sie, ob es auch das ist, was Sie wirklich wollen. Oder Sie wiederholen zu sich selbst: „Im Augenblick akzeptiere ich, dass ich rauchen will, aber ich ziehe es vor, es gegenwärtig nicht zu tun." Denken Sie darüber nach, wie Sie sich fühlen würden, wenn Sie vollkommen mit dem Rauchen aufhören würden.

Gehen Sie diese Abfolge einfach jedes Mal durch, wenn Sie das Verlangen haben zu rauchen. Die Technik ist narrensicher, weil Sie auf keinen Fall etwas falsch machen können. Ganz gleich, ob Sie sich dazu entschließen weiter zu rauchen oder nicht, Sie haben begonnen sich selbst „bewusst" zu werden und Ihre Willensfreiheit zu trainieren – die Voraussetzung für eine bewusste Eigenverantwortung für Ihr Leben. Die Mehrheit der Menschen, die dieses einfache Programm befolgt, hört innerhalb einer Woche mit dem Rauchen auf, andere benötigen etwas mehr Zeit. Es ist nicht wichtig, wie lange es dauert. Was jedoch wichtig ist, ist die große positive Veränderung in Ihrem Denken und in Ihrer Einstellung zu sich selbst und anderen gegenüber, die Sie hierbei durchleben.

Alle Forschungsstudien, die das Rauchen als gesundheitsgefährdend darstellen, haben nicht verstanden worum es geht. Anstatt Raucher zu verurteilen, sollten wir ihnen Wege zeigen, aus dieser abhängig machenden Angewohnheit zu lernen, genauso wie wir von jedem anderen Problem im Leben lernen können.

Diese Technik kann man ebenso gut bei jeder anderen Sucht einsetzen, einschließlich Kaffee-, Alkohol-, Rauschgift-, Schlaftabletten-, Zucker-, Salz-, Sex- und sogar Arbeitssucht. Ich schlage vor, dass Sie diesen Abschnitt mindestens einmal wöchentlich lesen, um sich mit den wichtigsten Punkten des Programms vertraut zu machen.

Einige der größten Heilgeheimnisse der Natur

Erstaunliche Nahrungsmittelkuren

Hippokrates war der erste Arzt der westlichen Hemisphäre, der feststellte, dass Nahrung für den Menschen die beste Medizin ist. Es ist sehr offensichtlich, dass Nahrung, wenn sie in der Lage ist gesunde, starke Körper zu ernähren und zu schaffen, auch imstande sein muss, diese Körper zu heilen, wenn sie krank sind. Die Forschung über natürlich gewachsene Nahrungsmittel ist am wenigsten beeinflusst und am authentischsten von allen, da es keine Pharmakonzerne oder manipulative Nahrungsmittelindustrie gibt, die aus den Forschungen Profit ziehen und etwas vermarkten könnten, was bereits für jeden frei verfügbar ist.

Ich habe nur einige Beispiele aus Hunderten von Nahrungsmitteln aufgelistet, die alle einige großartige Heileigenschaften besitzen. Man kann sagen, dass man durch den Verzehr nicht ausreichender Mengen natürlicher Nahrungsmittel früher oder später mit großer Wahrscheinlichkeit krank werden wird. Andererseits werden Sie vielleicht niemals krank, wenn Sie von Mutter Naturs´ Tisch essen. Aber wenn Sie momentan krank sind, können Sie auf Ihrer Suche nach einem echten Heilmittel für Ihr Leiden feststellen, dass Nahrung immer noch die beste Medizin ist, die Sie kaufen können.

Wenn Sie Nahrungsmittel als Medizin verwenden wollen, entnehmen Sie bitte Ihren Körpertyptabellen, ob diese Nahrungsmittel für Sie wirklich von Vorteil sind. Obwohl die folgend verzeichneten Nahrungsmittel große potenzielle Heileigenschaften haben können, werden sie für Sie nicht von Nutzen sein (unabhängig von Ihren Nährstoffen), wenn Ihr Körper sie nicht verwerten kann (Brokkoli leistet zum Beispiel bei Vata-Typen keine gute Arbeit).

Die krebshemmenden Eigenschaften von Brokkoli

Laut Forschungsergebnissen der Johns Hopkins Universität enthalten kleine Mengen frischer Brokkolisprossen genauso viel Krebsschutz wie größere Mengen reifen Brokkolis, der in Supermärkten verkauft wird. Sie müssten ungefähr zwei Pfund reifen Brokkolis pro Woche essen, um die Gefahr an Colonkrebs zu erkranken um ungefähr 50 Prozent zu reduzieren. Obwohl das sicher möglich ist, enthalten gerade 5 Gramm Brokkolisprossen die gleichen Konzentrationen des Wirkstoffs Glucoraphanin, wie 150 Gramm reifer Brokkoli. Diese aktive Verbindung ist ein Vorläufer des Wirkstoffs Sulforaphan, der in Tierstudien erwiesenermaßen jene Zellenzyme erhöht hat, die vor Molekülverletzungen durch krebserregende Chemikalien schützen.

Wie andere kruzifere Gemüsesorten beschleunigt Brokkoli die Beseitigung von Östrogen aus dem Körper, was hilfreich bei der Unterdrückung von Brustkrebs ist. Es wirkt auch antiviral und antiulceral. Außerdem ist Brokkoli eine super Chromquelle. Chrom hilft das Insulin und den Blutzucker zu regeln.

Anmerkungen für den Vata Typ: Sie können ein wenig von Brokkoli und anderen kruziferen Gemüsen profitieren, wenn Sie sie mit einer guten Portion Öl oder Butter zubereiten.

Kohl – Das Krebsheilmittel der Römer

Kohl wurde im alten Rom als Krebsheilmittel verehrt. Heute wissen wir, dass seine krebsheilenden Eigenschaften von den zahlreichen antitumorösen und antioxidativen Verbindungen kommen. Kohl beschleunigt den Östrogenmetabolismus, von dem man annimmt, dass er Brustkrebs blockiert und das Wachstum von Polypen, einer Vorstufe von Colonkrebs, unterdrückt. Untersuchungen haben ergeben, dass der Verzehr von Kohl (häufiger als einmal pro Woche) die Chancen an Colonkrebs zu erkranken um bis zu 66 Prozent senkt.

Gerade einmal zwei Esslöffel gekochter Kohl pro Tag hat die Testpersonen vor Magenkrebs geschützt. Kohl enthält zudem starke Wirkstoffe gegen Geschwüre; sein Saft hat erwiesenermaßen geholfen, Geschwüre beim Menschen zu heilen. Er hat sogar antibakterielle und antivirale Eigenschaften. Rotkohl hat doppelt so viele Ballaststoffe wie Weißkohl. Er ist für seine ausgleichenden Effekte auf das Blutcholesterin bekannt. Blumenkohl und Rosenkohl haben ähnliche Vorteile.

Bok Choy, der randvoll mit Mineralien ist, hat hohen Blutdruck nachweislich um 30 Punkte oder mehr gesenkt. Sie brauchen keine teuren, verschreibungspflichtigen Medikamente, die Ihre Leber, Nieren und Ihr Verdauungssystem zerstören.

Blumenkohl hilft bei Brustkrebs

Blumenkohl ist ein Mitglied der Kreuzblütlerfamilie, der viele derselben krebsbekämpfenden, hormonregelnden Zusammensetzungen enthält, wie seine Vettern Brokkoli und Kohl. Blumenkohl ist eins der unpopulärsten Gemüse, aber das macht ihn nicht weniger wichtig. Forscher haben herausgefunden, dass er Frauen dabei hilft, Östrogen abzubauen und auf sichere Weise Östrogennebenprodukte zu erzeugen, was das Brustkrebsrisiko um bis zu 40 Prozent senkt. Er hilft auch dabei Colonkrebse abzuwehren.

Das große Karottenphänomen

Karotten sind reichhaltig an Beta-Carotin, ein starkes geschwulsthemmendes, arterienschützendes, immunstärkendes und infektionsbekämpfendes Antioxidans. Neueste Forschung hat erwiesen, dass eine einzelne Karotte pro Tag das Schlaganfallrisiko bei Frauen um 68 Prozent reduziert! Kein Medikament kommt dem annähernd nahe. Selbst Beta-Carotin-Ergänzungen waren, gemäß einer Studie aus dem Jahre 2007, nicht in der Lage, irgendeinen Nutzen zu zeigen. Wenn Sie Raucher sind oder waren, reduziert das Beta-Carotin einer mittelgroßen Karotte Ihr Lungenkrebsrisiko um 50 Prozent.

Ihre Augen werden für diese Karotte pro Tag ebenso dankbar sein. Nachgewiesenermaßen reduzieren hohe Dosen Beta-Carotin wesentlich das Risiko für degenerative Augenkrankheiten (grauer Star und Makuladegeneration). Beta-Carotin hilft auch bei Brustschmerzen (Angina). Die hochlöslichen Ballaststoffe in Karotten gleichen das Blutcholesterin aus und begünstigen Regelmäßigkeiten. Wenn man die Karotten kocht, fällt es dem Körper leichter, das Beta-Carotin zu absorbieren.

Sellerie – Besser als Viagra

Sellerie galt lange als eines der besten Nahrungsmittel zur Normalisierung des Blutdrucks. Er erweitert die Blutgefäße genauso wie die meisten starken Medikamente, jedoch ohne deren schädlichen Nebenwirkungen. Wer hätte jedoch gedacht, dass dieses gängige Nahrungsmittel effektiver als Viagra oder irgendein anderes potenzsteigerndes Medikament ist? Gemäß einer ausgiebigen Studie über angeblich aphrodisische Nahrungsmittel ist Sellerie die „erotischste" Substanz der Erde. Dieser unwahrscheinlich klingende Kandidat kombiniert die idealen Mengen von Vitamin E, Magnesium, Niacin, Kalium und Zink – die alle für optimalen Sex erforderlich sind.

Und es wird noch besser. Sellerie enthält Arginin, eine natürliche Aminosäure, die Blutgefäße ganz wie Viagra erweitert. Aber im Gegensatz zu Viagra erhöht Arginin die Durchblutung des Kitzlers und macht die weiblichen Geschlechtsorgane empfänglicher.

Außerdem enthält das eigentliche Aroma des Selleries zwei Steroide, genannt *Androsteron und Androstenol.* Forschungsergebnisse zeigen, dass der dezente Geruch dieser beiden Chemikalien durch die Nase dringt und das andere Geschlecht anzieht.

Sellerie hat überdies noch andere Vorteile. Er enthält den Bestandteil *Acetylen,* das erwiesenermaßen das Wachstum von Krebszellen stoppt. Sellerie ist eine ausgezeichnete Quelle organischen Natriums. Dieses gibt ihm einen leicht salzigen Geschmack. Zusammen mit Kalium hilft Natrium den Elektrolythaushalt des Körpers aufrechtzuerhalten. Natrium ist auch für die Salzsäureproduktion im Magen erforderlich und an der Absonderung vieler Drüsensekrete beteiligt. Sellerie ist auch eine ausgezeichnete Vitamin C-Quelle. Vitamin C hilft bei der Unterstützung des Immunsystems.

Sellerie ist ein natürliches Diuretikum und dementsprechend nützlich bei Kreislaufstörungen, wie z. B. hohem Blutdruck und Lymphstauung.

Chinesische Ärzte haben Sellerie lange verwendet, um den Blutdruck zuverlässig zu senken. Und nun haben Wissenschaftler genau entdeckt, warum er so gut wirkt. Sellerie enthält ein einzigartiges Öl, das die Muskeln entspannt, die den Blutdruck regeln. Außerdem verbessert es die Durchblutung und senkt den Blutdruck. Alle zwei Tage nur einige Stangen (oder etwas Selleriesaft, den Sie evtl. mit Karottensaft kombinieren) erfüllen den Zweck.

Avocado – Die köstliche Superfrucht

Die Avocado ist eine sehr massive Frucht, die randvoll mit Nährstoffen ist. Sie ist besonders reich an Vitamin A. Sie enthält auch viele B Vitamine, besonders Niacin, Folsäure, Kalzium, Eisen, 9 wesentliche Aminosäuren und einen Haufen Kalium.

Die Avocado fördert erwiesenermaßen die Durchblutung, senkt das Cholesterin und erweitert die Blutgefäße. Es stimmt, Avocados haben viel Fett – ein Grund, warum sie den Spitznamen „Butter-Birne" verdient haben. Aber es ist primäres Fett, einfach ungesättigte Ölsäuren (ebenfalls konzentriert in Olivenöl), die als Antioxidans wirken, um das LDL Cholesterin zu blockieren. Eine 1996 durch Forscher am Instituto Mexicano del Seguro Social in Mexico durchgeführte Studie befasste sich mit den Gesundheitsvorteilen des täglichen Avocadoverbrauchs. Bei 45 Versuchspersonen, die nur eine Woche lang täglich Avocados aßen, senkte sich das Gesamtblutcholesterin um durchschnittlich 17 Prozent. Ihr Cholesterinquotient veränderte sich auch auf gesunde Weise: Ihr LDL (Low Density Lipoprotein / Lipoprotein geringer Dichte) und die Triglyceride sanken deutlich, während ihr HDL (High Density Lipoprotein / Lipoprotein mit hoher Dichte)-Spiegel stieg.

Avocados sind auch reich an *Beta-Sitosterol,* das in 16 Humanstudien erwiesenermaßen cholesterinsenkend wirkte. Beta-Sitosterol ist ein häufig verschriebenes Cholesterinmedikament, das zwar die Cholesterinaufnahme behindert, aber ernste Nebenwirkungen hat. Avocados haben die vierfache Menge an Beta-Sitosterol wie Orangen, die vorher als die Beta-Sitosterol-reichste Frucht galt.

Man fand ebenfalls heraus, dass in Avocados dreimal so viel Glutathion enthalten ist, wie in jeder anderen Frucht. Glutathion ist ein starkes Antioxidans, das erwiesenermaßen dreißig verschiedene Karzinogene und die Vermehrung des AIDS-Virus im Reagenzglas blockiert. Studien zeigten einen starken Zusammenhang zwischen einer erhöhten

Glutathionaufnahme (aus dem Essen) und einem vermindertem Mundhöhlen- und Rachenkrebsrisiko.

Ich esse seit mehr als 20 Jahren täglich Avocado in meinem Mittagssalat (bitte nicht am Abend essen) und finde, dass sie eines der nahrhaftesten Nahrungsmittel überhaupt ist.

Wenn Sie eine Avocado zerdrücken und nach dem Haarewaschen in Ihr Haar reiben, wird der Glanz Ihres Haares erhöht; spülen Sie die Avocado einfach nach fünf Minuten aus. In Südafrika fertigt man eine Avocadomaske an, indem man zerquetschte Avocados mit Honig und Limettensaft vermischt. Diese Maske wendet man als Feuchtigkeitsbehandlung auf das Gesicht an, um den austrocknenden Effekten der heißen Sonne entgegenzuwirken.

Heidelbeeren und Preiselbeeren schützen Nieren, Herz, Augen und Haut

Harnwegsinfektionen (engl. Abk. UTI) werden durch Bakterien ausgelöst, in erster Linie durch Kolibakterien, die sich an die Wände der Blase oder der Nieren anheften. Viele wissenschaftliche Studien haben herausgefunden, dass Heidelbeeren und Preiselbeeren bei der Bekämpfung von UTIs nützlich sind, da sie das Wachstum von Bakterien blockieren oder verhindern. Preiselbeersaft ist bekannt dafür, Blasen- oder Harnwegsinfektionen binnen ein bis zwei Tagen zu beseitigen. Nehmen Sie drei bis vier Mal täglich, ungefähr 1/2 Stunde vor den Mahlzeiten und vor dem Zubettgehen, 60 bis 90 ml Saft ein.

Aus Untersuchungen geht hervor, dass Heidelbeeren hohe Konzentrationen von Antioxidantverbindungen mit medizinisch positiven Eigenschaften enthalten. Diese medizinischen Eigenschaften umfassen die Verhinderung von Harnwegsinfektionen, die Stimulierung krebshemmender Wirkungen, die Reduzierung des Risikos für Herzerkrankungen, die Stärkung von Kollagen, die Regulierung des Blutzuckers, die Besserung der Nachtsichtigkeit, die Reproduktionsreduzierung des HIV-Virus und die Behandlung von Durchfall.

Preiselbeeren sind reich an Bioflavonoiden und natürlichem Vitamin C. Sie stimulieren das Immunsystem und wehren Infektionen ab. Gerade das Essen von Preiselbeeren während der Winterzeit kann Erkältungen und Grippe verhindern. Außerdem können Preiselbeeren das Auftreten von Nierensteinen reduzieren und dabei helfen, die Bronchialröhren während eines Asthmaanfalls zu erweitern. Sie sind sogar für Akne-Geplagte hilfreich. Preiselbeeren halten akneerregende Bakterien davon ab, in die Haut einzudringen. Somit sind Ausbrüche weniger häufig und weniger schwer. Die in Preiselbeeren enthaltene Apfelsäure ist hilfreich, um Steine in den Gallengängen der Leber aufzuweichen. Daher können sie in der Vorbereitungsphase zur Leberreinigung von Nutzen sein. Am besten verwenden Sie pures, organisches Preiselbeersaft-Konzentrat, das Sie im Verhältnis von einem Teil Saft zu vier Teilen Wasser verdünnen können.

Die Heilkraft in grünen Bohnen

Grüne Bohnen, die auch als Snap Beans bekannt sind, sind mit Nährstoffen von erheblichem medizinischem Nutzen angereichert. Sie sind eine ausgezeichnete Vitamin K-Quelle (154,9 Prozent des täglichen Bedarfs in einer Tasse). Vitamin K ist notwendig, um die Knochen stark zu halten.

Grüne Bohnen sind ebenfalls reich am ebenso wichtigen Vitamin A (insbesondere wegen ihrer Konzentrationen an Carotinoiden, inklusive Beta-Carotin). Und sie enthalten, wie Sie vielleicht wissen, eine Menge nützlicher Ballaststoffe, die helfen Colonkrebs zu verhindern. Außerdem sind sie voll von Vitamin C, Riboflavin, Kalium, Eisen, Mangan, Folsäure, Magnesium, und Thiamin. Und sie sind eine gute Phosphor-, Kalzium-, Niacin-, Vitamin B6-, Kupfer-, Protein- und Zinkquelle.

Bei Arterienverkalkung, diabetischer Herzkrankheit (durch Diabetes verursachte Herzerkrankung) und Schlaganfall gibt es nur wenige Nahrungsmittel, die in der Anzahl nützlicher Nährstoffe mit grünen Bohnen vergleichbar wären. Magnesium und Kalium helfen hohen Blutdruck zu senken, während Folsäure und Vitamin B6 helfen, das potenziell gefährliche Proteinmolekül *Homocystein* in andere, gutartige Moleküle umzuwandeln. Homocystein kann Blutgefäßwände unmittelbar beschädigen, wenn es nicht schnell umgewandelt wird; hohe Homocysteinwerte stehen mit einer erheblich vergrößerten Gefahr für Herz- und Schlaganfall in Verbindung.

Der Eisengehalt in grünen Bohnen ist zweimal so hoch wie in Spinat. Dieses nützliche pflanzliche Eisen kommt in ionischer, organischer Form vor, im Gegensatz zum toxischen Rost (Eisenoxid), der in Nahrungsergänzungen und Frühstückszerealien enthalten ist. Eisen ist ein integrierter Bestandteil von Hämoglobin, das Sauerstoff aus den Lungen bis in alle Körperzellen transportiert. Außerdem ist es auch Teil von Schlüsselenzymsystemen zur Energieproduktion und für den Metabolismus. Um Eisen richtig für die Hämoglobinsynthese zu verwerten, benötigt der Körper

Kupfer. Dieses Kupfer ist ebenfalls reichlich in grünen Bohnen vorhanden. Die Vitamine C, A und Zink (in grünen Bohnen vorhanden) helfen bei der Aufrechterhaltung optimaler Immunfunktionen und aknefreier Haut. Zu guter Letzt helfen grüne Bohnen Ihr Gedächtnis mit Thiamin (Vitamin B1) zu unterstützen.

Die vielen Nährstoffe in grünen Bohnen können helfen eine Vielzahl verschiedener Zustände, einschließlich Alzheimer, Arteriosklerose, diabetischer Herzkrankheit, Colonkrebs, Asthma, Arthritis, Akne, Ohrinfektionen und sogar Erkältungen und Grippe zu verhindern.

Anmerkung: *Grüne Bohnen enthalten eine messbare Menge Oxalate. Wenn Sie also unter Oxalsäuresteinen in den Nieren leiden, vergewissern Sie sich, vor dem regelmäßigen Verzehr grüner Bohnen Ihre Nieren zu reinigen.*

Die knochenaufbauende Kraft von Rosenkohl

Jede zweite Frau in den Vereinigten Staaten wird bis zum Alter von 70 Jahren wahrscheinlich einen schmerzhaften Bruch aufgrund schwacher Knochen erleiden. Ein Bruch der Hüfte verläuft häufig tödlich. Aber eine neue Frauenstudie beweist, dass Frauen das Risiko für einen Hüftbruch um 30 Prozent reduzieren können, indem sie mehrmals pro Woche eine 85 Gramm Portion Rosenkohl essen. Außerdem erhöhen die in Rosenkohl gefundenen sekundären Pflanzenstoffe die Aktivität der natürlichen Schutzsysteme des Körpers, um ihn gegen Krankheiten, einschließlich Krebs, zu schützen. Wissenschaftler haben nachgewiesen, dass *Sulforaphan,* ein starker Pflanzennährstoff, der in Rosenkohl und anderen *Kohlgemüsen* vorkommt, die Entgiftungsenzyme des Körpers erhöht.

Rosenkohl ist eine gute Quelle für Ballaststoffe und Folsäure und eine ausgezeichnete Quelle für Vitamin C. Vitamin C unterstützt die Immunfunktionen und die Herstellung von Kollagen. Kollagen ist ein Protein, das die Grundsubstanz der Körperstrukturen, einschließlich der Haut, des Bindegewebes, des Knorpelgewebes und der Sehnen bildet. Außerdem enthält eine Tasse Rosenkohl stolze 1122 IU (IU = International Unit / Einheit für Stoffmengen) Vitamin A, plus 669 IU Beta-Carotin, die beide wichtig sind, um den Körper gegen Infektionen zu verteidigen und weiche, strahlende Haut zu fördern.

Artischocke – Gut für die Verdauung

Die Artischocke *(Cynara scolymus)* war über Jahrhunderte für ihre heilsame Wirkung auf die Verdauung bekannt. Ihr bekanntester Effekt ist die vermehrte Gallenproduktion. Weil der Körper zur Gallensäureproduktion Cholesterin verwendet, kann eine vermehrte Gallensäureproduktion das Blutcholesterin ausgleichen. Eine erhöhte Gallensäureausschüttung fördert auch die Verdauung – ein Grund, warum Artischocken traditionell bei Verdauungsstörungen verwendet wurden. Ihre Blätter enthalten sekundäre Pflanzenstoffe mit zahlreichen gesundheitsfördernden Effekten.

Grünkohl

Dieses nahrhafte Gemüse gibt es in ziemlich vielen Variationen und Farben – grün und violett sind die gängigsten. In Teilen von Afrika, in denen die Menschen lange und gesund leben, ist Grünkohl Teil der typischen, traditionellen Ernährung.

Grünkohl ist reich an verschiedenen Wirkstoffen gegen Krebs. Als Mitglied der Kreuzblütler-Familie ist Grünkohl mit antitumorösen Indolen ausgestattet, die dabei helfen Östrogen zu regulieren und Colonkrebs abzuwehren. Grünkohl enthält mehr Beta-Carotin als Spinat und doppelt so viel Lutein, wie die meisten aller untersuchten Gemüsesorten. Er ist ebenfalls reich am Antioxidans Vitamin C. Blattkohl und anderes grünblättriges Gemüse haben ähnliche Vorteile.

Nüsse

Alle Nüsse haben antitumoröse und herzschützende Eigenschaften. Mandeln und Walnüsse helfen besonders den Cholesterinspiegel auszugleichen. Beide enthalten hohe Konzentrationen des Antioxidans Ölsäure, sowie einfach ungesättigtes Fett, ähnlich dem in Olivenöl. Sie sind bekannt dafür, Arterien vor Schaden zu schützen. Mandeln scheinen jedoch von den beiden am wertvollsten zu sein. Die Fähigkeit der Mandel das Gesamt- und LDL-Cholesterin zu senken und das Risiko für Herzerkrankungen um 10 Prozent zu reduzieren, wurde in insgesamt sechs Studien mit durchschlagenden Ergebnissen gezeigt. Alles was man tun muss, ist eine kleine Hand voll Mandeln (28 Gramm) pro Tag zu essen. Am besten entfernt man die Haut, indem man die Mandeln für ein paar Minuten in gekochtes Wasser legt. Wenn man die Mandeln über Nacht einweicht, werden sie verdaulicher.

Nüsse enthalten generell viel des Antioxidans Vitamin E, das sich als schützend gegen Brustschmerzen und Arterienschaden erwiesen hat. Paranüsse sind äußerst reichhaltig an Selen, ein Antioxidans, das auch in direktem Zusammenhang mit der Senkung von Herzerkrankungs- und Krebsraten steht. Walnüsse enthalten Ellagsäure, ein Antioxidans und Krebshemmstoff. Sie sind ebenfalls reich an Omega-3-Öl.

Nüsse sind auch gute Insulin- und Blutzuckerregulatoren, die extreme Anstiege verhindern. Dadurch werden sie zu geeigneten Nahrungsmitteln für Menschen mit Glukoseintoleranz und Diabetes. Interessanterweise wurde herausgefunden, dass die meisten Menschen, die später Parkinson entwickelten, keine Nüsse gegessen haben.

Vorsicht vor Allergien und ranzigen Nüssen: Nüsse, besonders Erdnüsse (eigentlich Hülsenfrüchte), sind bei empfindlichen Menschen eine Hauptursache von akuten allergischen Reaktionen. Vermeiden Sie kaputte Nüsse, weil sie leicht ranzig werden. Nussbutter ist auch bekannt dafür im Verdauungssystem Nebenwirkungen zu verursachen. Wenn man Nüsse kleinmahlt, werden sie Sauerstoff ausgesetzt. Dadurch oxidieren sie leicht, d. h. sie werden ranzig. Ranzige Fette sind hochtoxisch und eine Hauptursache für Erkrankungen. Sie können sogar Reizdarmsyndrom und Morbus Crohn verursachen. Essen Sie ausschließlich frische Nüsse. Wenn Sie jedoch frische Nussbutter zubereiten, stellen Sie sicher, dass Sie sie in spätestens zwei bis drei Tagen aufgebraucht haben. Bitte essen Sie keine Nüsse, die mit Dörrobst vermischt oder in gewerblich erzeugten Frühstückszerealien enthalten sind. Diese Nüsse sind kurz davor ranzig zu werden, oder sind es bereits. Außerdem enthält das Dörrobst Pilze.

Anmerkung: *Alle Nüsse und Samen (sowie Körner) sollten idealerweise über Nacht eingeweicht werden. Anschließend sollten sie für 6 bis 12 Stunden im Ofen hitzegetrocknet werden. Danach können sie in einem trockenen Behälter gelagert werden. Durch das Einweichen wird Phytinsäure entfernt, die sich mit wichtigen Mineralien im Darm verbinden kann und die Aufnahme dieser Mineralien blockiert. Dadurch können gravierende Mineralmängel verursacht werden. Das Einweichen neutralisiert ebenfalls toxische Enzymhemmstoffe, die die Verdauung von Proteinen verhindern.*

Chia – Altes Superkorn

Chia – eine weiße Variante der „Salvia Hispanica L"-Pflanze – enthält eine erstaunliche Mischung aus Ölen, Vitaminen und Mineralien. Dieses alte Superkorn war Teil einer 6-monatigen Studie, die vom berühmten Wissenschaftler und Pionier auf dem Gebiet der funktionellen Lebensmittelbewegung, Dr. Vladimir Vuksan – einer der Entwickler des revolutionären glykämischen Index an der University of Toronto – angeführt wurde. Für die Forschung verwendete Vuksan eine Chiasorte namens Salba®.

Nachfolgend finden Sie einige der vielen außergewöhnlichen Ernährungseigenschaften, die Dr. Vuksan entdeckte. 100 Gramm Chia enthalten:

- die höchste bekannte Gesamtnahrungsquelle an Omega-3, die in der Natur gefunden wurde (Chia enthält so viel Omega 3 wie in ca. 800 Gramm Atlantischem Lachs enthalten sind);
- mehr Kalzium als drei Tassen Vollmilch;
- höhere und bioverfügbarere Eiweißmengen als Soja, und einen höheren Gemüseproteingehalt als 1 1/2 Tassen Kidneybohnen;
- den höchsten natürlichen Ballaststoffgehalt aller Nahrungsmittel – mehr Ballaststoffe als 1 1/4 Tassen aller Kleiezerealien;
- den gleichen Eisenwert, wie drei Tassen roher Spinat;
- den Kaliumgehalt von 1 1/2 Bananen;
- so viel Vitamin C wie 7 Orangen;
- antioxidative Eigenschaften, die dreimal so stark sind wie die von Heidelbeeren mit Myricetin, was 270mal so stark ist wie Rotwein.

Chia kann bedenkenlos von Diabetikern und Menschen gegessen werden, die an Zöliakie (Glutenunverträglichkeit) oder Glutenallergie leiden.

Dr. Vuksan und seine Kollegen kamen zu dem Schluss, dass Chia „als die nahrhafteste Nahrungspflanze der Welt betrachtet werden und dadurch als globales Heilmittel gegen den Welthunger verwendet werden kann".

In einzelnen Studien bewies Dr. Vuksan, dass Chia:

- nach dem Essen den Blutzucker- und Plasmainsulinspiegel senkt;
- C-reaktives Protein, ein Anzeichen für Entzündungen, um 40 Prozent senkt;
- den systolischen und diastolischen Blutdruck erheblich senkt (> 10mm/5mm HG);
- die Gerinnung (Blutverdünnung) um 30 Prozent reduziert;

- keinen nachteiligen Effekt auf die glykämische Kontrolle oder die Blutlipide hatte, wie man es zuvor bei hohen Dosen von Omega-3-Fettsäuren beobachten konnte.

Es gibt Belege dafür, dass Salvia hispanica L (von den alten Azteken ‚Chia' genannt), schon 3500 vor Christus als Nahrungsmittel verwendet wurde und zwischen 1500 und 900 vor Christus in Zentralmexiko angebaut wurde.

Die Azteken aßen die Samen dieser subtropischen Pflanze, um ihre Ausdauer zu verbessern. Sie nannten sie ihre „Laufnahrung", weil Boten angeblich mit gerade mal einer Hand voll den ganzen Tag laufen konnten. Sie verwendeten sie auch als Medizin. Chia kann im Ganzen oder zum Kochen in gemahlener Form verwendet werden. Chia kann man zu Zerealien, Salaten und Getränken hinzufügen oder zum Backen verwenden.

Frieren Sie Chia nach dem Mahlen ein. Sie können die „Chia Samen" über das Internet beziehen.

Frisches Getreide kann helfen, Sehstörungen zu beseitigen

Fast jeder Mensch mit altersbedingter Makuladegeneration, der Hauptursache für Blindheit, leidet unter Luteinmangel. Eine neue Studie zeigte, dass der tägliche Konsum von 6 mg Lutein in Ihrem Essen das Risiko an dieser Störung zu erkranken, um erstaunliche 43 Prozent reduziert. Frisches Getreide ist eine ausgezeichnete Luteinquelle.

Reis

Dieses verbreitete Nahrungsmittel besitzt Eigenschaften gegen Durchfall und Krebs. Wie anderes Getreide auch, enthält Reis geschwulsthemmende Protease-Inhibitoren. Reis löst von allen Getreide- und Zerealiensorten am unwahrscheinlichsten Darmbeschwerden, wie z. B. Darmgas oder Reizdarmsyndrom, aus. Bei Vata Typen hilft Vollkornreis (brauner) hervorragend gegen Verstopfung; er senkt den Cholesterinwert und neigt dazu, die Entwicklung von Nierensteinen zu hemmen. Bei Pitta Typen ist weißer Basmati-Reis vorzuziehen (Naturreis eignet sich nicht besonders gut, aufgrund seiner groben Faserstruktur und hohen Konzentration von Pflanzenantikörpern).

Basmati Reis hat offenbar den höchsten Nährwert. Er ist eine reichhaltige Eisen-, Selen-, Thiamin- und Niacinquelle. Außerdem enthält er viel Gemüseprotein.

Kokosnussöl – Ein Geschenk der Tropen

Reines Kokosnussöl ist reich an Laurinsäure, ein nachgewiesener antiviraler und antibakterieller Wirkstoff. Er wird momentan zur Behandlung von AIDS verwendet. Monolaurin ist ein Monoglycerid aus der Laurinsäure. Laurinsäure ist ebenfalls Bestandteil menschlicher Muttermilch. Daher ist Kokosmilch eine ausgezeichnete Alternative zu Säuglingsmilchnahrung. Tatsächlich hat man in den Tropen zum Füttern von Säuglingen Kokosmilch verwendet, wenn es keine Muttermilch gab.

Köstlich schmeckendes Kokosnussöl befriedigt nicht nur Ihre Geschmacksknospen, sondern es reinigt auch Ihren Colon, indem es alte Fäkalien sanft aufweicht und löst. Außerdem hilft es, die Fäkalien ohne unangenehme Nebenwirkungen zu entfernen. Es wirkt stark alkalisch auf den Körper, was heilsam bei jedem Krankheitsprozess ist. Das tropische Öl enthält eine Substanz, die erwiesenermaßen den HDL Cholesterinspiegel (gutes Cholesterin) erhöht, wodurch die Gefahr für Herzinfarkt gesenkt wird. Die antiparasitären Eigenschaften der Kokosnuss helfen Menschen, die sich Sorgen um einen Befall mit Darmparasiten und Candida Albicans machen. Die krankheitserzeugenden Organismen werden eliminiert, indem ihnen ihr schützender Überzug genommen wird. Kokosnussöl wird auf den Pazifischen Inseln seit Jahrhunderten verwendet, um bei den eingeborenen Frauen Hefepilzinfektionen zu verhindern. Daher kann man Kokosnussöl als natürliches Mittel zur Pilzbehandlung betrachten. Während wissenschaftlicher Tests fand man heraus, dass sich sowohl Caprin- als auch Laurinsäure (die in Kokosnussöl in sehr großen Mengen vorhanden ist) als absolut tödlich für alle starken Candida Albicans-Belastungen erwiesen.

Vergleichsforschungen zwischen Bewohnern Pazifischer Inseln und Menschen aus Industrienationen zeigten, dass die Gesundheit der Inselbewohner im Vergleich zum westlichen Standard äußerst gut war. Diese Inselbewohner zeigten keinerlei Anzeichen von Nierenerkrankungen oder Schilddrüsenunterfunktion, die den Blutfettwert beeinflussen könnten. Es gab keine Hypercholesterinämie (erhöhter Serumcholesterinspiegel). Alle

Einwohner waren, trotz einer sehr starken Ernährungsweise mit gesättigten Fetten aus Kokosnussöl, schlank und gesund. Tatsächlich war bei der gesamten Bevölkerung das Verhältnis zwischen Körpergewicht und Körpergröße, gemessen an den Daten des von Ernährungswissenschaftlern verwendeten Body Mass Index (BMI), normal. Es gab selten Verdauungsprobleme und Verstopfungen waren unüblich. Die Inselbewohner hatten durchschnittlich zwei bis drei Stuhlgänge pro Tag. Arteriosklerose, Herzerkrankungen, Kolitis, Colonkrebs, Hämorrhoiden, Geschwüre, Divertikulitis und Blinddarmentzündungen kannten sie nicht.

Kokosnussöl unterstützt auch die Auflösung und Entfernung von Toxinen, die in Fetteinlagerungen eingeschlossen sind. Dadurch schwindet die Notwendigkeit dieser Fetteinlagerungen immer mehr (die Anhäufung von Fett ist ein Überlebensmechanismus des Körpers, um Toxine innerhalb des Fettgewebes einzuschließen). Dies mag auch erklären, warum Kokosnussöl hilfreich ist, um hagere Muskeln aufzubauen. Viele Bodybuilder, Personal Trainer, Olympische Athleten und andere verwenden Kokosnussöl zum Aufbau von Körpermasse.

Kokosnussöl ist leicht verdaulich, sogar von schwachen und geschwächten Verdauungssystemen. Es ist das einzige Öl, das keine Galle benötigt, um es zu verdauen. Dadurch ist es für Menschen ohne Gallenblase geeignet. Kokosnussöl hilft auch bei den meisten Verdauungsstörungen wie Morbus Crohn und Reizdarmsyndrom. Dieses Öl benötigt keine Enzyme oder Botenstoffe, um durch die Zellmembranen transportiert zu werden. Sobald es ins Zellinnere gelangt ist, wird es zur Energiegewinnung genutzt. Das macht die Kokosnuss sogleich zu einer frei zugänglichen Energiequelle.

Kokosnussöl empfiehlt sich ebenfalls bei Schilddrüsenunterfunktion, da es sie erfolgreich ausgleichen kann. Es ist ein gesättigtes Fett, das in erster Linie aus mittelkettigen Fettsäuren zusammengesetzt wird. Mittelkettige Fettsäuren, auch mittelkettige Triglyceride (MCTs) genannt, sind bekannt dafür den Stoffwechsel zu steigern und die Gewichtsabnahme zu fördern. Außerdem machen sie Hefebakterien bewegungsunfähig. Falls es erforderlich ist, steigert Kokosnussöl die Basaltemperatur, indem es den Metabolismus erhöht. Dies sind großartige Neuigkeiten für Menschen, die an Schilddrüsenunterfunktion und am chronischen Erschöpfungssyndrom leiden.

Kokosnussöl wird von Jung und Alt verwendet. Es ist eines der gesündesten und sichersten Öle. Im Unterschied zu den meisten Ölen oxidiert Kokosnussöl nicht durch Erhitzung. Daher ist Kokosnussöl das ideale Speiseöl. Der durchschnittliche Erwachsene kann täglich gefahrlos ca. 3,5 Esslöffel Kokosnussöl in seine Ernährung einbeziehen (ausgenommen Kapha-Typen). Davon werden Sie nicht dick. Beginnen Sie zunächst aber mit einer geringen Dosis. Sie müssen erst sehen, inwieweit der Abbau von Hefe Sie beeinflusst. Abgesehen von den innerlichen Vorteilen, schützt Kokosnussöl auf der Haut vor Sonnenbrand, Austrocknung, rissiger Haut und schädlichen Keimen.

Eine Banane am Tag den Doktor spart

Verglichen mit einem Apfel, hat die Banane viermal so viel Protein, zweimal so viel Kohlenhydrate, dreimal so viel Phosphor, fünfmal so viel Vitamin A und Eisen und zweimal so viel der anderen Vitamine und Mineralien. Sie ist kaliumreich und rundum eines der besten Nahrungsmittel mit dem besten Nährwert. Bananen enthalten mit Ballaststoffen kombinierte natürliche Zuckerarten (drei an der Zahl) – Saccharose, Fruchtzucker und Traubenzucker. In dieser Form gibt eine Banane eine sofortige, anhaltende und beträchtliche Energiesteigerung (sonst könnte der Zucker schädlich sein). Forschungsergebnisse zeigen, dass gerade einmal zwei Bananen genug Energie für ein anstrengendes 90-minütiges Training liefern können. Die Banane ist auch nützlich bei mehreren Krankheiten und Zuständen:

Depression: Depressive Menschen fühlen sich häufig besser nachdem sie eine Banane gegessen haben. Das liegt daran, dass Bananen Tryptophan enthalten, eine Art Protein, das der Körper in Serotonin umwandelt. Dieses mächtige Hormon ist bekannt dafür, Sie zu entspannen, Ihre Stimmung zu heben und Ihnen ein allgemeines Glücksgefühl zu geben.

PMS: Das Vitamin B6 der Banane hilft bei der Regulation des Blutzuckerspiegels. Das kann Ihre Laune positiv beeinflussen und sich beruhigend auf Ihr Nervensystem auswirken.

Anämie: Da Bananen reich an organischem Eisen sind (im Gegensatz zu anorganischem Eisen in Ergänzungen), können sie die Produktion von Hämoglobin im Blut stimulieren und dadurch Anämie bessern.

Blutdruck und Intelligenz: Bananen sind kaliumreich aber natriumarm. Daher können sie sehr wirksam den Blutdruck ausgleichen. Dieser Effekt führte dazu, dass die Bananenindustrie von der U.S. Food and Drug Administration die Erlaubnis bekam, offiziell damit zu werben, dass Bananen das Schlaganfall- und Bluthochdruckrisiko senken. Außerdem fand man aus den gleichen Gründen heraus, dass Studenten größere

Aufmerksamkeit und erhöhte akademische Leistungen zeigten, wenn sie regelmäßig Bananen aßen.

Verstopfung: Da Bananen ballaststoffreich sind, unterstützen sie die Wiederherstellung normaler Darmfunktionen bei Menschen, die unter Verstopfungen leiden.

Sodbrennen: Bananen verfügen über eine natürliche säurebindende Wirkung, wodurch sie sich positiv auf Menschen auswirken können, die unter Sodbrennen leiden. Die Banane neutralisiert Übersäuerung und reduziert Reizungen, indem sie die Magenschleimhaut auskleidet.

Morgendliche Übelkeit: Wenn Sie zwischen den Mahlzeiten Banane essen, hilft das den Blutzuckerspiegel hoch zu halten und morgendliche Übelkeit zu vermeiden.

Mückenstiche: Wenn Sie von einem Insekt gestochen wurden, versuchen Sie das betroffene Gebiet mit dem Inneren einer Bananenschale einzureiben. Die Bananenschale ist bekannt dafür, Schwellungen und Reizungen zu reduzieren.

Nerven: Bananen sind reich an Vitamin B, welches dabei hilft das Nervensystem zu beruhigen.

S.A.D: Bananen können Menschen helfen, die an SAD (Saisonabhängige Depression oder Winterdepression) leiden, da sie den natürlichen Stimmungsaufheller Tryptophan enthalten.

Rauchen: Bananen können sich auch als hilfreich für Menschen erweisen, die das Rauchen aufgeben wollen. Die Vitamine B6 und B12, sowie Kalium und Magnesium (alle in Bananen enthalten) helfen dem Körper sich von den Auswirkungen des Nikotinentzugs zu erholen.

Stress: Das Kalium der Banane hilft den Herzschlag zu normalisieren, Sauerstoff zum Gehirn zu transportieren und den Wasserhaushalt des Körpers zu regeln. Während Stress steigt unsere Stoffwechselrate; das wiederum senkt die Kaliumwerte. Bananen können diese Stressauswirkungen umkehren.

Schlaganfälle: Gemäß einer im The New England Journal of Medicine veröffentlichten Studie, kann man durch den regelmäßigen Verzehr von

Bananen das Sterblichkeitsrisiko durch Schlaganfall um ca. 40 Prozent senken!

Bitte beachten sie, dass die zuvor genannten Ernährungsempfehlungen nicht auf alle Körpertypen gleichermaßen zutreffen. Vor dem Verzehr dieser Nahrungsmittel überprüfen Sie bitte anhand Ihrer Körpertyp-Nahrungsmitteltabellen, ob diese Nahrungsmittel für Sie bekömmlich sind oder nicht.

Sollten wir Biolebensmittel essen?

Aus folgenden Gründen ist die Antwort mit Bestimmtheit „ja". Ob Sie sich Biolebensmittel leisten können oder ob es sie bei Ihnen zu kaufen gibt ist eine Frage, die nur Sie selbst beantworten können. Biolebensmittel sind im Vergleich zu pestizidbehandelten Nahrungsmitteln sehr teuer. Wenn Ihr Budget sehr beschränkt ist, Sie Ihren Körper jedoch bestmöglich ernähren wollen, empfiehlt es sich, dass Sie entweder Ihr eigenes Obst und Gemüse anbauen oder Ihre Ausgaben für Nahrungsmittel erhöhen.

Eine im Jahre 2004 in der „Coronary and Diabetic Care" in Großbritannien veröffentlichte Reportage über Biolebensmittel betonte, dass der Gebrauch von Pestiziden in der Nahrungsmittelproduktion mit einer erheblichen Reduzierung der gesundheitsfördernden Wirkung der Nahrungsmittel in Verbindung steht. Zum Beispiel besteht eine starke Verbindung zwischen dem Einsatz von Pestiziden und dem Antioxidantiengehalt der Nahrungsmittel. Nutzpflanzen, die von Insekten heimgesucht und belastet werden, sind bekannt dafür polyphenolische Verbindungen zu bilden, die von Natur aus wirksame Antioxidantien sind. Diese Verbindungen wehren nicht nur Insekten ab, sondern steigern ebenfalls den Nährwert der Pflanzen. Wenn Nutzpflanzen jedoch mit Pestiziden behandelt werden, brauchen sie den natürlichen Schutz von Polyphenolen nicht und erzeugen weniger dieser Verbindungen.

Nahrungsmittel, die Pestizide enthalten, sind im ernährungsphysiologischen Sinn nicht nur weniger vorteilhaft, sondern auch ziemlich schädlich. Die Reportage aus Großbritannien erwähnte, dass der Gebrauch von Pestiziden mit einer Vielfalt von Gesundheitsrisiken, einschließlich Krebs, fötaler Abnormitäten, chronischer Erschöpfung und der Parkinsonschen Krankheit in Verbindung steht. Eine Studie zeigte, dass Frauen mit Brustkrebs fünf- bis neunmal wahrscheinlicher Spuren von Pestiziden in ihrem

Blut haben, als Frauen ohne Brustkrebs. Wenn Sie Angst haben an Brustkrebs zu erkranken, müssen Sie das Krebsrisiko gegen die finanzielle Belastung aufwiegen.

Außerdem enthalten Biolebensmittel keine Nahrungsmittelzusätze wie MSG, gehärtete Fette und künstliche Süß- und Farbstoffe. Diese Zusätze wurden mit einem Risiko von Asthma, Kopfschmerzen, Wachstumsverzögerung und Hyperaktivität bei Kindern in Verbindung gebracht. Die Reportage wies ebenfalls darauf hin, dass diese Zusätze mit der Entstehung von Allergien verbunden sind.

Biolebensmittel haben noch den Vorteil, dass sie frei von genetisch veränderten Organismen (GVO) sind. Die Reportage stellte fest, dass bis jetzt nur zehn Studien über genetisch veränderte Nahrungsmittel durchgeführt wurden. Unter diesen befanden sich auch Studien vollkommen unabhängiger Institute und diese fanden Anzeichen dafür, dass sich GVOs schädlich auf die Darmschleimhaut der Menschen auswirken.

Im Großen und Ganzen stellte man fest, dass Biolebensmittel nahrhafter seien als herkömmlich angebaute Nahrungsmittel. In einer Studie, die den Vitamin- und Mineralgehalt von Biolebensmitteln mit nichtorganischen Nahrungsmitteln verglich, zeigten die Biolebensmittel bei allen 21 untersuchten Nährstoffen bessere Ergebnisse. Der Vitamin C- und Magnesiumgehalt der Biolebensmittel war beispielsweise um 27 Prozent und 29 Prozent höher, als bei den nichtorganischen Proben. Die Studie wies ebenfalls darauf hin, dass der Mineralstoffgehalt in Bio-Spinat, -Kartoffeln, -Kohl und -Kopfsalat erheblich höher ist.

Sie sollten also lieber Biolebensmittel chemisch behandelten Nahrungsmitteln vorziehen. Das kann Ihre Finanzen zwar etwas belasten, wird Ihren Magen jedoch schonen.

Zimt – Medizin für Diabetiker

Wer hätte gedacht, dass dieses Küchengewürz zahlreiche tiefgreifende Heileigenschaften besitzt! Die Einnahme eines viertel bis halben Teelöffels Zimt wirkt genauso gut bei der Senkung von Cholesterin, Triglyceriden und Blutzucker, wie Statin-Medikamente. Außerdem kostet ein Pfund Zimt weniger als 4 Euro und hat keine schrecklichen Nebenwirkungen.

Gemäß einer vom U.S. Department of Agriculture durchgeführten Forschungsstudie ist Zimt hilfreich, um den Blutzuckerspiegel von Typ-2-Diabetikern zu kontrollieren. Gemahlener Zimt hilft, die Produktion von Glucose-verbrennenden Enzymen zu stimulieren und erhöht die

Wirksamkeit von Insulin. In einer Studie konnte der Blutzuckerabbau durch Insulin mit Hilfe von Zimt um 20 Prozent gesteigert werden. Damit Zimt bei Typ-2-Diabetes hilft, müssen Sie über ½ Teelöffel gemahlenen Zimts pro Tag essen. (In Übereinstimmung mit anderen Forschungsergebnissen können Diabetiker auch von gemahlenem Bockshornklee, Kurkuma, Ingwer, Bittermelonenextrakt, Heidelbeerextrakt und Gymnema sylvestre-Extrakt profitieren; letzteres hat erwiesenermaßen geschädigte Pankreaszellen geheilt.) Zimt kann erwiesenermaßen auch den Triglycerid- und Cholesterinspiegel senken und Herzkrankheiten verbessern und vorbeugen.

Jüngste Untersuchungen zeigen, dass Zimt mehr tut, als nur Diabetes und Herzkrankheiten abzuwehren. Zimt …

- unterstützt die Verdauungsfunktion;
- strafft und zieht das Bindegewebe zusammen;
- erleichtert die Verdauung;
- lindert Schmerz, Entzündung und Steifheit von Muskeln und Gelenken;
- lindert Menstruationsbeschwerden;
- stimuliert die Durchblutung;
- neutralisiert zerstörerische Bakterien, inklusive Kolibakterien.

Zimt macht Sie auch schlauer. In einer Studie zur Untersuchung der Wahrnehmungsfähigkeit, wurde den Teilnehmern oral und nasal Zimt verabreicht. Das Ergebnis der Studie war, dass Zimt ein wirksames Mittel zur Steigerung der Wahrnehmungsfähigkeit ist. Zimt wirkt Berichten zufolge auch hervorragend als Aphrodisiakum für Männer.

Egal, ob Sie Zimt verwenden wollen um Ihre Gesundheit, die geistigen Fähigkeiten, das Liebesleben oder alles zuvor Genannte zu verbessern. Auf jeden Fall ist es sinnvoll, Zimt so oft wie möglich in die Ernährung einzubeziehen. Sie können Zimt über Ihre Frühstücksflocken streuen, Ihr Gemüse damit würzen oder ihn in Ihr Lieblingsgetränk geben (z. B. in Kräutertee).

Wissenschaftler haben außerdem herausgefunden, dass Currypulver (hauptsächlich Kurkuma, Kreuzkümmel, Kardamom, Koriander, Ingwer, Paprika, Bockshornklee und Fenchel) mit Zimt, Lorbeerblättern und Gewürznelken die Wirksamkeit von Insulin verdreifacht. Welch schmackhafte Weise Diabetes und vielen anderen Störungen zu helfen!

Kurkuma – Ein kraftvolles Dekongestivum und Antikrebsmittel

Kurkuma, *Curcuma longa,* ist der grellgelbe Bestandteil von Currypulver. Medizinisch ist es sowohl ein Adaptogen als auch ein Bioprotektiv. In der Ayurvedischen Medizin wird Kurkuma seit Jahrtausenden verwendet. Die aktiven Wirkstoffe in Kurkuma, bekannt als „*Curcuminoide*", enthalten entzündungshemmende Eigenschaften, die stärkemäßig mit steroidalen und nichtsteroidalen Medikamenten vergleichbar sind. Curcuminoide zeichnen sich außerdem durch ihre antiviralen, antibakteriellen, antimykotischen, antiparasitären, antimutagenen, antitumorösen und entgiftenden Eigenschaften aus. Curcuminoide verhindern die Bildung von freien Radikalen, indem sie die bereits geformten suchen und neutralisieren.

Kurkuma wurde traditionell verwendet, um Gelbsucht und andere Leberprobleme zu behandeln, die Durchblutung zu fördern, Blutgerinnsel aufzulösen, den Schmerz von Arthritis und Rheumatismus zu lindern und Durchfall, Nebenhöhlenverstopfungen und Ohrinfektionen zu heilen. Heute wird es auch von AIDS-Patienten als alternatives, biologisches, natürlich medizinisches Kräuterheilmittel verwendet, um Rachenverstopfungen und Brustkorbstauungen zu lindern. Sie können Ihren gekochten Nahrungsmitteln täglich großzügige Mengen Kurkuma hinzufügen. Kurkuma schmeckt nicht nur köstlich (in Gemüse, Reis, Bohnen, Suppen, usw.), sondern ist auch gesund.

Kurkuma kann man äußerlich (als eine Paste) anwenden, um den Heilungsprozess von Hämorrhoiden, Wunden, Schnitten und Brandwunden zu unterstützen (aber denken Sie daran, dass es eine Gelbfärbung der Haut hinterlässt).

Kurkumin, der Hauptbestandteil in Kurkuma, ist gemäß einem Bericht der *Johns Hopkins University* ein potenzielles Mittel zur Behandlung und Vorbeugung von Krebs. Eine in der Zeitschrift *Clinical Cancer Research* (Ausgabe 12, Seite 5346) veröffentlichte Studie betrachtete die Wirkungsweise von Kurkumin auf die Zelltätigkeit. Dabei wurde festgestellt, dass Kurkumin das gastrointestinale Hormon Neurotensin beeinflusst, welches unter Verdacht steht den Krebsprozess in Colonzellen auszulösen. Scheinbar haben Forscher der *University of Texas* einige menschliche Darmkrebszellen mit Neurotensin behandelt. Ein Teil der Zellproben wurde zusätzlich mit und ein Teil ohne Kurkumin behandelt. Sie bestätigten, dass Neurotensin eine Kettenreaktion aus Chemikalien startete, die das Wachstum von Krebs und auch die Wanderung von Krebszellen steigern können. Das Kurkumin blockierte diesen Prozess. Die Forscher kamen zu dem Schluss, dass Kurkumin das Potenzial hat, Colonkrebs und andere Krebsarten sowohl zu behandeln als auch zu verhindern.

Ingwer bekämpft Reisekrankheit und mehr

Eine vom Svensborg Hospital in Dänemark durchgeführte Untersuchung und klinische Studie zum Thema Seekrankheit hat gezeigt, dass Ingwer mindestens genauso wirksam war, wie rezeptfreie Medikamente zur Behandlung von Reisekrankheit. Ingwer ist wirklich sicherer als rezeptfreie Medikamente, da diese Schläfrigkeit verursachen. Forscher des Department of Anesthesiology im St. Bartholomew's Hospital in London waren im Rahmen einer anderen Studie in der Lage zu beweisen, dass 1 Gramm Ingwerpuder genauso wirksam und viel sicherer in der Verhinderung postoperativen Brechreizes und Erbrechens war, als das üblicherweise von Krankenhäusern verwendete Beruhigungsmittel.

Ingwer kann ebenfalls wirksam die Schwere von Übelkeit und Erbrechen während der Schwangerschaft lindern. Gemäß einer neuen Studienarbeit, die von Dr. Gideon Koren, Direktor des Motherisk Programms am Hospital for Sick Children in Toronto, Kanada, mitverfasst wurde, erhöht der Gebrauch von Ingwer zur Unterdrückung des morgendlichen Brechreizes nicht die Gefahr von Geburtsdefekten. Die krankheitsreduzierende Wirkung scheint ausgeprägter, wenn der Ingwer zusammen mit etwas Honig eingenommen wird.

Ingwer wurde in der Ayurvedischen Medizin zur Behandlung von Entzündungen und Rheumatismus verwendet. Indische Forschung zeigte, dass sich ein hochgereinigtes und standardisiertes Ingwerextrakt statistisch signifikant bei der Reduktion von Osteoarthritissymptomen des Knies auswirkt.

Durch Forschungsergebnisse konnte nachgewiesen werden, dass Ingwer beim Menschen wie ein Thrombosemittel und Entzündungshemmer wirkt. Im Reagenzglas zeigte Ingwer antibiotische Eigenschaften (tötet Salmonellen und Staphylokokken). Bei Tieren wirkt er wie ein Mittel gegen Geschwüre. Ingwer hat antidepressive, antidiarrhoische und stark antioxidative Wirkung. Außerdem wirkt er äußerst krebshemmend.

Ingwer wurde erfolgreich zur Behandlung von Erbrechen, Kopfschmerzen, Brustkorbstauung, Cholera, Erkältungen, Durchfall, Magenschmerzen und Nervenkrankheiten benutzt.

Im Rahmen anderer Forschungsarbeiten über Gingerol wurde demonstriert, dass die aktiven Bestandteile des Ingwers eine potenziell neue Klasse von Blutplättchenaktivierungsinhibitoren vertreten. Die blutverdünnende Wirkung des Ingwers wirkt sich positiv auf Herzpatienten aus.

Am besten kauen Sie ein kleines Stück frischen Ingwer mit Honig, trinken Wasser mit einigen Tropfen Ingwerextrakt oder nehmen Kapseln mit Ingwerpulver. Um Ihre Magensäfte zu stimulieren, nehmen Sie vor den Mahlzeiten etwas geriebenen Ingwer mit einer Prise rohem Meersalz ein.

Cayennepfeffer – Um Herz und Magen zu schützen

Italienische Ärzte haben im Rahmen ihrer Forschungen beweisen können, dass scharfes Paprikapulver (Cayennepfeffer) bei Patienten mit funktioneller Verdauungsstörung die Symptome um mehr als die Hälfte reduzieren konnte. Die Versuchspersonen nahmen täglich 2,5 Gramm Chilipulver (Cayennepfeffer) ein (dreimal täglich in Kapselform).

Viele Herbalisten glauben, dass Cayennepfeffer nicht nur dem Verdauungssystem hilft, sondern auch das Herz-Kreislauf-System unterstützt. Er wirkt wie ein Katalysator und erhöht die Wirksamkeit anderer Kräuter, wenn er zusammen mit ihnen verwendet wird. Cayennepfeffer ist sehr reich an Vitamin A & C, hat die ganzen B Komplexe und ist sehr reich an organischem Kalzium und Kalium. Das ist auch einer der Gründe dafür, warum er so gut für das Herz ist. Durch Cayennepfeffer konnten innerhalb von 30 Sekunden Herzanfälle gestoppt werden (alle 15 Minuten einen Teelöffel Cayennepfeffer-Extrakt in einem Glas heißem Wasser, bis die Krise überwunden ist). Pitta Typen können nicht so sehr von Cayennepfeffer profitieren wie Vata- und Kapha-Typen.

Nelken – Die Apotheke der Natur

Nelken haben wärmende, antibakterielle und antiseptische Eigenschaften. Dieses Kraut lindert Schmerz, verringert Übelkeit und verhindert oder erleichtert Erbrechen. Es bekämpft und neutralisiert krankheitserregende Bakterien und verhindert Infektionen. Es wird häufig als örtliches Zahn- und Zahnfleischschmerzmittel verwendet. Wenn man nach den Mahlzeiten ein Stück Nelke kaut, kann man Mundgeruch beseitigen.

Nelken wirken bei mehreren Störungen stark vorbeugend. Zum Beispiel verhindern sie, dass Blutplättchen verklumpen, ein Zustand, der mit Herz- Kreislauf-Erkrankungen im Zusammenhang steht. Dieses Gewürz enthält ätherische Öle, die die Verdauung unterstützen und Blähungsschmerz und Aufblähung lindern; es fördert die Peristaltik. Seine adstringierende Wirkung hilft, Blutungen im Zaum zu halten.

Außerdem fördern Nelken die Schleimlösung in den Atemwegen und stimulieren die Durchblutung der Haut, was lokale Rötungen verursacht. Bei Menschen, die leicht innerlich frieren, steigern sie die innere Hitze, vertreiben inneren Schüttelfrost und kräftigen den Stoffwechsel und die Durchblutung. Nelken stärken die Magenfunktionen und erneuern, nähren und unterstützen den kompletten Körper. Sie üben einen sanft stärkenden Effekt auf den Körper aus. Nelken stoßen Eingeweidewürmer ab oder aus.

Die cholesterinsenkende Wirkung von Nelken ist ein äußerst vielversprechender Effekt dieses Gewürzes. Weichen Sie einen Monat lang täglich sechs Gewürznelken in einem halben Glas Wasser über Nacht ein. Entfernen Sie die Nelken am nächsten Morgen mit einer Gabel oder einem Löffel und trinken Sie das Wasser. Das sollte Ihnen helfen, Ihren Cholesterinspiegel wieder auf ein Normallevel zu bringen.

Honig – Der weltbeste Wundheiler?

Hätten Sie geahnt, dass dieses köstliche, von Honigbienen hergestellte Lebensmittel in Wahrheit eine der ältesten uns bekannten Medizin ist? Schon vor über 5 000 Jahren wurde Honig erfolgreich bei der Behandlung von Brandwunden, Husten und Geschwüren verwendet. Der griechische Arzt Hippokrates lobte ebenfalls die Heilkräfte von Honig und entwickelte viele auf Honig basierende Behandlungsmethoden für Leiden wie Hauterkrankungen, Geschwüre und Wunden. Im Ersten Weltkrieg verwendeten deutsche Ärzte eine Mischung aus Honig und Lebertran um Schussverletzungen zu behandeln. Gemäß John Riddle, Professor antiker Wissenschaft an der North Carolina State University, wird in einem 3000 Jahre vor Christus auf Papyrus geschriebenen medizinischen Text, explizit auf die Verwendung von Honig für Kopfverletzungen verwiesen. Er besagt, dass „der Honig wahrscheinlich half Schwellungen zu vermeiden und die Wunde versiegelte, um Luft und Infektionen fernzuhalten".

Neuere Forschungsergebnisse lassen darauf schließen, dass Honig Antiseptika und Antibiotika weitaus überlegen ist. Israelische Forscher haben Tests mit Honig durchgeführt. Nachdem intravenöse, antibiotische Behandlungen und tägliche antiseptische Reinigungen keine Erfolge erzielten, haben die Forscher zweimal täglich die Wunden von neun Säuglingen mit dem süßen, klebrigen Nahrungsmittel behandelt. Nach nur fünftägiger Behandlungszeit mit Honig, zeigten die Wunden der Babies eine erhebliche Besserung. Nach 16 weiteren Tagen waren die Wunden geschlossen, sauber und steril.

In einer jemenitischen Studie wies Honig einen erheblichen Vorteil gegenüber Antiseptika auf, die für infizierte Operationswunden verwendet wurden. Fünfzig Frauen mit infizierten Wunden wurden in zwei Gruppen aufgeteilt. Die eine Gruppe wurde mit Honig, die andere mit Antiseptika behandelt. Die Patientinnen in der Honiggruppe hatten sich innerhalb von

7 bis 11 Tagen erholt, wohingegen die Patientinnen in der antiseptischen Gruppe 12 bis 27 Tage brauchten.

Obwohl moderne Cremes und Antibiotika heilungsfördernde Eigenschaften haben können, haben sie jedoch den Nachteil, dass sie Gewebe töten und Schorf und Narben verursachen. Doch wie viele von uns würden daran denken Honig unter das Wundpflaster oder den Verband zu schmieren? Die Ergebnisse einer drei Jahre durchgeführten klinischen Studie des University Teaching Hospital in Calabar, Nigeria, zeigten ähnliche Ergebnisse wie die zuvor erwähnten Studien. Unverarbeiteter Honig kann Wunden heilen, wenn modernere medizinische Verbände und antibiotische Behandlungen scheitern. Bei 59 Patienten, die wegen Wunden und äußerlichen Geschwüren behandelt wurden, war Honig in allen Fällen außer einem wirksam. Zur Überraschung der Forscher hielten topische Anwendungen sterile Wunden so lange steril, bis sie Zeit hatten zu heilen, während infizierte Wunden innerhalb einer Woche steril wurden. Erstaunlicherweise war Honig sogar wirksam darin, totes Gewebe aus hartnäckigen Wunden zu entfernen. Das war für einige Patienten in der Hinsicht hilfreich, da so Hauttransplantationen oder Amputationen vermieden werden konnten.

Gemäß des European Journal of Medical Research schien topisch angewendeter Honig, aufgrund der Gram-positiven und der Gram-negativen Bakterien[17], im Anschluss an Kaiserschnitte und Hysterektomien, positive Effekte auf postoperative Wundinfektionen zu haben.

„Honig bietet eine feuchte, heilwirkende Umgebung und verhindert sogar das Bakterienwachstum, selbst wenn Wunden schwer infiziert sind", stellt Dr. Peter Molan von der Honey Research Unit an der University of Waikato, Neuseeland, fest. „Honig ist ein sehr wirksames Mittel, um stark infizierte Wunden, ohne die Nebenwirkungen von Antibiotika, steril zu machen. Außerdem wirkt er auch gegen antibiotikaresistente Bakterienstämme."

Der Grund, warum Honig Infektionen stoppen kann, ist vielleicht sogar ziemlich einfach. Normaler Honig bindet Wasser, so dass Bakterien in einer Wunde nicht genügend Wasser haben, um sich zu vermehren. Die Wasseraktivität von Honig hemmt das Bakterienwachstum. Darüber hinaus liegt der pH-Wert von Honig zwischen 3,2 und 4,5 – niedrig genug, um das Wachstum von vielen gängigen Bakterien zu hemmen. Die antibakterielle

[17] Zwei Arten von Bakterientypen, die durch ihre unterschiedlichen Zellmembranenstrukturen gekennzeichnet sind.

Hauptwirkung von Honig ist jedoch auf Wasserstoffperoxid zurückzuführen, das enzymatisch erzeugt wird. Das Niveau des erzeugten Wasserstoffperoxids ist antibakteriell, beschädigt aber nicht das Zellgewebe.

Glauben Sie es oder nicht, aber im Juli 2007 gab die amerikanische Bundesbehörde zur Überwachung von Nahrungs- und Arzneimitteln, Derma Sciences, einem Hersteller von Produkten für Wundbehandlung mit Sitz in New Jersey die Erlaubnis, Manuka Wund- und Brandverbände als medizinisches Produkt zu verkaufen. Jetzt darf Manuka-Honig in den USA offiziell in der Wund- und Brandversorgung verwendet werden. Manuka-Honig wurde bereits seit mehreren Jahren in Großbritannien, Australien und seinem Herkunftsland Neuseeland als Wundverband verwendet. Kanada genehmigte ihn ebenfalls Anfang 2007 für den Gebrauch als antimikrobiellen Verband. Bis ins frühe 20. Jahrhundert wurde Honig als Standardtherapie zur Bekämpfung von Infektionen verwendet. Mit dem Aufkommen von Penicillin verschwanden die Kenntnisse über die starken Heilfähigkeiten allmählich aus dem Bewusstsein der Allgemeinheit; und die Ärzte waren einfach zu begeistert vom neuen Wundermedikament Penicillin.

Laut eines Artikels der Washington Post vom 7. August 2007, hat Manuka-Honig, verglichen mit anderen Honigarten, zusätzliche antibakterielle Eigenschaften, die man als Unique Manuka Factor (UMF = Einzigartigen Manuka Faktor) bezeichnet. Je höher der UMF, desto dunkler, dicker und teurer scheint der Honig zu sein. Daher kann es lohnenswert sein, den teuersten Honig zu verwenden, den man bekommen kann. Allerdings hat auch gewöhnlicher Bienenhonig erstaunliche Heilungseigenschaften.

Anwendungsgebiete:

- Benutzen Sie Honig für Schnitte, Kratzer oder Verbrennungen und bedecken Sie sie mit einer sauberen Bandage. Wechseln Sie die Verbände bei Bedarf ein- bis dreimal täglich.
- Nehmen Sie Honig als Erste-Hilfe-Verbandsmaterial um Infektionen zu vermeiden, bis Sie ärztliche Hilfe erhalten.
- Trinken Sie jeden Morgen ein Glas warmes Wasser mit einem Teelöffel Honig und etwas Zitronensaft. Das dient der inneren Desinfektion und ist eine vorbeugende Maßnahme.
- Honig hat auch schlaffördernde, beruhigende und ruhigstellende Eigenschaften.

- Stillsalbe: Stillende Mütter sollten versuchen rissige, wunde Brustwarzen mit honiggetränktem Verbandmull zu bedecken, um Infektionen zu vermeiden .
- Nehmen Sie bei Sodbrennen 1 Teelöffel Honig, gemischt mit 1 Teelöffel Apfelweinessig.

Anmerkung: Wenn Sie den Honig übermäßiger Hitze (bitte nicht zum Backen oder Kochen nehmen) oder längerer Lichteinstrahlung aussetzen, berauben Sie ihn seiner antibakteriellen Eigenschaften. Lagern Sie ihn immer an einem dunklen, kühlen Ort.

Wasserstoffperoxid bei Grippe und Erkältung

Apropos *Wasserstoffperoxid,* diese natürlich vorkommende Substanz zeigt große Vorteile bei Grippe und Erkältung. Es kann in 80 Prozent aller Fälle wirksam sein, besonders wenn man es beim ersten Auftreten der Symptome verwendet.

Im Jahre 1928 stellte Dr. med. Richard Simmons die Hypothese auf, dass Erkältungs- und Grippeviren durch den Gehörgang in den Körper eindringen und nicht durch Augen, Nase oder Mund, wie die meisten Menschen glaubten. Seine Ergebnisse wurden von der medizinischen Gemeinschaft abgelehnt. Aber Dr. Simmons hielt daran fest, dass Sie sich über den Gehörgang mit der Grippe oder der Erkältung anstecken, und damit könnte er richtig liegen. 1938 hatten deutsche Forscher großen Erfolg, indem sie Wasserstoffperoxid zur Behandlung von Erkältung und Grippe verwendeten. Ihre Daten wurden jedoch mehr als 60 Jahre ignoriert, vielleicht, weil sich durch den Verkauf von Wasserstoffperoxid nicht viel Geld verdienen lässt.

Wenn Sie sich nicht die Finger in die Ohren stecken, sollte sich das Risiko mit diesen Viren in Kontakt zu geraten deutlich verringern. Da diese Viren aber mikroskopisch klein sind und in der Luft schweben, können sie sich jedoch auf oder in Ihrem Ohr niederlassen. Laut den deutschen Forschungsergebnissen werden diese Keime beginnen sich fortzupflanzen, wenn sie erst einmal ins Innere des Ohrs (Mittelohr) vorgedrungen sind. Von dort aus können sie leicht in den Rest des Körpers vordringen und ihn überall anstecken (vorausgesetzt, dass es fruchtbaren Boden für sie gibt, um sich auszubreiten).

Die Behandlung ist einfach. Sie müssen jedem Ohr nur einige Tropfen 3-prozentiges Wasserstoffperoxid (H2O2) verabreichen, wenn auch oft nur ein Ohr infiziert ist. Das Wasserstoffperoxid fängt sofort an zu wirken und nach zwei bis drei Minuten sind alle Keime neutralisiert. Sie werden ein sprudelndes Geräusch in den Ohren wahrnehmen und vielleicht auch ein mildes Stechen spüren. Beginnen Sie mit einem Ohr. Neigen Sie den Kopf auf eine Seite und lassen Sie das Wasserstoffperoxid auf ein Papiertaschentuch laufen, sobald das sprudelnde Geräusch abklingt. Wiederholen Sie das Ganze mit dem anderen Ohr. Eine oder zwei Anwendungen reichen für gewöhnlich aus.

Die 3-prozentige Wasserstoffperoxid-Lösung ist für Säuglinge/Kinder vollkommen unbedenklich und kann in jeder Apotheke für einige Euro erworben werden. Am besten verabreicht man sie mit einer Pipette. Bei Augenkontakt bitte sofort mit reichlich Wasser ausspülen.

Das Wunder des unraffinierten Salzes

In natürlichem Meersalz sind zweiundneunzig wichtige Mineralstoffe enthalten, wohingegen raffiniertes, verunreinigtes Salz (ein Nebenprodukt der chemischen Industrie) nur aus zwei Teilen, Natrium (Na) und Chlor (Cl), besteht. Wenn Zellen unter einem Mangel an Spurenelementen leiden, verlieren sie die Fähigkeit zur Ionenkontrolle. Das hat schreckliche Folgen auf den menschlichen Körper. Selbst wenn das Ionengleichgewicht nur für eine Minute verloren geht, beginnen die Zellen im Körper zu platzen. Das kann zu Nervenstörung, Hirnschaden, Muskelkrämpfen, sowie dem Zusammenbruch des zellregenerierenden Prozesses führen.

Wenn man natürliches Meersalz (rekonstituiertes Meerwasser) zu sich nimmt, können Flüssigkeiten ungehindert die Körpermembranen, Blutgefäßwände und Glomeruli (Filtereinheiten) der Nieren durchqueren. Immer wenn die natürliche Salzkonzentration des Bluts steigt, verbindet sich das Salz sogleich mit den Flüssigkeiten der benachbarten Gewebe. Das wiederum ermöglicht den Zellen mehr Nahrung aus der angereicherten intrazellulären Flüssigkeit zu ziehen. Außerdem können gesunde Nieren diese natürlichen salzigen Flüssigkeiten ohne Probleme entfernen, was notwendig ist, um die Flüssigkeitskonzentration des Körpers ausgewogen zu halten. Raffiniertes Salz ist für den Körper jedoch sehr gefährlich. Es verhindert, dass Flüssigkeiten und Mineralstoffe die Körpermembranen, Blutgefäßwände und Glomeruli frei durchqueren können (Gründe dafür finden Sie im Folgenden). Dadurch sammeln sich die Flüssigkeiten an und stagnieren in den Gelenken, den Lymphgängen, den Lymphdrüsen und in den Nieren. Die dehydrierende Wirkung von gewerblich erzeugtem Salz kann zu Gallensteinbildung, Gewichtszunahme, hohem Blutdruck und anderen Gesundheitsproblemen führen.

Der Körper benötigt Salz, um Kohlenhydrate richtig zu verdauen. Im Beisein von natürlichem Salz sind Speichel und Magensekret in der Lage, die ballaststoffreichen Teile von kohlenhydrathaltigen Lebensmitteln abzubauen. In aufgelöster und ionisierter Form erleichtert Salz den Verdauungsprozess und säubert den Magen-Darm-Trakt.

Gewerblich hergestelltes Tafelsalz bewirkt genau das Gegenteil. Damit das Salz widerstandsfähig gegen die Resorption von Feuchtigkeit wird, fügen Salzproduzenten dem fertigen Salz Chemikalien wie Trockenmittel, sowie verschiedene Bleichmittel hinzu, um es dadurch für den Konsumenten geeigneter zu machen. Nach der Verarbeitung kann sich das Salz nicht mehr mit menschlichen Körperflüssigkeiten vermischen oder verbinden. Das schwächt ausnahmslos die grundlegendsten chemischen und metabolischen Prozesse des Körpers. Die Speicherung von Wasser, sowie Nieren- und Blutdruckprobleme sind die augenscheinlichsten Folgen des Verzehrs von raffiniertem Salz. Raffiniertes Salz ist immer noch in tausenden Fertigprodukten enthalten. Ungefähr 50 Prozent der amerikanischen Bevölkerung leiden unter Wasserspeicherung (die Hauptursache von Gewichtszunahme und Fettleibigkeit). Hauptsächlich ist der Konsum großer Mengen raffinierten Salzes dafür verantwortlich.

Bevor es gewerblich erzeugt wurde, war Salz das kostbarste Gut der Welt, sogar noch kostbarer als Gold. Während des keltischen Zeitalters wurde Salz verwendet, um größere geistige und physische Störungen, schwere Brandwunden und andere Leiden zu behandeln. Untersuchungen haben ergeben, dass Meerwasser hydroelektrolytische Unausgewogenheiten beseitigen kann, eine Störung, die den Verlust von Immunreaktionen, Allergien und viele andere Gesundheitsprobleme verursacht.

In den vergangenen Jahren hat Salz einen schlechten Ruf erlangt und die Menschen haben gelernt, es genauso wie Cholesterin und Sonnenlicht zu fürchten. Viele Ärzte warnen ihre Patienten vor dem Verzehr von Natrium und natriumreichen Nahrungsmitteln. Wenn Sie jedoch kein Salz zu sich nehmen, erhöhen Sie das Risiko an Mineralstoff- und Spurenelementmangel, sowie an vielen ähnlichen Komplikationen zu leiden. Wenn man unraffiniertes Salz isst, erfüllt man den Salzbedarf des Körpers ohne das hydroelektrolytische Gleichgewicht durcheinanderzubringen. Wenn Ihre Ernährung eine ausreichende Menge natürliches Kalium enthält, müssen Sie sich keine Sorgen darüber machen, dass Ihnen durch die relativ kleine Menge von Natrium in echtem Meersalz geschadet wird. Bananen, Aprikosen, Avocados, Kürbiskerne, Bohnen, Kartoffeln, Winterkürbis und viele andere Gemüsesorten enthalten besonders viel Kalium. Wenn der

Kaliumspiegel im Körper jedoch unter Normalniveau sinkt, kann Natrium (sogar in natürlichem Salz) Unausgewogenheiten hervorrufen.

Keltisches Meersalz (grau gefärbt) ist ein gutes Produkt, da es durch Sonnentrocknung auf natürliche Weise extrahiert wird. In Bio-Supermärkten, wie Whole Foods Market® oder ähnlichen Läden, kann man auch andere gute Salze bekommen. Einige sind bunt; andere haben eine rosa Farbe. Himalajasalz gilt als das beste und nahrhafteste von allen. Das schwarze Hawaiianische Meersalz ist ebenfalls ausgezeichnet und es schmeckt großartig. Diese Salze haben tiefgreifende, positive Effekte auf zellulärer Ebene, wenn Sie sie in aufgelöster Form (in Wasser) zu sich nehmen oder sie zum Kochen benutzen. Unraffiniertes Salz trägt auch zur Reinigung und Entgiftung des Magen-Darm-Trakts bei und dämmt schädliche Keime ein.

Raffiniertes Salz kommt dem Körper nahezu nicht zugute. Im Gegenteil, es verursacht zahlreiche Gesundheitsprobleme, einschließlich Gallensteine. Der Körper ist nur in der Lage unraffiniertes und unverarbeitetes Meer- oder Steinsalz zu verdauen, aufzunehmen und richtig zu verwerten. Damit das Salz für den Körper nützlich ist, muss es in Nahrungsmittel eindringen – d. h. die Feuchtigkeit des Obstes, Gemüses, Getreides und der Hülsenfrüchte muss das Salz auflösen können. Wenn man Salz in trockenem Zustand verwendet, gelangt es in nicht-ionisierter Form in den Körper und erzeugt Durst (Anzeichen einer Vergiftung). Es verursacht weitere Schäden, da es nicht richtig aufgenommen und verwertet wird.

Bei Früchten oder anderen Nahrungsmitteln, die normalerweise nicht gekocht werden, können Sie eine Prise Salz in einer kleinen Menge Wasser auflösen und drüber gießen. Das unterstützt die Verdauung dieser Lebensmittel, da es hilft den Körper zu entsäuern. Wenn Sie Ihr Trinkwasser mit einer Prise Salz ergänzen, werden alkalische Eigenschaften erzeugt und Sie werden mit wichtigen Mineralien und Spurenelementen versorgt.

Generell sollte Nahrung köstlich, aber nicht salzig schmecken. Pitta- und Kapha-Körpertypen benötigen weniger Salz als der Vata-Körpertyp.

Wichtige Funktionen von echtem Salz im Körper

- Stabilisiert unregelmäßigen Herzschlag und regelt den Blutdruck – in Verbindung mit Wasser
- Zieht überschüssige Säure aus den Körperzellen, besonders den Gehirnzellen
- Gleicht den Zuckergehalt des Bluts aus, was für Diabetiker besonders wichtig ist

- Ist äußerst wichtig für den Aufbau hydroelektrischer Energie in den Körperzellen
- Ist lebenswichtig für die Aufnahme von Nährstoffen durch den Darm
- Wird benötigt, um die Lungen von Schleim und klebrigem Auswurf zu leeren, besonders bei Menschen, die unter Asthma und Mukoviszidose leiden
- Löst Schnupfen und Verstopfungen in den Nebenhöhlen
- Ist ein natürliches, starkes Antihistamin
- Kann Muskelkrämpfen vorbeugen
- Hilft, überschüssiger Speichelproduktion vorzubeugen; Speichel, der während des Schlafs aus dem Mund läuft, kann ein Anzeichen für Salzmangel sein
- Härtet Knochen; 27 Prozent des Körpersalzgehalts liegt in den Knochen; Salzmangel und/oder der Verzehr von raffiniertem Salz, anstelle von echtem, sind Hauptursachen für Osteoporose
- Regelt den Schlaf; wirkt wie ein natürliches Schlafmittel
- Hilft Gicht und Gichtarthritis zu vermeiden
- Ist entscheidend zur Verbesserung der Sexualität und des sexuellen Verlangens
- Kann Krampfadern und Besenreiser an Beinen und Schenkeln verhindern
- Beliefert den Körper mit mehr als 80 wesentlichen Mineralstoffen; raffiniertem Salz, wie z. B. gewöhnlichem Tafelsalz, wurden all diese Bestandteile, mit Ausnahme von zweien, entzogen; außerdem enthält raffiniertes, gewerbliches Salz schädliche Zusatzstoffe, einschließlich Aluminiumsilikat (eine häufige Ursache von Alzheimer).

Heilende Zucker

Es gibt mehrere Zuckerarten, die tatsächlich in der Lage sind Infektionen zu beenden und das sogar ohne die Keime zu zerstören, die sie auslösen:

1. FOS

FOS ist eine konzentrierte Fructooligosacchariden-Kette, die aus Kohlenhydraten zusammengesetzt ist. Sie kommt auf natürliche Weise in Früchten, Gemüse und Körnern vor. FOS wird seit Jahren in Japan als populäres Ergänzungsmittel benutzt und in der westlichen Hemisphäre findet es aufgrund seiner „präbiotischen" Wirkung immer stärkere Beachtung.

Präbiotika fungieren als Darmnährstoffe für probiotische, nützliche Bakterien, die von Natur aus die Eingeweide bevölkern, wie z. B. Bifidobakterien und Laktobazillen. FOS fördert somit die Fähigkeit dieser Bakterien, die richtige Verdauung anzuregen.

Besonders Menschen, die Antibiotika eingenommen haben (Antibiotika können das Gleichgewicht der Darmbakterien ernstlich stören), die sich seit mehreren Monaten oder Jahren schlecht ernähren, die in fremde Länder reisen, in denen es häufig zu ‚Reisedurchfall' kommt und die konstantem Stress ausgesetzt sind, können von der wohltuenden Wirkung von FOS auf die Darmbakterien profitieren.

Japanische Forschung hat bewiesen, dass ergänzendes FOS nur in geringem Ausmaß im oberen Magen-Darm-Trakt verdaut wird. FOS geht nahezu unverändert in das Colon ein, wo es durch nützliche Bakterien in Gärung gebracht wird und als Kraftstoff verwendet wird. Sowohl heilsame als auch potenziell schädliche Organismen bewohnen unseren unteren Gastrointestinaltrakt, aber glücklicherweise können nicht viele krankheits- und fäulniserregende Bakterien die Bindungen brechen, die FOS zusammenhalten. FOS kann helfen die Bifidobakterien- und Laktobazillenpopulation (Milchsäurebakterien) zu verzehnfachen. Infolgedessen wird die Darmumgebung für potenziell schädliche Bakterien wie Escherichia coli, Clostridien, Veillonella und Klebsiella immer unbewohnbarer. Da die schädlichen Bakterien wegsterben, können die nützlichen Colonbakterien wachsen und sich stark vermehren. Dadurch stellen sie ein nützliches Darmgleichgewicht her, damit sie ihre gesundheitsfördernde Wirkung entfalten können.

FOS kann, über die unterstützende Wirkung auf die Verdauung hinaus, auch nützlich für Diabetiker sein, da es Blutzuckerschwankungen verhindert. Indem es hilft die Bildung toxischer Zusammensetzungen in den Eingeweiden, dem Blut und der Lymphflüssigkeit zu beseitigen oder zu verhindern, kann FOS die Leber bei ihren Bemühungen unterstützen, den Körper frei von Toxinen zu halten. FOS unterstützt erwiesenermaßen ebenfalls kardiovaskuläre Funktionen, indem es den Blutdruck senkt und die Blutfette und den Gesamtcholesterinspiegel reduziert. Seine natürlich hervorgerufene Steigerung der Resistenzfähigkeit kann für Menschen mit erhöhtem Risiko für Bakterieninfektionen besonders hilfreich sein. Außerdem fördert FOS die Produktion verschiedener Vitamine und Mineralstoffe. Tierversuche deuten darauf hin, dass FOS in der Lage sein kann, Blutarmut und den Verlust an Knochendichte zu verhindern, indem es im Darm die Absorption von Eisen und Kalzium fördert.

FOS ist ein leicht süßliches, weißes, zuckerartiges Pulver, das in Form von Tabletten/Kapseln eingenommen werden kann. Sehr hohe Dosierungen können bei einigen Menschen Darmgas verursachen.

2. Xylitol dämmt Karies ein

Xylitol ist eine Zuckeralternative, die wie echter Zucker aussieht und schmeckt, aber weniger als 40 Prozent der Kalorien von Zucker enthält. Xylitol ist ein natürliches Kohlenhydrat, das in Faserpflanzen und Fasergemüse, einschließlich Birke und anderen Hartholzbäumen, Beeren, Mandelschalen und Maiskolben vorkommt. Der menschliche Körper erzeugt während des normalen Stoffwechsels kleine Mengen dieses Stoffs (5 bis 15 Gramm pro Tag). In mehr als 35 Ländern wurde es als Zuckerersatz zugelassen.

In Studien wurde beobachtet, dass Xylitol Plaque und Löcher um bis zu 80 Prozent reduziert, indem es die Plaquesäuren neutralisiert und das Wachstum von Streptococcus Mutans (Zahnbelag erzeugende Bakterien) hemmt. Diese Zahnbelag erzeugenden Bakterien sind die häufigste Ursache für Zahnkaries. Xylitol stimuliert die Remineralisierung des Zahnschmelzes. In klinischen Proben entdeckte man, dass Xylitol das Immunsystem stärkt, das Wachstum von Streptococcus pneumoniae Bakterien hemmt (besonders bei Kindern) und Ohr- und Nebenhöhleninfektionen um 40 Prozent reduziert. Außerdem verbessert Xylitol nachweislich den Geruch des Atems, hemmt Zahnschmelzverlust, reduziert Infektionen im Mund- und Nasenrachenraum und lindert die Trockenheit der Mundschleimhaut. Diabetiker und Hypoglykämiker können diesen Zuckerersatz bedenkenlos verwenden. Xylitol fördert nicht das Wachstum von Hefepilzen, einschließlich Candida albicans. Im Gegensatz zu gewöhnlichem Zucker steigert Xylitol die Absorption von B-Vitaminen und Kalzium.

Xylitol erfreut sich großer Beliebtheit in Japan, Finnland und den skandinavischen Ländern. In Russland wird es seit Jahrzehnten von Diabetikern als Süßstoff und in Deutschland in parenteralen Ernährungslösungen verwendet. In den letzten 30 Jahren wurden zahlreiche klinische- und Feldstudien durchgeführt, die alle zu dem Ergebnis kamen, dass Xylitol eine sichere und gesunde Alternative zu Zucker und künstlichen Süßstoffen ist. Fast alle Mediziner und Zahnmediziner weltweit benutzen und empfehlen Xylitol.

Xylitol ist in Kaugummi, Kaubonbons und Lutschbonbons, Minzpastillen, Zahnpasten und Mundwässern enthalten.

Neue Studien an den zahnmedizinischen Fakultäten in Michigan und Indiana haben die Wirksamkeit überprüft, die Xylitol-/Sorbitol-Mischungen in Kaugummis und Minzpastillen auf Plaque haben. Sie zeigten eine erhebliche Abnahme der Plaqueansammlungen. In den Vereinigten Staaten wurde Xylitol als direkter Nahrungsmittelzusatz für Nahrungsmittel mit besonderen Diätvorschriften genehmigt. Xylitol ist in großen Mengen in Reformhäusern und vielen Onlineshops zu beziehen. Viele Menschen benutzen es für ihre Frühstücksflocken und zum Backen.

3. D-Mannose bei Blasen-/Niereninfektionen

D-Mannose ist genauso wie Traubenzucker ein Einfachzucker. Man findet sie auf natürliche Weise in Preiselbeer- und Ananassaft. Wenn D-Mannose vom Körper aufgenommen wird, wird ein Großteil der D-Mannose schnell vom Magen und vom oberen Verdauungstrakt absorbiert, bevor sie in den Darm gelangen kann. Dadurch wird fast der gesamte Zucker über die Nieren in den Urin entleert. Nur eine sehr kleine Menge D-Mannose wird vom Körper tatsächlich umgewandelt. Obwohl es auf den ersten Blick vielleicht nicht offensichtlich ist, scheint die Tatsache, dass der Körper D-Mannose im Wesentlichen wie ein Abfallprodukt behandelt, sehr positive Auswirkungen auf Patienten mit Harninfekten, wie z. B. Blaseninfektionen, zu haben.

Escherichia coli (oder E. coli) ist der Name eines Bakteriums, das normalerweise in jedem Darm als Teil der natürlichen Mikrobenpopulation zu finden ist. Wenn *E. coli Bakterien* in die Harnwege gelangen, können sie die Harnblase infizieren. Das kommt sogar sehr häufig vor. Tatsächlich sind 80 bis 90 Prozent aller Blaseninfektionen (Blasenentzündungen) auf das Eindringen von *E. coli Bakterien* in die Harnwege zurückzuführen, ein Problem, das unter Frauen 50 Mal weiter verbreitet ist, als unter Männern. Vorausgesetzt, dass eine Immunschwächeneigung besteht, sind in der Scheide vorhandene E. coli Bakterien im Stande, in die Harnröhre und weiter zur Blase zu wandern. Das ist der Grund dafür, warum so viele Frauen nach dem Geschlechtsakt eine Blaseninfektion bekommen. Wenn das Immunsystem sie nicht zerstört, sind E. coli Bakterien in der Lage, sich wie Leim an die inneren Wände der Harnwege und der Blase anzuheften.

Inkontinenz, Brennen beim Urinieren, Harndrang, ohne die Fähigkeit zur völligen Entleerung, rötlicher oder trüber Urin, faulig riechender Urin, Unterleibsschmerzen und häufige Blasenentleerung können auf eine Blasen- oder Harnwegsinfektion hindeuten.

Eine unbehandelte Blaseninfektion kann zu einer Niereninfektion führen, wenn Bakterien weiterhin die Harnleiter zu den Nieren hinaufwandern. In solch einem Fall können zusätzliche Symptome, wie ein brennendes Gefühl während des Urinierens, häufiges Urinieren, vergrößerter Harndrang, Kreuzschmerzen, Schüttelfrost, Brechreiz, Erbrechen und Durchfall auftreten.

D-Mannose besitzt eine einzigartige chemische Struktur, die dafür sorgt, dass sie sich an *E. coli Bakterien* anheftet, sogar noch mehr, als sich Kolibakterien an menschliche Zellen anheften. Wenn im Urin eine ausreichende Menge D-Mannose enthalten ist, ist eine normale Blasenentleerung die einfachste und wirksamste Behandlungsmethode für die zuvor genannten Bedingungen. Genauso bemerkenswert ist es, dass von D-Mannose ummantelte E. coli Zellen im Urin ihre Fähigkeit sich anzuheften verlieren und unverzüglich mit dem Urin aus dem Körper gespült werden.

Der erstmalige Gebrauch von Antibiotika zur Behandlung von Blasen- oder Niereninfektionen führt fast immer zu weiteren Infektionen. Obwohl diese todbringenden Medikamente die unerwünschten Mikroorganismen erfolgreich töten, zerstören sie auch die gesunde Flora, die dafür verantwortlich ist, alle ansteckenden Bakterien abzuwehren. Im Grunde genommen hängt das Immunsystem von diesen „freundlichen" Mikroben ab. Sie bewahren den Körper davor, sich zu zersetzen. Antibiotika haben bei vielen Frauen Pilzinfektionen verursacht. Diese Pilzinfektionen sind ein Anzeichen dafür, dass dieser Schutzmechanismus bereits durchbrochen wurde.

D-Mannose besitzt keine antimykotischen Eigenschaften. Sie tötet keine Bakterien, egal ob freundlich oder unfreundlich. D-Mannose hilft einfach nur, deplatzierte Kolibakterien durch Urinieren aus dem Inneren der Harnwege zu entfernen. Und ganz davon abgesehen, dass sie keinerlei Nebenwirkungen hat und das Verdauungssystem nicht belastet, schmeckt sie auch noch gut, genauso wie Zucker.

Interstitielle Cystitis (IC) ist eine chronische Blasenstörung, die die Symptome einer gewöhnlichen Harnwegsinfektion (UTI) nachahmt. Die normale therapeutische Dosierung bei chronischer IC oder chronischer UTI beläuft sich auf 1/2 Teelöffel täglich. Man kann aber als vorbeugende Maßnahme auch 1/2 Teelöffel wöchentlich einnehmen.

Neben der Verwendung von D-Mannose müssen Menschen mit einer Harnwegsinfektion zusätzlich ihren Dickdarm, die Leber-Gallengänge und die Nieren gründlich reinigen. Außerdem sollten sie dringend ihren Ernährungs- und Lebensstil anpassen, wie es in diesem Buch empfohlen wird. Die Einnahme von übersättigtem Kaliumjodid (SSKI) kann ebenfalls hilfreich sein.

Bitte beachten Sie, dass Stevia kein Zucker ist, obwohl es sehr süß ist. Man kann es jedoch wie Zucker verwenden. Stevia ist absolut unbedenklich für Diabetiker und Menschen, die Probleme mit Candida haben.

Vorsicht: *Nehmen Sie sich in Acht vor dem wohldurchdachten Trick einer globalen Millionen-Dollar schweren Vertriebsgesellschaft, die die Behauptung aufstellt: „Die medizinische Forschung hat festgestellt, dass* *auf zellulärer Ebene acht Glyconutrient-Zucker benötigt werden, um eine optimale Immunabwehr zu gewährleisten." Man will Ihnen teure Nahrungsergänzungsmittel verkaufen, die diese acht Zucker enthalten, die mit großer Wahrscheinlichkeit in Ihrer Ernährung fehlen. Diese speziellen Nährstoffe sollen die schwersten Krankheiten heilen, inklusive Krebs, Hauttuberkulose, Diabetes und MS. Tatsache ist, dass es keine von der Wissenschaft entdeckten „Glyconutrients" gibt. Diesen Begriff gibt es in der medizinischen Fachliteratur nicht einmal. Es gibt keine wissenschaftlichen Beweise, die die gemachten Angaben dieses Konzerns zu ihren Produkten, einschließlich Ambrotose, stützen könnten. In keiner medizinischen Zeitschrift wurden zu diesem Thema Studien veröffentlicht (suchen Sie in der Medline Datenbank nach). Die einzig existierende „Forschung" ist die, die die Gesellschaft und ihre Organisationen selber bewirbt. Im Juli 2007 hat Greg Abbott, Oberstaatsanwalt von Texas, die Firma Mannatech, Inc, seinen Eigentümer Samuel L. Caster und mehrere verbundene Unternehmen angeklagt, ein illegales Marketingprogramm zu bewerben, das Verbraucher glauben lässt, dass die Produkte der Firma gegen viele ernsthafte Erkrankungen wirksam seien.*

Das wunderbare Yuccaextrakt

Yuccawurzeln enthalten steroidische Saponine (natürliche Reinigungsmittel, die in vielen Pflanzen, besonders in bestimmten Wüstenpflanzen wie Yucca Schidigera enthalten sind). Ihr Extrakt wurde traditionell zur Darmreinigung verwendet, was möglicherweise die Vielzahl ihrer Vorteile erklären mag.

Yucca

- hilft bei der Bildung einer Schutzschicht auf den Darmwänden, was einer Schädigung der Darmauskleidung vorbeugt und Toxine daran hindert, ins Blut und die Lymphe (durchlässige Darmwände) einzudringen
- hilft bei der Beseitigung von krankheitserregenden Organismen, einschließlich Viren
- unterstützt das Wachstum nützlicher Bakterien
- hilft bei leichteren Darminfektionen, indem es Entzündungen und Schwellungen lindert

- verringert Darmprobleme, einschließlich Dickdarmentzündung, Divertikelentzündung, Verstopfung, zeitweilig auftretenden Durchfall, Darmgas
- unterstützt die Verdauung und Absorption von Fetten
- reduziert angesammelte Darmabfallprodukte im Colon
- baut gehärteten Darmschleim in den Eingeweiden ab und beseitigt ihn
- erleichtert Krämpfe und Unterleibsschmerzen, häufig innerhalb einiger Minuten
- reduziert Schmerzen, Muskelkater und Schwellungen der Gelenke (wie sie bei Arthritis und Gicht vorkommen)
- lindert Migränekopfschmerz
- hilft bei der Heilung von Wunden, Schorf und Hautausschlägen
- hilft bei der Senkung von erhöhten Blutcholesterin- und Triglyceridwerten
- hilft, aufgrund seiner kortisonartigen Wirkung, Stress abzubauen
- hilft einigen Menschen bei der Raucherentwöhnung
- wurde zum Stoppen von Haarausfall benutzt
- hat manchen Menschen mit der Addisonschen Krankheit geholfen
- hilft bei der Normalisierung von zu hohem Blutdruck
- hemmt Krebszellen

Dr. Bingham berichtete im *Journal of Applied Nutrition* (Bd. 27, Nr. 2 und Nr. 3), dass sich bei 60 Prozent aller Menschen, die Yucca-Ergänzungen nahmen, eine Verringerung von Schmerz, Schwellung und Steifheit in den Gelenken einstellte. Südwestliche Indianer benutzten Yucca als Shampoo und zur Behandlung von Wunden, wunden Stellen, sowie Arthritis- und Rheumatismusproblemen. Yucca-Wurzelextrakt hat keine bekannten unangenehmen oder schädlichen Nebenwirkungen. Es ist eine reichhaltige Vitamin A- und Vitamin B-Komplex-Quelle. Es hat einen hohen Kalzium-, Kalium-, Phosphor-, Eisen-, Mangan- und Kupfergehalt. Am besten kaufen Sie flüssiges Yucca-Extrakt ohne Alkohol (z. B. von „Herb Farm" oder anderen im Internet gefundenen Quellen). Yucca-Kapseln können vom Körper schlecht aufgenommen werden.

Rotulmenrinde

Die innere Rinde der Rotulme ist sehr schleimhaltig. Dieser Schleim besteht aus einer komplexen Mischung von Polysacchariden (Vielfachzucker), die schmerzlindernde, gallertartige Fasern bilden, wenn man

Wasser hinzufügt. Die Rotulme gilt auch als gesundes, nahrhaftes Lebensmittel, das in der Textur Haferflocken ähnlich ist und wie Haferbrei zubereitet werden kann. Wenn man sie dreimal täglich isst, kann ungesüßte „Ulmenkost" eine gute Nährstoffquelle sein. Weil sie mild und leicht bekömmlich ist, kann sie auch gut von Menschen mit Magenkatarrh und anderen Formen von Darmproblemen gegessen werden.

Der angenehm schmeckende, äußerst nahrhafte Haferbrei wurde von den ersten Naturvölkern traditionell sowohl als Nahrung als auch als Medizin verwendet. Später nutzten ihn auch europäische Kolonisten. Der Schleim wurde traditionell innerlich angewendet, um Angina und Mandelentzündungen, Husten, Lungentrockenheit und Magenverstimmungen zu lindern. Äußerlich wurde er angewendet, um Wunden und andere Hautentzündungen zu heilen. Rotulmen- und Wurzelrinde wurden auch als Volksheilmittel zur Behandlung vieler ernsthafter, degenerativer Krankheiten verwendet. Die Rinde empfiehlt sich besonders zur Linderung von Magenerkrankungen. Die viskosen Fasern üben zahlreiche wohltuende Wirkungen auf die Verdauung aus.

Rotulme

- reduziert die Darmtransitzeit
- absorbiert Giftstoffe aus dem Darm
- erhöht die Fäkalmenge und verdünnt den Stuhl, wodurch der Kontakt des Stuhls mit der Darmschleimhaut verkürzt wird
- erhöht die Menge nützlicher Bakterien im Darm und liefert ein hervorragendes Trägermaterial für bakterielle Fermentation

Durch die Beseitigung östrogener Anaerobier aus dem Darm kann man dem Körper erheblich dabei helfen, Hormongleichgewichte wiederherzustellen, die für eine gesundheitliche Grundversorgung unbedingt benötigt werden. Die Rinde wirkt entzündungshemmend und da der Schleim Hydrolyse und Verdauung durch Magensäure und Enzyme widersteht, bleibt ihre lindernde Wirkung im kompletten Verdauungssystem erhalten. Man kann den Schleim der Rotulmenrinde ebenfalls verwenden, um seinen Rachen, die Nasengänge und die Lungen zu befeuchten. Man hat sie traditionell auch zur Behandlung von Abszessen, Ruhr, Harnwegsproblemen und Fieber verwendet. Ulmenrindewickel wurden traditionell verwendet, um die Gesundheit von Knochen und Gelenken zu fördern, Drüsenschwellungen zu reduzieren und die Ausbreitung von Infektionen zu verhindern.

Die Rinde enthält eine komplexe Polysaccharid-Mischung. Dazu gehören Pentosen, Methyl-Pentosen und Hexosen, die beruhigende, gallertartige Fasern oder Schleim bilden. Außerdem enthält die Rinde hohe Konzentrationen von Antioxidantien, einschließlich Beta-Sitosterol, Spuren von Beta-Carotin und Flavonoide, einschließlich Proanthocyanidine.

Man kann den Rindenbrei je nach Bedarf (den ganzen Tag lang) zu sich nehmen. Am besten ist er für Vata- und Pitta-Typen geeignet. Aber auch Kapha Typen können von seiner Wirkungsweise profitieren. Man sollte zeitgleich (besonders Vatas) ausreichende Mengen (1:10) Wasser zu sich nehmen. Dadurch kann man einen maximal therapeutischen Vorteil gewährleisten und Auswirkungen auf den Darm verhindern. Wenn diese Anweisungen befolgt werden, gibt es keine bekannten Nebenwirkungen. Wie bei allen Faser- und Ballaststoffen ist es wichtig, nicht zu viel auf einmal zu nehmen und es nicht zu übertreiben. Rotulmenrinde ist ebenfalls einer der Hauptbestandteile des indianischen Kräuterheilmittels „Ojibwa Tee". Jeder größere Kräuterladen (wie z. B. MountainRoseHerbs.com) verkauft Rotulmenrinde in größeren Mengen.

Ojibwa Kräuter Tee – Ein Heilmittel gegen alle Beschwerden?

Ojibwa Indianertee ist ein 280 Jahre altes indianisches Wurzel- und Kräuterheilmittel, das im 18. Jahrhundert von der indianischen Medizingesellschaft der Ojibwa entwickelt wurde. Die Mitglieder der Ojibwa verwendeten es, um einen Pocken-Genozid zu überleben, der von den frühen europäischen Siedlern verursacht wurde.

Die Indianer verwendeten diese Teeformel seither, um alle Arten von Krebs, Typ-1- und Typ-2-Diabetes, Leberinfektionen und andere Zustände der Leber/Gallenblase, Tumore, Arthritis, Gicht, Asthma und andere Atemwegsleiden, Fettleibigkeit, hohen Blutdruck, erhöhtes Cholesterin, Fibromyalgie und chronisches Erschöpfungssyndrom, Geschwüre, irritables Darmsyndrom (Reizdarm), Nieren- und Blasenstörungen, Nebenhöhlenverstopfung, Influenza (Grippe) und Bronchitis, Masern, Mumps, Windpocken, Pocken, Herpes, Durchfall, Verstopfung, Lymphödem (Flüssigkeitsretention), Herzerkrankungen, Allergien, Hauterkrankungen, Autoimmunerkrankungen wie Hauttuberkulose, AIDS, Borreliose, Alkoholsucht, Drogensucht, Tabakabhängigkeit, usw., klinische Depression und noch viele andere Erkrankungen zu heilen.

Benediktenkraut wird bei Verdauungsproblemen wie Blähungen,

Verstopfung und Magenschmerzen verwendet. Dieses Heilkraut verwendet man ebenfalls zur Behandlung von Leber- und Gallenblasenerkrankungen.

Klettenwurzel ist ein mildes Diuretikum (harntreibendes Mittel). Sie erhöht sowohl die Produktion von Urin als auch von Schweiß, was sie potenziell nützlich bei der Behandlung von Schwellungen und Fieber macht. Klettenwurzel könnte eine Rolle bei der Verhinderung von Leberschäden spielen, die durch Alkohol, Chemikalien oder Medikamente verursacht werden. Der genaue Grund für diese Schutzwirkung ist nicht bekannt, aber man vermutet, dass sie in den Widerstand eines chemischen Prozesses, genannt Oxydation, einbezogen ist, der im Körper wie eine natürliche Stoffwechselfunktion vorkommt. Obwohl Oxydation ein natürlicher Prozess ist, bedeutet das nicht, dass sie für den Körper nicht schädlich ist! Eine Folge der Oxydation ist die Freisetzung von sauerstofffreien Radikalen. Diese sauerstofffreien Radikale sind Chemikalien, die die Immunfunktionen unterdrücken können. Antioxidantien, wie Klettenwurzel, können die Körperzellen vor den Schäden schützen, die durch die Oxydation verursacht werden.

Seetang ist ein Meeresgemüse, das reichhaltig an Mineralien, einschließlich Jod, Kalium, Magnesium, Calcium und Eisen ist. Seetang unterstützt als Jodquelle die Bildung von Schilddrüsenhormonen. Diese Hormone sind erforderlich, um den normalen Stoffwechsel aller Körperzellen aufrechtzuerhalten. Dadurch werden die Energieniveaus gesteigert und die Aufrechterhaltung eines gesunden Körpergewichts vereinfacht. Seetang ist die nährstoffreichste aller Ojibwa-Tee-Zutaten. Er ist im häufig verkauften Essiac-Tee (vier Kräuter Formel) nicht enthalten. Sofern Sie nicht an Hyperthyreose (Schilddrüsenüberfunktion) leiden, ist es empfehlenswert die acht-Kräuter-Formel zu verwenden.

Rotklee enthält viele wertvolle Nährstoffe, einschließlich Kalzium, Chrom, Magnesium, Niacin, Phosphor, Kalium, Thiamin und Vitamin C. Er ist auch eine der reichsten Quellen von Isoflavonen (wasserlösliche Chemikalien die wie Östrogen wirken und in vielen Pflanzen vorhanden sind). Die im Rotklee vorhandenen Isoflavone hat man auf ihre Wirksamkeit zur Behandlung einiger Krebsarten untersucht. Man vermutet, dass Isoflavone die Teilung von Krebszellen verhindern und sogar Krebszellen zerstören können.

Zwerg-Sauerampfer enthält große Mengen Oxalsäure, Natrium, Kalium, Eisen, Mangan, Phosphor, Beta-Karotin und Vitamin C. Diese Zutat des heimischen Ojibwa-Tees ist ein mildes Diuretikum, ein mildes Antiseptikum und ein mildes Abführmittel.

Rotulmenrinde hat man verwendet, um Umschläge bei Schnitten und Blutergüssen sowie bei Gelenkschmerzen aufgrund von Gicht oder anderen Ursachen zu machen. Neben der Verwendung als heimische Teezutat, verwendet man dieses Kraut ebenfalls zur Linderung von Halsschmerzen. Rotulmenrinde ist in vielen Lutschtabletten gegen Hustenreiz enthalten. Da Halsschmerzen und Husten häufig miteinander verbunden sind, wurde Rotulmenrinde auch in Hustenmitteln verwendet. Außerdem regelt sie bei der Verdauung auch den Ausscheidungsprozess, indem sie sowohl Verstopfung als auch Durchfall lindert.

Türkische Rhabarberwurzel ist ein entgiftendes Kraut und für seine Heileigenschaften weltberühmt. Sie reinigt den Körper von Galle, Parasiten und von in den Eingeweiden stagnierender Nahrung, indem sie den Gallengang stimuliert, toxische Abfallprodukte auszuscheiden. Sie konnte erwiesenermaßen chronische Leberprobleme lindern, indem sie die Leber reinigt. Diese Wurzel fördert die Verdauung und hilft bei der Regulierung des Appetits. Erwiesenermaßen hilft sie auch bei der Heilung von Geschwüren, bei der Linderung von Milz- und Colonstörungen, beim Abbau von Verstopfungen und bei der Heilung von Hämorrhoiden und Blutungen im oberen Verdauungstrakt.

Brunnenkresse ist Vitamin C reich. Man verwendet sie als gebräuchliches Stärkungsmittel. Der bittere Geschmack der Brunnenkresse soll den Appetit regulieren und die Verdauung verbessern. Man kann sie verwenden, um nervöse Beschwerden, Verstopfung und Leberstörungen zu lindern. Brunnenkresse ist ein populäres Heilmittel bei Husten und Bronchitis. In Brunnenkresse ist eine bemerkenswerte Substanz enthalten, genannt Rhein, die scheinbar das Wachstum pathogener Bakterien in den Eingeweiden hemmt. Man geht davon aus, dass Rhein auch gegen Candida albicans (Pilzinfektion), Fieber, Entzündung und Schmerz wirksam ist.

Achtung: Genauso wie bei anderen Nahrungsmittel- und Heilmittelquellen, die lösliche Fasern enthalten (wie Rotulmenrinde), kann Ojibwa-Tee die Absorption anderer Arzneimittel innerhalb des Darms störend beeinflussen, wenn man sie zeitgleich einnimmt. Daher sollten verschreibungspflichtige Medikamente und dieser Tee nur abwechselnd eingenommen werden.

Ein Unternehmen verkauft diesen Tee unter dem Namen Essiac Tee, ein anderes unter dem Namen „Native Essence™ Plus dry tea". Beide sind erhältlich im Internet.

Lapacho (Pau D'Arco)

Ein erstaunliches Inka-Heilmittel

Südamerikanische Ärzte verwenden ein auf die Hochkultur der Inkas zurückzuführendes Rezept, um erfolgreich verschiedene Krebsarten – einschließlich Leukämie und anderer lebensbedrohender Krankheiten – zu behandeln. Dazu verwenden sie die innere Rinde des Lapacho colorado-Baums oder des roten Lapachobaums, der aufgrund seiner scharlachroten Blüten so genannt wird. Der rote Lapachobaum, der ebenfalls als Pau D'Arco, Ipê-roxo und Taheebo bekannt ist, wächst in den wärmeren Gebieten Südamerikas: Brasilien, nördliches Argentinien, Paraguay, Bolivien, usw. Der Baum wächst anscheinend nur in Gegenden mit hohem Ozongehalt in der Luft und hoher Konzentration lebenswichtiger, negativ geladener Sauerstoffionen. Er ist praktisch frei von Verschmutzungen, die durch Schadstoffe, wie Pestizide oder Abgase, verursacht werden.

Der Baum hat kräftige, trompetenförmige Blüten – rosa, purpurrot oder gelb – je nach Baumart. Der Lapacho Baum mit den purpurroten Blüten ist am stärksten. Das Besondere an diesen Blüten besteht darin, dass sie fleischfressend sind und Insekten essen. Das wiederum schützt den Baum gegen Schädlinge, Parasiten, virale Infektionen und Pilzbewuchs.
Die Kraft des Baums liegt in der inneren Rinde. Sie kann ohne Schaden entfernt und getrocknet werden. Aus dieser Rinde wird dann ein Extrakt gewonnen. Dieser Wirkstoff ist als Lapacho bekannt. Da der Baum anschließend seine Rinde erneuert, dient er als kontinuierliche Bezugsquelle.
Lapacho wird aufgrund seiner immunstärkenden und immunausgleichenden Fähigkeit geschätzt. Von allen Kräuterkuren und Reichtümern, die die Inkas uns hinterlassen haben, scheint es nichts zu geben, das so wertvoll ist, wie Lapacho. Lapacho wird heute noch von den Nachfahren der Inkas – den Callaway-Indianern – verwendet.

Lapacho dient zur alternativen Behandlung von Krebs und AIDS, und es wird bei Candida Albicans-Wachstum, anderen Pilzproblemen und vielen anderen Erkrankungen des Immunsystems verwendet. Außerdem schätzt man Lapacho besonders aufgrund seiner Fähigkeit den Körper, besonders die Leber, die Nieren und den Darm zu entgiften. Babies mit Lebensmittelallergien und Darmkrämpfen können außerordentlich von der Wirksamkeit von Lapacho profitieren. In Südamerika durchgeführte Forschungsstudien über Lapacho haben bewiesen, dass Lapacho dabei hilft, Gegenreaktionen auf Antibiotika zu reduzieren. Dadurch ermöglicht es anderer Medizin effektiver zu arbeiten, da es das Risiko toxischer Auswirkungen auf die Leber reduziert.

Man kann Lapacho unbedenklich zusammen mit anderen Arzneimitteln verwendet und deren Nebenwirkungen sogar minimieren. Ich persönlich habe es Tausenden von Menschen mit sehr guten Ergebnissen empfohlen, besonders bei Infektionen. Mittlerweile verschreiben viele Ärzte und Zahnärzte ihren Patienten bei Infektionen routinemäßig Lapacho, anstatt ihnen Antibiotika zu verordnen. Dieses Heilkraut scheint sowohl auf ursächlicher als auch auf symptomatischer Ebene zu wirken, was das Fernbleiben von Nebenwirkungen erklären kann.

Medizin von höchster Qualität

Südamerikanische Ärzte haben herausgefunden, dass Lapacho bei folgenden Beschwerden helfen konnte:

- Stärkungsmittel gegen Anämie
- Lebererkrankungen
- Asthma / Geschwüren
- Osteomyelitis
- Arteriosklerose
- Schuppenflechte
- Blutbildungsförderung
- Parodontose
- Bronchitis
- Parkinson
- Krebs
- Ringelflechte
- Blasenentzündung
- Rheuma
- Diabetes
- Hautproblemen
- Gastritis
- Krampfadern
- Hernie
- Geschlechtskrankheiten
- Infektionskrankheiten
- Wunden
- Leukämie

Im Rahmen weiterer Untersuchungen stellte sich heraus, dass Lapacho auch bei Erkältung, Grippe, Tripper, Polypen, Prostatainfektion und Prostatavergrößerung, Tuberkulose, Geschwülsten, multipler Sklerose, Typhus, Schwindelgefühl, Impotenz, Haarausfall, Furunkeln, Schlangenbissen, Nahrungsmittelallergien und Chemikalienallergien hilft. Wenn man Lapacho oberflächlich anwendet, kann es gegen Schuppen, Ekzeme und Hautkrebs helfen. Wissenschaftler glauben, dass Lapacho sogar Potenzial bei der Behandlung von AIDS haben kann. Das Heilkraut *Milchbuschkraut* ist in Kombination mit Lapacho praktisch dazu fähig, Krebszellen abzubauen. Dabei behandelt das Lapacho selbst mehr die Ursache der Krankheit.

Das bestechende an den Eigenschaften von Lapacho ist, dass es in der medizinischen Forschung keine Aufzeichnungen über einen keimhemmenden, chemischen Wirkstoff gegeben hat, der sowohl Bakterien als auch

Viren zerstören kann. Jede andere bekannte Art der Vegetation wird schließlich, wenn sie Wasser und Wetter ausgesetzt ist, mit Sporen bedeckt, die zur Bildung von Pilzen führen. Bei Lapacho ist das nicht der Fall. Lapacho ist auf ungewöhnliche Weise resistent dagegen. Im Folgenden sind die bekannten Eigenschaften von Lapacho zusammengefasst:

- ANALGETIKUM – Mittel, das Schmerz ohne Bewusstseinsverlust mindert
- SEDATIVUM – Mittel, das Nervosität, Entzündung und Kummer lindert
- DEKONGESTIVUM – Mittel, das überall im Körper Verstopfungen lindert
- DIURETIKUM – Mittel, das benutzt wird, um die Ausscheidung und den Urinfluss zu stimulieren
- HYPOTENSIVA – starkes Nervenrelaxant, das bei Bedarf schlafindizirend wirkt
- VIRUZID – ein Mittel, das Viren zerstören kann

Die in Brasilien durch Lapacho verursachten dramatischen Heilungen waren so erstaunlich, dass die brasilianische Regierung damit begann, seine Heileigenschaften zu studieren und zu bestätigen. Forschungen an der University of Illinois, USA, stützten die brasilianischen Forschungsergebnisse und bestätigten, dass Lapacho tatsächlich eine Substanz enthält, die äußerst wirksam gegen Krebse ist. Dr. Teodoro Meyer von der S*tate University of Tucuman,* Argentinien, war der erste Forscher, der eine antibiotische Substanz namens Zyloiden entdeckte, die, wie er herausfand, zur Tötung von Viren fähig ist. Außerdem wurde entdeckt, dass *Lapachol,* der Hauptbestandteil dieses Krauts, ebenfalls starke antitumorale Wirkung hat und zwar ohne toxische Nebenwirkungen. Diese antineoplastische Wirkung wurde im Jahre 1968 bestätigt. Nachdem man Lapacho auf Ratten angewendet hatte, die das *Yoshida-Sarkom* in sich trugen, wurde das Wachstum der Tumore bei 84 Prozent der mit hohen Dosen behandelten Tiere gehemmt.

Professor Accorsi von der *Universität von Sao Paulo* entdeckte ebenfalls, dass Lapacho von herausragend therapeutischer Wichtigkeit bei der Behandlung verschiedener Krebsarten ist (einschließlich Leukämie). Eine japanische Forschungsgruppe, unter der Leitung von Wissenschaftlern des Nationalen Krebszentrums, bestätigte Professor Accorsis Ergebnisse. Die Forscher konnten einen Wirkstoff zur Krebsbekämpfung extrahieren, der, wie sie entdeckten, gegen Leukämie und bösartige Geschwülste, z. B. bei Magenkrebs, wirkt.

Neben seinen Heileigenschaften ist Lapacho ein starkes Stärkungs- und blutbildendes Mittel, das den Hämoglobingehalt und die Anzahl der roten

Blutkörperchen erhöht. Das ist nicht überraschend, da Lapacho leicht absorbierbares (kolloidales) Eisen enthält. Dadurch unterstützt es auch die ordnungsgemäße Aufnahme von Nährstoffen und die Eliminierung von Abfallprodukten. Dies ist für jeden Genesungsprozess unerlässlich. Lapacho scheint dazu fähig zu sein den Körper wiederzubeleben. Es erzeugt neue Lebenselemente und normalisiert das Zellwachstum. Es ermöglicht zur selben Zeit die Steuerung „unheilbarer" Krankheiten, die Verlängerung der Lebensdauer und die Lebensqualität. Lapacho ist ein Geschenk der Natur an uns Menschen und wir können außerordentlich davon profitieren, wenn wir dieses Geschenk annehmen.

Dosierung: Um das Immunsystem zu kräftigen, trinken Sie zwei bis drei Tassen Lapachotee pro Tag oder nehmen Sie dreimal täglich zwei Kapseln. Verdoppeln Sie die Dosierung bei Infektionen/Entzündungen, Krebs oder anderen ernsten Erkrankungen.

Vorsicht: *Nicht alle der heutzutage verkauften Pau D'Arco Produkte sind stark genug, um die genannten Effekte zu haben. Kaufen Sie nur in Läden, die für ihre Qualitätsprodukte bekannt sind, selbst wenn die Preise etwas höher sind als in den Läden, die die gängigen Marken verkaufen. Ich habe jedoch festgestellt, dass sogar lokale Reformhäuser Extrakte anbieten, die dennoch einige Vorteile haben und sogar wirksam genug sind, um einfache Infektionen und Immunschwächen auszugleichen. Obwohl der Tee wirksamer als die Kapseln zu sein scheint, ist er weniger geeignet.*

Olivenblatt-Extrakt

Dieses alte Kräuterheilmittel hat sehr ähnliche und genauso starke Heileigenschaften wie Lapacho. Aus diesem Grund werde ich mir sparen, diese hier noch einmal zu erwähnen. Es gibt jedoch eine Erkrankung, bei der Olivenblatt-Extrakt besonders erstaunliche und schnell wirkende Eigenschaften entwickelt – Gürtelrose. In den meisten Fällen helfen fünf 150mg-Kapseln oder zwei 500mg-Kapseln pro Tag. Man nimmt sie zusammen mit dem Essen, und innerhalb von nur drei bis vier Tagen wird diese schmerzhafte Erkrankung verschwunden sein. Bei sehr alten Patienten kann es aber sein, dass sich der Heilprozess auf bis zu zwei Wochen verlängert.

Olivenblatt-Extrakt ist eine natürliche Alternative zu pharmazeutischen Antibiotika. Seine antimikrobiellen Eigenschaften kennt man schon lange. Die Ergebnisse durchgeführter Tests waren so beeindruckend, dass sie sogar in medizinischen Fachzeitschriften veröffentlicht wurden.

Astragalus

Astragalus membranaceus (Huang Qiin in der chinesischen Medizin) verwendet man größtenteils zur Immunstärkung und um den Körper bei der Verhinderung von Erkältung, Grippe und anderen Krankheiten zu unterstützen. Jedoch sollte man gemäß chinesischer Tradition Astragalus nicht während des frühen Infektionsstadiums einnehmen. Wenn man es allerdings bei ersten Krankheitsanzeichen oder -symptomen einnimmt, ist es immer noch in der Lage eine Grippe abzuwehren. Seine größten Effekte sind präventiv.

Andere Erkrankungen die mit Astragalus behandelt werden können sind: AIDS, Arteriosklerose, Nebenwirkungen von Chemotherapien, chronisch-aktive Hepatitis, Diabetes, Genitalherpes, hoher Blutdruck, Schilddrüsenüberfunktion und Schlaflosigkeit.

Salbeiöl – Ein Gedächtnisverstärker

Im 17. Jahrhundert schrieb der bekannte Kräuterkundler Nicholas Culpepper, dass das Salbei das Gedächtnis „heilen" könnte, indem es „die Sinne wärmt und belebt". Salbei hatte von jeher diesen Ruf, aber keiner wusste warum. Forscher des Medical Plant Research Centre (MPRC) an den Universitäten von Newcastle und North Umbria in Großbritannien haben vielleicht das uralte Geheimnis des Salbeis aufgedeckt. Ein Enzym, genannt Acetylcholinesterase (AChE), spaltet eine Chemikalie (Acetylcholin) auf, die in Alzheimerpatienten normalerweise nicht in ausreichenden Mengen vorhanden ist. Laut einer im Jahr 2003 durch das MPRC durchgeführten Studie, hemmt Salbei AChE. Forscher verabreichten 44 Testpersonen entweder Salbeiölkapseln oder Placebokapseln, die Sonnenblumenöl enthielten. Anschließend führten sie Word Recall-Tests durch. Die Salbei-Gruppe zeigte bedeutend bessere Testergebnissen als die Placebo-Testgruppe. Salbei kann man in Reformhäusern kaufen oder über viele Internetseiten beziehen. Es gibt keine bekannten Nebenwirkungen.

Guarana – Ein Energieverstärker

Es gibt noch eine andere südamerikanische Pflanze mit sehr ungewöhnlichen und gesundheitsfördernden Eigenschaften. Die Pflanze heißt Paullinia cupana und ihre Samen sind als *Guarana* bekannt. Wie Lapacho (Pau

D'Arco) ist Guarana in den meisten Reformhäusern zu beziehen.

Guarana hat den Ruf ein natürliches Elixier oder Energieverstärker zu sein. Häufig ist es wohl so, dass die Indianer des Amazonas nichts anderes als Guarana essen, wenn sie in den Dschungel gehen. Sie mahlen die Samen, vermischen sie mit Wasser und trinken das Gebräu. Das allein schützt sie angeblich auf ihren langen Trecks durch den Dschungel. Sie verwendeten Guarana auch zur Bekämpfung von Fieber, Kopfschmerz und Schmerz.

Durch Forschung konnte festgestellt werden, dass Guarana zur Bekämpfung von Erschöpfung das Nebennierensystem sanft stimuliert, ohne schädliche Adrenalinstöße zu erzeugen. Da der Großteil seines natürlichen Koffeins gebunden ist, kann das Koffein nicht in Stößen ausgeschüttet werden, wie es bei Kaffee oder schwarzem Tee der Fall ist. Da der Körper das Koffein erst abbauen muss, wird es auch nur allmählich vom Organismus aufgenommen. Dadurch wird der Körper mit viel Energie versorgt, ohne die eigenen Energieressourcen zu entleeren. Guarana beruhigt das Nervensystem und ist deshalb bei stressbedingten Verstimmungen, einschließlich Angst und Depression, einsetzbar. Man schätzt es sehr als nervenstärkendes Kraut, das sowohl die Konzentration als auch das physische Durchhaltevermögen erhöht. Es wird regelmäßig von vielen Profisportlern und Turnern verwendet. Empfohlene Verwendungen sind:

- Wenn Sie einen Energieschub benötigen (anstelle von Kaffee, der das Nervensystem erschöpfen kann)
- Als ein allgemeines Stärkungsmittel und Stressbewältiger
- Für Menschen mit einem aktiven Lebensstil oder die einen anstrengenden Tag hinter sich haben
- Während harter Arbeitsperioden, entweder geistig oder körperlich
- Als sanftes Aufputschmittel und um Erschöpfung zu beseitigen
- Wenn Sie sich von einer Krankheit erholen oder schwach fühlen
- Um Alterserscheinungen zu verlangsamen oder umzukehren
- Um Kopfschmerz oder Migräne zu lindern
- Als ein natürliches Diuretikum, um den Körper von überschüssigen Flüssigkeiten zu befreien
- Um Menstruationsbeschwerden zu lindern[18]
- Als Antidepressivum, das keine Abhängigkeit erzeugt

[18] Es gibt andere Kräuter, die großen Nutzen bei der Linderung von Menstruationsschmerzen gezeigt haben: Chinesische Angelikawurzel, Szechuan Liebstöckel-Wurzel, rote Pfingstrosen-Wurzel, weiße Pfingstrosen-Wurzel, chinesischer Löwenschwanz und Zimtrinde. In einer Studie hatten 53 Prozent der Frauen, die diese chinesischen Kräuter nahmen, verglichen mit 26 Prozent in der Placebogruppe, weniger Schmerz. Die Kräuter waren wirksamer als nichtsteroidale Entzündungshemmer (NSAID), Antibabypillen, Akupunktur, Wärmekompressen, Placebos oder überhaupt keine Behandlung.

Es ist egal, welche Marke Sie verwenden. Sie sollten nur sicher stellen, dass es zu 100 Prozent reines Guarana ist und nicht mit anderen Zutaten oder Konservierungsstoffen gemischt ist. Vorsicht vor Kaugummi oder anderen Produkten, die angeblich Guarana enthalten. Die große Menge an Chemikalien und Konservierungsmitteln, Farbstoffen und künstlichen Süßstoffen die sie enthalten, verursachen dem Körper beträchtlichen Schaden. Sie können diese Behauptung bestätigen, indem Sie den Muskeltest durchführen.

Blutwurzpaste und „Indian Herbs"

Diese beiden Produkte können grundsätzlich die gleiche Arbeit leisten. Wenn man sie oberflächlich anwendet, sind sie in der Lage, bös- und gutartige Hautkrebse, Muttermale, große Sommersprossen und das Wachstum anderer Hautunreinheiten völlig zu beseitigen. Wenn man z. B. eine winzige Menge auf ein Muttermal anwendet, löst sich das Muttermal ca. eine Woche später von der Haut und fällt samt Wurzel und toxischen Ablagerungen ab. Sogar große Krebstumore fallen in einem Stück ab, ohne dass man operieren muss.

Vorsicht: *Wenn Sie die Indian Herbs oder die ähnliche Blutwurzsalbe verwenden, seien Sie vorsichtig nicht zu viel davon zu benutzen oder es auf Teile der Haut aufzutragen, die keiner Behandlung bedürfen. Das darin enthaltene Zinkchlorid kann gesunde Haut schädigen. Blutwurzpaste enthält kein Zink und kann weniger aggressiv sein. Wenn ein Muttermal oder Hautkrebs entfernt wurde, kann dieser Teil der Haut vielleicht etwas heller sein, da durch das Muttermal oder den Hautkrebs die melaninproduzierenden Zellen vermindert oder zerstört wurden.*

Eine andere, aber teurere Methode, um Hautunreinheiten wie Sommersprossen, Altersflecke, Leberflecke, Sonnenflecke, Muttermale, Warzen, Stielwarzen, usw. zu entfernen, wird „Blemish-free" genannt. Das Do-it-yourself Set folgt denselben Behandlungsmethoden wie Dermatologen, d. h., es wird flüssiger Stickstoff verwendet. Diese Methode ist von der FDA *(Food and Drug Administration)* genehmigt, um Hautmakel einzufrieren, damit man sie sicher entfernen kann. Es bleiben zwar keine Narben zurück, aber die Haut kann an der Stelle, wo der Makel einmal war, ebenfalls heller sein.

Pfaffia, schwarzes Cohosh und Nachtkerze (für Frauen)

Pfaffia (auch bekannt als brasilianischer Ginseng oder Suma) wirkt sehr effizient bei Menstruationsproblemen, klimakterischen Symptomen, Diabetes und verschiedenen anderen hormonellen Problemen. Schwarzes Cohosh ist eins der wirksamsten natürlichen Produkte für die Wechseljahre. Es hilft dem Körper während der hormonellen Umstellung Hitzewallungen und andere Beschwerden zu reduzieren und sogar zu stoppen. Es gibt einige Einzelfallberichte, in denen die Verwendung von Schwarzem Cohosh mit Leberproblemen in Verbindung gebracht wurde. Die wirklichen Ursachen wurden jedoch nicht geklärt. Um Komplikationen zu vermeiden, muss man die Einnahme von Hormonersatzpräparaten unbedingt unterbrechen, während man Schwarzen Cohosh einnimmt. Am besten wartet man nach Absetzung der Hormonersatzpräparate mindestens zwei Monate, bevor man beginnt eine Kur mit Schwarzem Cohosh durchzuführen. Ein anderes, großartiges und natürliches Produkt für weibliche Gesundheitsprobleme ist Nachtkerzenöl.

Entgiftetes Jod – Für Schilddrüsen- und andere Erkrankungen

Entgiftetes Jod kann eine hartnäckige Blaseninfektion beenden, Eierstockzysten auflösen und überhöhtes Cholesterin lösen. Wenn man es mit Pflanzenöl vermischt, kann es sogar Hämorrhoiden glätten (vor dem zu Bett gehen oberflächlich anwenden). Man kann es auch bei Nagelpilzen verwenden. Bei widerstandsfähigen Infektionen, Prostatakrebs und anderen durch Östrogen verursachten Krankheiten verwenden Sie vier bis sechs Wochen lang dreimal täglich 10 Tropfen entgiftetes Jod.

Wenn Sie einige Minuten vor dem Trinken einige Tropfen entgiftetes Jod in verkeimtes Wasser geben, können Sie das Wasser bedenkenlos trinken. Damit Sie nach einem langen Flug nicht krank werden, sollten Sie etwas mit einigen Tropfen Jod vermischtes Wasser trinken. Das Jod bewegt sich schnell zu Ohren, Nase und Nebenhöhlen. Dadurch werden die Bakterien- und Virenanhäufungen ausgeschaltet, die sich in der Kabinenluft verteilt haben. Andere Anwendungsgebiete umfassen Zehennagelpilze, die Reduzierung von Blähungen und das Ausschalten neuer Akne.

Eine Anmerkung zu Schilddrüsenerkrankungen/Kropf: *Ungefähr 96 Prozent der Kröpfe werden durch Jodmangel verursacht. Wenn Sie mit normalem Jod behandelt werden, sollte dies am besten unter* *sorgfältiger Aufsicht geschehen, da Jod bei übermäßiger Dosierung zu Hypothyreose (siehe im Folgenden) führen kann. Der Verzehr jodreicher Nahrungsmittel, wie Rotalgen und Seetang (Unterwasserflora), ist eine eher indirekte und sicherere Art den Jodgehalt zu steigern und Kröpfe schrumpfen zu lassen. Entgiftetes Jod ist sicherlich die beste Wahl, da es erwiesenermaßen keine Hypothyreose erzeugt.*

Der berühmte Edgar Cayce war in der Lage Kropf und andere Schilddrüsenleiden sehr erfolgreich zu behandeln, indem er seinen Patienten entgiftetes Jod verabreichte. Es gibt drei Produkte, die seinen Anforderungen entsprechen; *Magnascent, Atomjod und Atomidine.* Die beiden letzten scheinen fast identisch zu sein. Magnascent zeigt einige ausgezeichnete Ergebnisse bei Schilddrüsenunterfunktion, Wechseljahrsbeschwerden, Krebs, Arthritis und anderen Krankheiten.

Während man die Schilddrüse behandelt, ist es wichtig die Blutgefäßwände und Lymphgefäße von sämtlichen Verstopfungen zu befreien. Diese Verstopfungen sind die ausschlaggebenden Gründe für eine mangelhafte Versorgung mit Nährstoffen (einschließlich Jod) und für eine mangelhafte Drainage von Abfallprodukten aus dem Nackenbereich und der Schilddrüse. Eingeschlossene lymphatische Abfallprodukte bestehen aus metabolischen Abfallprodukten und toten Zellen. Sie verursachen Knötchenbildung und eine generelle Verdickung des dortigen Gewebes. Das erfordert eine Überarbeitung des Verdauungssystems, inklusive der Entfernung aller Gallensteine aus den Gallengängen der Leber (siehe auch Die Wundersame Leber- & Gallenblasenreinigung), der Reinigung des Colons und der Änderung der Ernährung und des Lebensstils gemäß der Körpertypen.

Und es ist in der Tat notwendig, alle Milchprodukte (mit Ausnahme von ungesalzener Butter), Fleisch und besonders sojahaltige Nahrungsmittel (es gibt unzählige industriell gefertigte Lebensmittel, die Soja enthalten) zu vermeiden.

Vorsicht: *Obwohl Jodmangel Schilddrüsenkrankheiten verursachen kann, kann Jod auch die Schilddrüsenfunktionen unterdrücken, wenn es über längere Zeit eingenommen wird (mehrere Monate oder Jahre). Wenn Sie unter Schilddrüsenkrankheiten leiden, müssen Sie während dieser Behandlung besonderes Augenmerk auf die Überwachung Ihrer Schilddrüsenfunktion legen. Ich empfehle Ihnen vor der Verwendung einiger der zuvor genannten Produkte einen Arzt oder naturheilkundlichen medizinischen Betreuer aufzusuchen und sich von ihm beraten zu lassen. Obwohl es nur sehr wenige Menschen gibt, die allergisch auf Jod reagieren, sollten Menschen mit einer solchen Allergie Jod in jeder Form vermeiden.*

Grüner Tee – Ein Lebenstee

Westliche Wissenschaftler wissen schon seit mehr als 30 Jahren, dass das Auftreten von massiven Tumorkrebsen äußerst selten in Ländern ist, in denen die Bevölkerungen große Mengen grünen Tees konsumieren. Kulturen mit einer sehr langen Teetradition können viel zur individuellen und globalen Gesundheit beitragen. Das gilt allerdings nur für grünen Tee. Normaler schwarzer Tee hat, obwohl er heutzutage fast überall äußerst populär ist, nicht viel mit echtem Tee zu tun. Echter Tee stammt von den Teepflanzen *Thea sinensis* oder *Thea assamica* und ist nicht zu verwechseln mit Kräutertees wie Pfefferminz, Kamille oder Fenchel.

Beide Teearten, sowohl schwarzer als auch grüner Tee, stammen von derselben Teepflanze. Der Unterschied liegt in der Verarbeitungsmethode. Indem man die Pflanzenblätter bricht und sie dem Sauerstoff der Luft aussetzt, erzeugt man schwarzen Tee. Der resultierende natürliche Gärungsprozess zerstört die wichtigsten biologischen Inhaltsstoffe des Tees – die Gerbstoffe. Im Gegensatz dazu werden während der Produktion von grünem Tee die Blätter sowohl feuchter als auch trockener Hitze ausgesetzt. Dadurch werden die Blätter stabilisiert, gärungsauslösende Enzyme beseitigt und die in den Blättern enthaltenen Nährstoffe geschützt.

Aufgrund der Gärung nimmt schwarzer Tee rauschgiftartige Eigenschaften an. Da Gerbstoffe und andere wichtige Nährstoffe nicht mehr im Tee vorhanden sind, tritt sein Koffein in freier und ungebundener Form auf. Die stimulierende Wirkung von schnell freigesetztem Koffein verursacht die suchterzeugende Wirkung des schwarzen Tees. Es löst im Körper eine „Kampf- oder Flucht"-Reaktion aus. Da der Körper das aufgenommene Koffein wie ein Nervengift behandelt, antworten die Nebennieren naturgemäß, indem sie das Gegenmittel Adrenalin ausschütten. Diese Abwehrreaktion des Körpers hat eine stimulierende und belebende Wirkung. Wenn sich jedoch die Wirkung des Koffeins und Adrenalins verringern, beginnt der Körper sich müde zu fühlen und endet in Erschöpfung.

Grüner Tee wirkt auf andere Weise. Die große Menge von *Gerbstoffen* im grünen Tee stellt sicher, dass das Koffein nur in kleinen und gut dosierten Mengen ins Gehirn gelangt. Dadurch werden die Energien im Körper wirklich harmonisiert. Im Gegensatz zum schwarzen Tee, wird durch die ursprüngliche grüne Version des Tees der eigene Energiegebrauch des Körpers effizienter. Das hilft dem Teekonsumenten seine Lebenskraft und Ausdauer zu verbessern, ohne das „auf und ab" erfahren zu müssen, das so häufig den Konsum von schwarzem Tee begleitet.

Überall auf der Welt wurde seit Jahrhunderten der Nutzen von Gerbstoffen studiert. Außer dass die Gerbstoffe Koffein binden, haben sie auch heilende Eigenschaften. Grüner Tee ist besonders hilfreich bei Darmstörungen und hohem Blutdruck. Grüner Tee verlangsamt den Alterungsprozess erwiesenermaßen 20 Mal wirksamer als Vitamin E. In Studien konnte nachgewiesen werden, dass die Erfolgsquote von grünem Tee bei der Reduzierung von Oxidantien im Körper (die man für den Alterungsprozess verantwortlich macht) bei 74 Prozent liegt. Verglichen dazu liegt die Erfolgsquote von Vitamin E bei 4 Prozent. Der Vitamin C-Gehalt von grünem Tee ist viermal höher als in Zitronensaft und er enthält mehr B-Vitamine als jede andere bekannte Pflanze. Dies macht grünen Tee bei Problemen mit der Gesichtshaut nutzbar, wie z. B. Rosazea/Akne. Außer den grünen Tee zu trinken, können Sie ihn auch vor dem Schlafengehen und nach der Gesichtswäsche am Morgen direkt auf die Haut anwenden.

Da grüner Tee hoch basisch ist, hilft er auf natürliche Weise Hyperazidität zu bekämpfen. Menschen die grünen Tee trinken, leiden auch weniger unter Arterienverkalkung. Er verdünnt das Blut und verhindert koronare Herzerkrankungen, Herzanfälle und Schlaganfälle. Außerdem waren Forscher der University of Osaka, Japan, in der Lage zu beweisen, dass grüner Tee Mikroben tötet, die für Cholera und Karies verantwortlich sind; er zerstört sogar Salmonellenkeime bevor sie die Möglichkeit haben in den Magen einzudringen. Wie sich herausstellt hat eine Substanz mit dem Namen „EGCG" erwiesenermaßen das Tumorwachstum verzögert. Das Botikin Krankenhaus in Moskau konnte verkünden, dass grüner Tee bei der Behandlung von Infektionen wirksamer ist als Antibiotika, und zwar ohne irgendwelche schädlichen Nebenwirkungen zu erzeugen.

In grünem Tee sind über 100 Inhaltsstoffe enthalten, die sich für eine Anzahl von Beschwerden als hilfreich erwiesen haben. Er

- hemmt Zellmutationen, die zu Krebs führen
- verbessert die Sehkraft
- reduziert Blutfette
- unterstützt die Speichelabsonderung
- gleicht Serum-Cholesterinwerte aus
- stärkt das Haarwachstum
- vermeidet Bluthochdruck
- reduziert Körperfett und -gewicht
- steigert die Leistungsfähigkeit des Herzens
- stimuliert die Verdauung
- verbessert die Gehirnfunktionen
- hilft, Harnwegsverstopfungen zu lösen
- erhöht den Stoffwechsel

In einer Studie über die vorbeugende Wirkung von grünem Tee fand ein Forscherteam des Department of Preventive Medicine an der Universität von Südkalifornien (U.S.C.) heraus, dass grüner Tee bei Frauen die Entwicklung von Brustkrebs um bis zu 30 Prozent verhinderte, wenn sie pro Tag ungefähr ½ Tasse Tee tranken. Wenn sie eine größere Menge tranken, reduzierte sich das Risiko weiter. Bei Frauen, die jedoch regelmäßig schwarzen Tee tranken, konnte keine Reduzierung des Brustkrebsrisikos festgestellt werden. Die gute Nachricht dieser Studie ist, dass Sie grünen Tee nicht eimerweise trinken müssen, um davon zu profitieren.

Der beste grüne Tee kommt aus dem Gebiet um Shizuoka, Japan; er wird biologisch angebaut und hat keine Zusatzstoffe. Die Menschen aus diesem Gebiet haben eine viel geringere Krebsrate, als Menschen in anderen Gebieten Japans. Eine vertrauenswürdige Marke ist Sencha, die von der japanischen Kurimoto Trading Co. verkauft wird. Mit mehr als 130 Zutaten ist er der reichhaltigste grüne Tee. Andere Marken sind Ocha oder Bancha; Sie sollten mindestens eine der erwähnten Marken in einem guten Reformhaus finden können.

Anmerkung: *Die Wirksamkeit von grünem Tee ist davon abhängig, wie Sie ihn zubereiten. Nehmen Sie 1 1/2 Teelöffel grünen Tee für zwei Tassen Tee. Bringen Sie Wasser zum Kochen und drehen Sie die Hitze ab. Geben Sie den Tee in ein Gefäß und gießen Sie das gekochte Wasser darüber, sobald es aufgehört hat zu sprudeln. Gießen Sie den Tee nach spätestens 35 bis 45 Sekunden durch ein Sieb in eine Teekanne, da der Tee ansonsten viel von seiner Wirksamkeit verliert. Sie können die gleichen Teeblätter ruhig ein zweites Mal verwenden (nach gleicher Rezeptur).*

Enthält grüner Tee Giftstoffe?

Einige Internetseiten behaupten, dass Tee einen hohen *Fluoridgehalt* hat. Der Fluoridgehalt im Tee sei angeblich viel höher als das Maximum Contaminant Level (MCL), das für das Fluorid in Trinkwasser festgesetzt wurde. Eine andere Seite bestätigt diese Information und fügt hinzu, dass eine normale Tasse Tee ein Milligramm Fluorid enthält, was weit über der empfohlenen Menge mit Fluor angereicherten Trinkwassers liegt. Auf noch einer anderen Seite heißt es, dass Fluor und seine im Essen enthaltenen Bestandteile völlig anders sind, als chemisch erzeugtes Natriumfluorid. Es wird darauf hingewiesen, dass sich die Elementeigenschaften stark verändern, sobald ein Element aus dem Boden herausgezogen und von der Pflanzenwelt aufgenommen wurde. Das kann für alle Menschen, die über eine Fluoridvergiftung besorgt sind, sehr verwirrend sein.

Ja, Fluorid ist in Tee und auch in Muttermilch enthalten. Das gilt auch für Gebiete, in denen es im Trinkwasser oder in der Luft kein Fluorid gibt. Zahlreiche Pflanzen enthalten natürlich vorkommendes Fluor oder Fluorid-Zusammensetzungen. Jene abscheuliche Fluoridart, die dem Trinkwasser in so vielen Teilen der Welt hinzugefügt wird, ist das Gift, gegen das wir uns schützen sollten. Dr. med. John R. Lee sagt dazu folgendes: „Fluorid, einst als Behandlungsmittel gegen Osteoporose angepriesen, ist in Wahrheit für Knochenzellen giftig". Glücklicherweise änderte die amerikanische Zahnärztekammer, jahrelang einer der größten Fluoridverfechter, ihren Kurs, indem sie 2006 ihre Mitglieder warnte, dass Eltern von Säuglingen, die jünger als ein Jahr sind „daran denken sollten, Wasser zu verwenden, das keinen oder einen niedrigen Fluoridgehalt hat", wenn sie das Babyfläschchen zubereiten.

Wenn natürlich vorkommendes Fluorid in grünem Tee nur entfernt toxisch wäre (wie das in Trinkwasser hinzugefügte Fluorid), würde es nicht eine solche Bandbreite an vorbeugenden und heilenden Effekten aufweisen. Das Immunsystem des Körpers würde darauf reaktiv antworten und dabei geschwächt werden. Aber ganz im Gegenteil. – Grüner Tee hemmt Zellmutation, stimuliert die Verdauung und steigert die Gehirnfunktionen. Künstliches Fluorid hat genau die entgegengesetzten Effekte.

Das Fluorid – oder Fluor – das auf natürliche Weise in Tee und anderen Nahrungsmitteln vorkommt, ist so flüchtig, dass der größte Teil davon beim Erhitzungsprozess verdampft. Das dem Wasser hinzugefügte synthetische Natriumfluorid bleibt auf der anderen Seite stabil, wenn es erhitzt wird. Somit gibt das Natriumfluorid in Ihrem Teewasser viel größeren Grund zur Besorgnis, als das natürliche Fluorid im Tee selbst.

Übermäßige Fluoridzufuhr kann zu Schilddrüsenüberfunktion führen. Wenn man bei Ihnen diese Störung diagnostiziert hat, sollten Sie einen Ayurveda-Arzt, einen Doktor chinesischer Medizin oder einen ND (Arzt der Naturheilkunde) konsultieren, der sich mit Ernährung und deren Auswirkungen auf die Hormondrüsen des Körpers auskennt.

Ginkgo Biloba – Gehirnnahrung; Und Coenzym Q10

In den meisten Reformhäusern kann man auch *Ginkgo Biloba* kaufen, das ich ebenfalls sehr empfehle. Guarana und Ginkgo scheinen einander zu ergänzen. Ginkgo hat den Ruf Gehirnnahrung zu sein. Es steigert offensichtlich den Blutfluss zum Gehirn, wodurch das Gedächtnis und die Gehirnfunktionen verbessert werden. Es ist bekannt dafür, alle Arten von Kreislaufproblemen zu bessern und es steigert besonders die Blutzufuhr zum Herzen, zu den Extremitäten, der Haut, den Augen, dem Innenohr und den anderen Organen. Ginkgo lindert bekanntermaßen Angst und Depressionen, Schwindelgefühl, Kopfschmerzen, Tinnitus, das prämenstruelle Syndrom, Asthma, Allergiesymptome und Hepatitis. Es ist auch ein natürlicher Stimmungsaufheller.

Mehr als 300 Studien, die durch 200 Wissenschaftler in 18 Ländern durchgeführt wurden, haben bewiesen, dass das Coenzym Q10 helfen kann, den Blutdruck zu senken, sich von Herzinsuffizienz zu erholen und das Immunsystem zu stärken. Das eigentliche Problem ist jedoch, eine Ergänzung zu finden, die auch vom Körper absorbiert werden kann; die meisten Pulver oder Flüssigkeiten auf dem Markt haben eine sehr niedrige Absorptionsrate. Da das Coenzym Q10 ein fettlöslicher Nährstoff ist, braucht es eine fettlösliche Agens, um verdaut und absorbiert zu werden. Im Internet können Sie nach Ergänzungen suchen, die in ihren Kapseln Fettmoleküle enthalten, wie z. B. Ultimate CoQ10 Formula™.

Aloe Vera – Ein antiker Heiler

Im Laufe der Jahrhunderte wurde Aloe Vera als „Medizinpflanze", „Brandpflanze", „Erste-Hilfe-Pflanze" oder „Wunderpflanze" bekannt. Sogar heute ist Aloe Vera eine der wirksamsten Pflanzen zur Behandlung von Brandwunden, zur Heilung von Wunden und zur Linderung von Schmerzen und Leiden. Es wird bei Schuppenflechte empfohlen, da es bei regelmäßiger Anwendung Schuppen und Juckreiz reduziert und das Aussehen außerordentlich verbessert.

Aloe Vera wurde durch seinen Gebrauch im Kampf gegen schwere Verbrennungen, die durch Röntgenstrahlen und atomare Katastrophen verursacht wurden, sehr populär. Strahlungsverbrennungen verursachen Hautulcerationen, die nahezu unheilbar waren, bis Ärzte das alte Volksheilmittel Aloe Vera (Blatt) ausprobierten.

Heute erfreut sich Aloe Vera solch großer Beliebtheit, dass es in vielen Kosmetik- und Gesundheitsprodukten verwendet wird. Man hat festgestellt, dass innerlich angewendeter Aloe Vera Saft bei fast jeder Krankheit, einschließlich Krebs, Herzerkrankungen und AIDS wirksam ist. Tatsächlich gibt es kaum eine Krankheit oder Gesundheitsprobleme, für die sich Aloe Vera nicht bewährt hat. Es hilft bei allen Arten von Allergien,

Hautkrankheiten, Blutstörungen, Arthritis, Infektionen, Hefe-Hypertrophie, Zysten, Diabetes, Augenproblemen, Verdauungsstörungen, Geschwüren, Leberkrankheiten, Hämorrhoiden, hohem Blutdruck, Nierensteinen und Schlaganfall (nur um einige zu nennen). Es wirkt am besten, wenn es sowohl innerlich als auch äußerlich angewendet wird. Aloe Vera enthält mehr als 200 Nährstoffe, einschließlich der Vitamine B1, B2, B3, B6, C, E, Folsäure, Eisen, Kalzium, Magnesium, Zink, Mangan, Kupfer, Barium, Sulfat, 18 Aminosäuren, wichtige Enzyme, Glycoside, Polysaccharide, usw.

Es gibt ungefähr 500 veröffentlichte unabhängige Forschungsstudien über die heilenden Wirkstoffe und ungiftigen Vorteile, die in der Aloe Vera Pflanze gefunden wurden. Das sind weitaus mehr Studien, als man über jede andere natürliche Substanz finden kann und mehr Bestätigungen über die Sicherheit und Wirksamkeit, als bei jedem anderen erhältlichen Medikament.

Hüten sie sich vor Schwindlern: Seitdem der Verbrauchermarkt eine große Nachfrage nach Aloe Vera Saft entwickelt hat, nimmt die Produktion schnell zu. Leider enthalten viele Marken nicht ausreichend Aloe Vera Saft, um wirksam zu sein. Laut Gesetz ist es erlaubt zu behaupten, dass ein Produkt 100 Prozent reines stabilisiertes Aloe Vera enthält, selbst wenn nur ein äußerst geringer Teil des Safts aus Aloe Vera besteht. Die Firmen sind nicht verpflichtet zu erwähnen, wie viel zusätzliches Wasser dem 100-prozentigen-Aloe Vera Saft beigemischt wurde. Folglich sind viele Menschen enttäuscht, weil sie die hochgelobten Vorzüge des Produkts nicht spüren. Bevor Sie sich für eine Marke entscheiden, sollten Sie genauestens die Zutatenliste überprüfen oder das Unternehmen bitten, Ihnen die genauen Inhaltszahlen zu geben.

Lassen Sie sich außerdem nicht dazu verleiten den preiswertesten Aloe Vera Saft zu kaufen. Aloe Vera Saft ist teuer. Wenn Sie keine Vorteile feststellen, kann es sein, dass Sie sich für das falsche Produkt entschieden haben. Versuchen Sie so lange andere Marken, bis Sie zufrieden sind. Tests haben gezeigt, dass weniger als ein Prozent der verfügbaren Marken akzeptable Mengen Aloe Vera enthalten, um von irgendeinem medizinischen Wert zu sein. Von den mittlerweile mehr als 1.000 Aloe Vera Produkten auf dem Markt, enthalten einige kaum eine Spur von Aloe Vera. Auf den Etiketten stehen solche Ausdrücke wie „es schmeckt wie Mineralwasser" und „ohne Zusätze oder Konservierungsmittel". Chemische Analysen konnten beweisen, dass diese Produkte fast nichts als einfaches Wasser enthalten.

Die guten Nachrichten sind jedoch, dass immer mehr Leute das Schwindelgeschäft durchschauen; daher bringen viele andere Firmen jetzt auch das echte Produkt auf den Markt.

Es gibt ein ausgezeichnetes, neues Aloe Vera Produkt in Pulverform, das sich in Wasser auflöst. Es wird durch goodcausewellness.com verkauft. Es ist günstiger als in Flaschen abgefüllter Aloe Vera Saft. Außerdem ist es völlig frei von irgendwelchen Zusätzen.

Vorsicht: *Durch regelmäßigen Aloe Vera-Konsum können Diabetiker die Fähigkeit der Bauchspeicheldrüse verbessern, mehr eigenes Insulin zu produzieren. Da zu viel Insulin gefährlich ist, sollten Diabetiker ihren Arzt konsultieren, um ihren Bedarf nach zusätzlichem Insulin zu überwachen. Viele Diabetiker berichten von einer Reduzierung der benötigten Insulinmenge.*

Stellen Sie den Konsum ein, wenn Sie länger als zwei bis drei Tage unter Durchfall und Darmkrämpfen leiden. Dies geschieht aufgrund von Reizstoffen, die in den Aloe Vera Pflanzen enthalten sind. Stattdessen können Sie ein Produkt nehmen, aus dem alle Reizstoffe entfernt wurden.

Ionische Flüssigmineralien

Ihr Körper ist wie *lebendiger Boden.* Wenn er ausreichende Mengen Mineralstoffe und Spurenelemente hat mit denen er arbeiten kann, ist er in der Lage Sie zu ernähren und alles zu tun, was Sie zum Leben und Wachsen benötigen. Diese notwendigen Materialien können jedoch leicht erschöpft werden, wenn Sie mit der Nahrung nicht genug von ihnen aufnehmen. Konstante Nutzung und Übernutzung derselben Agrarflächen über einen Zeitraum von Jahrhunderten, haben zu Nahrungsmitteln geführt, die äußerst nährstoffarm sind. Die Situation verschlechterte sich noch weiter mit dem Einsatz chemischer Dünger, die die Schnelligkeit des Getreidewachstums manipulieren sollten, ohne Rücksicht auf die Nährstoffverfügbarkeit zu nehmen. Wenn Mineralstoffe und Spurenelemente im Körper knapp werden, können wichtige Funktionen nicht mehr unterstützt werden oder sie werden unterdrückt. Krankheit wird allgemein von einem Mangel einer oder mehrerer dieser wichtigen Substanzen begleitet.

Aufgrund der heutigen unnatürlichen Situation der Mineralerschöpfung unseres Bodens, und dadurch auch unseres Körpers, kann es für bestimmte Personen hilfreich sein (besonders für Vatas und Pittas, die unter chronischen Gesundheitsproblemen leiden), ihre Ernährung mit natürlichen Mineralstoffen zu ergänzen. Die entscheidende Frage ist jedoch, ob die in Nahrungsmittelgeschäften oder Apotheken verkauften

Mineralstoffe auch dazu fähig sind, die Mineralstoffversorgung der Körperzellen wieder aufzufüllen. Die Antwort ist: „Wohl kaum!"

Mineralstoffe gibt es in drei grundlegenden Formen zu kaufen: Kapseln, Tabletten und kolloidales Trinkwasser. Vor der Erschöpfung der Böden waren pflanzliche Nahrungsmittel und das von ihnen absorbierte mineralstoffreiche Wasser unsere besten Mineralstoffquellen. Wenn eine Pflanze in einer gesunden Bodenumwelt wächst, absorbiert sie vorhandene kolloidale Mineralien und verwandelt sie in eine ionische, wasserlösliche Form. Die ionischen Mineralien treten in geringer Größe auf (bekannt als *Angström*), wohingegen die kolloidalen Mineralien, auch bekannt als anorganisch metallische Mineralien, ungefähr 10 000 Mal größer (Mikrometer) sind. Ionische, wasserlösliche Pflanzenmineralstoffe können ohne Weiteres von unseren Körperzellen absorbiert werden. Im Gegensatz dazu liegt die Absorptionsrate für kolloidale Partikel, die in Komplexverbindungen verpackt und befördert werden, bei unter 1 Prozent. Die in kolloidalem Mineralwasser gefundenen Mineralstoffe werden auch nicht besser absorbiert. Sie sind nicht wasserlöslich und hängen gerade einmal zwischen zwei Wassermolekülen.

Gewöhnliche Mineralstoffe enthalten Calziumcarbonat und Zinkpicolinat. Diese kolloidalen Partikel bleiben im Blutkreislauf hängen und werden anschließend in verschiedenen Teilen des Körpers abgelagert. Als Ablagerungen können sie großen strukturellen und mechanischen Schaden verursachen. Viele der heutigen Gesundheitsprobleme, inklusive Osteoporose, Herzerkrankungen, Krebs, Arthritis, Gehirnstörungen, Nierensteine, Gallensteine, usw. sind das direkte Ergebnis, wenn man große Mengen solcher metallischer Mineralstoffe aufnimmt.

Glücklicherweise gibt es eine sehr effiziente Art, Mineralstoffe mit der Größe und den Eigenschaften von Pflanzenmineralien zu gewinnen. Wenn Mineralstoffe in einer Vakuumkammer (ohne Sauerstoff) verdunsten, werden sie daran gehindert zu oxidieren und sich in komplexe Beschaffenheit zu formen. Wenn sie erst einmal verdampft sind, kann man die Mineralstoffe mit destilliertem Wasser kombinieren und sogleich den Körperzellen zur Verfügung stellen. Eine Firma aus Minnesota, USA, hat ein Verfahren zur Umwandlung von Kolloiden in 99,9 prozentige wasserlösliche, ionische Mineralstoffe entwickelt. Die Firma (ENIVA) bietet diese Mineralstoffe über eine Vertriebsgesellschaft[19] an. Ich empfehle das Produkt VIBE.

[19] Um irgendwelche Produkte von Eniva (www.eniva.com) zu bestellen, benötigen Sie einen Sponsor-Namen und eine ID. Sie können den Namen und die ID des Autors, Andreas Moritz, #1346 2 verwenden. Er profitiert nicht von Ihrer Bestellung.

Es ist das ausgewogenste und wirksamste Produkt dieser Firma. Ich konnte bei einer Frau, deren Haut einmal komplett mit Leberflecken bedeckt war, sehr deutliche Effekte feststellen. Nach zweimonatiger Behandlung mit VIBE waren mehr als 60 Prozent der Flecken verblasst oder im Begriff zu verschwinden. Die natürlichen Vitamine in den Produkten sind Teil der Säfte oder ihrer Extrakte. Eine andere gute Marke ist „WaterOz & Angstrom Ionic Minerals". Die Preise für einige ihrer Produkte scheinen konkurrenzfähiger zu sein und die Produkte können direkt übers Internet gekauft werden, ohne vorher einen Sponsor zu finden[20] .
(Weitere Details über Mineralstoffe und Vitamine finden Sie in Band 2.)

Miracle Mineral Supplement (MMS)

Ein sofortiger Heiler von Malaria, AIDS, Krebs, Hepatitis und mehr?

Im Folgenden finden Sie ein Zitat aus einem Buch von Jim Humble, dem Entdecker von MMS und dem Autor des Buches Breakthrough … *Miracle Mineral Supplement of the 21st Century:* „Während es zunächst zur Behandlung von Malaria in Afrika entwickelt wurde, wird es mittlerweile auch dazu verwendet, jeden Krankheitszustand zu behandeln, der direkt oder indirekt mit Krankheitserregern in Verbindung steht. Es gibt mehr als 75 000 dokumentierte Fälle von Malaria, die erfolgreich in Afrika überwunden wurden. Häufig verschwanden die Symptome in nur vier Stunden und beim Patienten konnte keine Malaria mehr festgestellt werden. Mittlerweile ist bekannt, dass man MMS verwenden kann, um die Symptome von AIDS, Hepatitis A, B & C, Typhus, den meisten Krebsen, Herpes, Lungenentzündung, Nahrungsmittelvergiftung, Tuberkulose, Asthma, Erkältung, Grippe und vieler anderer Zustände zu besiegen. Es scheint sogar bei Zuständen zu helfen, die nicht direkt mit pathogenen Faktoren in Verbindung stehen, wie z. B. Makuladegeneration, Allergien, Hauttuberkulose, entzündlichen Darmerkrankungen, Diabetes, Schlangenbissen, Zahnabszessen und Fibromyalgie. Das kommt von der großen Stärkung des Körperimmunsystems. Beachten Sie bitte, dass MMS nichts heilt. Es ermöglicht dem Körper jedoch, sich selbst zu heilen. Merken Sie,

[20] WaterOZ Produkte können bei Kornax (www.kornax.com) bestellt werden.

wie sorgfältig ich den Wörtern „kurieren" und „heilen" ausweiche? Auch wenn es genau das ist, was in Wahrheit passiert."

„Tests der malawischen Regierung zeigten 99-prozentigen Heilerfolg bei Malaria. Mehr als 60 Prozent der AIDS-Patienten, die in Uganda mit MMS behandelt wurden, ging es nach drei Tagen gut und 98 Prozent der Patienten innerhalb eines Monats. Mehr als 90 Prozent der Malariapatienten ging es innerhalb von vier bis acht Stunden gut. Man konnte Dutzende anderer Krankheiten erfolgreich behandeln und mit dieser neuen Mineralstoffergänzung kontrollieren."

Der Erfinder glaubt, dass diese Information für die Welt zu wichtig ist, als dass irgendeine Person oder Gruppe die Kontrolle darüber haben sollten. Das kostenlos downloadbare E-Book (Digitalbuch) gibt genaue Details zu dieser Entdeckung. Bitte helfen Sie dafür Sorge zu tragen, dass es kostenlos in die Welt getragen wird. Es gibt viele medizinische Tatsachen, die erfolgreich unterdrückt wurden und diese Erfindung muss dieser Liste nicht hinzugefügt werden. Der Name des E-Books lautet *The Miracle Mineral Supplement of the 21st Century.* Sie können es (kostenlos) herunterladen oder einen Freund bitten, es für Sie herunterzuladen und auszudrucken, wenn Sie keinen Computer haben. Die Internetadresse ist *www.miraclemineral.org*. Das Buch von Jim Humble erzählt die Geschichte der Entdeckung, wie man es herstellt und wie man es verwendet. Ich empfehle jedem es zu lesen. Jim hat kein persönlich begründetes Interesse daran, MMS der Welt zur Verfügung zu stellen, außer Krankheit und Armut zu beenden. Eine kurze Beschreibung, wie MMS arbeitet, finden Sie unter *Sollten wir Darmparasiten töten?* (Kapitel 4.). Wenn Sie MMS kaufen möchten, beachten Sie bitte die Produktdetails.

Ein allgemeiner Hinweis zur Einnahme von Ergänzungen: *Bitte vergessen Sie nicht sich um die Ursachen Ihrer Leiden zu kümmern, auch wenn viele oder alle der erwähnten Produkte sehr hilfreich sein können. Es kann für Ihre Gesundheit äußerst schädlich sein, wenn Sie nur die Krankheitssymptome lindern, ohne die Krankheitsursache zu beseitigen. Um sich um die meisten körperlichen Gesundheitsprobleme zu kümmern, ist es in den meisten Fällen ausreichend die Leber, Nieren und das Colon zu reinigen, sowie die Ernährung und den Lebensstil anzupassen.*

Um sich mit den psychologischen, energetischen und emotionalen Pro-blemen auseinanderzusetzen, den Ursachen der meisten physischen Stör-ungen, empfehle ich Sacred Santèmony und Ener-Chi Art (Details folgen später) sowie die Bücher Lifting the Veil of Duality und It's Time to Come Alive zu lesen.

Wasserloses Edelstahlkochgeschirr

Seit 1985 verwende ich zum Kochen Surgical *Stainless Steel Waterless Cookware.* Meiner Meinung und Erfahrung nach ist das bei Weitem die unkomplizierteste und schnellste Methode, gekochte Mahlzeiten vorzubereiten, während man den Verlust wertvoller Vitamine, Enzyme und des Geschmacks verhindert. Das fünf-, sieben- oder neunfach gefaltete chirurgische Edelstahl ermöglicht es Ihnen, Ihr Essen in weniger als der Hälfte der Zeit und mit einem Viertel der Hitze zu kochen.

Gemüse verliert während des Kochens nicht mehr seine kompletten Nährstoffe. Sie müssen das Essen nicht mehr mit heißem Öl kochen und die Nahrungsmittel werden nicht mehr ihrer Nähr- und Ballaststoffe beraubt. Die druckfeste Dampfdichtung, die sich während des Kochens bildet, ermöglicht, dass der Geschmack und die Nährstoffe im Essen bleiben. Im Gegensatz zu Schnellkochtöpfen kommt es beim wasserlosen Kochgeschirr zu keiner Dampfdruckzunahme. Die im Innern des Kochgeschirrs erzeugte Temperatur ist viel geringer als die, die man für kochendes Wasser benötigt. Trotzdem kocht das Essen viel schneller als bei gewöhnlichem Kochgeschirr.

Es besteht auch keine Notwendigkeit ständig nach dem Essen zu schauen. Der Kochprozess wird in Wahrheit dadurch unterbrochen und das Essen wird länger brauchen, als erforderlich. Während das Essen kocht, können Sie andere Nahrungsmittel vorbereiten, wie z. B. Salat. Sie können innerhalb von 20 Minuten eine Mahlzeit servieren, die aus drei gekochten Produkten besteht, wie Gemüse, Reis und Bohnen. Eine leichte Abendmahlzeit (Gemüse oder Gemüsesuppe) kann man innerhalb von 10 Minuten zubereiten. Eine komplette Mahlzeit selber zuzubereiten muss keine Last mehr sein. Ich kann das persönlich bestätigen, da ich es auch jeden Tag mache.

Man kann nicht mit Teflon, Eisen, Aluminium, Glas, Porzellan und leichtem Edelstahlkochgeschirr aus dem Warenhaus ohne Wasser kochen. In den Vereinigten Staaten können Sie 15-teiliges, 9-fach gefaltetes Edelstahlkochgeschirr bereits ab 180 $ kaufen. Wasserloses Kochgeschirr kostet nicht nur Hunderte von Dollar weniger, als das Kochgeschirr in den Kochshows, es hat auch noch lebenslange Garantie (Suchen Sie im Internet nach „*Kochen ohne Wasser Kochgeschirr*"). Bitte denken Sie daran, dass einige Teile des Kochgeschirrs andere Metalle enthalten können. Diese dienen dazu, den Stahl zusätzlich zu härten und widerstandsfähig gegen Korrosion zu machen. Jedoch sollten die Teile des Kochgeschirrs, die mit dem Essen in Kontakt geraten, nur aus reinem, extraschwerem Chirurgenedelstahl (AISI 304) hergestellt sein.

Grundregeln für das Kochen mit wasserlosem Kochgeschirr:

» **Verwenden Sie immer die richtige Pfanne**
Nehmen Sie die Pfanne, die vom Essen nahezu ausgefüllt wird. Zwischenräume, durch die „für diese Menge an Nahrungsmitteln zu große" Pfanne, können Vitamine zerstören, Ihre Nahrungsmittel austrocknen und dazu führen, dass das Essen anbrennt.

» **Spülen Sie zubereitetes Obst und Gemüse ab**
Das Abspülen und anschließende Abtrocknen ist aus zwei Gründen wichtig: Es entfernt schädliche Chemikalien und ermöglicht dem Wasser, sich am Essen anzuhaften und sich mit den natürlichen Säften zu verbinden. So kann das Essen in seinem eigenen Dampf garen. Sie können Gewürze, Salz, Gemüsebrühe, Öl oder Butter, Kokosnussmilch oder andere Zutaten hinzufügen. Das ist nahrhaftes, wasserloses Kochen. Bis Sie sich an diese neue Methode gewöhnt haben, sollten Sie mehrere Esslöffel Wasser hinzufügen.

» **Kontrollieren Sie die Hitze**
Kontrollieren Sie während des Kochens immer die Hitze. Wenn die Hitze zu hoch ist, verdampft der Wasserdampf und Ihre Nahrungsmittel verbrennen. Mit wasserlosem Kochgeschirr müssen Sie niemals höher als bei mittlerer Hitze kochen.

» **Sorgen Sie für eine Dampfdichtung**
Starten Sie den Kochprozess auf mittlerer Hitze, so lange, bis das Dampfkontrollventil in offener Position pfeift. Dann drehen Sie die Hitze auf niedrig oder auf köcheln und schließen das Ventil. Nachdem Sie das getan haben, wird der Deckel ein luftdichtes Hitzesiegel bilden. Wenn Sie wässrige Lebensmittel wie Äpfel und Kohl kochen, dauert es ungefähr drei Minuten, bis sich ein Wassersiegel bildet. Festere Lebensmittel, wie Kartoffeln und Karotten, brauchen ungefähr fünf Minuten, um den Deckel zu versiegeln (nachdem Sie die Hitze auf niedrig gestellt und das Dampfkontrollventil geschlossen haben).

» **Bitte nicht nachsehen**
Widerstehen Sie dem Drang zu gucken! Wenn der Deckel während der Garzeit geöffnet wird, verflüchtigen sich Hitze und Dampf. Das verlängert die Kochzeit und trocknet das Essen aus.

Vorsicht: VERMEIDEN Sie antihaftbeschichtete Pfannen

Die Chemikalie Perfluoroctansäure (PFOA), die in beschichteten Pfannen, Fast Food-Behältern, Teppichen, Möbeln und einer Unzahl anderer alltäglicher Haushaltsprodukte verwendet wird, sammelt sich gemäß zweier neuer Studien, die in der renommierten Zeitschrift Environmental Health Perspectives (August 2007) veröffentlicht wurden, in den Nabelschnüren von Babys an und verzögert ihr Wachstum und die Gehirnentwicklung. Babys mit einer hohen Konzentration von PFOA in den Nabelschnüren kamen leichter, dünner und mit kleineren Kopfumfängen auf die Welt. Diese – in den USA durch DuPont erzeugte – Chemikalie ist so weit verbreitet und so beständig in der Umwelt, dass sie überall auf der Welt gefunden wurde. Man kann sie sogar in der Arktis und in entfernten Pazifischen Atollen finden – im Regen und der Wasserversorgung, im Essen, in der Tierwelt und in menschlichem Blut. DuPont „war bereit" diese Chemikalie bis 2015(!) stufenweise abzubauen! Anders gesagt, es liegt an Ihnen, sich und Ihre Familie zu schützen, indem Sie sich dazu entschließen nur Produkte ohne Chemikalien zu verwenden.

Wasserionisatoren

Wasserionisatoren sind Maschinen, die normales Leitungswasser in einen guten Reiniger mit antioxidativer Wirkung verwandeln können. Wie man weiß, verzögert Wasser mit negativer Ladung (ORP) den Alterungsprozess. Eine hohe oder steigende ORP verursacht andererseits Oxydation und daher den Alterungsprozess.

Maschinell ionisiertes Wasser wirkt diesem ORP-Anstieg entgegen und hat auf zellulärer Ebene einen verjüngenden Effekt. Frisch gepresster Orangensaft hat beispielsweise einen negativen ORP von -250. Obwohl wir nur eine vergleichbar kleine Menge Orangensaft pro Tag trinken können, ohne von seinem enthaltenden Zucker überfordert zu werden, können wir so viel ionisiertes Wasser pro Tag trinken, wie wir wollen (obwohl es normalerweise am besten ist, nicht mehr als 8 Gläser pro Tag zu trinken).

Ionisiertes Wasser enthält zudem Hydroxidionen. Diese Hydroxidionen sind Sauerstoffmoleküle, an denen ein zusätzliches Elektron angeheftet ist, wie es z. B. bei den antioxidativen Vitaminen A, C und E der Fall ist. Wenn Sie beim Wasserionisator den Wasserstrom verlangsamen, können Sie diese Sauerstoffmoleküle in Form von Tausenden winzigen Luftblasen sehen. Hydroxidionen fangen freie Sauerstoffradikale ein und versorgen uns mit zusätzlichem Sauerstoff und Energie. Sauerstoff transportiert saure Abfallstoffe aus dem Körpergewebe ab. Das hemmt Krebszellen und schützt uns vor Bakterien und Viren, die in den Körper eindringen. Sauerstoff ist der wesentlichste Nährstoff des Körpers.

Ionisiertes Wasser hilft ebenfalls beim Ausgleich des Körper-pH-Werts. Dieser neigt dazu, bei der Ernährung mit verarbeiteten, raffinierten und konservierten Nahrungsmitteln sauer zu werden. Neben Fleisch und stark säurebildenden Nahrungsmitteln enthalten Medikamente und alkoholfreie Getränke die meisten sauren Substanzen. Da ionisiertes Wasser basisch ist, kann es helfen, angesammelte saure Abfallprodukte zu lösen und den Körper gegen säurebezogene Krankheiten zu schützen (die meisten Krankheiten sind eine Form von Übersäuerung).

Der menschliche Körper besteht größtenteils aus Wasser. Ionisiertes Wasser unterscheidet sich grundsätzlich von normalem Wasser. In ionisiertem Wasser sind Größe und Gestalt der Wassermolekül-Gruppen kleiner. Dadurch ist es ihnen möglich die Darmwände, Blutkapillarwände und Zellwände leichter zu durchqueren und Toxine und säurehaltiges Abfallmaterial effektiver zu entfernen. Dadurch ist ionisiertes Wasser ein ausgezeichneter Entgifter. Wasserionisatoren haben mehrere Stärkegrade. Dementsprechend können Menschen mit mehr Toxinen mit „mildem" ionisiertem Wasser beginnen (niedriger alkalischer pH-Wert) und den Ionisationsgrad allmählich erhöhen, während sie sich daran gewöhnen. Abgesehen von seinen gesundheitlichen Vorteilen, verbessert ionisiertes Wasser auch den Geschmack von Nahrungsmitteln und Getränken. Es ionisiert ebenfalls die Mineralstoffe des Essens, was hilfreich dafür ist, sie biologisch verfügbarer zu machen.

Eine Hauptursache für Erkrankungen ist chronischer Zellwasserentzug, ein Zustand, der die Zellen des Körpers in einem fortwährenden Zustand der Schwäche und Abwehr zurücklässt. Ionisiertes Wasser reinigt die Zellen bis zu sechsmal mehr als herkömmliches Wasser. Anders gesagt, wenn Sie weniger oder dieselbe Menge ionisiertes Wasser trinken, werden Ihre Zellen schneller gereinigt und können anschließend viel effektiver mit normalem Wasser hydratisiert werden. (Das zuvor beschriebene heiße, ionisierte Wasser wird verwendet, um Toxine aus den Geweben zu entfernen. Daher hydratisiert es die Zellen selten direkt. Sobald jedoch die Toxine entfernt sind, werden die Zellen effizienter hydratisiert als zuvor.)

Der Wasserionisator trennt alkalisches Wasser von saurem Wasser. Das alkalische Wasser ist hervorragend zum Trinken geeignet und das saure Wasser zur äußerlichen Anwendung. Wenn man ionisiertes, saures Wasser lokal aufträgt, strafft es die Haut und hilft, Falten, Akne und andere Schönheitsfehler zu beseitigen. Auf stärkster Stufe ionisiertes saures Wasser tötet bei Kontakt die meisten schädlichen Bakterien. Es bessert verschiedene Haar- und Hautkrankheiten. Es entfernt Pilze, heilt Schnitte, Kratzer und sogar ernste Wunden. Es nimmt den Juckreiz bei Moskitostichen und löst bei anderen Insektenstichen den Stachel. Sie können es ebenfalls dafür verwenden, um Pestizide aus Obst und Gemüse zu entfernen. Zudem erlaubt ionisiertes, saures Wasser ein erheblich gesünderes Pflanzenwachstum. *Tyent USA* verkauft einen der wirksamsten, genausten und benutzerfreundlichsten Wasserionisatoren. Ich kann ihn jedem empfehlen, der sich für die Verwendung von Wasser als Heilmethode oder zur Verbesserung der Gesundheit und des Wohlbefindens interessiert.

Ich bin von der überdurchschnittlichen Leistung des Tyent-Produkts so überzeugt, dass ich mich dazu entschlossen habe, es über meine Website *www.ener-chi.com* zur Verfügung zu stellen.

Körpergeruch? Ein guter Grund kein Deodorant zu benutzen

Die meisten Menschen wissen nicht, warum sie schwitzen. Deodorants und Parfüms sind ein so großer Teil unseres Lebens geworden, dass wir selten daran denken, warum wir sie brauchen oder ob wir sie wirklich brauchen. Es ist vielleicht sogar von größerer Bedeutung herauszufinden, ob sie für uns schädlich sein können.

Deodorants und Antitranspirantien wurden erfunden, weil immer mehr Leute übermäßig schwitzten und Körpergeruch entwickelten. Jetzt scheint es das normalste der Welt zu sein, sich morgens unter den Armen einzusprühen und diese stark riechende Beeinträchtigung für den Rest des Tages zu vergessen. Aber schwitzen ist keine Beeinträchtigung; es ist die natürliche Art des Körpers, sich von bestimmten Abfallprodukten zu befreien und sich abzukühlen. Genauso wie Darm, Leber, Harnsystem und Lungen sind unsere Schweißdrüsen dazu da, dem Körper dabei zu helfen, sauber zu bleiben. Warum sonst hätten wir sie?

Wenn Sie Ihren Körper einmal täglich für ein paar Minuten schwitzen lassen, unterstützen Sie ihn dabei gesund zu bleiben. Wenn Sie jedoch die Poren der Haut mit Chemikalien (Make-up, Schönheitscremes, Sonnenschutzcremes, Antitranspirantien, usw.) verstopfen, schaden Sie Ihrer Haut. Der Versuch, die Schweißdrüsen daran zu hindern, körperliche Abfallprodukte freizusetzen, kommt dem Versuch gleich, ein Auto mit verstopftem Auspuff zu starten.

Heutzutage glauben viele Menschen chemische Produkte zu brauchen, um ihren Körpergeruch zu bekämpfen. Das liegt daran, dass andere Ausscheidungsorgane wie Colon, Leber, Lungen und Nieren stark verstopft sind. Das zwingt den Körper dazu, einen Teil der überschüssigen toxischen Abfallprodukte in die Haut abzuladen. Jedoch blockieren die chemischen Produkte die Ausscheidung der Toxine durch die Haut. Das kann zwar die Nase erfreuen, hat aber eine konstante Zunahme von Toxinen in der Haut und der darunter liegenden Bindegewebe zur Folge. Außerdem steigert dies ebenfalls die Bakterienbildung und das Risiko für Hauterkrankungen, sogar für Hautkrebs.

Körperduft wird nicht durch Schweiß verursacht. Schweiß ist eine geruchlose Flüssigkeit, die zu 99 Prozent aus Wasser besteht. Normaler Schweiß verdunstet sehr schnell und hinterlässt keinen unangenehmen Geruch. Ein leicht unangenehmer Geruch unter den Achseln oder auf der Haut tritt nur auf, wenn Ihr Körper Bakterien einsetzen muss, um übermäßigen Schweiß zu beseitigen, der nicht durch frische Luft beseitigt werden kann. Für gewöhnlich kommt dies durch das Tragen synthetischer Kleidung zustande, die keine richtige Belüftung zulässt. Etwa ½ Million Bakterien können 6,5 Quadratzentimeter der Haut besetzen. Es tritt zudem ein starker Fäulnisgeruch auf, wenn übermäßige Mengen Toxine durch Bakterien verdaut werden müssen. Destruktive Mikroben erzeugen während der Verdauung von Abfallstoffen auf natürliche Weise schlecht riechende Gase. Hautgeruch kann ein Zeichen für Verstopfungen sein, die durch schlechten Atem begleitet werden. Er deutet ebenfalls auf schlechte Leistungen der Leber und Nieren hin. Der Körper schreit nach Hilfe, da die Toxine „aus sämtlichen Nähten platzen". Aber anstatt die Symptome des Körpers als Zeichen einer Gleichgewichtsstörung zu lesen und sich darum zu kümmern, suchen die meisten Menschen bloß nach Möglichkeiten, die Symptome abzuschalten. Wenn Körpergeruch nur gelegentlich auftritt, kann dies aufgrund von Verdauungsstörungen oder Chemikalien in Nahrungsmitteln der Fall sein.

Zur Bekämpfung von Bakterien verwenden die meisten Menschen Deodorants. Und zur Bekämpfung übermäßiger Nässe unter den Armen verwenden sie Antitranspirantien. Deodorants enthalten keimtötende Mittel, die die Mikroben töten. Außerdem sind in den meisten Marken synthetische Parfüms enthalten, die den Geruch der keimtötenden Mittel überdecken sollen. Die beiden häufigsten aktiven Inhaltsstoffe in Deodorants und Antitranspirantien sind *Chlorohydrate* oder *Aluminium-Zirkonium-Chlorhydrate*. Diese Chemikalien reagieren mit dem im Schweiß enthaltenen Protein und bilden ein Gel, das zum Teil die Fähigkeit der Schweißdrüse blockiert, Flüssigkeiten abzusondern. Diese Chemikalien werden leicht von der Haut absorbiert. Es gibt zunehmende Beweise dafür, dass Alzheimerpatienten große Mengen Aluminium in ihren Körpern angesammelt haben, die sich aus dem Gebrauch von Deodorants ergeben können.

Obst und Gemüse synthetisieren Aluminium auf natürliche Weise. Dieses organische, ionische Mineral ist nicht nur harmlos, sondern auch für den menschlichen Körper notwendig. Im Gegensatz dazu ist künstlich hergestelltes Aluminium hoch toxisch. Die Argumentation der Industrie, dass Aluminium fast überall in der Natur zu finden ist, ist hoch irreführend, da diese zwei Arten von Aluminium völlig entgegengesetzte Wirkungen auf den Körper haben. Dasselbe gilt natürlich für fast alle Mineralien und Spurenelemente, einschließlich Gold, Silber, Blei und sogar Arsen. In ihrem ionischen, angströmgroßen Zustand (von Pflanzen entwickelt) sind diese Substanzen für unsere Körper notwendig. Wenn sie aber in ihren anorganischen, metallischen Formen aufgenommen werden, können sie zu ernsten Vergiftungen und zahlreichen Störungen führen. Antitranspirantien und Deodorants enthalten Schwermetalle und giftige Chemikalien. Wenn man sie auf der Haut anwendet, gelangen sie ins Blut und sammeln sich schließlich in der Leber, den Nieren, dem Brust- und dem Gehirngewebe an.

Diese Produkte wären für das Gehirn und die anderen Teile des Körpers nicht so schädigend, wenn alle anderen Ursachen der Metallaufnahme ausgeschlossen würden. Ein Durchschnittsmensch absorbiert durch Aluminiumkochgeschirr, Backpulver, Antazida und viele andere Quellen pro Tag zwischen 10 bis 100 mg Aluminium. Und obwohl die Ursache von Alzheimer unklar ist, deutet die Forschung darauf hin, dass Aluminiumtoxizität eine der Hauptursachen sein kann.

Ein natürlicher Deostein kostet nur ungefähr 8 Euro und hält mindestens zwei bis fünf Jahre. Er wirkt wunderbar und hat keine unangenehmen Nebenwirkungen. Wenn Sie die Liste der Inhaltsstoffe eines Deosteins überprüfen, erschrecken sie nicht, wenn Sie dort das Wort „Alum" lesen. Alum ist nicht dasselbe wie Aluminiumchlorhydrat. Alum ist das englische Wort für Alaun. Alaun ist ein natürliches Mineralsalz und hat nichts mit Aluminiumchlorhydrat oder Aluminium-Zirkonium-Chlorhydrat zu tun. Die Mineralsalze im Deostein blockieren nicht die Transpiration, sie überdecken einfach nur hauptsächlich den Geruch.

Tipps, um Körpergeruch effektiv zu behandeln

- Pittas und Pitta-Vata-Typen sind am anfälligsten für Körpergeruch. Befolgen Sie die ayurvedischen Kuren und Reinigungsverfahren. Entfernen Sie alle Gallensteine aus Ihrer Leber und reinigen Sie Ihre Nieren. Vermeiden Sie zu viel säurebildende Nahrungsmittel, wie tierische

Proteine, Fette und Stärken. Je mehr Nahrungsmittel verfeinert und bearbeitet sind, desto wahrscheinlicher muss die Haut toxische Abfallprodukte beseitigen. Die Verdauung von Toxinen durch Hautbakterien verursacht einen unangenehmen Geruch der Haut. Fleischesser neigen besonders dazu, schlechten Körpergeruch zu entwickeln. Bleiben Sie bei Obst, Gemüse und Salaten als wichtigste Quelle für Alkaline-bildende Nahrungsmittel. Sie wirken zudem wie natürliche Reiniger.

- Verwenden Sie keine Deodorants und Antitranspirantien; sie verstärken nur das Problem, da sie Teile Ihres lymphatischen Systems blockieren und die Toxine zusammen mit den in diesen Produkten enthaltenen Chemikalien in andere Teile des Körpers, einschließlich der Brüste, verteilen. Das kann zu Knoten in der Brust und Brustkrebs führen!
- Waschen Sie sich morgens mit einer natürlichen Seife, die keine schädlichen Chemikalien enthält. Bespritzen Sie Ihre Achselhöhlen abschließend mit etwas kaltem Wasser.
- Achten Sie darauf locker sitzende Baumwollkleidung zu tragen. Synthetische Stoffe hindern Ihre Haut daran zu atmen und Toxine zu beseitigen.
- Sie können aus Ihrem bevorzugten ätherischen Öl eine Lösung herstellen (ein bis zwei Tropfen in 30 ml Wasser; schütteln Sie es gut, um das Öl zu verteilen!) und es auf Ihre Achselhöhlen tupfen (Sie können zur Bestimmung des geeigneten Öls den kinesiologischen Muskeltest durchführen).
- Ich empfehle Deosteine aus nichttoxischen und natürlichen Materialien, wie Kaliumsulfat und andere kolloidale Mineralien. Sie sind rein und harmlos. Außerdem verhindern sie die Verbreitung von Bakterien, wenn man sie direkt nach der Wäsche auflegt. Man kann sie in den meisten Reformhäusern kaufen.

Eine Anmerkung zu Kölnischwasser oder Parfüms: *Sie können zu ernsten Allergien, Geburtsdefekten und sogar Krebs führen. Ein großes Schlupfloch im amerikanischen Bundesgesetz erlaubt es Parfümherstellern, ihren Produkten potenziell gefährliche Chemikalien beizufügen, einschließlich hoch toxischer Phtalate und künstlichem Moschus. Die meisten Duftstoffe enthalten Phtalate. Sie werden Kunststoff hinzugefügt, um ihn weich zu machen. Wenn diese Phtalate von der Haut aufgenommen werden, wirken sie wie die stärksten jemals gekannten Östrogene. Und abnorme Östrogenspiegel verursachen Krebs. Synthetisch hergestellter Moschus steht mit Hautreizungen, Hormonstörungen und außerdem mit Krebs in Verbindung. Natürliche, von Aromaölen abgegebene Aromastoffe, wirken sich positiv auf* *den Körper aus. Synthetische Aromen stören andererseits die hormonelle Kommunikation und sammeln sich im Körper an.*

Ener-Chi Art

Ener-Chi Art ist ein einzigartiges Instrument zur Verjüngung (basierend auf Energie verleihenden Ölgemälden von Andreas Moritz). Sie ist hilfreich dabei, binnen weniger als einer Minute wieder einen ausgewogenen Chifluss (Lebensenergie) durch die Organe und Systeme des Körpers herzustellen. Im Hinblick auf physische Reinigung und Heilung betrachte ich diese Herangehensweise an die Heilung als eine tiefgreifende Ergänzung zu allen anderen natürlichen Heilmethoden zur Unterstützung eines Wirkerfolgs.

Wenn das Chi auf richtige Art und Weise durch die Zellen des Körpers fließt, können die Zellen ihre metabolischen Abfallprodukte effizienter entfernen, Sauerstoff, Wasser und benötigte Nährstoffe leichter absorbieren und jede notwendige Reparaturarbeit schneller durchführen. Der Körper kann seine Gesundheit und Lebenskraft viel leichter wiederherstellen, wenn eine konstante und uneingeschränkte Verfügbarkeit von Chi vorhanden ist. Obwohl ich die Leberspülung für eins der wirksamsten Werkzeuge halte, dem Körper dabei zu helfen, zu einer ausgewogenen Arbeitsweise zurückzukehren, kann dies allein nicht die gesamte Lebensenergie des Körpers wiederherstellen, die infolge vieler Jahre der Verstopfung und Zerstörung verloren ging. Testergebnisse haben gezeigt, dass Ener-Chi Art diese Lücke sehr gut schließen kann.

Die Effektivitätsrate von Ener-Chi Art liegt bei 100 Prozent. Aufgrund ihrer einzigartigen Heilwirkung wurden einmal alle Ener-Chi Art Bilder für mehr als einen Monat am renommierten Abbot Northwestern Hospital in Minneapolis, Minnesota, ausgestellt. Um die gewünschten Ergebnisse zu erzielen, muss man sich einfach die Bilder anschauen.

Bitte beachten Sie, dass Ener-Chi Art nicht dazu gemacht ist die körperliche Verfassung an sich zu beeinflussen, sondern die Lebensenergie ‚Chi' in Balance zu halten, die allen physischen und geistigen Aktivitäten zugrunde liegt. Es gibt auch noch andere Verfahren, die das Chi wiederherstellen sollen, wie z. B. Akupunktur, Shiatsu, Tai Chi und Yoga. Ener-Chi Art ist möglicherweise eines der tiefgründigsten und sogleich wirksamsten Heilverfahren, um die Lebenskraft Chi in den folgenden Organen, Teilen und Systemen des Körpers in Balance zu halten.

- Rücken
- Leber
- Blut
- Lymphsystem
- Gehirn- & Nervensystem
- Muskulatur
- Ohren
- Nacken und Schulter
- Augen
- Nase & Nebenhöhlen
- Hormonsystem
- Atmungssystem
- Herz
- Dünndarm & Durchblutung
- Immunsystem
- Skelettsystem
- Gelenke
- Haut
- Nieren & Blase
- Milz
- Dickdarm
- Magen

Es gibt ein Bild für Allgemeine Gesundheit, eins um emotionale und physische Traumata umzuwandeln (mit Namen „Beyond the Horizon") und Bilder, um unsere Beziehung mit den Wasser- und Luftelementen, den Felsen & Bergen, dem Tierreich, dem Pflanzenreich und der Welt der Naturgeister zu balancieren.

Bei der Ener-Chi Art geht es darum, die verschiedenen fotografischen Bilder jeweils für ungefähr 30 Sekunden zu betrachten. (Weitere Informationen zum Thema Ener-Chi Art finden Sie in anderen Büchern, Produkten und Dienstleistungen des Autors.)

Ener-Chi ionisierte Steine

Ionisierte Ener-Chi Steine sind Steine und Kristalle, denen Energie verliehen wurde. Sie werden durch einen speziellen Prozess, den ich glücklicherweise als Teil des Ener-Chi Art Heilsystems einsetzen konnte, aktiviert und mit Lebenskraft getränkt.

Es wurde niemals zuvor versucht Steine zu aktivieren, da Steine und Felsen auf dem Gebiet der Heilung selten als hilfreich erachtet wurden. Und dennoch können Steine riesige Mengen Information und Energie fassen und veröffentlichen. Wenn sie einmal ionisiert, energiegeladen oder aktiviert sind, üben sie einen balancierenden Einfluss auf alles aus, mit dem sie in Kontakt geraten. Steine mit Energie zu laden kann ein wichtiger Schlüssel zum Überleben in einer Welt sein, deren Ökobilanz eine extreme Verschmutzung und Zerstörung durchlebt.

In den frühen Entwicklungsstadien der Erde enthielt jedes Materieteilchen innerhalb des Planetenmantels den Bauplan des kompletten

Planeten, genauso wie jede Zelle unseres Körpers im Innern ihrer DNA-Struktur den Bauplan unseres kompletten Körpers enthält. Die Bauplaninformationen sind immer noch im Innern jedes Materieteilchens enthalten – sie sind einfach nur in einen Ruhezustand verfallen. Der Ionisationsprozess weckt diese ursprünglichen Bauplaninformationen und ermöglicht eine Freisetzung der dazugehörigen Energien. In diesem Sinn sind ionisierte Ener-Chi Steine lebendig, bewusst und im Stande, jede natürliche Substanz zu kräftigen und auszugleichen, mit der sie in Berührung kommen.

Verwendungsmöglichkeiten für ionisierte Ener-Chi Steine

Ionisiertes Wasser trinken

Wenn Sie einen ionisierten Stein für ungefähr eine halbe Minute neben ein Glas Wasser legen, wird das Wasser ionisiert. Ionisiertes Wasser ist ein kraftvoller Reiniger, der die Verdauung und den Stoffwechsel unterstützt und dem ganzen Körper Energie verleiht.

Ionisierte Nahrungsmittel essen

Wenn Sie einen ionisierten Stein für ungefähr eine halbe Minute neben Ihr Essen legen, wird das Essen ionisiert und ausgeglichen. Aufgrund von Schadstoffpartikeln in unserer Atmosphäre und unserem Boden sind sogar natürliche Bio-Lebensmittel normalerweise etwas verunreinigt. Solche Nahrungsmittel sind auch vom Abbau unserer Ozonschicht und der Bestrahlung durch elektromagnetische Strahlung unserer planetaren Umgebung betroffen. Diese negativen Auswirkungen werden oft durch die Nutzung ionisierter Steine neutralisiert.

Ionisiertes Fußbad

Wenn Sie während eines Fußbads ionisierte Steine (vorzugsweise Kieselsteine mit abgerundeter Oberfläche) unter Ihre Fußsohlen legen, wird der Körper beginnen, Toxine abzubauen und Abfallprodukte in harmlose, organische Substanzen zu zersetzen. Sie können diese Prozedur durchführen, so oft Sie wollen, aber jedes Mal für mindestens 20 Minuten.

Heilbehandlungen steigern

Ionisierte Steine sind ideal, um die Wirkung eines Heilverfahrens zu steigern. Die „LaStone Therapie" ist beispielsweise eine neue, populäre Therapieform, die in einigen innovativen Kuren angeboten wird. Während dieser Therapie werden warme Steine auf Schlüsselenergiepunkte des Körpers platziert. Wenn diese Steine vor dem Auflegen ionisiert würden, würde sich die heilende Wirkung erhöhen. Tatsächlich ist es äußerst heilsam ionisierte Steine auf schwache oder schmerzhafte Bereiche des Körpers, inklusive der dazugehörigen Chakras, zu legen. Wenn bei einer Therapie Kristalle eine Rolle spielen, kann man ihre positiven Effekte noch verstärken, wenn man sie zuvor ionisiert.

Aura- und Chakrenausgleich

Wenn man einen ionisierten Stein oder Kristall für ungefähr eine halbe Minute auf den mittleren Bereich der Wirbelsäule legt, werden alle Chakras oder Energiezentren ausbalanciert und bleiben für mehrere Wochen oder sogar Monate im Gleichgewicht. Da ein Ungleichgewicht der Chakras und des Aurafelds eine Hauptursache für Gesundheitsprobleme ist, ist dieses Ausbalancierungsverfahren eine kraftvolle Art, die Gesundheit und das Wohlbefinden zu steigern.

Bringen Sie ihn an die Hauptwasserleitung Ihres Hauses an

Wenn Sie einen ionisierten Stein an die Hauptwasserleitung Ihres Hauses anbringen, wird das Wasser ionisiert. Dadurch wird ihm Energie verliehen und Sie können es leichter absorbieren.

Legen Sie ihn in oder in die Nähe des elektrischen Sicherungskastens Ihres Hauses

Wenn Sie einen größeren ionisierten Stein in, über oder unter den Sicherungskasten in Ihrem Haus platzieren, werden die schädlichen Effekte der elektromagnetischen Strahlung aufgehoben. Sie können mit Hilfe eines Muskeltests (siehe Gebrauchsanweisung für Ener-Chi Art) vor einem Fernseher oder Computer die Unterschiede überprüfen, indem Sie den Test durchführen, bevor und nachdem Sie den Stein platziert haben. Wenn Sie nicht an Ihren Sicherungskasten herankommen, können Sie einen Stein neben die Kabel Ihrer elektrischen Geräte oder in die Nähe der Steckdosen legen.

Verwendung in Verbindung mit Ener-Chi Art

Ionisierte Steine kann man benutzen, um die Wirkung von Ener-Chi Art Bildern zu erhöhen. Legen Sie einfach einen ionisierten Stein auf den Bereich des Körpers, für den Sie ein Ener-Chi Art Bild betrachten. Wenn Sie zum Beispiel das Ener-Chi Art Bild betrachten, das sich auf das Herz bezieht, halten Sie dabei einen ionisierten Stein über den Bereich des Herzens. Die Natur der Energien, die in den Bildern und den Steinen enthalten ist, ist ähnlich. Wenn man die Steine in Kombination mit den Bildern benutzt, wird ein Echo erzeugt, durch das die Gesamtwirkung erheblich gesteigert wird.

Eine bessere Umgebung schaffen

Wenn Sie einen ionisierten Stein für ungefähr eine halbe Minute in der Nähe der verschiedenen Geräte Ihrer Umgebung platzieren, können Sie eine energiereichere und ausgeglichenere Umgebung schaffen. Die ionisierten Steine beeinflussen nahezu alle natürlichen Materialien wie Holzböden, Holz- oder Metallmöbel, Steinwände, Ziegel- oder Steinkamine. Sie sollten besonders in der Nähe Ihres Computers oder in der Nähe anderer Arbeitsbereiche einen oder mehrere ionisierte Steine an strategisch günstigen Orten platzieren. Dasselbe gilt für Schlafplätze. Legen Sie einfach ionisierte Steine unter Ihr Bett oder Ihr Kissen.

Verbesserung des Pflanzenwachstums

Wenn Sie einen ionisierten Stein neben eine Pflanze oder einen Blumentopf platzieren, kann die Gesundheit und die Schönheit der Pflanze verbessert werden. Der Stein ionisiert automatisch das Wasser, das in der Pflanze enthalten ist, egal ob es sich um Zimmer- oder um Außenpflanzen handelt. Dasselbe gilt für Gemüsepflanzen und Bio-Gärten.

Die Schaffung von weiteren ionisierte Steinen

Sie können beliebig viele ionisierte Steine schaffen, wenn Sie einen „Samen-Stein" für 40 bis 50 Sekunden an andere Steine oder Kristalle halten. Ihre neuen Steine werden dieselben Effekte wie der Samen-Stein haben.

Sacred Santémony – Göttliches Singen für jede Gelegenheit

Sacret Santémony ist eine einzigartige Heilmethode, die spezifische Lautfrequenzen verwendet, um tiefe emotionale/geistige Ungleichgewichte auszugleichen. Die kraftvollen Worte, die man bei Sacret Santémony erzeugt, entstehen dadurch, dass das gesamte Gehirn die Buchstaben der alten Sprache benutzt – eine Sprache, die aus den grundlegenden Tönen besteht, die alle physischen Manifestationen hervorbringen. Die Buchstaben der alten Sprache vibrieren auf viel höherer Ebene als unsere modernen Sprachen und wenn man sie miteinander verbindet, um ganze Wörter zu bilden, erzeugen sie Gefühle des Friedens und der Harmonie (Santémony). Somit werden die Stürme der Ruhelosigkeit, Gewalt und des Aufruhrs sowohl innerlich als auch äußerlich beruhigt.

Im April 2002 begann ich damit, spontan Töne zu singen, die bestimmte Gesundheitszustände verbessern sollten. Diese Töne ähnelten den Gesängen amerikanischer Ureinwohner, tibetanischer Mönche, vedischer Pandite (Sanskrit) und Sprachen anderer Sternsysteme (auf der Erde unbekannt). Innerhalb von zwei Wochen war ich imstande, Töne hervorzubringen, die sofort emotionale Blockaden und Widerstände oder Abneigung gegen bestimmte Situationen und Menschen, Nahrungsmittel, Chemikalien, Denkweisen, Überzeugungen usw. entfernen konnten. Im Folgenden finden Sie nur einige Beispiele dafür, wie Sacret Santémony Ihnen helfen kann:

- » Verringert oder entfernt Ängste, die mit Tod, Krankheit, Körper, Nahrungsmitteln, schädlichen Chemikalien, Eltern und anderen Menschen, Wohlstandsverlust, Verarmung, Phobien, Umweltrisiken, der Zukunft und der Vergangenheit, instabilen wirtschaftlichen Entwicklungstrends, politischen Unruhen usw. zusammenhängen.

- » Reinigt oder reduziert frischen oder gegenwärtigen Schmerz, Enttäuschung oder Wut, die sich aus einem vergangenen emotionalen Trauma oder negativen Lebenserfahrungen ergeben.

- » Die Reinigung der *Akasha-Aufzeichnungen* (eine Aufzeichnung im Bewusstsein aller Erfahrungen, die die Seele in allen Leben gesammelt hat) von den ständigen Angstelementen, besonders von der Idee und dem Konzept, dass wir alle von dem getrennt (und nicht eins) sind, was wir Geist, Gott oder unser Höheres Selbst nennen.

- » Schafft für Sie die Voraussetzungen zur Lösung Ihrer Karma-Probleme, nicht durch Schmerz und Leid, sondern durch Kreativität und Freude.

- » Bessert oder bereinigt Allergien und Unverträglichkeiten auf Lebensmittel, chemische Substanzen, Pestizide, Herbizide, luftfremde Stoffe, Strahlung, Medikamente, pharmazeutische Nebenprodukte usw.

- » Gleicht psychisch-emotionale Ursachen aller chronischen Krankheiten, einschließlich Krebs, Herzerkrankung, MS, Diabetes, Arthritis, Gehirnstörungen, Depression, usw. aus.

- » Legt andere Schwierigkeiten oder Barrieren im Leben bei, indem es hilft sie in nützlichen Segen „umzuwandeln", was sie in Wahrheit ja auch sind.

Bienenwachs – Bei Asthma, Allergien und Problemen mit den Nebenhöhlen

Vor Hunderten von Jahren wurden die meisten Kerzen aus Bienenwachs hergestellt. Aber im Laufe der letzten wenigen Jahrhunderte ersetzte man Bienenwachskerzen allmählich durch Talglichter (aus Tierfett hergestellt) und im letzten Jahrhundert durch Paraffinkerzen. Paraffin wird aus Schlamm hergestellt, der sich an der Unterseite von Rohölfässern befindet. Der Schlamm wird dann mit Benzol gebleicht und mit anderen chemischen Lösungsmitteln behandelt. Wenn Sie Paraffinkerzen verbrennen, stoßen sie zusammen mit Toxinen und Karzinogenen, inklusive sehr schädlichen Chemikalien, Ruß und Rauch aus. Diese Stoffe werden durch die häufig verwendeten Bleikerndochte verstreut (studiert & berichtet von der *University of Michigan*). Wenn der von den Paraffinkerzen erzeugte schlechte Geruch (vergleichbar mit Dieselgestank) nicht durch synthetische Düfte (zum Großteil aus Reiz- und Giftstoffen bestehend) übertüncht würde, würden Sie Paraffinkerzen wahrscheinlich nie anzünden. Und wenn Sie gewusst hätten, dass sich Ruß, Rauch und chemische Rückstände dieser Kerzen in Wänden, Decken und Lüftungskanälen festsetzen können und sich jedes Mal, wenn Sie Ihr Heiz-/Kühlsystem anmachen, verteilen, hätten Sie wahrscheinlich nie eine solche Kerze angezündet. Nun wissen Sie es aber.

Kerzen aus reinem Bienenwachs verursachen keines dieser Probleme. Ganz im Gegenteil, sie wirken wahrhaft heilend auf das Atmungssystem. Nur durch das Anzünden einer Bienenwachskerze konnten Menschen, die unter Asthma, Allergien und Sinus-Problemen leiden, von erheblichen Besserungen ihrer Symptome berichten. Sie konnten viel leichter atmen und schlafen, nachdem sie einige Stunden vor dem Zubettgehen reine Bienenwachskerzen in ihren Schlafzimmern angezündet haben. Manche Asthmatiker behaupten, dass ihre Symptome völlig verschwanden, nachdem sie Bienenwachskerzen über einen Zeitraum von mehreren Tagen oder Wochen (tagsüber) brennen ließen. Offensichtlich erzeugt brennendes Bienenwachs negative Ionen. Negative Ionen sind die Staubsauger der Natur. Sie reinigen die Luft von Staub, Schimmel, Viren, Bakterien und anderen Schadstoffen, die für zahlreiche chemische Empfindlichkeiten verantwortlich sind.

Damit Kerzen diese luftreinigende Wirkung aber haben, müssen sie aus 100 Prozent Bienenwachs bestehen. Viele Bienenwachskerzen enthalten nur 51 Prozent Bienenwachs. Diese Menge ist ausreichend, damit Produzenten die Kerzen als Bienenwachskerzen etikettieren dürfen.

Wenn Sie eine Bienenwachskerze anzünden, verbreitet sie einen erfrischenden Geruch und erzeugt kaum Qualm. Obwohl Bienenwachskerzen teurer sind als normale Kerzen auf Paraffinbasis, halten sie viel länger und verbessern selbstverständlich Ihre Gesundheit, anstatt sie zu schwächen. Bienenwachs wird von der amerikanischen Lungengesellschaft als therapeutisches Produkt empfohlen.

Wie man mit Elektrosmog umgeht

Veränderungen der Umwelt und der Erde, sowie das Leben in ungesunden Häusern und verkehrsreichen Städten, haben unsere Aufnahme magnetischer Energie gesenkt. Magnetische Energie hält unsere Zellen am Leben und unsere Gedanken klar und verständlich. Zusätzlich dazu, dass wir in einem gestörten Magnetfeld leben, sind wir auch schädlichen niederfrequenten Magnetischen (EM) Feldern von 50-60 Herz (Hz) ausgesetzt, die durch Elektrizität erzeugt werden. Dieser menschengemachte elektrische Strom erzeugt „Elektroverschmutzung", die durch Computerzubehör, Fernsehübertragungen, AM-Radiowellen, Handys und verschiedene Heim- und Industriegeräte wie Haartrockner, elektrische Toaster und Mikrowellengeräte ausgestrahlt wird.

Wenn Sie zufällig in einem Zimmer schlafen, in dem ein Fernseher steht der an die Steckdose angeschlossen ist, kann Ihr Körper eine elektrische Ladung von bis zu 105 Volt aufbauen! Dasselbe kann passieren, wenn Sie neben einem elektrischen Wecker oder einer Nachttischleuchte liegen. Eine eingeschaltete elektrische Heizdecke kann sogar die elektrische Ladung in Ihrem Körper verdoppeln oder verdreifachen. Da Sie in Ihrem Bett liegen, sind Ihre Füße nicht in direktem Kontakt mit dem Fußboden. Das hält Sie praktisch davon ab, diese Ladung zu verteilen. Wenn man regelmäßig solch anormalen Spannungen ausgesetzt wird, kann dies zu Verwirrungen in den elektrischen Schaltkreisen des Körpers, zur Unterdrückung der richtigen Immunaktivität und zu Störungen wie Krebs führen. Schlecht abgeschirmte Elektrokabel in Wänden oder Fußböden können ähnliche Effekte haben. Daher ist es am besten, alle elektrischen Geräte oder alles Zubehör aus dem Schlafzimmer zu entfernen.

Idealerweise sollte man über Nacht die Sicherung für das komplette Zimmer herausdrehen, besonders wenn Sie Schwierigkeiten haben zu schlafen. Wenn Sie nicht sicher sind, ob Ihre elektrischen Kabel sicher sind oder nicht, sollten Sie sich für die letzte Möglichkeit entscheiden. Oder wenden Sie sich an einen Experten, der die Sicherheit Ihrer unmittelbarsten Umgebung messen kann. Als ich eines meiner vorherigen Häuser auf Elektroverschmutzung überprüften ließ, war ich überrascht, dass der schlimmste Übeltäter nicht mein Computer, sondern die ungeerdeten elektrischen Neonleuchten waren. Wenn Sie ionisierte Ener-Chi-Steine auf die zuvor erklärte Weise nutzen, können diese Ihnen dabei helfen sich gegen die schädlichen Effekte eines niederfrequenten EM-Felds zu schützen und das magnetische Feld um Sie herum auszugleichen.

Elektromagnetische Störungen im Körper können ebenfalls dadurch ausgelöst werden, dass Sie einer zu großen Menge chemischer

Verschmutzung ausgesetzt sind. Wie Sie vielleicht wissen, ist der Verschmutzungsgrad im Innern der meisten modernen Häuser und Arbeitsstätten in vielen Fällen höher als die Außenverschmutzung. Fügen Sie zu diesen Schadstoffen die schädlichen Chemikalien hinzu, die in Kosmetika, Deodorants und Parfüms, Kleidung, Essen, Wasser und Luft enthalten sind und die unser Körper jeden Tag aufnimmt. Sogar ein gesunder Körper wird schließlich der Überdosis solcher Stress- und Zwangsformen erliegen. Obwohl viele von uns nicht völlig vermeiden können in einer verschmutzten Umwelt zu leben, können wir dennoch eine direkte Aussetzung auf ein Minimum reduzieren. Wir haben die Kontrolle darüber was wir tragen, essen, trinken, auf unsere Haut und unser Haar auftragen und wie viel Zeit wir draußen an der frischen Luft verbringen. (Für weitere, vertiefende Informationen über elektromagnetische Felder lesen Sie bitte das Buch des Autors: *It's Time to Come Alive*.)

Wie man die negativen Auswirkungen der Ley-Linien vermeidet

Wenn Sie unter unerklärlichen, wiederkehrenden Gesundheitsproblemen wie Kopfschmerzen, Reizbarkeit, Depression oder anderen anhaltenden Erkrankungen leiden, kann es sein, dass Sie auf oder über einer Ley-Linie arbeiten oder schlafen. Ley-Linien sind potenzielle Schadensquellen „langsamer" Frequenzenergien. Langsame Frequenzenergien können leicht in den Körper eindringen und sein elektromagnetisches Feld verfälschen. Einige dieser Energien werden außerhalb unseres Hauses erzeugt und andere entstehen im Inneren unseres Hauses oder im Arbeitsumfeld. Dazu zählen geografische Stresspunkte, Ley-Linien und verzerrte Bodenenergien.

Auf einer Ley-Linie zu schlafen kann besonders schädlich sein, da solch eine Energiequelle die biochemischen Prozesse und Energiesysteme des Körpers für 8 bis 10 Stunden pro Tag stören kann. Beziehungsstress und Krankheiten von Körper und Geist treten mit größerer Wahrscheinlichkeit dann auf, wenn Sie für längere Zeit (beispielsweise mehrere Jahre) solch störenden Energien ausgesetzt sind. Genetische Schwächen oder verborgene physische Probleme können sich plötzlich als Migräne, Geschwüre, Krampfadern oder Krebs äußern. Wenn man einen kleinen Spiegel vor und in Richtung einer Ley-Linie stellt oder wenn man das Bett von solch einer Stresslinie wegschiebt, kann das zu plötzlicher Genesung führen. Im Folgenden finden Sie einige Beispiele von Ley-Linienproblemen, die durch einfaches beiseiteschieben des Betts beseitigt wurden:

- Eine 55-jährige Witwe magerte innerhalb von zwei Jahren auf unerklärliche Weise von 70 auf 44 Kilogramm ab. Sie litt unter schwerem, schmerzhaftem und blutigem Durchfall. Alle ärztlichen Behandlungen scheiterten. Ihr Zustand wurde lebensbedrohlich. Eine Suche nach Ley-Linien in ihrem Haus offenbarte zwei Ley-Linien, die ihr Bett kreuzten. Das Bett wurde um zwei Meter verschoben. Eine Woche später hörten ihre Darmblutungen auf. Nach einem Monat hatte sie keine Schmerzen mehr und begann kontinuierlich zuzunehmen.
- Eine junge Frau litt viele Jahre unter schweren Albträumen und Schlafproblemen. Nach dem ihr Bett um 50 Zentimeter verschoben wurde, hörten die Albträume auf und sie konnte wieder normal schlafen.
- Ein 40-jähriger Unternehmer hatte chronische Herzbeschwerden mit Herzkrämpfen, Panikattacken und Kreislaufproblemen. Alle Beschwerden verschwanden spontan innerhalb von zwei Wochen, nachdem sein Bett von einer Ley-Linie geschoben wurde.

Im Laufe der letzten Jahre habe ich viele Häuser und Büros besucht, in denen Ley-Linien physische und psychische Probleme verursacht haben. In den meisten Fällen reichte es aus, nur einen kleinen Spiegel hinzulegen oder das Bett oder den Bürostuhl ein wenig zu verschieben, um die Auswirkungen einer Ley-Linie zu neutralisieren. Das führte zu deutlichen Verbesserungen dieser Zustände und in einigen Fällen sogar zur vollständigen Genesung. Ich halte es für wichtig das Haus oder den Arbeitsplatz einer Person auf solche Störungen zu untersuchen, da sie nicht nur zu Krankheiten beitragen, sondern sie auch verursachen können. Es gibt eine steigende Anzahl von Experten, die die genaue Position von Ley-Linien bestimmen können. Aber die Methode des Spiegellegens ist immer noch wenig bekannt. Sie können sich mit dem nächsten Zentrum für alternative Therapien in Verbindung setzen; dort können Sie vielleicht die Kontaktdaten eines zuverlässigen und vertrauenswürdigen Ley-Linienspezialisten bekommen. Wenn Sie sich nicht sicher sind, ob eine Ley-Linie Ihre Gesundheit beeinflusst, können Sie Ihr Bett und/oder Ihren Schreibtisch nebst Stuhl für ein paar Tage um 30 bis 60 Zentimeter verschieben. Wenn Sie sich dadurch anders fühlen, haben Sie sich selbst und Ihrer Gesundheit ein großes Geschenk gemacht.

Notwendige Voraussetzungen zur Krankheitsheilung

Die Heilkraft Ihres Körpers liegt immer in Ihrem Innern – das bewusste Wesen, das den physischen Körper als Instrument benutzt, um seine Individualität und Bestimmung auszudrücken. Wahre Heilung hat nichts mit dem Unterdrücken von Krankheitssymptomen zu tun. Man kann wahre Heilung auch nicht erzwingen, selbst durch die besten Behandlungen nicht. Für wahre Heilung müssen die Voraussetzungen für die Heilung bereits vorhanden sein. Nachfolgend finden Sie einige der wichtigsten Hinweise dafür, wie Sie diese Heilkraft in Ihrem Innern aktivieren können:

1. Bevor Sie eine Krankheit heilen können, müssen Sie sie akzeptieren. Die Akzeptanz Ihrer Krankheit ist kein Zeichen von Resignation oder Passivität, was nur zu Depressionen und Angst führen würde. Die Akzeptanz Ihrer Krankheit zeigt eher, dass Sie dazu bereit sind, Verantwortung für sich selbst und Ihre Situation zu übernehmen. Das wird Ihnen helfen, Ihren Körper mit Gefühlen von Mitgefühl, Liebe, Zärtlichkeit und Energie zu durchtränken. Indem Sie den momentanen Zustand akzeptieren, erlauben Sie Ihren eigenen Heilenergien in Ihren Körper zu strömen und ihn in einen ruhigen, entspannten Zustand zu versetzen, den er benötigt, um in einen Gleichgewichtszustand (Equilibrium) zurückzukehren. So lange Sie glauben, ein Opfer von Unglück, Nahrung, Medizin oder sogar Karma (Auswirkungen vergangener Handlungen) zu sein, sind Sie weit davon entfernt geheilt zu werden. Die Ablehnung einer Krankheit stärkt nur Ihren Widerstand gegen die Krankheit. Das ist für Körper und Geist anstrengend und versetzt alle Zellen Ihres Körpers in einen Selbstverteidigungsmodus. Stress untergräbt Immunfunktionen und verhindert den Heilungsprozess. Indem Sie Ihre Krankheit akzeptieren, werden Sie nicht mehr in Angst und Unsicherheit leben müssen, Sie werden sich selbst unter Kontrolle haben. Das wird Ihnen auch dabei helfen, die wahren Gründe hinter Ihrer Krankheit zu verstehen.
2. Anstatt Krankheiten als negative Ereignisse zu sehen, die man bekämpfen muss, müssen Sie sie als Gelegenheit sehen, schwache und unterentwickelte Bereiche des Körpers zu stärken. ‚Umwege' können Sie in wichtige Bereiche führen, die Sie sonst auslassen würden. Wenn man eine Krankheit zurückweist oder bekämpft, weist man auch die Gelegenheiten zurück, die Krankheiten immer mit sich bringen. Da Krankheiten keine Machtbefugnisse oder Programme haben, außer Ihren Körper und Geist zu heilen, sollten Sie besser mit der Krankheit arbeiten, anstatt dagegen. Physische Heilung ist mit der Reparatur be-

schädigter und mit dem Wachstum neuer Zellen verbunden. Während des Heilungsprozesses haben Sie die Gelegenheit stärker, entspannter, friedlicher und zufriedener zu werden. Geistiges und emotionales Wachstum als Resultat einer Krankheit minimiert außerordentlich die Notwendigkeit für weitere Umwege, wie z. B. wiederholte oder neue physische Störungen.

3. Da die Krankheit nur der Versuch Ihres Körpers ist, Ihr Leben in eine bessere und erfülltere Richtung zu lenken, gibt es keinen Grund sie zu fürchten oder sich über sie zu ärgern. Ihr Körper tut was er kann, um es leichter für Sie zu machen und Ihnen zu helfen, wieder einen ausgeglichenen Zustand zu erlangen. Aus diesem Grund können Sie außerordentlich davon profitieren, sich oder Ihren Körper nicht dafür zu verurteilen, dass er eine solche Heilkrise durchläuft. Sie sind auf keinen Fall Opfer. Ihr Körper ist immer auf Ihrer Seite, niemals gegen Sie. Machen Sie Ihren Körper zu Ihrem Freund und hören Sie auf, ihn wie einen Feind zu behandeln. Lassen Sie sich nicht von medizinischen Konzepten zum Narren halten, die von Autoimmunerkrankungen berichten, die dafür sorgen, dass der Körper sich selbst attackiert! Der Körper handelt nicht absichtlich selbstmörderisch, es sei denn, dass Sie solche Absichten hegen (bewusst oder unbewusst). Stattdessen greift der Körper lediglich die Toxine an, die sich in den Gelenken, Blutgefäßen, Lymphbahnen oder den Zellen angesiedelt haben. Die daraus resultierende Entzündung stellt bloß eine Überlebensstrategie dar und sollte nicht als Krankheit missverstanden werden, selbst wenn es sich um Schmerz, Infektion oder Krebszellenproliferation handelt. Stehen Sie Ihren Heilungsfähigkeiten positiv und friedlich gegenüber und vertrauen Sie darauf, dass Ihr Körper immer daran arbeitet Sie wieder gesund zu machen. Ihre Krankheit kann Ihr persönlicher Begleiter zu einer neuen Bestimmung oder Orientierung im Leben sein. Ein kluger Mann sagte einmal: „Krankheit ist Gottes Art, Ihre Aufmerksamkeit zu erlangen!" Sobald Sie Ihrer Krankheit Aufmerksamkeit schenken und sie als verkleideten Segen akzeptieren, statt sie als Ärger oder Bedrohung zu betrachten, wird sie Ihnen ihren innewohnenden Zauber offenbaren und Ihnen sicher dabei helfen, Ihr Leben auf eine liebenswürdigere und pfleglichere Art zu leben.
4. Vermeiden Sie physisches Wohlbefinden zu Ihrem Lebensziel zu machen; betrachten Sie es lieber als Prozess. Wenn man die Gesundheit als ein Ziel betrachtet, um das man kämpfen muss, ist man auch mit der Vorstellung verbunden, dass etwas Grundlegendes mit dem Körper nicht stimmt. Nehmen Sie beispielsweise Schmerzen nicht als Anzeichen für eine Krankheit wahr, sondern betrachten Sie sie viel-

mehr als eine gesunde Reaktion des Körpers, der sich in diesem Moment mit einer unausgewogenen Situation befasst. Krankheit ist nur ein Heilungsprozess, den der Körper durchläuft. Wenn Sie versuchen der Gegenwart zu entkommen und eine bessere Zukunft zu erreichen, entziehen Sie Ihrem Körper bloß Energien, die er dringend zu Ihrer Heilung benötigt. Sich wohl zu fühlen ist eine Frage des Augenblicks und kein erfundener, futuristischer Traum. Das Jetzt ist das einzige, dessen Sie sich im Leben sicher sein können und es ist perfekt auf Sie zugeschnitten, auch wenn es sich nicht so anfühlt. Wenn Sie etwas wie eine Krankheit ablehnen oder sich dagegen sträuben, werden Sie immer wieder damit zu tun haben, bis Sie im Stande sind die Angst loszulassen, die hinter Ihrem Widerstand lauert. Wenn Sie die Krankheit jedoch annehmen, egal wie sie sich auch äußert, wird es Ihnen nutzen. Sich dem Ziel zu widmen, irgendwann in der Zukunft gesund zu werden, ist unrealistisch, da es Sie in eine Realität versetzt, die noch nicht geschehen ist. Im Leben geht es nicht darum, einen vollkommenen physischen Körper zu erlangen, sondern darum, sehr gut mit seinen Unvollkommenheiten leben zu können. Das ist wahre Gesundheit. Energie folgt den Gedanken. Für ein Ziel zu leben, wie den Versuch eine Krankheit loszuwerden, raubt dem Körper Ihre Aufmerksamkeit und deshalb auch die Energie, die er zur Selbstheilung und Unterstützung benötigt. Wenn Sie jedoch im Jetzt leben, ist Ihre volle Aufmerksamkeit dem Körper gewidmet. Das ist alles, was die Zellen Ihres Körpers wissen und fühlen müssen, um den ihnen zugeteilten Job auszuführen oder fortzusetzen. Zellen, die man mit liebevoller, sorgsamer Aufmerksamkeit „füttert", glauben, dass Sie präsent und lebendig sind. Im Gegensatz dazu werden Zellen, die man dafür angreift Sie „leiden zu lassen (durch harsche Wörter, Wut und Drohungen oder durch Medikamente, Operationen und Strahlung), in ihrem Heilungsvermögen gelähmt. Die Zellen glauben, dass Sie sie ablehnen oder hassen und möchten, dass Sie sterben. Zellen sind lebendige, bewusste Wesen, genau wie Sie es sind. Indem Sie sich vollkommen urteilsfrei, aber mit liebevoller Akzeptanz um Ihre Krankheit zum gegenwärtigen Zeitpunkt kümmern, programmieren Sie Ihre Zellen automatisch, einen Heilprozess vorzunehmen.

Allzweck-Heilbad mit Salz

Anweisungen:

- Geben Sie eine Tasse reines Meersalz (oder Himalajasalz) in einen Kochtopf (Pyrex Glas oder rostfreier Edelstahl) und erhitzen Sie es bei niedrigster Stufe.
- Rühren Sie das Salz vorsichtig und ständig um, vorzugsweise mit einem Holzkochlöffel (das Salz wird heiß werden). Stellen Sie sicher, dass der Herd auf niedrigster Stufe steht. Die Hitze wird die Energiekapseln sprengen, die sich im Innern des Salzes befinden und sie freisetzen. Das kann ungefähr 10 Minuten dauern. Wenn Sie energieempfindlich sind, werden Sie merken, wenn die Energiekapseln geöffnet und freigesetzt werden. An dieser Stelle nehmen Sie den Topf von der Herdplatte und schütten das Salz in eine kleine Glasschüssel (es muss Glas sein).
- Gießen Sie nun etwas Wasser in die Schüssel. Rühren Sie das Salz dabei vorsichtig für ungefähr 5 bis 10 Sekunden um.
- Füllen Sie Ihre Badewanne (oder Ihren Whirlpool) mit warmem Wasser und geben Sie das Salz aus der Glasschüssel in die Wanne. Bewegen Sie das Badewasser mit Ihren Händen. Sorgen Sie dafür, dass niemand außer Ihnen das Badewasser berührt.
- Geben Sie zusätzlich dazu ein wenig Salz (1/2 Teelöffel) in ein Glas oder eine Schüssel mit Wasser (120 bis 180 ml) und stellen Sie es in die Nähe der Wanne, wo Sie es leicht erreichen können, während Sie baden. Legen Sie sich in die Badewanne und bleiben Sie dort für eine halbe Stunde (30 Minuten) liegen. Entspannen Sie sich und stellen Sie sich vor, wie die Energie des Salzes Sie umarmt, in Ihre Zellen, Atome, Aura, Geist, usw. eindringt und dabei Ihre Gedanken, Gefühle und Ihren physischen Körper reinigt. Sorgen Sie dafür, dass Füße und Hals vollständig von Wasser bedeckt sind.
- Disharmonische, schädliche Energien werden beginnen, aus Ihnen herauszuströmen. Vielleicht wird Ihnen ein wenig schwindelig sein oder Sie werden etwas Schmerz verspüren; das ist gut so. Das sind alles Dinge, die aus Ihnen herauskommen; manchmal können sie schwer und unbequem sein. Seien Sie darauf vorbereitet, falls es geschieht.
- Wenn Sie zu irgendeinem Zeitpunkt feststellen, dass etwas Schweres oder Dunkles aus Ihnen herauskommt, legen Sie eine Ihrer Hände auf das Glas mit dem Salzwasser neben Ihnen bis das Gefühl oder die Empfindung vorüber ist. Das Salz im Wasserglas wird diese Energien absorbieren.
- Sobald Sie fertig gebadet haben, gießen Sie das Salzwasser aus dem

Wasserglas neben Ihnen in die Toilette. Waschen Sie die Schüssel/das Glas aus und leeren Sie Ihre Badewanne. Stellen Sie sicher, dass die komplette Wanne sauber ist und keine Salzrückstände übrig bleiben.

- Sie können dieses Heilbad nach Bedarf wiederholen. Sie können auch für andere Situationen Salz verwenden. Es empfiehlt sich, einen Teller oder eine kleine Glasschüssel mit Salz an dem Ort aufzubewahren, wo Sie arbeiten oder viel Zeit verbringen. Weil Salz negative Energien absorbiert, ist es wichtig, es idealerweise jeden Tag zu wechseln. Decken Sie das Glas nicht ab. Wenn Sie möchten, können Sie mit den Salzmolekülen kommunizieren, die Ihren Geist verwenden. Sie können ihnen befehlen, alle disharmonischen Energien in Ihrem Haus, Büro usw. zu absorbieren. Salz besitzt erstaunliche Kräfte, derer sich die meisten Menschen nicht bewusst sind.
- Wenn man es eine Zeit lang um das Haus verteilt, dämmt Salz schädliche Energien ein. Sie können auch Gegenstände (einschließlich Kleidung) reinigen, indem Sie sie für kurz Zeit in Salzwasser tauchen.

Index-Stichwortverzeichnis

A

B

C

V

W

X

Y

Z

Produkthinweise

Als Verlag distanzieren wir uns aus rechtlichen Gründen von detaillierten Produkthinweisen. Einige Stoffe und Materialien sind in Europa nicht zugelassen und unterstehen dem landesbezogenen Arzneimittelgesetz. Ebenso distanzieren wir uns von Internet-Links zu anderen Anbietern, da wir die Aktualität dieser Seiten nicht gewährleisten können.

Bezugsquellen

Unverbindliche Empfehlung:.

Herbathek®
NATÜRLICH GESUND

http://www.herbathek.com

Bisher im Breuss Verlag erschienen:

Zeitlose Geheimnisse der Gesundheit und Verjüngung

Band 2
4. Auflage

978-3-95483-022-0

Heile dich selbst mit Sonnenlicht

1. Auflage 06.2013

978-3-95483-007-7

Zeitlose Geheimnisse der Gesundheit und Verjüngung

Gesamtausgabe / Hardcover
4. Auflage

978-3-95483-030-5

Wohlfühlen und Abnehmen

1. Auflage 04.2013

ISBN 978-3-95483-008-4

Notizen

Notizen

491

Notizen

Notizen

Notizen

Notizen

Notizen